Verbroken

Karin Slaughter

Verbroken

Vertaald door Ineke Lenting

2010
DE BEZIGE BIJ
AMSTERDAM

Cargo is een imprint van uitgeverij De Bezige Bij, Amsterdam

Copyright © 2010 Karin Slaughter
Copyright Nederlandse vertaling © 2010 Ineke Lenting
Oorspronkelijke titel *Broken*
Oorspronkelijke uitgever Delacorte Press
Omslagontwerp Marry van Baar
Omslagillustratie Susie Kim
Foto auteur Alison Rosa
Vormgeving binnenwerk Peter Verwey, Heemstede
Druk Koninklijke Wöhrmann, Zutphen
ISBN 978 90 234 5870 8
NUR 305

www.uitgeverijcargo.nl

Voor Victoria

PROLOOG

Het was bijna Thanksgiving en het liefst was Allison Spooner de stad uit gegaan, maar ze zou niet weten waar naartoe. Niet dat ze ook maar één reden had om te blijven, maar het was tenminste goedkoper. Dan had ze tenminste een dak boven haar hoofd. Ze had een kamer van niks, maar de verwarming deed het, tenminste af en toe. Dan kon ze tenminste warm eten op haar werk. Tenminste, tenminste, tenminste... Waarom ging het in haar leven altijd om het minste? Zou er ooit een tijd aanbreken waarin het om het meeste ging?

De wind trok aan en ze balde haar vuisten in de zakken van haar dunne jack. Het regende niet echt, maar er hing een kille, vochtige nevel die je het gevoel gaf dat je in een hondenneus rondliep. De ijzige kou van Lake Grant maakte het er niet beter op. Telkens als de wind opstak, was het alsof er botte scheermesjes in haar huid sneden. En dat in het zuiden van Georgia; het leek verdomme de Zuidpool wel.

Terwijl ze zich met moeite overeind hield op de met bomen begroeide oever was het alsof elke golf die tegen de drassige grond klotste de temperatuur weer een graad liet dalen. Ze vroeg zich af of haar dunne schoenen voldoende bescherming boden tegen bevroren tenen. Op tv had ze een man gezien van wie alle vingers en tenen waren afgevroren. Hij zei dat hij blij was dat hij nog leefde, maar mensen zeggen nou eenmaal alles om op tv te kunnen komen. Zoals het er nu met Allison voor stond was het enige programma waarvoor zij in aanmerking kwam het avondnieuws. Er zou een foto vertoond worden – waarschijnlijk die lelijke uit het jaarboek van de middelbare school – met de tekst 'Tragische dood' ernaast.

Het ontging Allison niet hoe ironisch het was dat ze dood kennelijk interessanter was dan levend. Er was niemand die ook maar een moer om haar gaf: zoals ze haar magere kostje bij elkaar scharrelde, zoals ze eeuwig strijd leverde om haar colleges bij te houden terwijl ze tegelijkertijd al haar andere verantwoordelijkheden probeerde na te komen. Het zou niemand iets kunnen schelen, tenzij ze verstijfd op de oever van het meer aanspoelde.

Weer kwam de wind opzetten. Allison keerde zich met haar rug naar de kou, die met ijzige vingers tussen haar ribben priemde, haar longen samenperste. Een huivering trok door haar heen. Haar adem vormde een wolk voor haar gezicht. Ze sloot haar ogen. Klappertandend dreunde ze al haar problemen op.

Jason. Studie. Geld. Auto. Jason. Studie. Geld. Auto.

De mantra hielp haar door de snijdende windvlaag heen. Allison opende haar ogen. Ze draaide zich om. Het werd sneller donker dan ze gedacht had. Ze draaide zich nog verder om, tot ze met haar gezicht naar de hogeschool stond. Zou ze teruggaan? Of doorlopen?

Ze koos voor het laatste en ineengedoken liep ze tegen de gierende wind in.

Jason. Studie. Geld. Auto.

Jason: haar vriendje was van de ene op de andere dag in een klootzak veranderd.

Studie: als ze niet meer tijd in haar studie stak, zou ze voor alle examens zakken en moeten stoppen.

Geld: als ze nog minder uren ging werken kon ze niet in haar levensonderhoud voorzien, laat staan studeren.

Auto: er was die ochtend rook uit haar auto gekomen toen ze hem startte, wat niet zo bijzonder was, want er kwam al maandenlang rook uit, maar deze keer zat de rook aan de binnenkant en kwam hij uit de verwarmingsroosters. Ze was bijna gestikt toen ze naar college reed.

Allison sjokte door en bij de bocht in de oever voegde ze 'bevriezing' aan haar lijst toe. Telkens als ze met haar ogen knipperde, was het alsof haar oogleden door een dun laagje ijs sneden. *Jason. Studie. Geld. Auto. Bevriezing.*

De angst voor bevriezing was op dat moment het meest reëel, hoewel ze met enige aarzeling moest toegeven dat ze steeds warmer werd naarmate ze zich er meer zorgen om maakte. Misschien ging haar hart sneller kloppen of ging ze zelf sneller lopen nu het begon te schemeren en het tot haar doordrong dat al dat gejank over sterven van de kou weleens zou kunnen uitkomen als ze niet als de sodemieter opschoot.

Klauterend over een wirwar van wortels die half in het water hingen, stak Allison haar hand uit om steun te zoeken bij een boom. De schors voelde nat en sponzig. Die middag had een klant een hamburger teruggestuurd omdat het broodje volgens hem te sponzig was. Het was een grote, norse kerel, van top tot teen in jagerstenue, niet het soort man van wie je een woord als 'sponzig' verwachtte. Hij had met haar staan flirten en zij had teruggeflirt, en toen hij vertrok gaf hij vijftig cent fooi boven op de tien dollar voor zijn lunch. Hij had zelfs naar haar geknipoogd toen hij de deur uit liep, alsof hij haar een gunst bewees.

Ze wist niet hoe lang ze dit nog volhield. Misschien kreeg haar grootmoeder toch gelijk. Meisjes als Allison gingen niet studeren. Die hadden een baantje in de bandenfabriek, liepen een man tegen het lijf, raakten zwanger, trouwden, baarden nog een paar kinderen en gingen weer scheiden, soms in die volgorde, soms niet. Als ze geluk hadden, werden ze niet al te hard geslagen.

Wilde ze zo'n soort leven? Het was wel het soort leven dat haar in het bloed zat. Het soort dat haar moeder had geleid. En haar grootmoeder. En niet te vergeten haar tante Sheila, tot die een geweer op oom Boyd richtte en bijna zijn kop eraf schoot. Elk van de drie Spoonervrouwen had op zeker moment alles opgeofferd voor een of andere waardeloze vent.

Allison had het zo vaak met haar moeder zien gebeuren dat ze tegen de tijd dat Judy Spooner voor het laatst in het ziekenhuis lag en haar binnenste helemaal door de kanker was weggevreten, alleen nog maar kon denken dat het leven van haar moeder één grote verspilling was geweest. Ze zag er afgeleefd uit. Op haar achtendertigste was haar dunne haar al bijna helemaal grijs. Haar huid was vaal. Haar handen leken wel klauwen door het werk in de bandenfabriek, waar ze de ene na de andere band van de productielijn tilde, de spanning controleerde en het ding weer teruglegde, meer dan tweehonderd keer per dag, zodat elk gewricht in haar lichaam pijn deed tegen de tijd dat ze 's avonds in bed kroop. Achtendertig was ze, en ze was blij met haar kanker. Blij dat ze niet meer hoefde.

Een van de laatste dingen die Judy tegen Allison zei was dat doodgaan een opluchting was, want dan hoefde ze niet langer alleen te zijn. Judy Spooner geloofde in de hemel en in de verlossing. Ze geloofde dat haar grindpad en haar leven in het woonwagenpark op een dag plaats zouden maken voor straten van goud en hemelse paviljoenen. Het enige wat Allison geloofde was dat ze nooit genoeg had betekend voor haar moeder. Judy's glas was eeuwig halfleeg en alle liefde die Allison er in de loop van de jaren in goot, had het nooit kunnen vullen.

Judy zat te diep in de ellende. Met haar uitzichtloze baan. Met de ene waardeloze kerel na de andere. Met een klein kind dat haar aan handen en voeten bond.

De studie zou Allisons redding worden. Ze was goed in exacte vakken. Als je naar haar familie keek, was dat nauwelijks te bevatten, maar op de een of andere manier begreep ze hoe scheikundige processen werkten. In hoofdlijnen snapte ze de synthese van macromoleculen. In het verlengde daarvan begreep ze waar het om ging bij synthetische polymeren. Maar het belangrijkste was dat studeren haar gemakkelijk afging. Ze wist dat er ergens op aarde altijd een boek was met een antwoord, en dat antwoord vond je alleen als je elk boek las dat je te pakken kon krijgen.

Tot aan het laatste jaar van de middelbare school had ze zich verre gehouden van de jongens, de drank en de speed, die de ondergang waren geweest van zo ongeveer elk meisje van haar leeftijd in haar geboorteplaats, het stadje Elba in Alabama. Ze peinsde er niet over om een van die zielloze, uitgebluste meiden te worden die nachtdiensten draaiden en Koolsigaretten rookten omdat die er zo elegant uitzagen. Om nog voor haar dertigste met drie kinderen van drie verschillende mannen opgescheept te zitten. En op een ochtend wakker te worden met dichtgeslagen ogen omdat ze de vorige avond door een mannenvuist waren bewerkt. Of om eenzaam in een ziekenhuisbed te sterven, zoals haar moeder.

Dat had ze tenminste gedacht toen ze drie jaar geleden uit Elba was vertrokken. Meneer Mayweather, haar natuurkundeleraar, had alles in het werk gesteld om te zorgen dat ze op een goede hogeschool terechtkwam. Wat hem betrof kon ze niet ver genoeg van Elba weggaan. Hij gunde haar een toekomst.

Grant Tech was in Georgia, wat niet ver was in kilometers, maar wel gevoelsmatig. De hogeschool was gigantisch vergeleken met haar middelbare school, waar haar eindexamenklas negenentwintig leerlingen had geteld. Haar eerste week op de campus had Allison zich erover verbaasd hoe verliefd je kon worden op een plaats. Op college kwam ze allerlei jongelui tegen die kansrijk waren opgegroeid, voor wie het vanzelfsprekend was om na de middelbare school te gaan studeren. Geen van haar medestudenten gniffelde als ze haar hand opstak om een vraag te beantwoorden. Ze vonden je geen spelbreker als je luisterde naar wat de docent te vertellen had, als je iets anders probeerde te leren dan hoe je nepnagels moest opplakken of extensions in je haar vlechten.

Bovendien lag de hogeschool in een prachtige omgeving. Elba was een vervallen gat, zelfs voor het zuiden van Alabama. Heartsdale, het stadje waar Grant Tech was gevestigd, kwam rechtstreeks uit een tv-serie. Iedereen verzorgde zijn tuin. In het voorjaar was Main Street een bloemenzee. Volslagen vreemden zwaaiden en glimlachten naar je. In het eetcafé waar ze werkte, waren de vaste klanten heel vriendelijk, ook al vielen de fooien tegen. Het stadje was niet groot genoeg om er te verdwalen. Helaas was het ook niet zo groot dat ze Jasons pad nooit hoefde te kruisen.

Jason.

Ze had hem ontmoet tijdens haar tweede jaar. Hij was twee jaar ouder, ervarener, wereldwijzer. Romantiek betekende voor hem niet de bioscoop binnenglippen voor een vlug nummertje op de achterste rij, waarna de bedrijfsleider je de zaal uit knikkerde. Hij nam haar mee naar echte restaurants met linnen servetten op de tafels. Hij hield haar hand vast. Hij luisterde naar haar. Toen ze voor het eerst met elkaar naar bed gingen, begreep ze eindelijk waarom het ook 'de liefde bedrijven' werd genoemd. Jason was niet alleen op zijn eigen plezier uit. Hij wilde het Allison ook naar de zin maken. Ze had al die tijd gedacht dat ze iets serieus hadden samen; de laatste twee jaar van haar leven hadden ze samen iets opgebouwd. Opeens was hij echter volslagen veranderd. Opeens liep hun relatie stuk op alles wat eerst zo geweldig was geweest.

En het was volgens Jason allemaal Allisons schuld, precies zoals het haar moeder was vergaan. Ze was koel. Ze was afstandelijk. Ze was te veeleisend. Ze had nooit tijd voor hem. Alsof Jason een liefhebbende heilige was die zich de hele dag liep af te vragen waarmee hij Allison gelukkig kon maken. Zíj ging tenminste niet hele nachten met haar vriendinnen aan de zwier. Zíj liet zich op de hogeschool niet met rare gasten in. En zij was het niet die hen in contact had gebracht met die sukkel uit de stad. Allison wist niet eens hoe hij eruitzag, dus hoe kon dat in godsnaam haar schuld zijn?

Weer ging er een huivering door haar heen. Bij elke stap die ze zette, leek het of de oever van dat stomme meer er honderd meter extra uitperste, alleen om haar te treiteren. Ze keek naar de zompige grond onder haar voeten. Het was al wekenlang slecht weer. Plotselinge overstromingen hadden wegen weggeslagen en bomen ontworteld. Allison had nooit goed tegen slecht weer gekund. Het donker greep haar bij de keel, probeerde haar naar beneden te trekken. Ze werd er chagrijnig en jankerig van. Dan wilde ze alleen nog slapen tot de zon weer tevoorschijn kwam.

'Shit!' siste Allison, en het scheelde niet veel of ze was uitgegleden. Haar broekspijpen zaten aan de onderkant vol modder en haar schoenen waren drijfnat. Ze liet haar blik over het woelige meer gaan. De regen plakte aan haar wimpers. Ze streek haar haar naar achteren en keek naar het donkere water. Misschien moest ze zich maar laten wegglijden. Misschien moest ze zich in het meer laten vallen. Hoe zou het zijn als ze alles losliet? Hoe zou het voelen als ze zich door de onderstroom liet meevoeren het meer op, tot haar voeten niet langer de bodem raakten en haar longen geen lucht meer kregen?

Die gedachte was al vaker bij haar opgekomen. Waarschijnlijk lag het aan het weer, aan de niet-aflatende regen en de grauwe lucht. Als het regende was alles nog deprimerender. En sommige dingen waren toch al deprimerender dan andere. Die donderdag had er een verhaal in de krant gestaan over een moeder en kind die op nog geen vier kilometer van de stad in hun Volkswagen Kever waren verdronken. Ze waren vlak bij de Third Baptist Church geweest toen een vloedgolf door de straat sloeg en hen meesleurde. Oude Kevers waren zo ontworpen dat ze bleven drijven, en dat gold ook voor dit nieuwere model. In het begin althans.

De kerkgangers, die net van de gezamenlijke maaltijd kwamen, stonden machteloos, bang om zelf door de vloed te worden meegevoerd. Vol afschuw zagen ze de Kever rondtollen op het wateroppervlak en vervolgens kantelen. Water stroomde de cabine binnen. Moeder en kind werden naar buiten gezogen. De vrouw die in de krant werd geïnterviewd zei dat ze de rest van haar leven elke dag zou beginnen en eindigen met op haar netvlies het beeld van het handje van de driejarige, dat als laatste uit het water stak vóór het arme kind naar beneden werd getrokken.

Ook Allison moest steeds aan dat kind denken, hoewel ze ten tijde van het ongeluk in de bibliotheek was geweest. Ze had de vrouw of het kind nooit gezien, evenmin als de dame uit de krant, maar toch zag ze dat opgestoken handje telkens als ze haar ogen sloot. Soms werd de hand groter. Soms was het haar moeder, die haar probeerde vast te pakken. Soms werd ze gillend wakker omdat de hand haar naar beneden sleurde.

Het punt was dat Allison lang voor dit incident ook al door duistere gedachten werd geteisterd. Ze kon het niet helemaal aan het weer toeschrijven, maar de voortdurende regen en het eeuwige wolkendek hadden in haar hoofd een eigen soort wanhoop losgewoeld. Zou het niet veel simpeler zijn als ze alles gewoon opgaf? Waarom zou ze terugkeren naar Elba om uiteindelijk een uitgeputte, tandeloze oude vrouw met achttien hongerige kinderen te worden als ze haar lot ook in eigen handen kon nemen en het meer in kon lopen?

Ze veranderde zo snel in haar moeder dat ze haar haar bijna grijs vóélde worden. Ze was al even erg als Judy: verliefd op een jongen die alleen geïnteresseerd was in wat er tussen haar benen zat. Dat had haar tante Sheila vorige week ook al gezegd toen ze haar aan de telefoon had. Allison had zitten klagen over Jason en zich afgevraagd waarom hij nooit terugbelde.

Eerst nam Sheila een lange hijs van haar sigaret en toen, terwijl ze de rook uitblies, zei ze: 'Je klinkt net als je moeder.'

Een mes in haar borst zou sneller en schoner zijn geweest. Het ergste was nog dat Sheila gelijk had. Allison hield van Jason. Ze hield veel te veel van hem. Ze hield zoveel van hem dat ze hem wel tien keer per dag belde, ook al nam hij nooit op. Ze hield zoveel van hem dat ze om de twee minuten op de ontvangstknop van die stomme computer klikte om te zien of hij een van haar ontelbare mailtjes had beantwoord.

Ze hield zoveel van hem dat ze nu midden in de nacht het smerige werk opknapte waarvoor hij het lef niet had. Allison zette weer een stap dichter naar het meer toe. Ze voelde haar hak wegglijden, maar vlak voor ze viel, nam haar instinctieve drang tot zelfbehoud het over. Niettemin klotste het water tegen haar schoenen. Haar sokken waren al doordrenkt. Haar tenen waren de verdoving voorbij en een scherpe pijn sneed door het bot. Zou het zo gaan: een trage, verdovende val naar een pijnloze overgang?

Ze was doodsbang om te stikken. Dat was het probleem. Als kind was ze een tijdje dol op de zee geweest, maar dat was op haar dertiende veranderd. Haar gestoorde neefje Dillard had haar in het openbare zwembad een keer onder water geduwd, en nu vond ze het zelfs niet meer fijn om in bad te gaan, zo bang was ze dat ze water in haar neus zou krijgen en in paniek zou raken.

Als Dillard hier was zou hij haar waarschijnlijk zo het meer in duwen, zonder dat ze het hoefde te vragen. Die keer dat hij haar hoofd onder water had gehouden, had hij na afloop geen greintje berouw getoond. Allison had haar middageten uitgekotst. Ze snikte schokkend. Haar longen stonden in brand, maar het enige wat hij liet horen was 'Hèhè', als een oude kerel die je stiekem in je arm kneep om je te horen gillen.

Dillard was Sheila's zoon, haar enige kind en voor zover mogelijk een nog grotere teleurstelling dan zijn vader. Hij snoof zoveel verfspray dat zijn neus telkens een andere kleur had. Hij rookte speed. Hij stal van zijn moeder. Het laatste wat Allison over hem had gehoord was dat hij in de bak zat omdat hij met een waterpistool een drankwinkel had geprobeerd te beroven. Tegen de tijd dat de politie ter plekke was, had de winkelbediende met een honkbalknuppel een gat in zijn hoofd geslagen. Het gevolg was dat Dillard nog dommer was dan eerst, maar dat zou hem er niet van hebben weerhouden om een goede kans te laten schieten. Hij zou Allison met beide handen een harde duw hebben gegeven zodat ze voorover in het water tuimelde, en dan zou hij zijn kakellachje hebben laten horen. 'Hèhè.' En ondertussen zou zij woest spartelend de verdrinkingsdood tegemoet zijn gegaan.

Hoe lang zou het duren voor ze haar bewustzijn verloor? Hoe lang zou Allison doodsangsten moeten uitstaan voor ze stierf? Weer sloot ze haar ogen en ze probeerde aan het water te denken dat haar van alle kanten omgaf, dat haar opslokte. Het zou zo koud zijn dat het in het begin warm aanvoelde. Je kon niet lang zonder zuurstof. Dan raakte je buiten kennis. Misschien werd je door paniek overmand, raakte je hysterisch en vervolgens bewusteloos. Of misschien was je heel alert, schoot de adrenaline door je lijf en vocht je als een rat in een zak.

Achter zich hoorde ze een tak kraken. Verbaasd draaide Allison zich om.

'Jezus!' Weer maakte ze een schuiver, maar nu ging ze helemaal onderuit. Ze zwaaide met haar armen. Haar knie begaf het. Pijn benam haar de adem. Ze viel met haar gezicht in de modder. Een hand greep haar bij haar nek en drukte haar naar beneden. Allison zoog de bittere kou van de aarde op, de sijpelnatte modder.

Instinctief verweerde ze zich, ze vocht tegen het water, vocht tegen de paniek die haar brein overnam. Een knie werd onder in haar rug geramd zodat ze op de grond bleef liggen. In haar nek voelde ze een felle, brandende pijn. Allison proefde bloed. Dit wilde ze niet. Ze wilde blijven leven. Ze móést blijven leven. Ze opende haar mond om het keihard uit te schreeuwen.

Toen werd alles zwart.

MAANDAG

Een

Door het winterse weer was het lichaam op de bodem van het meer gelukkig nog in goede staat, maar het weer betekende ook dat je op de oever koud tot op het bot werd en bijna niet meer wist hoe het in augustus was geweest. De zon op je gezicht. Het zweet dat in straaltjes over je rug liep. De airco in je auto die nevel uitstootte omdat hij niet tegen de hitte op kon. Hoe Lena zich ook inspande, elke herinnering aan warmte ging verloren op deze regenachtige novemberochtend.

'Ze hebben haar!' riep de leider van het duikersteam. Vanaf de kant gaf hij aanwijzingen aan zijn mannen, waarbij zijn stem gedempt werd door het aanhoudende geruis van de regen. Toen Lena haar hand opstak om te zwaaien stroomde het water naar binnen langs de mouw van de dikke parka die ze om drie uur 's nachts had aangeschoten nadat ze het telefoontje had gekregen. Het regende niet hard, maar wel onafgebroken; de druppels tikkelden aanhoudend op haar rug en sloegen tegen de paraplu die ze op haar schouder liet rusten. Het zicht was ongeveer tien meter. Alles wat daarbuiten viel, was gehuld in een dampige mist. Ze sloot haar ogen en dacht weer aan haar warme bed en aan het nog warmere lichaam dat om haar heen gedrapeerd had gelegen.

Het schelle gerinkel van de telefoon om drie uur 's nachts voorspelde nooit veel goeds, en al helemaal niet als je bij de politie werkte. Met bonkend hart was Lena uit een diepe slaap ontwaakt en ze had automatisch de hoorn van de haak gegrist en tegen haar oor gedrukt. Ze was de hoogste in rang van de stand-by rechercheurs en moest op haar beurt andere telefoons door het hele zuiden van Georgia laten rinkelen. Haar chef. De lijkschouwer. De brandweer. Het Georgia Bureau of Investigation om door te geven dat er een lijk was gevonden op staatsterrein. De rampenbestrijdingsdienst, waar een lijst lag met enthousiaste vrijwilligers die meteen oproepbaar waren als er naar lijken gezocht moest worden.

Inmiddels had iedereen zich op de oever van het meer verzameld, maar sommigen waren zo slim om in hun auto te blijven zitten, met de verwarming op de hoogste stand terwijl de ijzige wind het chassis deed schommelen als een wieg met een baby erin. Dan Brock, de plaatselijke begrafenisondernemer die tevens dienstdeed als gemeentelijk lijkschouwer, zat te slapen in zijn busje, met zijn hoofd tegen de rugleuning en zijn mond wijdopen. Ook het ambulancepersoneel bleef behaaglijk in de wagen zitten. Lena zag ze door de raampjes in de achterportieren gluren. Af en toe kwam er een hand naar buiten en gloeide het puntje van een sigaret op in de ochtendschemering.

Ze hield een plastic zak in haar hand. Er zat een briefje in dat op de oever was gevonden. Het papier was van een vel uit een gelinieerd collegeblok gescheurd en mat zo'n twintig bij vijftien centimeter. De woorden waren met hoofdletters geschreven. Met balpen. Eén regel. Niet ondertekend. Niet het gebruikelijke rancuneuze of zielige afscheid, maar duidelijk genoeg: IK WIL NIET LANGER.

In veel opzichten was een onderzoek bij zelfmoord moeilijker dan bij moord. Bij een moord kon je altijd iemand de schuld geven. Er waren aanwijzingen die je naar de dader voerden, er was een duidelijk patroon aan de hand waarvan je de familie van het slachtoffer kon uitleggen waarom hun geliefde uit hun midden was weggerukt. En als je de reden niet wist, kon je ze vertellen wie de klootzak was die hun leven had vernield.

Bij zelfmoord is het slachtoffer zelf de moordenaar. De schuldige is ook degene wiens verlies het diepst wordt gevoeld. Hij is er niet meer om de schuld voor de dood op zich te nemen, om de natuurlijke woede te incasseren die vrijkomt bij een dergelijk verlies. Wat de dode achterlaat is een leegte die alle pijn en verdriet van de wereld niet kunnen vullen. Vader en moeder, broers, zussen, vrienden en verwanten: ze hebben niemand die ze kunnen straffen voor hun verlies.

Er wordt altijd om straf geroepen als een leven onverwacht verloren gaat.

Daarom moest een rechercheur erop toezien dat elke vierkante centimeter van de moordplek werd opgemeten en in kaart gebracht. Elke sigarettenpeuk, elk weggegooid rommeltje of papiertje moest worden gecatalogiseerd, op vingerafdrukken onderzocht en naar het laboratorium gestuurd voor analyse. Weersomstandigheden werden genoteerd in het voorlopige verslag. De namen van de verschillende politiemensen en medewerkers van de hulpdiensten werden opgetekend in een logboek. Als er omstanders waren, werden die gefotografeerd. Nummerborden werden gecontroleerd. Het leven van een zelfmoordenaar werd even grondig onderzocht als dat van een moordslachtoffer. Met wie was ze bevriend? Met wie had ze een liefdesrelatie? Was er een echtgenoot? Een vriendje? Een vriendin? Waren er boze buren of jaloerse collega's?

Lena wist alleen wat ze tot op dat moment hadden gevonden: een paar damesgymschoenen, maat negenendertig. In de linkerschoen zat een goedkope ring: twaalf karaats goud met een dof robijntje in het midden. De rechterschoen bevatte een wit Swiss Army-horloge met nepdiamanten op de wijzerplaat. Eronder lag het opgevouwen briefje.

IK WIL NIET LANGER.

Niet echt troostgevend voor de nabestaanden.

Plotseling klonk er een plons, en een van de duikers kwam boven water. Naast hem dook zijn collega op. Zwoegend door het slib op de bodem van het meer sleepten ze het lichaam uit het koude water de koude regen in. Het dode meisje was klein, waardoor al die inspanning overdreven leek, maar al snel zag Lena wat de oorzaak was. Om haar middel zat een zware ketting met een felgeel hangslot dat als de gesp van een riem naar beneden hing. Aan de ketting waren twee cementblokken bevestigd.

Soms kwam een klein beetje geluk goed van pas bij politiewerk. Het meisje had er kennelijk voor gezorgd dat ze niet op het laatste moment kon terugkrabbelen. Als de zware cementblokken haar niet naar de bodem hadden getrokken, zou de stroming haar lichaam waarschijnlijk hebben meegevoerd naar het midden van het meer, waar ze veel moeilijker te vinden zou zijn.

Lake Grant was een kunstmatig meer van zo'n dertienhonderd hectare, en op sommige plekken was het wel honderd meter diep. Onder het oppervlak bevonden zich huizen, optrekjes en hutten waarin ooit mensen hadden gewoond, vóór het gebied in een waterbekken was veranderd. Er waren winkels, kerken, en zelfs een katoenfabriek die de Burgeroorlog had overleefd, maar tijdens de crisis van de jaren dertig definitief de poorten had gesloten. Dat alles was verdwenen onder het kolkende water van de Ochawahee River om Grant County van een betrouwbare elektriciteitsbron te voorzien.

De nationale dienst voor bosbeheer had een groot deel van het omringende terrein in bezit, ruim vierhonderd hectare die als een monnikskap om het meer lagen. De ene kant raakte de wijk waar de rijkere mensen woonden en de andere kant grensde aan het Grant Institute of Technology, een kleine, maar succesvolle staatshogeschool met bijna vijfduizend studenten.

Van de honderddertig kilometer lange oever was zestig procent in handen van de staatsboswachterij. De plek waar ze nu waren, was het populairst en werd door de plaatselijke bevolking Lover's Point genoemd. Kampeerders mochten er hun tent opzetten. Tieners hielden er feestjes, te zien aan de achtergelaten lege bierflesjes en gebruikte condooms. Soms werd de brandweer bij een uit de hand gelopen kampvuur geroepen en ooit kwam er een melding binnen van een dolle beer, die later een bruine labrador op leeftijd bleek te zijn die van de kampeerplek van zijn eigenaren was weggelopen.

Ook werd er af en toe een lijk gevonden. Eens was er een meisje levend begraven. Verscheidene jongelui, pubers natuurlijk, waren verdronken door stompzinnige waaghalzerij. De vorige zomer had een kind haar nek gebroken na een duik in het ondiepe water van de inham.

De twee duikers hielden even halt en lieten het water van het lichaam stromen voor ze hun karwei hervatten. Ten slotte gaven ze elkaar een knik en sleepten de jonge vrouw de kant op. De betonblokken trokken diepe voren in de zanderige grond. Het was halfzeven 's ochtends en de maan leek te knipogen naar de zon, die langzaam boven de horizon verrees. De portieren van de ambulance zwaaiden open. De bittere kou verwensend rolden de broeders de brancard naar buiten. Een van hen droeg een betonschaar over zijn schouder. Hij sloeg met zijn hand op de motorkap van het lijkschouwersbusje, waarop Dan Brock zwaaiend met zijn armen wakker schrok, wat een komisch gezicht was. Hij keek de man grimmig aan, maar bleef zitten. Lena kon het hem niet kwalijk nemen dat hij geen zin had de regen te trotseren. Het slachtoffer ging nergens naartoe, behalve naar het mortuarium. Zwaailampen en sirenes waren overbodig.

Lena liep naar het lichaam. Voorzichtig vouwde ze de plastic zak met het zelfmoordbriefje op en stopte die in haar jack, waarna ze haar pen en notitieboekje tevoorschijn haalde. Met haar paraplu tussen hals en schouder geklemd noteerde ze tijdstip, datum, weersomstandigheden, aantal ambulancebroeders, aantal duikers, aantal auto's en agenten, en de toestand van het terrein. Ook maakte ze aantekeningen van de plechtige sfeer die er hing en van de afwezigheid van toeschouwers. Al die bijzonderheden zouden nauwgezet worden overgetypt voor het rapport.

Het slachtoffer was ongeveer even lang als Lena, een meter zestig, maar veel tengerder gebouwd. Haar polsen waren breekbaar als vogelpootjes. De vingernagels waren rafelig en tot op het leven afgekloven. Ze had zwart haar en was buitengewoon bleek. Waarschijnlijk was ze begin twintig. Het waas dat over haar open ogen lag leek net een wattenlaagje. Haar mond zat dicht. Haar lippen waren kapot, alsof ze er van de zenuwen op had gebeten. Of misschien had een vis trek gekregen.

Nu het water niet langer aan haar trok, was ze lichter, en er waren maar drie duikers nodig om haar op de gereedstaande brancard te tillen. Ze zat van top tot teen onder het slijk van de bodem van het meer. Water droop uit haar kleren: een blauwe spijkerbroek, een zwarte fleecetrui, witte sokken, geen gympen, een openstaand donkerblauw trainingsjasje met het Nikelogo aan de voorkant. De brancard kwam in beweging en haar hoofd draaide van Lena weg.

Lena hield op met schrijven. 'Wacht even,' riep ze, want er klopte iets niet. Ze stopte haar notitieboekje in haar zak en deed een stap naar voren. Ze had iets zien oplichten bij de nek van het meisje, iets zilverigs, misschien een halsketting. Fonteinkruid lag als een lijkwade over de keel en de schouders van het meisje. Met de punt van haar pen schoof Lena de glibberige groene ranken opzij. Er bewoog iets onder de huid, die rimpelde als water waarop de regen neerstriemde.

Ook de duikers zagen iets golven. Ze bogen zich voorover om het beter te kunnen zien. De huid trilde, als in een horrorfilm.

'Wat...' begon een van hen.

'Jezus!' Lena deinsde terug toen een kleine witvis uit een snee in de nek van het meisje glibberde.

De duikers lachten, zoals mannen dat doen als ze niet

willen toegeven dat ze van schrik in hun broek schijten. Lena legde haar hand op haar borst en hoopte dat het niemand was opgevallen dat haar hart het bijna had begeven. Ze hapte naar lucht. De witvis lag te spartelen in de modder. Een van de mannen raapte hem op en wierp hem in het meer. 'Vis moet zwemmen,' zei de leider van het duikersteam bij wijze van grap.

Lena schonk hem een vuile blik en boog zich weer over het lichaam. De snee waaruit de vis tevoorschijn was gekomen zat in de nek, rechts van de halswervels. Ze schatte de wond op ruim twee centimeter. De open huid was rimpelig van het water, maar op één plek was het letsel schoon en recht: het soort snee dat was toegebracht met een vlijmscherp mes.

'Maak Brock maar wakker,' zei ze.

Dit was geen zelfmoordonderzoek meer.

Twee

Frank Wallace rookte nooit in zijn dienstauto, een Lincoln Town Car, maar de stoffen bekleding van de stoelen had de muffe nicotinelucht geabsorbeerd die uit elke porie van zijn lichaam wasemde. Hij deed Lena denken aan Pig-Pen van de Peanuts. Het maakte niet uit hoe schoon hij was of hoe vaak hij zich omkleedde, de stank hing als een stofwolk om hem heen.

'Wat is er aan de hand?' vroeg hij, nog voor ze het portier had dichtgetrokken.

Lena gooide haar natte parka op de vloer. Eronder droeg ze een jasje en twee T-shirts om zich tegen de kou te beschermen. Toch zat ze nog te klappertanden, ook al stond de verwarming op zijn hoogst. Het was alsof haar lichaam alle kou had opgeslagen terwijl ze buiten in de regen stond en die pas vrijliet nu ze veilig binnen zat.

Ze hield haar handen voor het ventilatierooster. 'God, het is ijskoud.'

'Wat is er aan de hand?' herhaalde Frank. Met een overdreven gebaar schoof hij zijn zwarte leren handschoen naar beneden om op zijn horloge te kijken.

Onwillekeurig ging er een rilling door Lena heen. Het lukte haar niet de opwinding uit haar stem te weren. Geen agent zou het ooit aan een burger toegeven, maar niets was zo spannend als een moordzaak. Lena zat zo vol adrenaline dat het haar verbaasde dat ze de kou nog voelde.

'Het is geen zelfmoord,' zei ze bibberend.

Frank keek zo mogelijk nog geïrriteerder. 'En dat vindt Brock ook?'

Brock was weer in slaap gevallen terwijl hij in zijn busje wachtte tot de kettingen waren doorgeknipt; dat wisten ze omdat ze vanuit de auto zijn achterste kiezen konden zien.

'Brock kan zijn eigen gat nog niet vinden,' bitste Lena. Ze wreef over haar armen om het warmer te krijgen.

Frank haalde zijn flacon tevoorschijn en reikte haar die aan. Ze nam snel een slok. De whisky brandde zich een weg door haar keel naar haar maag. Frank nam zelf ook een flinke teug, waarna hij de flacon weer in zijn jaszak stopte.

'Er zit een steekwond in de nek,' zei Lena.

'Bij Brock?'

Lena schonk hem een vernietigende blik. 'Bij dat dode meisje.' Ze boog zich voorover en zocht in haar parka naar de portefeuille die ze in de jaszak van de jonge vrouw had gevonden.

'Die kan ze zichzelf hebben toegebracht,' zei Frank.

'Onmogelijk.' Ze raakte met haar hand haar nek aan. 'Het lemmet is hier ongeveer binnengedrongen. De moordenaar stond achter haar. Waarschijnlijk heeft hij haar verrast.'

'Heb je dat uit een van je studieboeken?' bromde Frank.

Voor de verandering hield Lena zich in. Frank was nu vier jaar waarnemend commissaris van politie. Alles wat er gebeurde in de drie stadjes die samen Grant County vormden, viel onder zijn gezag. Madison en Avondale kenden de gebruikelijke problemen met drugs en huiselijk geweld, maar Heartsdale ging voor probleemloos door. Hier stond de hogeschool en de welgestelde bewoners duldden geen criminaliteit.

Hoe het ook zij, Frank kreeg iets hufterigs als de zaken wat ingewikkelder werden. Eigenlijk kreeg hij dat van het leven in het algemeen. Als zijn koffie koud was geworden. Als de motor van zijn auto niet meteen aansloeg. Als zijn pen leeg was. Frank was niet altijd zo geweest. Zolang Lena hem kende was hij al een brompot, maar de laatste tijd lag er aan zijn houding een onderhuidse woede ten grondslag die elk moment tot uitbarsting kon komen. Van het minste of geringste sloeg hij op tilt. In een oogwenk kon hij van hanteerbaar lichtgeraakt veranderen in een pure valserik.

In dit geval was zijn tegenzin min of meer begrijpelijk. Na vijfendertig jaar bij de politie was een moordzaak wel het laatste waarop hij zat te wachten. Lena wist dat hij meer dan genoeg had van zijn werk en van de mensen die zijn pad kruisten. De afgelopen zes jaar had hij twee van zijn beste vrienden verloren. Als hij zo nodig bij een meer moest zitten, dan liefst in het zonnige Florida. Hij had een hengel en een biertje in zijn handen moeten hebben in plaats van de portefeuille van een dood meisje.

'Ziet er nep uit,' zei Frank terwijl hij de portefeuille opensloeg. Lena was het met hem eens. Het leer glansde te veel. Het Prada-logo was van kunststof.

Lena keek hoe Frank de doorweekte plastic vakjes probeerde los te pellen. 'Allison Judith Spooner,' liet ze hem weten. 'Eenentwintig. Het rijbewijs is uit Elba, Alabama. Haar collegekaart zit achterin.'

'Een studente dus,' zei Frank zachtjes en in zijn stem klonk een zekere wanhoop door. Het was al erg genoeg dat Allison Spooner op of nabij staatsterrein was aangetroffen. Voeg daarbij dat ze uit een andere staat kwam en aan Grant Tech studeerde, en de hele zaak werd meteen een stuk gecompliceerder.

'Waar heb je die portefeuille gevonden?'

'In haar jaszak. Ze zal wel geen tasje bij zich hebben gehad. Of misschien wilde haar moordenaar dat we wisten wie ze was.'

Hij keek naar de foto op het rijbewijs van het meisje.

'Wat is er?'

'Dat lijkt dat serveerstertje van het eetcafé wel.'

Vanaf het politiebureau gezien stond de Grant Diner aan het andere eind van Main Street. De meeste agenten aten daar hun lunch. Lena liet haar gezicht er nooit zien. Meestal nam ze haar eigen lunch mee en heel vaak at ze niet.

'Kende je haar?' vroeg ze.

Hij schudde zijn hoofd en haalde tegelijkertijd zijn schouders op. 'Het was een knappe meid.'

Dat klopte. Er waren niet veel mensen die mooi op de foto stonden op hun rijbewijs, maar Allison had geluk gehad. Een brede lach toonde witte tanden. Haar haar was naar achteren gekamd zodat haar hoge jukbeenderen goed uitkwamen. Haar ogen schitterden, alsof iemand net een grap had verteld. Dat alles stond in schril contrast met het lichaam dat uit het meer was gehaald. De dood had alle sprankeling uitgewist.

'Ik had geen idee dat ze studeerde,' zei Frank.

'Meestal werken studenten niet in de stad,' wist Lena. Die van Grant Tech werkten op de campus of helemaal niet. Ze mengden zich niet onder de plaatselijke bevolking en de plaatselijke bevolking probeerde zich zo weinig mogelijk met de studenten te bemoeien.

'De hogeschool is deze week dicht in verband met Thanksgiving. Waarom is ze niet thuis bij haar familie?'

Dat wist Lena ook niet. 'Er zit veertig dollar in de portefeuille, dus het was geen beroving.'

Toch keek Frank even in het geldvakje. Met zijn dikke, in leer gestoken vingers haalde hij er een briefje van twintig en twee briefjes van tien uit, nat en aan elkaar geplakt. 'Misschien was ze eenzaam. Toen heeft ze een mes gepakt en er een eind aan gemaakt.'

'Daarvoor moest ze dan wel een slangenmens zijn,' wierp Lena tegen. 'Wacht maar tot Brock haar op de snijtafel heeft. Ze is van achteren neergestoken.'

Frank slaakte een diep vermoeide zucht. 'Wat weet je over die ketting en de betonblokken?'

'We zullen eens bij Mann's Hardware gaan kijken. Mis-

31

schien heeft de dader ze gewoon in de stad bij de ijzerwarenzaak gekocht.'

Hij deed een laatste poging. 'Weet je het zeker van die messteek?'

Ze knikte.

Frank had zijn blik nog steeds op de foto op het rijbewijs gericht. 'Heeft ze een auto?'

'Als dat zo is, dan staat hij hier niet in de buurt.' Lena ging er nog even op door. 'En tenzij ze twintig kilo aan betonblokken en kettingen door het bos hiernaartoe heeft gesleept...'

Frank klapte de portefeuille eindelijk dicht en gaf die aan haar terug. 'Hoe komt het toch dat elke maandag rottiger is dan de vorige?'

Daar wist Lena niks op te zeggen. De vorige week was al niet veel beter geweest. Een jonge moeder en haar dochtertje waren meegesleurd door een plotselinge vloedgolf. De hele stad moest nog bekomen van het verlies. Het was niet te voorspellen hoe er gereageerd zou worden op de moord op een mooie studente.

'Brad probeert iemand van de hogeschool te pakken te krijgen die toegang heeft tot de administratie en ons het adres van Spooner hier in de stad kan geven,' zei Lena. Brad Stephens had zich van straatagent tot rechercheur weten op te werken, maar in zijn nieuwe baan deed hij niet veel meer dan in zijn oude. Hij was nog steeds de loopjongen.

'Zodra we hier weg zijn, zal ik contact met Elba opnemen,' bood Lena aan.

'Alabama heeft Central Time.' Frank keek op zijn horloge. 'Waarschijnlijk kun je de ouders beter zelf bellen in plaats van de politie daar zo vroeg op de ochtend wakker te maken.'

Lena keek ook op haar horloge. Het was bijna zeven uur, wat betekende dat het in Alabama een uur vroeger was. Als het in Elba net zo ging als in Grant County was de recherche 's nachts stand-by, maar hoefden ze pas om acht uur achter hun bureau te zitten. Normaal zou Lena op dit tijdstip net haar bed uit komen en de strijd aanbinden met het koffiezetapparaat. 'Ik pleeg wel even een beleefdheidstelefoontje zodra we weer op het bureau zijn.' Het werd stil in de auto; het enige geluid kwam van de regen die over het metaal streek. Een dunne, felle bliksemflits verlichtte de hemel. Lena dook onwillekeurig in elkaar, maar Frank hield zijn blik op het meer gericht. Ook de duikers trokken zich niks van de bliksem aan. Om beurten gingen ze met de betonschaar aan de slag om het meisje van de twee blokken los te knippen.

Franks telefoon liet een hoog, zangerig geluid horen, als van een vogel in het regenwoud. 'Ja?' zei hij nors. 'En de ouders?' vroeg hij na een paar tellen, waarna hij binnensmonds vloekte. 'Ga maar weer naar binnen en zoek het uit.' Hij klapte zijn mobiel dicht. 'Sukkel.'

Lena concludeerde dat Brad was vergeten om informatie over de ouders te achterhalen. 'Waar woont Spooner?'

'Taylor Drive. Nummer 16a. Brad wacht ons daar op, hopelijk, want hij weet de weg nog niet in zijn eigen broekzak.' Hij zette de auto in zijn achteruit en met zijn arm over Lena's rugleuning reed hij een eind terug. De bomen stonden dicht op elkaar en alles droop van de regen. Met haar vlakke hand tegen het dashboard zette Lena zich schrap terwijl Frank de auto langzaam naar de weg manoeuvreerde.

'Dat ze op 16a woont betekent dat ze in een garage zit,' merkte ze op. De plaatselijke bevolking wilde nog weleens een garage of leeg gereedschapsschuurtje tot iets ombouwen wat in de verte op woonruimte leek, wat ze dan voor exorbitante bedragen aan studenten verhuurden. De meeste studenten wilden zo vreselijk graag van de campus af dat ze niet te veel vragen stelden.

'De huisbaas is Gordon Braham,' zei Frank.

'Heeft Brad dat uitgevonden?'

Ze reden over een hobbel en Franks kiezen sloegen op

elkaar. 'Dat weet hij van zijn moeder.'

'Hm.' Lena peinsde zich suf om iets positiefs over Brad te kunnen zeggen. 'Toch getuigt het van initiatief dat hij erachter is gekomen van wie het huis en de garage zijn.'

'Initiatief,' zei Frank spottend. 'Als dat joch niet uitkijkt wordt zijn kop er nog eens afgeschoten.'

Lena kende Brad nu ruim tien jaar. Frank kende hem al langer. Ze zagen hem allebei nog steeds als een wat sullige jongen, een puber die volledig uit de toon viel met zijn koppelriem hoog om zijn middel gesnoerd. Brad had voldoende jaren in uniform rondgelopen en de benodigde examens gehaald om voor de gouden rechercheurspenning in aanmerking te komen, maar Lena deed dit werk inmiddels lang genoeg om het verschil te weten tussen een papieren promotie en promotie op straat. Ze hoopte maar dat Brads gebrek aan gewiekstheid er in een stadje als Heartsdale niet zo toe deed. Rapporten opstellen en met getuigen praten kon hij als de beste, maar zelfs na tien jaar achter het stuur van een patrouillewagen was hij nog steeds geneigd vooral het goede in de mens te zien.

Na amper een week bij de politie had Lena al ontdekt dat niemand door en door goed was.

Zijzelf al helemaal niet.

Op dat moment had ze echter geen tijd om zich druk te maken om Brad. Terwijl Frank een weg tussen de bomen door zocht, bekeek ze de foto's in de portefeuille van Allison Spooner. Eentje was van een rode streepjeskat die in een plas zonlicht lag. Er was een ongekunstelde opname bij van Allison met een vrouw die waarschijnlijk haar moeder was. Op de laatste foto zat Allison op een bank in het park. Rechts van haar zat een man die wat jonger leek dan zij. Hij had een honkbalpet voor zijn ogen getrokken en zijn handen staken diep in de zakken van zijn slobberige broek. Links van Allison zat een oudere vrouw met pluizig blond haar en een dikke laag make-up. Ze droeg een strakke spijkerbroek. Haar ogen stonden hard. Ze had evengoed dertig als driehonderd kunnen zijn. Ze zaten alle drie dicht tegen elkaar aan. De jongen had zijn arm om de schouders van Allison Spooner geslagen. Lena liet de foto aan Frank zien. 'Familie?' vroeg hij.

Ze keek nog eens goed naar de foto en bestudeerde de achtergrond. 'Zo te zien is de foto op de campus genomen.' Weer liet ze hem aan Frank zien. 'Zie je dat witte gebouw daarachter? Volgens mij is dat het studentencentrum.'

'Die meid ziet er anders niet als een studente uit.' Hij doelde op de oudere blonde vrouw. 'Meer alsof ze hier ergens uit de buurt komt.' Ze had een onmiskenbaar ordinaire, gebleekt blonde kleinsteedse uitstraling. Afgezien van de nepleren portefeuille maakte Allison Spooner de indruk dat ze een behoorlijk aantal treden hoger op de maatschappelijke ladder stond. Die twee konden gewoon geen vriendinnen zijn. 'Zou Spooner een drugsprobleem hebben gehad?' opperde Lena. Er was niets wat de verschillende klassen zo met elkaar verbond als speed.

Eindelijk hadden ze de weg bereikt. De achterwielen van de auto draaiden nog een laatste keer rond in de modder en toen reed Frank het asfalt op. 'Van wie was de melding?'

Lena schudde haar hoofd. 'De 911-oproep kwam van een mobiel. De nummerweergave was geblokkeerd. Een vrouwenstem, maar ze wilde niet zeggen hoe ze heette.'

'Wat zei ze precies?'

Voorzichtig, om de vochtige velletjes van haar notitieboekje niet te scheuren, bladerde Lena terug. Toen ze de transcriptie had gevonden, las ze hardop voor: '"Vrouwenstem: Mijn vriendin wordt sinds vanmiddag vermist. Ik ben bang dat ze zich van kant heeft gemaakt. 911-telefonist: Waarom denkt u dat ze zich van kant heeft gemaakt? Vrouwenstem: Gisteravond heeft ze ruzie gehad met haar vriendje. Ze zei dat ze zich ging verdrinken bij Lover's Point." De telefonist probeerde haar aan de lijn te houden, maar ze hing op.'

Frank zweeg. Ze zag hem slikken. Hij liet zijn schouders

hangen en leek zo net een bendelid achter het stuur van een vluchtwagen. Vanaf het moment dat Lena in de auto was gestapt, had hij zich verzet tegen de mogelijkheid dat er moord in het spel was.

'Wat denk jij?' vroeg ze.

'Lover's Point,' herhaalde Frank. 'Alleen iemand van hier zou het zo noemen.'

In een poging de blaadjes te drogen hield Lena het notitieboekje voor het verwarmingsrooster. 'Dat vriendje zal dan wel het joch op de foto zijn.'

Frank volgde zijn eigen gedachten. 'Dus die 911-oproep kwam binnen, Brad reed naar het meer en vond toen wat?'

'Het briefje lag onder een van de schoenen. Allisons ring en horloge zaten erin.' Lena boog zich weer voorover om de plastic zakken te pakken die ze diep in haar parka had gestopt. Ze doorzocht de bezittingen van het slachtoffer tot ze het briefje had gevonden en liet het aan Frank zien. '"Ik wil niet langer."'

Hij tuurde zo ingespannen naar het briefje dat ze bang was dat hij de weg uit het oog verloor.

'Frank?'

Een van de wielen schampte de rand van de weg. Frank gaf een ruk aan het stuur. Lena klampte zich aan het dashboard vast. Ze hoedde zich ervoor iets over zijn rijstijl te zeggen. Frank was niet het soort man dat zich liet corrigeren, vooral niet door een vrouw. En al helemaal niet door Lena.

'Merkwaardig zelfmoordbriefje,' zei ze. 'Ook al zou het een nepzelfmoord zijn.'

'Kort en krachtig.' Met één hand aan het stuur zocht Frank in zijn jaszak. Hij schoof zijn leesbril op zijn neus en keek naar de uitgelopen inkt. 'Ze heeft haar naam er niet onder gezet.'

Lena hield de weg in de gaten. Hij reed weer over de witte streep. 'Nee.'

Frank keek op en stuurde de auto naar het midden van de weg. 'Is dit volgens jou een vrouwenhandschrift?'

Die mogelijkheid was nog niet bij Lena opgekomen. Ze bestudeerde het regeltje, dat was geschreven met ruime, ronde letters. 'Het is een net handschrift, maar ik zou niet kunnen zeggen of het van een man of een vrouw is. We zouden er een handschriftkundige bij kunnen halen. Allison is studente, dus waarschijnlijk zijn er collegeaantekeningen of essays en tentamens. We vinden vast iets waarmee we het kunnen vergelijken.'

Frank ging niet op haar suggesties in. In plaats daarvan zei hij: 'Ik weet nog dat mijn dochter zo oud was.' Hij kuchte een paar keer. 'Ze tekende altijd een rondje op de "i" in plaats van een stip te zetten. Ik vraag me af of ze dat nog steeds doet.'

Lena zweeg. Haar hele loopbaan werkte ze al met Frank samen, maar van zijn privéleven wist ze niet meer dan de rest van de stad. Hij had twee kinderen bij zijn eerste vrouw, maar dat was een hele rits vrouwen geleden. Ze waren allemaal uit de stad vertrokken. Kennelijk had hij met niemand meer contact. Frank bracht het onderwerp familie nooit ter sprake, en op dat moment had Lena het te koud en was ze te opgefokt om erover te beginnen.

Ze bracht het gesprek weer op de zaak. 'Iemand heeft Allison met een mes in haar nek gestoken, haar aan een stel betonblokken vastgeketend en in het meer gegooid, waarna hij besloot het op zelfmoord te doen lijken. Het zoveelste criminele meesterbrein,' voegde ze eraan toe, hoofdschuddend om zoveel domheid.

Frank snoof instemmend. Ze zag dat hij met zijn aandacht elders was. Hij nam zijn bril af en tuurde naar de weg vóór hen.

'Wat is er?' vroeg Lena onwillekeurig.

'Niks.'

'Hoeveel jaar zit ik nou al bij je in de auto, Frank?'

Weer bromde hij iets, maar toch liet hij zich vermurwen.

'De burgemeester zit me in mijn nek te hijgen.'

Er schoot een brok in Lena's keel. Clem Waters, burgemeester van Heartsdale, probeerde al geruime tijd Franks baan als waarnemend commissaris in een vaste aanstelling om te zetten.

'Ik heb er eigenlijk geen zin in,' zei Frank, 'maar er staat niemand te trappelen om het van me over te nemen.'

'Nee,' beaamde Lena. Niemand wilde die baan, vooral omdat niemand in de verste verte de man zou kunnen evenaren die de functie voor het laatst had bekleed.

'De voorwaarden zijn goed,' zei Frank. 'Mooi pensioenplaatje. Betere ziekteverzekering en andere regelingen.'

Ze slikte iets weg. 'Dat klinkt goed, Frank. Jeffrey zou willen dat je het deed.'

'Die zou me aanraden om met vervroegd pensioen te gaan voor ik een hartaanval krijg terwijl ik een of andere junk over het campusplein najaag.' Frank haalde zijn flacon tevoorschijn en bood hem Lena aan. Ze schudde haar hoofd en keek hoe hij met één oog op de weg en zijn hoofd achterover een grote slok nam. Lena's blik bleef op zijn hand rusten. Die trilde licht. De laatste tijd had hij vaak trillende handen, vooral 's ochtends.

Alsof het zo was afgesproken ging het gestage geroffel van de regen in een keihard staccato over. Het geluid weergalmde door de auto en vulde de hele cabine. Lena drukte haar tong tegen haar verhemelte. Eigenlijk zou ze Frank nu moeten vertellen dat ze ontslag wilde nemen, dat er in Macon een baan op haar wachtte als ze de sprong durfde te wagen. Ze was naar Grant County verhuisd om dicht bij haar zus te zijn, maar die was al bijna tien jaar dood. Ze had nog één levend familielid, een oom, en die sleet zijn oude dag in de Florida Panhandle. Haar beste vriendin was in een bibliotheek in het noorden gaan werken. Haar vriendje woonde twee uur rijden verderop. Er was niets wat Lena hier hield, behalve laksheid en trouw aan een man die al vier jaar dood was en haar waarschijnlijk niet eens zo'n goede rechercheur had gevonden.

Frank hield met zijn knie het stuur recht terwijl hij de

dop weer op de flacon schroefde. 'Ik doe het alleen als jij het ziet zitten.'

Verbaasd keek ze hem aan. 'Frank...'

'Ik meen het,' onderbrak hij haar. 'Als jij het niet ziet zitten, zeg ik tegen de burgemeester dat hij het hele plan in zijn reet kan steken.' Hij liet een schor lachje horen, en het slijm rochelde in zijn borst. 'Misschien neem ik je dan wel mee om te zien wat voor gezicht die lul trekt.'

'Neem die baan nou maar.' Ze kreeg het er met moeite uit.

'Ik weet het niet, Lee. Ik ben zo verdomd oud aan het worden. De kinderen zijn volwassen. De vrouwen zijn vertrokken. Ik vraag me bijna elke dag af waarom ik mijn bed nog uit kruip.' Weer klonk dat ratelende lachje. 'Misschien vind je míj op een dag in het meer met mijn horloge in mijn schoen. Maar dan is het wel degelijk zelfmoord.'

Ze wilde de vermoeidheid in zijn stem niet horen. Frank zat twintig jaar langer in het vak dan Lena, maar die uitgebluste toon kon net zo goed van haarzelf afkomstig zijn. Dat was de reden waarom ze elke vrije minuut die ze bezat aan haar studie aan de hogeschool wijdde en een bachelor in de forensische wetenschappen probeerde te halen, zodat ze zich met forensisch onderzoek kon bezighouden in plaats van met wetshandhaving.

Lena had geen problemen met de telefoontjes die haar 's nachts uit haar slaap haalden. Ze had geen problemen met het bloed, de lijken en de ellende waarmee de dood je elk moment van je leven confronteerde. Waar ze niet meer tegen kon was dat ze altijd in de vuurlinie stond. Dat bracht te veel verantwoordelijkheid met zich mee. Te veel risico. Eén fout kon een leven kosten, niet eens je eigen leven, maar dat van een ander. Door jouw toedoen kon iemands zoon het leven verliezen. Iemands man. Iemands vriend. Je was er al snel achter dat de dood van een ander tijdens jouw dienst vele malen erger was dan het spook van je eigen dood.

'Hoor eens, ik moet je iets vertellen,' zei Frank.

Lena schonk hem een vluchtige blik, verbaasd om zijn plotselinge openhartigheid. Hij liet zijn schouders nog verder hangen en zijn knokkels waren wit, zo stevig omklemde hij het stuur. Ze nam de hele lijst door met dingen waardoor ze mogelijk in de problemen was geraakt op haar werk, maar toen hij sprak stokte haar adem. 'Sara Linton is terug.'

Lena proefde whisky en iets zurigs achter in haar keel. In een panische flits dacht ze dat ze moest overgeven. Ze kon Sara niet onder ogen komen. De verwijten. Het schuldgevoel. Alleen al de gedachte dat ze door haar straat reed was onverdraaglijk. Lena nam altijd de lange route naar haar werk, om Sara's huis te vermijden, om het ellendige gevoel te vermijden dat omhoogkolkte telkens als ze aan die plek dacht.

'Ik hoorde het in de stad en toen heb ik haar vader gebeld,' zei Frank zachtjes. 'Hij zei dat ze vandaag thuiskwam voor Thanksgiving.' Hij kuchte even. 'Anders had ik het je niet verteld, maar ik heb opdracht gegeven om wat vaker te patrouilleren bij hun huis. Je had het toch wel gezien op het rooster en dan zou je je afvragen waar het op sloeg. Nu weet je het dus.'

Lena probeerde de vieze smaak weg te slikken. Het was alsof er glas in haar keel zat. 'Oké,' zei ze met moeite. 'Bedankt.'

Met een scherpe bocht reed Frank Taylor Road in, waarna hij door rood scheurde. Lena greep automatisch het portier vast om zich schrap te zetten. Ze probeerde te bedenken hoe ze Frank kon vragen of ze vrij mocht nemen, ook al zaten ze midden in een zaak. Ze zou een week vrij nemen en naar Macon gaan, misschien wat appartementen bekijken, en pas na Thanksgiving terugkomen, wanneer Sara weer in Atlanta was, waar ze hoorde.

'Moet je die domme lul nou zien,' mompelde Frank terwijl hij vaart minderde.

Brad Stephens stond naast zijn geparkeerde patrouillewagen. Hij droeg een lichtbruin pak dat tot op de millimeter was geperst. Zijn witte overhemd stak bijna lichtgevend af tegen de blauwgestreepte stropdas die zijn moeder die ochtend waarschijnlijk voor hem had klaargelegd, samen met de rest van zijn kleren. Wat Frank kennelijk nog het meest stoorde was de paraplu in Brads hand. Die was felroze, op het geelgestikte Mary Kay-logo na.

'Rustig aan,' zei Lena, maar Frank stapte al uit. Hij bond de strijd aan met zijn eigen paraplu – een grote, zwarte luifel die hij van Brock had geleend bij het uitvaartcentrum – en liep met grote stappen op Brad af. Lena bleef in de auto zitten en keek toe terwijl Frank de jonge rechercheur de mantel uitveegde. Ze wist hoe het voelde om de volle laag van Frank te krijgen. Hij was haar begeleider geweest toen ze voor het eerst patrouillewerk ging doen, en vervolgens haar partner nadat ze tot rechercheur was bevorderd. Als Frank er niet was geweest zou Lena haar baan in de eerste week al voor gezien hebben gehouden. Hij vond echter dat politiewerk niks voor vrouwen was, en toen ze dat hoorde nam ze zich voor om hem het tegendeel te bewijzen.

Jeffrey was haar buffer geweest. Op een gegeven moment was Lena gaan beseffen dat ze geneigd was zich te spiegelen aan degene met wie ze optrok. Als Jeffrey de leiding had, ging alles op de correcte manier, althans, zo correct mogelijk. Hij was een politieman uit één stuk, iemand die het vertrouwen van de gemeenschap genoot omdat zijn karakter doorschemerde in alles wat hij deed. Daarom had de burgemeester hem ook aangesteld. Clem wilde breken met de oude gang van zaken, wilde Grant County de eenentwintigste eeuw in slepen. Ben Carver, de vertrekkende commissaris, was een corrupte oude vos. Als zijn rechterhand was Frank al even onbetrouwbaar geweest. Onder Jeffrey had hij zijn leven gebeterd. Dat gold voor iedereen. Tenminste, zolang Jeffrey er was.

Nog geen week nadat Frank de leiding had overgenomen begonnen de dingen af te glijden. Aanvankelijk langzaam en bijna onmerkbaar. De uitslag van een alcoholtest raakte zoek zodat een van Franks jachtmaten vrijuit ging. Een ongekend omzichtige hasjdealer op de hogeschool werd ineens betrapt met een enorme voorraad in zijn kofferbak. Bekeuringen waren zomaar weg. Geld verdween uit de kluis met bewijsmateriaal. Dagvaardingen kwamen op losse schroeven te staan. Het onderhoudscontract voor de dienstauto's ging naar een garage waarvan Frank medeeigenaar was.

Als in een dam die op doorbreken stond hadden dit soort kleine scheurtjes tot grotere misstanden geleid, tot de hele zaak barstte en er geen agent in het korps was die niet buiten zijn boekje ging. Dat was een van de voornaamste redenen dat Lena weg wilde. In Macon werd nergens mee gesjoemeld. De stad was groter dan de drie stadjes van Grant County samen en de bevolking telde zo'n honderdduizend zielen. Mensen klaagden de politie aan als ze zich benadeeld voelden en meestal wonnen ze. Macon had een van de hoogste moordcijfers van Georgia. Inbraak, zedendelicten, geweldpleging: werk te over voor een rechercheur en al helemaal voor een technisch rechercheur. Nog twee vakken, dan had Lena een graad in de forensische wetenschappen. Bij het verzamelen van bewijsmateriaal werd niets op de koop toe genomen. Je zocht naar vingerafdrukken. Je ging met een stofzuiger over het tapijt op zoek naar vezels. Je fotografeerde het bloed en andere vloeistoffen. Je registreerde bewijsmateriaal. Vervolgens droeg je de hele zaak aan iemand anders over. De mensen van het lab waren verantwoordelijk voor het technische gedeelte. De rechercheurs vingen de boeven. Lena zou slechts een veredelde schoonmaakster zijn met een penning en een pakket overheidsvoorzieningen. Ze kon de rest van haar carrière forensisch werk verrichten en daarna zou ze nog jong genoeg zijn om haar pensioen aan te vullen met privéonderzoek.

Dan werd ze zo'n stomme privédetective die haar neus

in zaken stak die haar totaal niet aangingen.

'Adams!' Frank sloeg met zijn hand op de motorkap. Water spatte alle kanten op, als bij een hond die zich uitschudde. Hij was klaar met Brad en stond te popelen om iemand anders de volle laag te geven.

Lena pakte de druipende parka van de vloer van de auto, deed hem aan en trok het koord van de capuchon strak om geen natte haren te krijgen. Daarbij keek ze even in het achteruitkijkspiegeltje. Haar haar was gaan krullen. De Iers-katholieke genen die ze van haar vader had geërfd kwamen boven en verdrongen die van haar Mexicaanse grootmoeder.

'Adams!' riep Frank nogmaals.

Tegen de tijd dat ze uit de auto was gestapt, stond hij alweer tegen Brad te tieren en blafte hij hem toe dat zijn holster te laag hing.

Lena plooide haar lippen tot een glimlachje om Brad stilletjes een hart onder de riem te steken. Ooit was ze zelf een dom agentje geweest. Misschien had Jeffrey haar ook waardeloos gevonden. Dat hij van haar een goede politievrouw had proberen te maken, getuigde van zijn vastberadenheid. Een van de weinige redenen die Lena kon bedenken om die baan in Macon te weigeren was dat ze iets voor Brad kon betekenen zodat hij een betere rechercheur werd. Ze zou hem verre kunnen houden van alle corruptie, hem kunnen leren om zaken op de juiste wijze aan te pakken.

Doe wat ik zeg, maar doe niet zoals ik.

'Weet je zeker dat dit het is?' vroeg Frank. Hij doelde op het huis.

Brad slikte iets weg. 'Ja. Volgens de administratie van de hogeschool tenminste. Taylor Drive 16a.'

'Heb je aangeklopt?'

Zo te zien wist Brad niet welk antwoord van hem werd verwacht. 'Nee, chef. U had gezegd dat ik op u moest wachten.'

'Heb je het telefoonnummer van de huiseigenaar?'

'Nee. Hij heet Braham, maar...'

'Jezus,' mompelde Frank, en hij beende de oprit op.

Onwillekeurig had Lena medelijden met Brad. Net toen ze overwoog om hem een schouderklopje te geven hield hij zijn felroze paraplu scheef zodat ze een plens regenwater over zich heen kreeg.

'O,' fluisterde Brad. 'Jeetje, sorry, Lena.'

Ze onderdrukte de krachttermen die bij haar opkwamen en liep voor hem uit achter Frank aan.

Taylor Drive 16a was een verbouwde garage van één verdieping, die net iets dieper en twee keer zo breed was als een minibus. 'Verbouwd' was een groot woord, want aan de buitenkant was er niet echt iets veranderd. De metalen roldeur was niet vervangen en voor de ramen zat zwart bouwpapier. Omdat het een sombere dag was drong het licht uit het gebouwtje door de kieren in de aluminium gevelbeplating naar buiten. Plukken roze glasvezelisolatie hingen nat en aaneengeklit naar beneden. Het zinken dak was roestrood, en aan de achterkant lag een blauw dekzeil over een van de hoeken.

Lena keek naar het bouwsel en vroeg zich af waarom een vrouw die bij haar volle verstand was daar zou willen wonen.

'Een scooter,' zei Frank. Naast de garage stond een paarse Vespa. Het achterwiel zat met een fietsketting vast aan een oogbout in het beton van de oprit. 'Is dat net zo'n ketting als die van het meisje?' vroeg hij.

Onder het wiel zag Lena iets felgeels opblinken. 'Zo te zien ook net zo'n slot.'

Ze wierp een blik op het woonhuis. Het was een splitlevel met een schuine gevel aan de voorkant. Achter de ramen was het donker. Er stond geen auto bij het huis of op straat. De eigenaar moest opgespoord worden, want zonder zijn toestemming mochten ze de garage niet binnen. Lena klapte haar mobiel open om Marla Simms te bellen, de al wat oudere secretaresse van het politiebureau. Marla en haar beste vriendin Myrna vormden samen een soort kaartenbak waarin elke inwoner was opgenomen.

Brad drukte zijn neus tegen een van de ramen in de garagedeur. Turend probeerde hij door een scheur in het bouwpapier te kijken. 'Tjees,' fluisterde hij, waarna hij zo snel terugweek dat hij bijna over zijn eigen voeten struikelde. Hij trok zijn pistool en dook ineen.

Voor ze het wist, lag Lena's Glock al in haar hand. Haar hart bonsde in haar keel. Adrenaline zette haar zintuigen op scherp. Ze wierp een blik over haar schouder en zag dat Frank zijn pistool ook had getrokken. Nu hadden ze alle drie hun wapen op de gesloten garagedeur gericht.

Lena gebaarde naar Brad dat hij zich moest terugtrekken. Ineengedoken liep ze naar het garageraam. De scheur in het bouwpapier leek nu groter, meer een schietschijf met haar gezicht als de roos. Vlug keek ze naar binnen. Een man stond bij een klaptafel. Hij droeg een zwarte bivakmuts. Hij keek op, alsof hij iets hoorde, en Lena dook weg, waarbij haar hart in haar keel bonkte. Ze hield zich roerloos en met ingehouden adem telde ze de seconden af terwijl ze het geluid van voetstappen probeerde op te vangen, een wapen dat geladen werd. Ze hoorde niets, en opgelucht blies ze uit.

Ze stak een vinger op naar Frank: één persoon. 'Bivak,' zei ze geluidloos, waarop hij zijn ogen verbaasd opensperde. Frank wees naar zijn pistool, maar Lena schudde haar hoofd. Ze had niet kunnen zien of de man gewapend was.

Op eigen initiatief sloop Brad naar de zijkant van het gebouw en liep achterom, waarschijnlijk om te zien of er nog een uitgang was. Lena begon weer te tellen en toen ze bij zesentwintig was aangekomen, dook Brad op aan de andere kant van de garage. Hij schudde zijn hoofd. Geen achterdeur. Geen ramen. Lena gebaarde dat hij zich moest terugtrekken naar de oprit om haar rugdekking te geven. Dit was een karwei voor Frank en haar. Brad wilde protesteren, maar met één blik smoorde ze zijn verzet. Verslagen liet hij zijn hoofd hangen. Ze wachtte tot hij zich minstens vijf meter had verwijderd en knikte toen naar Frank ten teken dat ze er klaar voor was.

Frank stapte op de garage af, bukte zich en sloeg zijn hand om de stalen greep onder aan de roldeur. Hij keek nog even naar Lena en trok de deur toen met een harde, snelle ruk omhoog.

De man in de garage schrok en zette grote ogen op in de zwarte bivakmuts die de rest van zijn gezicht bedekte. Hij droeg handschoenen, en in zijn geheven vuist klemde hij een mes. Het dunne lemmet was minstens twintig centimeter lang. Het leek wel of er bloed aan het heft was vastgekoekt. Het beton onder zijn voeten zat onder de donkerbruine vlekken. Nog meer bloed.

'Laat vallen,' gebood Frank.

De indringer gehoorzaamde niet. Lena deed een paar passen naar rechts om een mogelijke vluchtweg af te snijden. Hij bevond zich achter een soort kantinetafel die bezaaid was met papieren. Een tweepersoonsbed stond met het hoofdeinde naar de muur en deelde samen met de tafel de ruimte in tweeën.

'Leg dat mes neer,' zei Lena. Ze kon alleen zijwaarts langs het bed schuifelen. Op het beton onder het bed zat ook een donkere vlek. Ernaast stond een emmer met bruin water en een smerige spons. Met haar pistool op de borst van de man gericht stapte ze behoedzaam om dozen en losse vellen papier heen. De man keek nerveus van Lena naar Frank en hield het mes nog steeds in zijn geheven vuist.

'Laat vallen!' zei Frank.

De man liet zijn handen zakken. Lena haalde opgelucht adem, in de veronderstelling dat het met een sisser afliep. Ze vergiste zich. Geheel onverwacht schoof de man de tafel met kracht opzij zodat die tegen Lena's benen sloeg en ze achterover op het bed tuimelde. Haar hoofd schampte het frame toen ze op de betonnen vloer rolde. Er klonk

46

een schot. Lena dacht niet dat het haar eigen wapen was, hoewel haar linkerhand heet aanvoelde, bijna alsof hij in brand stond. Iemand riep iets. Ze hoorde gedempt gekreun en krabbelde overeind. Er trok een waas voor haar ogen. Frank lag op zijn zij midden in de garage, met zijn pistool naast zich op de grond. Hij had zijn hand om zijn arm geslagen. Eerst dacht ze dat het een hartaanval was. Maar toen ze het bloed zag dat tussen zijn vingers door sijpelde, concludeerde ze dat hij een steekwond had opgelopen.

'Rennen!' riep hij. 'Nu!'

'Shit,' siste Lena en ze schoof de tafel aan de kant. Ze was misselijk. Nog steeds zag ze alles door een waas, tot haar blik zich scherp stelde op de in het zwart gehulde verdachte die over de oprit wegstoof. Brad stond verstijfd, met open mond van verbazing. De indringer rende vlak langs hem.

'Hou hem tegen!' riep Lena. 'Hij heeft Frank neergestoken!'

Met een ruk draaide Brad zich om en zette de achtervolging in. Lena rende achter hen aan. Haar gymschoenen sloegen tegen de natte grond en het water spatte in haar gezicht. Aan het eind van de oprit vloog ze de hoek om en de straat op. Verderop haalde Brad de verdachte in. Hij was groter en had een betere conditie, en met elke stap die hij zette werd de afstand tussen de twee kleiner.

'Halt! Politie!' riep Brad.

Alles vertraagde. De regen leek in de lucht te bevriezen tot druppeltjes die gevangenzaten in ruimte en tijd. De verdachte bleef staan en draaide zich razendsnel om. Het mes doorkliefde de lucht. Toen Lena haar pistool wilde grijpen, stuitte ze op een lege holster. Er klonk het zuigende geluid van staal door huid en toen luid gekreun. Brad liet zich ineengedoken op de grond vallen.

'Nee,' fluisterde Lena. Ze rende op Brad af en viel op haar knieën. Het mes stak uit zijn buik. Bloed sijpelde door zijn overhemd en kleurde het wit dieprood. 'Brad...'

'Het doet pijn,' zei hij. 'Het doet zo'n pijn.'

Lena toetste een nummer in op haar mobiel en hoopte vurig dat het ambulanceteam nog bij het meer was en niet op de terugweg naar hun post, wat algauw een rit van een halfuur was. Achter zich hoorde ze luide voetstappen, schoenen die over het wegdek dreunden. Verbluffend snel scheurde Frank voorbij en in zijn tomeloze woede schreeuwde hij het uit. De verdachte draaide zich om, want het leek wel of de hel achter hem was losgebroken, en op dat moment haalde Frank hem onderuit en sloeg hij tegen het asfalt. De tanden vlogen uit zijn mond. Bot brak. Franks vuisten gingen als dolle molenwieken tekeer en bedolven de verdachte onder een regen van pijn.

Lena drukte de telefoon tegen haar oor. Ze hoorde hem in de ambulancepost overgaan, maar niemand nam op.

'Lena...' fluisterde Brad. 'Niet tegen mijn moeder zeggen dat ik het verknald heb.'

'Je hebt het niet verknald.' Met haar hand beschermde ze zijn gezicht tegen de regen. Hij knipperde met zijn oogleden en probeerde ze te sluiten. 'Nee,' smeekte ze. 'Alsjeblieft, niet doen.'

'Sorry, Lena.'

'Nee!' riep ze.

Niet weer.

Drie

Sara Linton beschouwde Grant County niet langer als haar thuis. Het behoorde tot een andere wereld, een andere tijd, het was even onbereikbaar als Manderley uit *Rebecca* of de woeste heidegronden van *Wuthering Heights*. Terwijl ze door de buitenwijken reed, viel het haar op dat alles er nog hetzelfde uitzag, hoewel niets helemaal echt leek. De gesloten legerbasis die langzamerhand weer door de natuur werd opgeëist. De haveloze woonwagenkampen. De discountsupermarkt die in een opslagruimte was veranderd.

Er waren drieënhalf jaar verstreken sinds Sara haar geboortestad had verlaten. Ze hield zichzelf voor dat haar leven weer op de rails stond, een nieuw leven dat al bijna weer normaal was. Trouwens, als ze na haar studie medicijnen in Atlanta was gebleven in plaats van naar Grant County terug te keren, zou haar leven er ongeveer zo hebben uitgezien. Ze was hoofd-kinderarts op de afdeling Spoedeisende Hulp van het Grady Hospital, waar studenten haar als hondjes volgden en de beveiliging meerdere patroonhouders aan hun koppelriem had hangen voor het geval de bendes het karwei wilden afmaken dat ze op straat waren begonnen. Een epidemioloog die was verbonden aan het centrum voor infectieziektebestrijding van Emory University had haar al een paar keer mee uit gevraagd. Ze ging naar etentjes en dronk koffie met vrienden. Soms nam ze in het weekend haar windhonden mee naar Stone Mountain Park, waar ze lekker konden rennen. Ze las veel. Eigenlijk keek ze te veel tv. Ze leidde een buitengewoon normaal, buitengewoon saai leven.

Zodra ze het bord zag waarop werd aangekondigd dat ze zich nu officieel op het grondgebied van Grant County bevond, begon haar zorgvuldig opgebouwde façade echter barstjes te vertonen. Ze kreeg zo'n beklemd gevoel dat ze haar auto aan de kant van de weg zette. Op de achterbank kwamen de honden in beweging. Sara dwong zichzelf niet aan haar gevoel toe te geven. Daarvoor was ze te sterk. Ze had een keiharde strijd geleverd om de depressie te boven te komen die haar na de dood van haar man had meegezogen, en ze peinsde er niet over om erin terug te vallen alleen vanwege een of ander stom plaatsnaambord.

'Waterstof,' zei ze. 'Helium, lithium, beryllium.' Dat was een truc uit haar jeugd: ze zei de elementen uit het periodiek systeem op om maar niet aan de monsters te hoeven denken die onder haar bed op de loer lagen. 'Neon, natrium, magnesium...' Ze bleef ze net zo lang herhalen tot haar hart niet langer als een razende tekeerging en haar ademhaling weer rustig werd.

Toen ze eindelijk gekalmeerd was moest ze lachen bij de gedachte aan wat Jeffrey gezegd zou hebben als hij had geweten dat ze aan de kant van de weg het periodiek systeem opdreunde. Op de middelbare school was hij een echte sportieveling geweest: knap, charmant en moeiteloos cool. Hij had de nerd in Sara altijd buitengewoon komisch gevonden.

Ze stak haar arm naar achteren om de honden wat aandacht te geven zodat ze weer gingen liggen. In plaats van de auto te starten, bleef ze nog een tijdje uit het raam zitten kijken naar de verlaten weg die de stad in voerde. Ze bracht haar hand naar het kraagje van haar bloes en toen naar de ring die ze aan een halsketting droeg. Jeffreys ring van Auburn University. Hij was lid geweest van het footballteam tot hij er genoeg van kreeg om op de bank te zitten. Het was een lompe ring en hij was veel te groot voor haar vinger, maar als ze hem aanraakte voelde ze zich heel dicht bij Jeffrey. Het was een talisman. Soms raakte ze hem even aan zonder zich van het gebaar bewust te zijn. Haar enige troost was dat alles gezegd was wat er gezegd moest worden. Jeffrey wist dat Sara van hem hield. Hij wist dat ze met hart en ziel bij hem hoorde, zoals hij bij haar. Toen hij stierf waren zijn laatste woorden voor haar. Zijn laatste gedachten, zijn laatste herinneringen, ze waren allemaal voor Sara. En ze wist dat haar laatste gedachte voor hem zou zijn.

Ze drukte een kus op de ring en stopte hem weer in haar bloes. Voorzichtig stuurde Sara de auto de weg op. Weer kwam dat verlammende gevoel opzetten toen ze de stad in reed. Het was veel gemakkelijker om alles wat ze kwijt was te verdringen zolang het haar niet recht in haar gezicht staarde. Het footballstadion van de middelbare school, waar ze Jeffrey had ontmoet. Het park waar ze samen de honden hadden uitgelaten. De restaurants waar ze hadden gegeten. De kerk die ze af en toe bezochten als Sara's moeder weer op hun schuldgevoel had ingewerkt.

Toch moest er een plek zijn, een herinnering, die niet met Jeffrey was verbonden. Lang voordat Jeffrey Tolliver ook maar wist dat er zoiets als Grant County bestond, woonde zij hier al. Sara was in Heartsdale opgegroeid, had er de middelbare school bezocht, ze was lid geweest van de wetenschapsclub, had geholpen in het opvanghuis voor vrouwen waar haar moeder vrijwilligerswerk deed, en af en toe was ze met haar vader meegegaan naar een klus. Sara had in een huis gewoond waar Jeffrey nooit één voet had gezet. Ze had in een auto gereden die hij nooit had gezien. Ze had haar eerste zoen gekregen van een jongen uit de buurt, de zoon van de eigenaar van de ijzerwarenzaak. Ze was naar feestjes en etentjes van de kerk geweest en had footballwedstrijden bijgewoond.

Allemaal zonder Jeffrey.

Drie jaar voor hij in haar leven verscheen, was Sara als parttime gemeentelijk patholoog gaan werken om haar compagnon in de kinderkliniek te kunnen uitkopen. Ze had de baan gehouden, ook toen haar lening allang was afbetaald. Tot haar verbazing merkte ze dat het helpen van de doden soms dankbaarder werk was dan het genezen van de levenden. Elke zaak was een puzzel en elk lichaam zat vol aanwijzingen voor een raadsel dat alleen Sara kon oplossen. Bij haar werk als patholoog werd een deel van haar brein actief waarvan ze het bestaan nooit had vermoed. Ze had beide taken altijd met evenveel hartstocht verricht. Ze had aan talloze zaken meegewerkt en in de rechtszaal had ze over talloze verdachten en situaties getuigenis afgelegd.

Toch kon Sara zich geen enkel detail meer herinneren. Wat ze zich wel levendig herinnerde was de dag dat Jeffrey Tolliver de stad was binnengewandeld. De commissaris van politie ging met pensioen en de burgemeester had Jeffrey weggelokt van het politiekorps in Birmingham om zijn plaats in te nemen. Sara kende bijna geen vrouw die niet begon te giechelen van opwinding zodra Jeffreys naam viel. Hij was geestig en charmant. Hij was lang, donker en knap. Hij had football gespeeld in een universiteitsteam. Hij reed in een rode Mustang en had de atletische gratie van een poema.

Dat Jeffrey zijn oog op Sara liet vallen kwam als een schok voor de hele stad, inclusief Sara. Ze was nooit het soort meisje geweest dat met de knapste jongen van de school aan de haal ging. Ze was het soort meisje dat toekeek terwijl haar zus of haar beste vriendin de knapste jongen van de school inpikte. Niettemin werden hun losse afspraakjes steeds serieuzer, en een paar jaar later verbaasde het niemand toen Jeffrey Sara ten huwelijk vroeg. Hun relatie was niet van een leien dakje gegaan. Ze hadden hun ups en downs gehad, maar uiteindelijk had Sara tot in elke vezel geweten dat ze van Jeffrey was en – nog belangrijker

– dat hij volledig van haar was.

Onder het rijden veegde Sara met de rug van haar hand haar tranen weg. Het verlangen was nog het moeilijkst, de fysieke pijn die ze voelde als ze aan hem dacht. Er was geen stukje stad dat haar niet met een schok herinnerde aan wat ze kwijt was. Deze straten waren dankzij hem veilig geweest. Deze mensen hadden hem als hun vriend beschouwd. Hier was Jeffrey gestorven. De stad waarvan hij zoveel had gehouden was zijn eigen plaats delict geworden. Hier stond de kerk waarin ze om zijn dood hadden gerouwd. Hier was de straat waar auto's in lange rijen aan de kant stonden toen zijn kist de stad werd uit gereden.

Ze bleef hier maar vier dagen. In vier dagen kon ze alles doen.

Bijna alles.

Om Main Street en de kinderkliniek te mijden reed Sara met een omweg naar het huis van haar ouders. Het noodweer dat haar al vanaf Atlanta achtervolgde, was eindelijk tot bedaren gekomen, maar te oordelen naar de donkere wolken aan de hemel was dat slechts van korte duur. Het weer paste goed bij haar stemming van de laatste tijd: plotselinge, hevige buien met af en toe een straaltje zon.

Thanksgiving Day naderde en daardoor was er rond lunchtijd nauwelijks verkeer. Geen auto's die in lange rijen in de richting van de hogeschool kronkelden. Geen winkelpubliek dat zich rond de middag naar het stadscentrum haastte. Toch sloeg ze bij Lakeshore Drive links in plaats van rechts af en koos daarmee voor de lange route van ruim drie kilometer rond Lake Grant, zodat ze niet langs haar oude huis hoefde. Haar oude leven.

De vertrouwde aanblik van het ouderlijk huis van de Lintons was een verademing. In de loop van de jaren was er het een en ander aan het huis vertimmerd: aanbouwtjes waren verrezen, er was een badkamer bij gekomen en de oude was gemoderniseerd. Toen Sara ging studeren, had

haar vader de ruimte boven de garage tot appartement verbouwd zodat ze een eigen plek had als ze tijdens de zomer-
vakantie thuis was. Tessa, Sara's jongere zus, had er bijna
tien jaar gewoond in afwachting van het moment waarop
het echte leven zou beginnen. Eddie Linton was loodgieter van beroep. Hij had het vak aan zijn beide dochters
geleerd, maar alleen Tessa was lang genoeg blijven hangen
om er iets mee te doen. Dat Sara de medicijnenstudie had
verkozen boven het gewurm in bedompte kruipruimtes,
samen met haar vader en zus, was een teleurstelling die
Eddie nog steeds niet helemaal had verwerkt. Hij was zo'n
vader die zich pas gelukkig voelde als hij zijn dochters om
zich heen had.

Sara wist niet hoe Eddie het vond dat Tessa zich uit de
familiezaak had teruggetrokken. Zo rond de tijd dat Sara
Jeffrey had verloren, was Tessa getrouwd en dertiendui-
zend kilometer verderop aan een nieuw leven begonnen:
tegenwoordig woonde ze in Afrika, waar ze met kinderen
werkte. Zo gelijkmatig als Sara was, zo impulsief was Tessa, maar toen ze pubers waren, had niemand kunnen vermoeden wat hun uiteindelijke bestemming zou zijn. Sara
kon nog steeds moeilijk geloven dat Tessa zendelinge was
geworden.

'Zusje!' Tessa stormde het huis uit en waggelde met haar
zwangere buik de verandatrap af. 'Waar bleef je toch? Ik ga
bijna dood van de honger!'

Sara was de auto nog niet uit of haar zus sloeg haar armen om haar heen. De begroeting kreeg al snel een diepere
betekenis, en Sara voelde de duisternis weer neerdalen.
Dit hield ze nog geen vier minuten vol, laat staan vier dagen.

'O, zusje, alles is veranderd,' zei Tessa zachtjes.

'Ik weet het.' Sara vocht tegen haar tranen.

Tessa maakte zich los uit hun omhelzing. 'Ze hebben
een zwembad.'

Sara lachte verbaasd. 'Ze hebben een wat?'

'Pa en ma hebben een zwembad laten aanleggen. Met whirlpool.'

Nog steeds lachend wiste Sara de tranen uit haar ogen. Ze had er geen woorden voor, zoveel hield ze van haar zus. 'Je houdt me voor de gek, hè?' Als kinderen hadden Sara en Tessa eindeloos om een zwembad gezeurd.

'En ze heeft het plastic van de bank gehaald.' Sara keek haar zus strak aan, alsof ze wilde vragen wat daar zo grappig aan was.

'Ze hebben de tv-kamer opnieuw ingericht, nieuwe lampen gekocht, de keuken gerenoveerd, en zelfs de potloodstreepjes overgeverfd die pa altijd op de deur tekende... Het lijkt wel of we er nooit gewoond hebben.'

Sara was bepaald niet rouwig om het verdwijnen van de potloodstreepjes, die haar lengte hadden aangegeven tot ze dertien werd en officieel tot langste persoon van de familie werd uitgeroepen. Ze graaide de hondenriemen van de passagiersstoel. 'Wat hebben ze precies gedaan met de tv-kamer?'

'Alle lambrisering is eruit gesloopt. Ze hebben zelfs een kroonlijst aangebracht.' Tessa zette haar handen in haar uitdijende zij. 'Ze hebben een nieuw tuinstel gekocht. Van dat mooie gevlochten riet, niet van dat spul dat je kont afknijpt zodra je erop gaat zitten.' In de verte klonk een donderklap. Tessa wachtte tot het gerommel was weggestorven. 'Het zou zo in *Southern Living Magazine* kunnen.'

Sara stelde zich breeduit voor het achterportier van haar suv op terwijl ze de strijd aanbond met haar twee windhonden, die ze probeerde aan te lijnen voor ze de straat op stoven. 'Heb je mama gevraagd waarom ze alles heeft veranderd?'

Tessa klakte met haar tong toen ze de riemen van Sara overnam. Billy en Bob sprongen uit de auto en stelden zich achter haar op. 'Ze zei dat ze eindelijk mooie spullen kon kopen nu wij het huis uit waren.'

Sara tuitte haar lippen. 'Dat is best pijnlijk.' Ze liep om de auto heen en opende de kofferbak. 'Wanneer komt Lemuel?'

'Hij wacht op de eerstvolgende vlucht, maar die bushpiloten stijgen pas op als elke kip en geit in het dorp een ticket heeft gekocht.' Tessa was een paar weken geleden teruggekomen om in de Verenigde Staten te bevallen. Haar vorige zwangerschap was slecht afgelopen; ze had de baby verloren. Uiteraard wilde Lemuel niet dat Tessa ook maar enig risico nam, maar Sara vond het vreemd dat hij nog niet bij zijn vrouw was. Het kind werd binnen een maand verwacht.

'Ik hoop dat ik hem nog zie voor ik weer vertrek.'

'O, zusje, wat lief van je. Bedankt voor je leugentje.'

Sara wilde dat net met een wat minder doorzichtige leugen ontkennen toen ze een patrouillewagen langzaam door de straat zag rijden. De man achter het stuur tilde zijn pet even op toen hij Sara zag. Hun blikken kruisten elkaar en ze voelde de tranen weer opkomen.

Tessa streelde de honden. 'Ze rijden de hele ochtend al langs.'

'Hoe wisten ze dat ik kwam?'

'Ik geloof dat het me gisteren in de supermarkt ontglipt is.'

'Tess.' Sara kreunde. 'Je had vast je hielen nog niet gelicht of Jill June hing aan de telefoon. Ik wilde dit stilhouden. Nu zul je zien dat de deur hier wordt platgelopen.'

Tessa gaf Bob een luide smakzoen. 'Gezellig toch, hè jongens?' Voor de goede orde gaf ze Bill ook een zoen. 'Er is trouwens al twee keer voor je gebeld.'

Sara haalde haar koffer uit de auto en sloeg de achterklep dicht. 'Laat me raden. Marla van het politiebureau en Myrna van verderop, allebei kwijlend van roddelzucht.'

'Nee, fout geraden.' Tessa liep naast Sara naar het huis. 'Een meisje, Julie of iets dergelijks. Ze klonk nogal jong.'

Sara's patiënten hadden haar vaak thuis gebeld, maar ze

kon zich niemand herinneren die Julie heette. 'Heeft ze een nummer opgegeven?'

'Mama heeft het opgeschreven.'

Terwijl Sara haar koffer de verandatrap op zeulde, vroeg ze zich af waar haar vader bleef. Ach, die lag waarschijnlijk lekker languit op de plasticvrije bank. 'Wie heeft er nog meer gebeld?'

'Beide keren was het dat meisje. Ze zei dat ze je hulp nodig had.'

'Julie,' herhaalde Sara peinzend, maar de naam zei haar niets.

Op de veranda bleef Tessa staan. 'Ik moet je nog iets vertellen.'

Intuïtief wist Sara dat er slecht nieuws kwam en een sluipende angst maakte zich van haar meester. Net toen Tessa wat wilde zeggen, ging de voordeur open.

'Je bent vel over been,' zei Cathy afkeurend. 'Ik wist wel dat je daarginds niet genoeg at.'

'Ook leuk om jou weer te zien, mam.' Sara kuste haar moeder op de wang. Achter Cathy dook Eddie op, en ook hij kreeg een kus op zijn wang. Haar ouders haalden de windhonden aan en overlaadden ze met troetelwoordjes, en Sara kon zich niet aan de indruk onttrekken dat de dieren hartelijker werden begroet dan zij.

Eddie pakte haar koffer. 'Die neem ik wel.' Voor ze iets kon zeggen liep hij de trap al op.

Terwijl ze haar vader nakeek, trok Sara haar gymschoenen uit. 'Is er iets...'

Bij wijze van uitleg schudde Cathy haar hoofd.

Tessa schopte haar sandalen uit. Dat deed ze kennelijk vaker, want de pasgeverfde muur vertoonde al slijtplekken. 'Mama, je moet het haar vertellen,' zei ze.

De blik die Cathy Tessa toewierp voorspelde weinig goeds. 'Wat moet ze me vertellen?' vroeg Sara.

'Iedereen maakt het goed, hoor,' zei Cathy geruststellend. 'Behalve?'

'Brad Stephens is vanmorgen gewond geraakt.'

Brad was ooit patiënt van haar geweest, en later werd hij agent onder Jeffrey. 'Wat is er gebeurd?'

'Hij is neergestoken toen hij iemand wilde arresteren. Hij ligt in het Macon General.'

Sara liet zich tegen de muur vallen. 'Waar is hij gestoken? Gaat hij het redden?'

'Bijzonderheden weet ik niet. Zijn moeder is nu bij hem in het ziekenhuis. We zullen vanavond wel een telefoontje krijgen.' Ze wreef over Sara's arm. 'Laten we ons maar niet voortijdig ongerust maken. Het is nu in Gods handen.'

Sara was verbijsterd. 'Waarom zou iemand Brad iets willen aandoen?'

'Ze denken dat het iets te maken heeft met het meisje dat vanochtend uit het meer is gehaald,' verduidelijkte Tessa.

'Welk meisje?'

Cathy maakte abrupt een einde aan het gesprek. 'Er is verder nog niks bekend, en we doen niet mee aan al die wilde geruchten.'

'Mama...' drong Sara aan.

'Genoeg hierover.' Cathy kneep even in haar arm en liet toen los. 'Laten we liever stilstaan bij de dingen waarvoor we dankbaar moeten zijn, bijvoorbeeld dat ik nu mijn beide dochters weer onder mijn dak heb.'

Cathy en Tessa liepen de gang door naar de keuken, op de voet gevolgd door de honden. Sara bleef in de hal staan. Het nieuws over Brad was maar heel even aangeroerd, en ze had geen tijd gehad om het te verwerken. Brad Stephens was een van Sara's eerste patiënten geweest in de kinderkliniek. Ze had hem van slungelige puber in een keurige jongeman zien veranderen. Jeffrey had hem strak gehouden. Eigenlijk was hij eerder een puppy dan een echte agent en hij was dan ook de mascotte van het bureau. Natuurlijk wist Sara als geen ander hoe gevaarlijk het politiewerk was, ook in een kleine stad.

Ze bedwong de neiging om het ziekenhuis in Macon te bellen en te vragen hoe het met Brad ging. Een gewonde agent bracht altijd veel mensen op de been. Er werd bloed gedoneerd. Men waakte. Minstens twee collega's bleven constant bij de familie. Sara hoorde echter niet meer bij die gemeenschap. Ze was niet langer de vrouw van de commissaris. Vier jaar geleden had ze haar functie van gemeentelijk patholoog neergelegd. De toestand van Brad ging haar niet aan. Bovendien werd ze geacht op vakantie te zijn. Ze had aan één stuk door diensten gedraaid om vrij te kunnen krijgen, ze had tijdens weekenden en op de meest bizarre tijden gewerkt om met Thanksgiving weg te kunnen. Het zou toch al een zware week worden, ook zonder dat ze haar neus in andermans zaken stak. Ze had genoeg aan haar eigen problemen.

Sara keek naar de ingelijste foto's op de gang, met de vertrouwde taferelen uit haar jeugd. Cathy had alles een nieuwe lik verf gegeven, maar als ze dat niet had gedaan zou er naast de deur een grote rechthoek hebben gezeten die lichter van kleur was dan de rest van de muur: de plek waar de huwelijksfoto van Jeffrey en Sara had gehangen. In gedachten zag Sara het weer voor zich, niet de foto, maar de dag zelf. De wind door haar haar, dat wonderbaarlijk genoeg niet was gaan krullen in de klamme lucht. Haar lichtblauwe jurk en bijpassende sandalen. Jeffrey in donkere broek en wit overhemd, dat zo strak gestreken was dat hij de manchetten niet eens had hoeven dichtknopen. Ze hadden in de achtertuin van haar ouderlijk huis gestaan, met op de achtergrond een spectaculaire zonsondergang boven het meer. Jeffrey had zich net gedoucht en zijn haar was nog vochtig, en toen ze haar hoofd op zijn schouder legde, rook ze de vertrouwde geur van zijn huid.

'Hé, schat.' Eddie stond op de onderste traptree. Sara draaide zich om. Ze moest lachen, want meestal hoefde ze niet op te kijken als ze met haar vader sprak.

'Heb je onderweg slecht weer gehad?' vroeg hij.

'Viel wel mee.'

'Je hebt de rondweg zeker genomen?'

'Ja.'

Met een trieste glimlach op zijn gezicht keek hij haar aan. Eddie had van Jeffrey gehouden alsof hij zijn zoon was. Telkens als Sara hem sprak, drukte het verlies dubbel zo zwaar op haar.

'Weet je,' zei hij, 'je wordt al net zo mooi als je moeder.' Het compliment deed haar wangen gloeien. 'Ik heb je gemist, pa.'

Hij pakte haar hand, drukte een kus op de binnenkant en bracht hem toen naar zijn hart. 'Ken je die mop van die twee kaarsen?'

Ze lachte. 'Nee. Vertel op.'

'Zegt de een tegen de ander: "Zullen we samen uitgaan?"'

Sara schudde haar hoofd. 'Pa, die is echt flauw.'

De telefoon ging en het ouderwetse gerinkel vulde het huis. Er waren twee telefoons in huize Linton: een in de keuken en een boven in de ouderslaapkamer. Toen ze nog thuis woonden, mochten Sara en Tessa alleen het toestel in de keuken gebruiken, en inmiddels was het snoer zo uitgerekt van alle keren dat de hoorn was meegenomen naar de voorraadkast, naar buiten of naar welk plekje ook maar de schijn van privacy bood, dat er geen krul meer in zat.

'Sara!' riep Cathy. 'Julie voor je aan de telefoon.'

Eddie klopte op haar arm. 'Ga maar.'

Ze liep de gang door naar de keuken, die zo mooi was geworden dat ze stokstijf bleef staan. 'Krijg nou wat.'

'Wacht maar tot je het zwembad ziet,' zei Tessa.

Sara streek met haar hand over het nieuwe kookeiland. 'Dit is marmer.' Vroeger was het interieur van de Linton-keuken een bonte verzameling geweest van oranje tegeltjes en kastjes van noestig grenen, alsof hij rechtstreeks uit de *Brady Bunch* afkomstig was. Toen ze zich omdraaide zag ze de nieuwe koelkast. 'Is dat een Sub-Zero?'

'Sara.' Cathy stak haar de telefoon toe, het enige apparaat in de keuken dat niet was vernieuwd.

Met een verbijsterde blik op Tessa drukte ze de hoorn tegen haar oor. 'Hallo?'

'Dokter Linton?'

'Daar spreek je mee.' Vol verbazing over de antieke glaspanelen trok ze het deurtje van de kersenhouten kast open. Aan de andere kant van de lijn bleef het stil. 'Hallo?' herhaalde ze. 'Met dokter Linton.'

'Sorry, mevrouw. U spreekt met Julie Smith. Ken u me horen?'

Kennelijk belde ze met een mobiel en was de verbinding slecht. Wat het er ook niet beter op maakte was dat ze bijna fluisterend sprak. De naam zei Sara niets, maar naar het nasale accent te oordelen kwam Julie uit een van de armere wijken van de stad. 'Wat kan ik voor je doen?'

'Sorry. Ik bel vanaf me werk en ik moet zachtjes doen.'

Er verscheen een rimpel in Sara's voorhoofd. 'Ik versta je goed, hoor. Waarmee kan ik je helpen?'

'Ik weet dat u me niet ken en sorry dat ik u zomaar bel, maar u heb een patiënt gehad die Tommy Braham heet. Ken u Tommy nog?'

Sara liep in gedachten alle Tommy's na die ze kende. Er kwam geen gezicht boven, maar wel een bepaald karakter. Hij was een van die kinderen die telkens weer op het spreekuur verschenen met de gebruikelijke klachten: een kraal in de neus, een watermeloenpit in het oor, vage buikpijn op belangrijke schooldagen. Wat nog het meest opviel was dat zijn vader altijd met hem op het spreekuur verscheen in plaats van zijn moeder, hoogst ongebruikelijk in Sara's praktijk.

'Ik kan me Tommy inderdaad nog herinneren. Hoe gaat het met hem?'

'Dat is het 'm juist.' Ze zweeg weer, en Sara hoorde op

de achtergrond water stromen. Ze wachtte tot het meisje het woord weer nam. 'Sorry. Zoals ik al zei zit hij in de problemen. Ik zou u niet gebeld hebben, maar dat moest van hem. Hij heeft me ge-sms't vanuit de gevangenis.' 'De gevangenis?' Het werd Sara zwaar te moede. Ze vond het altijd vreselijk als ze hoorde dat een van haar vroegere patiëntjes het verkeerde pad op was gegaan, ook al kon ze zich geen gezicht meer herinneren. 'Wat heeft hij uitgespookt?'

'Helemaal niks, mevrouw. Dat is het 'm juist.'

'Oké.' Sara formuleerde de vraag op een andere manier. 'Waar is hij voor veroordeeld?'

'Nergens voor, van wat ik weet. Hij weet niet eens of hij gearresteerd is of wat dan ook.'

Sara concludeerde dat het meisje de politiecel had verward met de gevangenis. 'Zit hij op het politiebureau aan Main Street?' Tessa keek haar even aan, en Sara haalde haar schouders op, niet in staat om het uit te leggen.

'Ja,' zei Julie. 'Daar zit ie.'

'Oké, en wat heeft hij volgens de politie gedaan?'

'Volgens mij denken ze dat hij Allison heb vermoord, maar dat ken gewoonweg...'

'Moord dus.' Sara liet haar niet uitspreken. 'Ik begrijp niet zo goed wat hij van me wil. In een dergelijke situatie heeft hij meer aan een advocaat dan aan een dokter,' voegde ze eraan toe.

'Ja, mevrouw, ik weet wat het verschil is tussen een dokter en een advocaat.' Toch klonk Julie niet beledigd door Sara's toelichting. 'Hij zei alleen dat hij iemand nodig had die naar hem wilde luisteren, want ze geloven gewoonweg niet dat hij de hele nacht bij Pippy is geweest, en hij zei dat u de enige was die ooit naar hem heb geluisterd, en die ene smeris, die heb hem heel hard aangepakt. Ze kijkt hem de hele tijd aan alsof...'

Sara bracht haar hand naar haar keel. 'Welke smeris?'

'Weet ik niet precies. Een vrouw.'

Dat beperkte het aantal mogelijkheden aanzienlijk. Sara deed haar best niet al te koel te klinken. 'Ik kan me hier echt niet in mengen, Julie. Als Tommy gearresteerd is moet hij volgens de wet een advocaat toegewezen krijgen. Zeg maar dat hij om Buddy Conford moet vragen. Die is altijd erg goed in dit soort situaties. Afgesproken?'

'Ja, mevrouw.' Ze klonk teleurgesteld, maar niet verbaasd. 'Goed. Ik heb hem beloofd dat ik het zou proberen.'

'Hm...' Sara wist niet wat ze verder nog moest zeggen. 'Sterkte. Voor jullie allebei.'

'Bedankt, mevrouw, en zoals ik al zei, sorry dat ik u heb gestoord terwijl u vrij heb.'

'Geeft niet, hoor.' Sara wachtte op een reactie, maar het enige wat ze hoorde was een toilet dat werd doorgetrokken en toen werd de verbinding verbroken.

'Waar ging dat over?' wilde Tessa weten.

Sara hing op en nam aan tafel plaats. 'Een van mijn vroegere patiënten zit in de cel. Hij zou iemand vermoord hebben. Niet Brad... Een zekere Allison.'

'Over wie belde ze?' vroeg Tessa. 'Wedden dat het dezelfde is die Brad heeft neergestoken?'

Om haar afkeuring kenbaar te maken sloeg Cathy met een klap de koelkast dicht.

Tessa bleef echter aandringen. 'Hoe heet hij?'

Angstvallig meed Sara haar moeders misprijzende blik. 'Tommy Braham.'

'Die is het. Mama, die heeft vroeger toch ons gras gemaaid?'

'Ja,' antwoordde Cathy afgemeten, en daarmee was voor haar de kous af.

'Al sla je me dood,' zei Sara, 'maar ik zou niet meer weten hoe hij eruitziet. Hij was niet al te snugger. Volgens mij was zijn vader elektricien. Waarom kan ik me zijn gezicht niet herinneren?'

'Tss,' zei Cathy terwijl ze mayonaise op sneetjes witbrood smeerde. 'Dat krijg je als je ouder wordt.'

'Moet jij nodig zeggen,' zei Tessa met een zelfgenoegzaam lachje.

Cathy bitste terug, maar Sara luisterde al niet meer. Ze deed haar uiterste best om zich meer bijzonderheden over Tommy Braham te herinneren, zodat ze hem kon plaatsen. De vader was haar beter bijgebleven dan de zoon: een norse, gespierde man die zich niet op zijn gemak voelde in de kliniek, alsof het niet van manlijkheid getuigde om in het openbaar voor je zoontje te zorgen. Zijn vrouw was bij hem weggelopen, dat wist Sara zich nog te herinneren. Het was een enorm schandaal geweest, vooral omdat ze er midden in de nacht vandoor was gegaan met de jeugdpredikant van de Primitive Baptist Church.

Tommy moest een jaar of acht, negen zijn geweest toen hij voor het eerst bij Sara kwam. Alle jongens zagen er op die leeftijd hetzelfde uit: bloempotkapsel, T-shirt en een onmogelijk klein en verkreukeld spijkerbroekje boven een paar witte tennisschoenen. Was hij stiekem verliefd op haar geweest? Ze kon het zich niet herinneren. Wel wist ze nog dat hij wat onnozel en traag was. Als hij een moord had gepleegd, was hij waarschijnlijk door iemand anders daartoe aangezet.

'Wie zou Tommy dan vermoord hebben?' vroeg ze.

'Een studente van de hogeschool,' antwoordde Tessa. 'Ze is vanochtend in alle vroegte uit het meer opgevist. Eerst dachten ze aan zelfmoord, maar later veranderden ze van mening en toen zijn ze naar haar huis gegaan, die krakkemikkige garage die Gordon Braham aan studenten verhuurt. Weet je welke ik bedoel?'

Sara knikte. Als studente had ze ooit tijdens een vakantie haar vader geholpen toen de septic tank bij het huis van de Brahams leeggepompt moest worden, waarna ze zich had voorgenomen dubbel zo hard te werken voor haar artsendiploma.

'Tommy was in de garage, gewapend met een mes,' vervolgde Tessa. 'Hij viel Frank aan en rende de straat op.

Brad zette de achtervolging in en werd ook neergestoken.'

Sara schudde haar hoofd. Ze had aan iets onbeduidends gedacht: een winkeloverval, een wapen dat per ongeluk afging. 'Dat zie ik Tommy nog niet doen.'

'De halve buurt heeft het gezien,' zei Tessa. 'Brad rende achter hem aan over straat, waarop Tommy zich omdraaide en hem in zijn buik stak.'

In gedachten ging Sara een stap verder. Tommy had geen burger neergestoken, maar een politieman. Als er een politieman bij betrokken was, golden er andere regels. Geweldpleging werd poging tot moord. Doodslag werd moord.

'Ik heb gehoord dat Frank hem niet al te zachtzinnig heeft aangepakt,' zei Tessa zachtjes.

Terwijl Cathy borden uit de keukenkast pakte, zei ze afkeurend: 'Het is heel teleurstellend als respectabele mensen wangedrag vertonen.'

Sara probeerde zich het tafereel voor te stellen: Brad die achter Tommy aan holde en Frank die de rij sloot. Maar Frank kon onmogelijk de laatste zijn geweest. Hij zou geen tijd verspillen door achter een verdachte aan te rennen terwijl Brad lag dood te bloeden. Er moest iemand anders bij zijn geweest. Iemand die er waarschijnlijk voor verantwoordelijk was dat die hele arrestatie verkeerd was afgelopen.

Weer laaide woede op in Sara's borst. 'Waar zat Lena al die tijd?'

Cathy liet een bord vallen. Het brak voor haar voeten in stukken, maar ze bukte zich niet om de scherven op te rapen. Haar lippen vormden een dunne lijn en haar neusvleugels trilden. Sara zag dat het haar moeite kostte om er een woord uit te krijgen. 'Waag het niet om in mijn huis ooit nog de naam van dat vreselijke mens uit te spreken. Hoor je wat ik zeg?'

'Ja, mam.' Sara keek naar haar handen. Lena Adams. Jeffreys toprechercheur. De vrouw die Jeffrey te allen tijde rugdekking hoorde te geven. De vrouw die door haar lafheid en angst Jeffreys dood op haar geweten had.

Moeizaam zakte Tessa op haar knieën om haar moeder te helpen met het opruimen van het gebroken bord. Sara bleef roerloos zitten.

Het donker was terug, een verstikkende wolk van verdriet, en het liefst was ze ineengedoken op de vloer gaan liggen. Gedurende Sara's hele leven was deze keuken gevuld geweest met vrolijkheid: het goedaardige gekibbel van haar moeder en haar zus, de flauwe grapjes en geintjes van haar vader. Sara hoorde hier niet meer. Ze moest een smoes verzinnen zodat ze weer kon vertrekken. Ze kon maar het beste teruggaan naar Atlanta zodat de rest van de familie in alle rust Thanksgiving kon vieren in plaats van het gedeelde verdriet van de afgelopen vier jaar weer op te rakelen.

Niemand zei iets tot de telefoon weer ging. Tessa was er het dichtst bij. Ze nam op. 'Met de familie Linton.' Zonder verdere plichtplegingen reikte ze Sara de hoorn aan.

'Hallo?'

'Sorry dat ik je stoor, Sara.'

Het leek Frank Wallace altijd enige moeite te kosten om Sara's naam uit te spreken. Hij had al gepokerd met Eddie Linton toen Sara nog een luier droeg, en had haar altijd 'snoes' genoemd, tot hij besefte dat het niet gepast was om zo vertrouwelijk te doen tegen de vrouw van je chef.

'Hoi,' zei Sara terwijl ze de tuindeur opende die op de veranda aan de achterkant van het huis uitkwam. Pas toen ze de kou voelde, merkte ze hoe haar wangen gloeiden. 'Is alles goed met Brad?'

'Heb je het dan al gehoord?'

'Natuurlijk heb ik het gehoord.' Nog voor de ambulance was gearriveerd wist de halve stad waarschijnlijk al wat er met Brad was gebeurd. 'Is hij nog steeds op de ok?'

'Hij is er een uur geleden uit gekomen. Volgens de artsen maakt hij een kans als hij de eerstvolgende vierentwintig uur haalt.' Frank praatte door, maar Sara kon zich niet concentreren op wat hij zei, wat trouwens niet veel inhield. De vierentwintiguursnorm was de gouden standaard van de chirurgie, het verschil tussen een sterfgeval dat moest worden toegelicht op de wekelijkse morbiditeits- en mortaliteitsvergadering of het afschuiven van de zorg voor een problematische patiënt op een andere arts.

Leunend tegen de muur, met de koude stenen tegen haar rug, wachtte ze tot Frank ter zake kwam. 'Kun jij je een patiënt genaamd Tommy Braham herinneren?'

'Vaag.'

'Ik vind het heel vervelend om je erbij te betrekken, maar hij vraagt naar je.'

Sara luisterde slechts met een half oor. Haar gedachten maalden terwijl ze allerlei smoezen probeerde te verzinnen als antwoord op de onvermijdelijke volgende vraag. Ze werd er zo door in beslag genomen dat ze pas merkte dat Frank was opgehouden met praten toen hij haar naam noemde. 'Sara? Ben je er nog?'

'Ja hoor, ik ben er nog.'

'Hij zit aan één stuk door te huilen.'

'Te huilen?' Weer had ze het gevoel dat ze een belangrijk deel van het gesprek had gemist.

'Ja, te huilen,' herhaalde Frank. 'Ik bedoel, dat komt vaker voor, dat ze huilen. Jezus, ze zitten in de cel. Maar er is echt iets met hem aan de hand. Volgens mij moet hij een kalmerend middel of iets dergelijks hebben zodat hij wat rustiger wordt. We hebben hier drie dronkenlappen en iemand die zijn vrouw heeft geslagen, en die breken straks de tent af om hem te wurgen als hij niet ophoudt.'

In gedachten herhaalde Sara zijn woorden, want ze wist nog steeds niet of ze het goed had verstaan. Ze was jarenlang met een politieman getrouwd geweest en ze kon het aantal keren dat Jeffrey zich zorgen had gemaakt om iemand in een van zijn cellen op de vingers van één hand tellen; en dan was het nooit een moordenaar geweest en al helemaal geen moordenaar die een collega had verwond.

'Is er geen dienstdoend arts?'

'Lieve schat, er is nauwelijks een dienstdoend agent. De burgemeester heeft ons budget gehalveerd. Het verbaast me dat het licht nog aangaat als ik een schakelaar indruk.'

'En Elliot Felteau dan?' vroeg ze. Elliot had Sara's praktijk gekocht toen ze de stad verliet. De kinderkliniek stond pal tegenover het politiebureau.

'Die is op vakantie. De dichtstbijzijnde arts zit honderd kilometer verderop.'

Ze slaakte een diepe zucht. Ze was kwaad op Elliot omdat die zomaar een week vrij had genomen, alsof kinderen wachtten met ziek worden tot de vakantie voorbij was. Ook was ze kwaad op Frank omdat hij haar bij deze ellende probeerde te betrekken. Maar ze was vooral kwaad op zichzelf omdat ze dit telefoontje had aangenomen. 'Kun je niet gewoon tegen hem zeggen dat Brad het gaat redden?'

'Dat is het niet. Het gaat om dat meisje dat we vanochtend uit het meer hebben gehaald.'

'Daar heb ik over gehoord.'

'Tommy heeft bekend dat hij haar heeft vermoord. Het duurde even, maar uiteindelijk hebben we hem gebroken. Hij was verliefd op dat meisje, maar ze keek hem niet aan. Je weet hoe dat gaat.'

'Dan is het gewoon berouw,' zei Sara, hoewel ze Tommy's gedrag vreemd bleef vinden. Ze wist uit ervaring dat de meeste misdadigers in een diepe slaap vielen nadat ze hadden bekend. Ze hadden zo lang strak gestaan van de adrenaline dat ze van uitputting instortten als ze zich uiteindelijk van hun last hadden bevrijd. 'Geef hem de tijd.'

'Er zit meer achter,' drong Frank aan. Hij klonk geërgerd en lichtelijk wanhopig. 'Ik zweer het, Sara, en ik vind het heel vervelend om het je te vragen, maar hij moet erdoorheen worden geholpen. Zijn hart begeeft het nog als hij jou niet kan spreken.'

'Ik kan me hem nauwelijks herinneren.'

'Hij herinnert zich jou anders heel goed.'

Sara beet op haar lip. 'Waar is zijn vader?'

'Die zit in Florida. We krijgen hem niet te pakken. Tommy staat er helemaal alleen voor, en dat weet ie.'

'Waarom vraagt hij naar mij?' Er waren patiënten geweest met wie ze in de loop van de jaren een band had gekregen, maar voor zover ze wist had Tommy Braham niet bij hen gehoord. Waarom kon ze zich zijn gezicht niet herinneren?

'Hij zegt dat jij wel naar hem luistert.'

'Je hebt toch niet gezegd dat ik zou komen, hè?'

'Natuurlijk niet. Ik wilde het je niet eens vragen, maar hij is er heel slecht aan toe, Sara. Volgens mij moet er een dokter bij komen. Niet per se jij, maar wel een dokter.'

'Niet dat ik...' Ze zweeg even, want ze wist niet hoe ze haar zin moest afmaken. Uiteindelijk besloot ze het op de man af te zeggen. 'Ik heb gehoord dat je hem nogal hard hebt aangepakt.'

Frank kleedde het diplomatiek in. 'Hij viel steeds toen ik hem wilde arresteren.'

Sara was vertrouwd met het eufemisme, dat een soort code was voor de minder aangename kant van de wetshandhaving. Het mishandelen van arrestanten was een onderwerp dat ze in haar gesprekken met Jeffrey had gemeden, vooral omdat ze het antwoord niet had willen horen. 'Is er iets gebroken?'

'Een paar tanden. Verder valt het wel mee.' Franks geduld raakte op. 'Hij huilt niet omdat hij een tand door zijn lip heeft, Sara. Hij heeft een dokter nodig.'

Sara tuurde door het keukenraam. Haar moeder zat naast Tessa aan tafel. Beiden keken haar aan. Een van de redenen waarom Sara na haar studie naar Grant County was teruggekeerd, was dat er buiten de grote steden een enorm gebrek aan artsen was. Nu het plaatselijke ziekenhuis zijn deuren ook al had gesloten, moesten zieken bijna een uur reizen als ze hulp nodig hadden. De kinderkliniek was een zegen voor de plaatselijke jeugd, maar kennelijk niet tijdens de vakantie.

'Sara?'

Ze wreef in haar ogen. 'Is zij er ook?'

Even aarzelde Frank. 'Nee. Ze is in het ziekenhuis, bij Brad.'

Waar ze waarschijnlijk een verhaal zat te verzinnen waarin zij de heldin was en Brad het slachtoffer dat niet goed had opgelet. Sara's stem beefde. 'Ik wil haar niet zien. Frank.'

'Dat hoeft ook niet.'

Het verdriet was als een hand die zich om haar keel sloot. Ze zou weer op het politiebureau zijn, op de plek waar Jeffrey zich zo thuis had gevoeld.

Hoog in de wolken knetterde bliksem. Ze hoorde regen, maar zag nog niets. Op het meer joegen en kolkten de golven. De hemel was donker en dreigend: opnieuw was er noodweer op komst. Ze zou er een teken in willen zien, maar in de kern was Sara wetenschapper. Ze had zich nooit op het geloof kunnen verlaten.

Ze liet zich vermurwen. 'Goed. Volgens mij heb ik nog wat diazepam in mijn eerstehulpkoffer. Ik kom wel achterlangs.' Ze zweeg. 'Frank...'

'Op mijn erewoord, Sara. Ze is er niet.'

Zonder het te willen toegeven was Sara blij om even bij haar familie weg te zijn, ook al moest ze daarvoor naar het politiebureau. Ze voelde zich thuis niet op haar gemak, alsof ze een puzzelstukje was dat niet helemaal paste. Alles was nog hetzelfde en toch was alles anders.

Weer nam ze de omweg langs het meer, zodat ze haar oude huis niet hoefde te zien, het huis waar ze met Jeffrey had gewoond. Om bij het politiebureau te komen, kon ze Main Street niet vermijden. Gelukkig was het weer omgeslagen en kwam de regen als een dicht, nevelig gordijn naar beneden. Er zat geen mens op de banken langs de straat, en ook op de met kinderkopjes geplaveide trottoirs was niemand te bekennen. De winkels hadden hun deuren gesloten tegen de kou. Zelfs bij Mann's Hardware was de schommelbank die als reclame diende naar binnen gehaald.

Ze sloeg een straatje in dat achter de oude apotheek langsliep. Het asfalt ging over in grind, en Sara was blij dat ze in een SUV reed. In Heartsdale had ze altijd in een sedan gereden, maar de straten van Atlanta waren veel onbetrouwbaarder dan welke plattelandsweg ook. De gaten in het wegdek waren zo diep dat je erin kon verdwijnen, en door de voortdurende overstromingen tijdens het regenseizoen was de BMW een noodzakelijk kwaad. Tenminste, dat maakte ze zichzelf wijs telkens als ze weer voor zestig dollar had getankt.

Frank had haar ongetwijfeld staan opwachten, want nog voor Sara de auto had geparkeerd, ging de achterdeur van het politiebureau al open. Hij klapte een grote zwarte paraplu uit en liep naar de auto om haar te begeleiden. De regen maakte zo'n kabaal dat Sara haar mond pas opendeed toen ze binnen waren. 'Is hij nog steeds overstuur?'

Frank knikte. Ondertussen deed hij een moeizame poging om de paraplu te sluiten. Over de knokkels van zijn rechterhand liep een wirwar van hechtingen. Op de rug van zijn pols zaten drie diepe schrammen. Afweerletsel.

'Jezus.' Frank kromp ineen van de pijn toen hij zijn stijve vingers bewoog.

Sara nam de paraplu van hem over en vouwde die dicht. 'Heb je antibiotica gekregen?'

'Ik heb een recept voor het een of ander. Geen idee wat het is.' Hij pakte de paraplu terug en wierp die in de bezemkast. 'Zeg maar tegen je moeder dat ik het vervelend vind dat ik je op je eerste dag thuis heb ingepikt.'

Sara had Frank altijd al oud gevonden, gewoon omdat hij een leeftijdsgenoot van haar vader was. Nu ze naar hem keek, constateerde ze echter dat Frank Wallace zo'n honderd jaar ouder was geworden sinds ze hem voor het laatst had gezien. Zijn huid was grauw en zijn gezicht doorgroefd. Ze keek naar zijn ogen en zag hoe geel die waren. Hij was duidelijk niet in orde.

'Frank?'

'Fijn je weer te zien, snoes,' zei hij met een geforceerd lachje. Het koosnaampje was bedoeld om een barrière op te werpen, en dat was hem gelukt. Ze liet zich op haar wang kussen. Hij had altijd een nicotinewalm om zich heen gehad, maar nu rook zijn adem ook naar whisky en kauwgom. Onwillekeurig wierp Sara een blik op haar horloge. Halftwaalf 's ochtends, het moment van de dag waarop een borrel betekende dat je de tijd uitzat tot je dienst ten einde liep. Aan de andere kant was het geen gewone dag voor Frank. Een van zijn mannen was neergestoken. Onder die omstandigheden zou Sara zelf ook een glas achterover hebben geslagen.

'Hou je het nog een beetje uit daarginds?' vroeg hij.

Ze probeerde het medelijden in zijn ogen te negeren. 'Uitstekend, Frank. Vertel eens wat er aan de hand is.'

Meteen veranderde hij van toon. 'Die knaap dacht dat het meisje ook iets in hem zag. Hij merkt dat het niet zo is en steekt haar neer.' Hij haalde zijn schouders op. 'Hij heeft geprobeerd zijn sporen uit te wissen, maar dat heeft ie helemaal verprutst. Voor hij het wist stonden we bij hem op de stoep.'

Nu werd Sara nog meer in verwarring gebracht. Ze had Tommy vast verwisseld met een van haar andere patiënten.

Frank zag haar twijfel. 'Herinner je je die jongen echt niet?'

'Eerst dacht ik van wel, maar nu weet ik het niet meer.'

'Kennelijk denkt hij dat jullie een soort band hebben. Niet op een rare manier of zo,' voegde hij er snel aan toe toen hij Sara's gezicht zag. 'Hij is nog niet echt volwassen.'

Frank tikte tegen de zijkant van zijn hoofd. 'Er gebeurt niet zoveel in zijn bovenkamer.'.

Even welde er schuldgevoel bij Sara op omdat een jongen die ze zich amper herinnerde zich zo verbonden met haar had gevoeld. In de loop van de jaren had ze duizenden patiënten behandeld. Uiteraard waren er namen blijven hangen, jongeren bij wier afstuderen en huwelijk ze was geweest, en er waren er een paar van wie ze de begrafenis had bijgewoond. Op wat losse details na wist ze helemaal niets over Tommy Braham.

'Deze kant op,' zei Frank, alsof ze niet ontelbare keren op het bureau was geweest. Met zijn plastic sleutelkaart opende hij de grote stalen deur die naar de cellen voerde. Een vlaag warme lucht kwam hen tegemoet.

Frank zag hoe onbehaaglijk ze zich voelde. 'De verwarmingsketel is van slag.'

Sara trok haar jas uit terwijl ze achter hem aan naar binnen liep. Toen ze op de basisschool zat werden er bij wijze van afschrikmiddel uitstapjes naar het huis van bewaring georganiseerd, zodat de leerlingen later niet het verkeerde pad zouden kiezen. De open cellen met tralies uit de tv-series behoorden tot een grijs verleden. Aan weerszijden van een lange gang waren zes stalen deuren. Elke deur had een raampje van draadglas en een gleuf aan de onderkant waar etensbladen doorheen konden worden geschoven. Sara keek voor zich uit terwijl ze Frank volgde, hoewel ze vanuit haar ooghoeken zag dat ze werd nagestaard door de mannen achter de celdeuren.

Frank haalde zijn sleutels tevoorschijn. 'Hij is geloof ik gestopt met huilen.'

Sara veegde een zweetdruppel weg die langs haar slaap naar beneden rolde. 'Heb je gezegd dat ik zou komen?'

Hij schudde zijn hoofd. De reden lag voor de hand: hij had niet zeker geweten of Sara aan zijn verzoek gehoor zou geven.

Toen hij de juiste sleutel had gevonden wierp hij een blik

door het raampje om zich ervan te verzekeren dat Tommy geen problemen zou opleveren. 'O, shit,' mompelde hij, en hij liet de sleutels vallen. 'O, jezus.'

'Frank?'

Vloekend pakte hij de sleutelbos weer op. 'Jezus,' zei hij zachtjes terwijl hij de sleutel in het slot stak en de grendel wegschoof. Zodra hij de deur had geopend zag Sara wat de oorzaak was van zijn schrik. Ze liet haar jas vallen, en het flesje pillen dat ze in haar zak had gestopt voor ze het huis verliet kletterde op het beton.

Tommy Braham lag op de vloer van zijn cel. Hij lag op zijn zij, met zijn armen uitgestrekt naar het bed vóór hem. Zijn hoofd was in een vreemde hoek weggedraaid en hij staarde met lege blik naar het plafond. Zijn mond stond open. Sara herkende hem onmiddellijk; de man die hij was verschilde niet zoveel van het jongetje dat hij was geweest. Ooit had hij een paardenbloem voor haar meegenomen en hij was zo rood als een biet geworden toen ze hem op zijn voorhoofd had gekust.

Ze liep naar hem toe, drukte haar vingers tegen zijn hals en voelde vluchtig of zijn hart nog klopte. Het was duidelijk dat hij was geslagen – zijn neus was gebroken en hij had een blauw oog – maar dat was niet de oorzaak van zijn dood. Beide polsen waren doorgesneden, en in de gapende wonden lagen vlees en pezen opengesteld aan de muffe lucht.Zijn lichaam was leeggebloed op de vloer. Het rook weeïg en zoet, als in een slagerij.

'Tommy,' fluisterde Sara, en ze streelde over zijn wang. 'Ik weet weer wie je bent.'

Sara sloot zijn oogleden. Zijn huid was nog warm, bijna gloeiend. Ze had hier sneller naartoe moeten rijden. Ze had niet naar het toilet moeten gaan voor ze vertrok. Ze had naar Julie Smith moeten luisteren. Ze had zonder tegenwerpingen hierheen moeten komen. Ze had aan het lieve jongetje moeten denken dat haar een bloem had gegeven die hij had geplukt in het hoge gras bij de kliniek.

Frank bukte zich en met een potlood verwijderde hij een dun, cilindervormig voorwerp uit de plas bloed.

'Dat is een inktpatroon uit een balpen,' zei Sara.

'Daarmee moet hij dan...'

Weer keek Sara naar Tommy's polsen. Blauwe inktstrepen liepen kriskras over de bleke huid. Als voormalig patholoog van Grant County wist ze maar al te goed hoe het eruitzag als iemand zich bij herhaling had gesneden. Tommy had net zo lang met de metalen inktpatroon in zijn vlees gezaagd en gekerfd tot hij een bloedvat had opengelegd. En toen had hij met de andere pols hetzelfde gedaan.

'Shit.' Frank keek over haar schouder.

Sara draaide zich om. Op de muur had Tommy met zijn eigen bloed de woorden IK NIET gekrabbeld.

Ze sloot haar ogen, want ze wilde het niet zien, ze wilde hier helemaal niet zijn. 'Heeft hij zijn bekentenis geprobeerd in te trekken?'

'Dat proberen ze allemaal,' zei Frank. Aarzelend voegde hij eraan toe: 'Hij heeft zijn bekentenis opgeschreven. Hij beschikte over schuldige kennis.'

Sara kende de term 'schuldige kennis'. Die werd gebruikt voor details die alleen de politie en de misdadiger konden weten. Ze deed haar ogen weer open. 'Huilde hij daarom? Wilde hij zijn bekentenis intrekken?'

Frank knikte afgemeten. 'Ja, die wilde hij weer intrekken. Maar dat willen ze...'

'Heeft hij om een advocaat gevraagd?'

'Nee.'

'Hoe kwam hij aan die pen?'

Frank haalde zijn schouders op, maar dom was hij niet. Het was niet moeilijk te raden wat er was gebeurd.

'Hij was Lena's arrestant. Heeft zij hem die pen gegeven?'

'Natuurlijk niet.' Frank kwam overeind en liep naar de celdeur. 'In elk geval niet met opzet.'

Sara raakte Tommy's schouder aan voor ze opstond.

'Lena had hem moeten fouilleren voor ze hem opsloot.'

'Hij had hem kunnen verstoppen in...'

'Ze zal hem die pen wel gegeven hebben zodat hij zijn bekentenis kon opschrijven.' Diep vanbinnen voelde Sara een duistere haat oplaaien. Ze was nog geen uur terug in de stad of ze zat alweer tot haar nek in een van Lena's vermaarde puinhopen. 'Hoe lang heeft ze hem verhoord?'

Weer schudde Frank zijn hoofd, alsof ze het helemaal verkeerd zag. 'Een uur of drie. Ook weer niet zo lang.'

Sara wees naar de woorden die Tommy met zijn eigen bloed had opgeschreven. '"Ik niet",' las ze. 'Hij bedoelt dat hij het niet gedaan heeft.'

'Ze zeggen allemaal dat ze het niet gedaan hebben.' Zo te horen raakte zijn geduld op. 'Hoor eens, schat, ga maar naar huis. Het spijt me van dit alles, maar...' Hij zweeg en Sara zag hem denken. 'Ik moet het GBI inlichten, de hele papierwinkel opstarten, Lena er weer bij halen...' Hij wreef met zijn handen over zijn gezicht. 'Jezus, wat een nachtmerrie.'

Sara raapte haar jas op van de vloer. 'Waar is zijn bekentenis? Die wil ik zien.'

Frank liet zijn handen zakken. Het was alsof hij aan de vloer was vastgeklonken. Ten slotte liet hij zich echter vermurwen en ging haar voor naar de deur aan het uiteinde van de gang. Na de donkere cellen was het tl-licht van de recherchekamer verblindend fel. Sara knipperde om haar ogen te laten wennen. Bij het koffiezetapparaat stond een groep agenten in uniform. Marla zat achter haar bureau. Ze keken haar allemaal aan met dezelfde morbide nieuwsgierigheid van vier jaar terug: *wat vreselijk, wat tragisch, kon ik de telefoon maar pakken om rond te vertellen dat ik haar gezien heb!*

Bij gebrek aan een alternatief negeerde Sara hen. Haar huid gloeide en om Jeffreys kamer niet te hoeven zien keek ze naar haar handen. Ze vroeg zich af of alles nog net zo was als toen: zijn souvenirs uit Auburn, zijn schiettrofeeën en de familiefoto's. Het zweet stroomde over haar rug. Het was zo benauwd in het vertrek dat ze bijna misselijk werd.

Bij zijn bureau bleef Frank staan. 'Het meisje dat hij heeft vermoord heet Allison Spooner. Tommy heeft geprobeerd het op zelfmoord te laten lijken: hij heeft een briefje geschreven en Spooners horloge en ring in haar schoenen gestopt. Hij zou ermee weggekomen zijn als Le...' Hij zweeg. 'Allison is met een mes in haar nek gestoken.'

'Is er al sectie verricht?'

'Nog niet.'

'Hoe weet je dat ze die messteek niet zelf heeft toegebracht?'

'Het zag eruit...'

'Hoe diep is de wond? Wat was de baan van het lemmet? Zat er water in haar longen?'

Met een zekere wanhoop in zijn stem praatte Frank eroverheen. 'Er zaten touwsporen om haar polsen.'

Sara keek hem strak aan. Ze had Frank altijd voor een integer man gehouden, maar nu durfde ze op een stapel bijbels te zweren dat hij loog dat hij barstte. 'Heeft Brock dat bevestigd?'

Hij aarzelde en toen schudde hij zijn hoofd.

Sara werd steeds kwader. Ergens in haar achterhoofd wist ze dat haar woede onredelijk was, dat die voortkwam uit dat duistere oord dat ze jarenlang had genegeerd, maar nu was er geen houden meer aan, ook al zou ze het willen. 'Was het lichaam verzwaard zodat het onder water bleef?'

'Er waren twee betonblokken aan haar middel vastgeketend.'

'Als ze met haar handen naar beneden dreef, zijn er lijkvlekken rond haar polsen ontstaan, of misschien lagen haar handen in een hoek op de bodem van het meer, zodat het voor een ongeoefend oog leek alsof ze vastgebonden was geweest.'

Frank wendde zijn blik af. 'Ik heb het zelf gezien, Sara.

Ze is vastgebonden geweest.' Hij sloeg een dossier open dat op zijn bureau lag en gaf haar een geel blaadje uit een blocnote. Het was nogal ruw losgetrokken en de bovenkant was gescheurd. Beide kanten waren beschreven. 'Hij heeft alles toegegeven.'

Sara's handen beefden toen ze de bekentenis van Tommy Braham las. Hij schreef met het overdreven schuinschrift van een basisschoolleerling. Zijn zinnen waren al even onvolwassen: *Pippy is mijn hond. Ze was ziek. Er moest een foto genomen van haar binneste. Ik heb mijn vader gebeld. Die is in Florida.* Ze sloeg het blaadje om en las de kern van het verhaal. Hij had zich aan Allison opgedrongen, maar ze had hem afgewezen. Er was iets geknapt bij Tommy. Hij had haar neergestoken en haar meegenomen naar het meer om zijn misdaad te verhullen.

Ze bekeek beide kanten van het blaadje. Twee pagina's. Met minder dan twee pagina's had Tommy een einde aan zijn leven gemaakt. Sara betwijfelde of hij er ook maar de helft van begrepen had. De enige keer dat hij een komma had gebruikt, was pal voor een moeilijk woord. Dergelijke woorden schreef hij in blokletters, en bij het nakijken had hij onder elke letter met pen een stip gezet.

'Ze heeft het hem voorgezegd,' kreeg ze er met moeite uit.

'Het is een bekentenis, Sara. Bij de meeste criminelen moet je zoiets dicteren.'

'Hij begrijpt niet eens wat hij schrijft.' Ze liet haar blik weer vluchtig over het papier gaan. '"Ik sloeg Allison om haar te overmeren."' Vol ongeloof keek ze Frank aan. 'Tommy heeft een IQ van nauwelijks tachtig. Denk je echt dat hij een zelfmoord in scène heeft gezet? Het scheelt niet veel of hij valt binnen de categorie geestelijk gehandicapt.'

'Dat concludeer je uit die twee alinea's die je hebt gelezen?'

'Dat concludeer ik omdat ik hem heb behandeld,' snauwde Sara. Terwijl ze de bekentenis las, was het allemaal weer bovengekomen: het gezicht van Gordon Braham toen Sara het vermoeden uitsprak dat zijn zoon zich te traag ontwikkelde voor zijn leeftijd, de testen die Tommy had ondergaan, Gordons ontreddering toen Sara hem vertelde dat zijn zoon nooit boven een bepaald niveau zou uitstijgen. 'Tommy was traag, Frank. Hij kon geen wisselgeld tellen. Hij heeft er twee maanden over gedaan om zijn veters te leren strikken.'

Frank keek haar aan, en de uitputting wasemde uit zijn poriën. 'Hij heeft Brad neergestoken, Sara. Hij heeft mij in mijn arm gestoken. Hij is op de vlucht geslagen.'

Haar handen begonnen nog heviger te beven en ze was witheet van woede. 'Heb je Tommy gevraagd waarom hij dat allemaal deed?' wilde ze weten. 'Of had je daar geen tijd voor toen je zijn gezicht tot moes sloeg?'

Frank keek over zijn schouder naar de agenten bij het koffiezetapparaat. 'Praat eens wat zachter.'

Maar Sara liet zich de mond niet snoeren. 'Waar was Lena toen dat alles gebeurde?'

'Ze was erbij.'

'O, vast. Die was er ongetwijfeld bij en liet iedereen naar haar pijpen dansen. "Het slachtoffer was vastgebonden. Dat moet moord zijn. Laten we naar zijn huis gaan. Dan raakt iedereen weer eens gewond terwijl ik er zonder een schrammetje afkom."' Sara voelde haar hart bonken in haar borst. 'Hoeveel mensen moeten er door Lena's schuld nog gewond raken – vermoord worden – voor iemand haar tegenhoudt?'

'Sara...' Frank wreef over zijn gezicht. 'We hebben Tommy in de garage aangetroffen met...'

'Dat huis is van zijn vader. Hij had het recht om in die garage te zijn. Hoe zat het met jullie? Hadden jullie een huiszoekingsbevel?'

'We hadden geen huiszoekingsbevel nodig.'

'Is de wet soms veranderd sinds Jeffreys dood?' Frank kromp ineen bij het horen van die naam. 'Heeft Lena zich

79

als politieofficier bekendgemaakt of begon ze meteen met haar pistool te zwaaien?'

Frank gaf geen antwoord op die vraag, wat op zich al een antwoord was. 'Het was een gespannen situatie. We hebben alles volgens de regels gedaan.'

'Komt Tommy's handschrift overeen met dat op het zelfmoordbriefje?'

Frank verbleekte, en ze besefte dat die vraag nog niet bij hem was opgekomen. 'Waarschijnlijk heeft hij het vervalst zodat het op het handschrift van het meisje leek.'

'Hij was niet slim genoeg om ook maar iets te vervalsen. Hij was traag van begrip. Heb je dat nog niet door? Het is godsonmogelijk dat Tommy ook maar iets van dat alles heeft gedaan. Hij was nog niet in staat om een tochtje naar de supermarkt uit te stippelen, laat staan dat hij een zelfmoord kon ensceneren. Wíl je het soms niet zien? Of hou je Lena weer eens uit de wind, zoals altijd?'

'Kijk uit wat je zegt,' waarschuwde Frank.

'Dit wordt haar ondergang.' Sara hield de bekentenis als een trofee omhoog. Haar handen trilden nog heviger. Ze voelde zich warm en koud tegelijk. 'Lena heeft hem erin geluisd met deze verklaring. Tommy wilde het iedereen altijd naar de zin maken. Ze heeft hem er eerst toe aangezet om een bekentenis op te schrijven en toen heeft ze hem ertoe aangezet om zich van kant te maken.'

'Ho, wacht eens even...'

'Dit kost haar haar penning. In de bak, daar hoort ze thuis.'

'Zo te horen geef jij meer om een of ander rotjoch dan om een politieman die vecht voor zijn leven.'

Als hij haar een klap in haar gezicht had gegeven, zou dat minder hard zijn aangekomen. 'Zou ik me het lot van een politieman niet aantrekken?'

Frank slaakte een diepe zucht. 'Hoor eens, snoes. Rustig een beetje, ja?'

'Hoezo, rustig een beetje? Ik heb me de afgelopen vier

jáár rustig gehouden.' Ze haalde haar mobiel uit haar achterzak en scrolde door de lijst met contacten.

'Wat ga je doen?' vroeg Frank angstig.

Sara hoorde de telefoon overgaan op het hoofdkwartier van het Georgia Bureau of Investigation in Atlanta. Een secretaresse nam op. 'Met Sara Linton,' zei ze. 'Zou ik Amanda Wagner kunnen spreken?'

Vier

Sara zat in haar auto op het parkeerterrein van het ziekenhuis en keek uit over Main Street. Sinds een jaar werden er geen patiënten meer opgenomen, maar het gebouw maakte al veel langer een vervallen indruk. De ambulanceparkeerplaats was overwoekerd met onkruid. Op de bovenverdiepingen waren ruiten ingegooid. De metalen deur die altijd openstond voor rokers was nu met een stalen balk vergrendeld.

Wat Tommy Braham betrof ging ze nog steeds gebukt onder schuldgevoel, niet alleen omdat ze zich hem niet had kunnen herinneren, maar ook omdat ze zijn dood had aangegrepen als springplank voor haar eigen wraakfantasieën over Lena Adams. Inmiddels was Sara van mening dat ze de zaak op zijn beloop had moeten laten in plaats van zich erin te mengen. Zelfmoord in een politiecel leidde automatisch tot een onderzoek door de staat. Frank zou de commandoketen in werking hebben gesteld door Nick Shelton te bellen, de plaatselijke GBI-agent. Nick zou met alle betrokken politiemensen en getuigen hebben gesproken. Hij was goed in zijn vak. Uiteindelijk zou hij tot dezelfde conclusie zijn gekomen als Sara: dat Lena nalatig was geweest.

Helaas had het Sara aan het geduld ontbroken om op dat proces te vertrouwen. Ze had eenzijdig besloten de rol van lijkschouwer weer op zich te nemen. Ze had Dan Brock op een zijspoor gezet, zelf foto's gemaakt en Tommy's cel geschetst voor ze toestemming gaf om het lichaam te verwijderen. Ze had kopieën gemaakt van elk document op het politiebureau dat betrekking had op Tommy Braham. En alsof dat alles niet erg genoeg was, had ze ook Amanda Wagner gebeld, onderdirecteur bij het GBI. Alsof je met een voorhamer een punaise insloeg.

'Stom,' fluisterde ze terwijl ze haar hoofd op het stuur legde. Ze zou nu thuis moeten zijn, het marmer bewonderen waarmee haar vader de badkamer had betegeld, in plaats van hier te zitten wachten op iemand die rechtstreeks van het GBI-hoofdkwartier kwam, zodat ze volkomen onterecht invloed kon uitoefenen op een onderzoek.

Ze leunde achterover en wierp een blik op het dashboardklokje. GBI-agent Will Trent was al bijna een uur te laat, maar ze kon hem niet bellen. Vanaf Atlanta was het zes uur rijden, minder als je je penning liet zien om je daarmee uit een bekeuring te kletsen. Weer keek ze op het klokje en wachtte tot het van 17.42 op 17.43 sprong.

Sara had geen idee wat ze tegen hem ging zeggen. Ze had misschien een keer of vijf, zes met Will Trent gesproken toen hij op een zaak zat waarbij een van Sara's patiënten op de spoedafdeling van het Grady betrokken was. Toen had ze zich ook al schaamteloos in het onderzoek gemengd, net als nu. Will zou zich wellicht afvragen of ze een soort ramptoerist was. In elk geval zou hij vraagtekens plaatsen bij haar obsessie met Lena Adams. Waarschijnlijk zou hij denken dat ze gestoord was.

'O, Jeffrey,' fluisterde Sara. Wat zou hij hebben gedacht als hij wist wat ze zich nu weer op de hals had gehaald? Wat zou hij hebben gezegd als hij wist hoe ellendig ze zich voelde nu ze terug was in de stad die hij zich eigen had gemaakt, waarvan hij had gehouden? Iedereen behandelde haar zo voorzichtig, met zoveel respect. Ze zou dankbaar moeten zijn, maar niettemin ging er een rilling door haar heen als ze het medelijden op al die gezichten zag.

Ze had schoon genoeg van haar tragische rol.

Een ronkende automotor kondigde de komst van Will Trent aan. Hij reed in een prachtige, zwarte, oude Porsche. Zelfs in de regen leek het net een roofdier dat klaar was voor de sprong. Voor hij uitstapte wipte hij het frontje van de radio en de GPS-ontvanger uit het dashboard en borg ze op in het handschoenenkastje. Hij woonde in Atlanta, waar je de voordeur al op slot deed als je de post ging halen. Sara wist dat hij de Porsche rustig met openstaande portieren op het parkeerterrein kon achterlaten, in het ergste geval deed iemand ze voor hem dicht.

Met een glimlach naar Sara sloot Will het portier. Ze had hem nooit anders gezien dan in driedelig pak, maar tot haar verbazing droeg hij nu een zwarte trui en spijkerbroek. Hij was lang, bijna een meter negentig, en had de magere bouw en soepele tred van een hardloper. Zijn lichtblonde haar was gegroeid en hij had niet langer het gemillimeterde kapsel van toen ze hem leerde kennen. Aanvankelijk had Sara Will Trent voor een accountant of advocaat aangezien. Het kostte haar nog steeds moeite om man en baan met elkaar te verenigen. Hij miste het snoeverige loopje van de meeste politiemensen. Evenmin keek hij je aan met zo'n verveelde blik die duidelijk moest maken dat hij een wapen bij zich droeg. Niettemin was hij een uitstekende rechercheur, en verdachten die hem onderschatten trokken aan het kortste eind.

Dat was een van de redenen waarom Sara blij was dat Amanda Wagner Will Trent had gestuurd. Lena zou al op het eerste gezicht een hekel aan hem hebben. Hij was te welgemanierd, te inschikkelijk, tenminste als je niet door zijn blos heen keek. Ze zou geen idee hebben wat haar te wachten stond, tot het te laat was.

Will opende het portier van Sara's auto en stapte in.

'Ik was al bang dat je verdwaald was,' zei ze.

Met een aarzelende grijns verstelde hij de zitting zodat zijn hoofd het dak niet raakte. 'Sorry. Ik was inderdaad verdwaald.' Hij keek haar aandachtig aan, alsof hij haar probeerde te peilen. 'Hoe maak je het, dokter Linton?'

'Ik eh...' Sara slaakte een diepe zucht. Zo goed kende ze hem niet, maar vreemd genoeg was het daardoor gemakkelijker om open kaart te spelen. 'Niet zo best, agent Trent.'

'Van agent Mitchell moest ik zeggen dat het haar speet dat ze niet mee kon komen.'

Faith Mitchell was zijn vaste collega, en Sara had haar weleens behandeld. Ze was met zwangerschapsverlof, en de baby zou niet lang meer op zich laten wachten. 'Hoe is het met haar?'

'Ze draagt haar lot geduldig als altijd.' Zijn glimlach gaf aan dat hij het tegenovergestelde bedoelde. 'Sorry dat ik zo snel van onderwerp verander, maar waarmee kan ik je helpen?'

'Heeft Amanda je nog iets verteld?'

'Ze zei dat een verdachte zelfmoord had gepleegd in de politiecel en dat ik hier zo snel mogelijk naartoe moest.'

'Heeft ze je ook verteld over...' Sara zweeg om hem de zin te laten afmaken. 'Over mijn man?' voegde ze eraan toe toen zijn reactie uitbleef.

'Is dat relevant? Ik bedoel, heeft dat iets te maken met wat er vandaag is gebeurd?'

Sara voelde haar keel dichtschroeven.

'Nou?'

'Ik weet niet of het relevant is,' zei ze ten slotte. 'Het is gewoon deel van de geschiedenis. Iedereen die je hier tegenkomt, weet ervan. Ze gaan ervan uit dat jij het ook weet.' Voor de zoveelste keer die dag voelde ze tranen in haar ogen prikken. 'Neem me niet kwalijk. Ik ben de afgelopen vijf uur zo kwaad geweest dat ik niet echt heb beseft waar ik je bij betrek.'

Hij boog zich voorover en haalde een zakdoek uit zijn achterzak. 'Je hoeft je niet te verontschuldigen. Ik word voortdurend bij allerlei zaken betrokken.'

Afgezien van Jeffrey en haar vader was Will Trent de enige man die Sara kende die een zakdoek bij zich droeg. Ze nam het keurig opgevouwen doekje van hem aan.

'Nou?' herhaalde Will.

Ze veegde haar ogen af en weer verontschuldigde ze zich. 'Sorry. Ik loop de hele dag al te janken.'

'Terugkeren is altijd moeilijk.' Hij zei het zo stellig dat Sara hem voor het eerst sinds hij was ingestapt echt aankeek. Will Trent was een aantrekkelijke man, maar het duurde even voor je dat doorhad. Hij leek het liefst met zijn omgeving te versmelten om zo onopvallend mogelijk zijn werk te kunnen doen. Maanden terug had hij Sara verteld dat hij in het kindertehuis van Atlanta was opgegroeid. Zijn moeder was vermoord toen hij nog een baby was. Dat waren schokkende onthullingen, maar toch had Sara het gevoel dat ze niets over hem wist.

Hij keerde zich naar haar toe en ze wendde snel haar blik af.

'Goed, dan proberen we het als volgt,' zei Will. 'Jij vertelt me wat ik volgens jou moet weten. Als ik nog vragen heb, zal ik ze zo respectvol mogelijk stellen.'

Sara kuchte een paar keer om haar stem terug te krijgen. Ze dacht aan haar eigen herstel na Jeffreys dood, aan het jaar uit haar leven dat ze was kwijtgeraakt aan slaap, pillen en ellende. Dat alles was nu niet aan de orde. Wat ze Will duidelijk moest maken was dat Lena Adams al heel lang gedrag vertoonde waarmee ze levens op het spel zette en dat er soms toe leidde dat anderen de dood vonden.

'Lena Adams was verantwoordelijk voor de dood van mijn man.'

'Leg eens uit,' zei Will zonder een spier te vertrekken.

'Ze kreeg iets met iemand...' Weer kuchte Sara. 'De man die mijn echtgenoot heeft vermoord was Lena's minnaar. Vriendje. Wat dan ook. Ze hebben een aantal jaren een relatie gehad.'

'Hadden ze nog een relatie toen je man stierf?'

'Nee.' Sara haalde haar schouders op. 'Geen idee eigenlijk. Hij had haar in zijn macht. Hij sloeg haar. Misschien heeft hij haar ook wel verkracht, maar...' Sara zweeg, want ze wist niet hoe ze Will duidelijk moest maken dat hij geen medelijden met Lena hoefde te hebben. 'Ze dreef hem ertoe. Ik weet dat het vreselijk klinkt, maar het was alsof Lena het misbruik uitlokte.'

Hij knikte, hoewel ze zich afvroeg of hij het echt begreep.

'Ze hadden een zieke relatie die het slechtste in beiden naar boven bracht. Ze pikte het allemaal tot het niet leuk meer was en toen haalde ze mijn man erbij om de rotzooi voor haar op te knappen, en...' Sara zweeg om de wanhoop uit haar stem te bannen. 'Lena maakte hem tot schietschijf. Het is nooit bewezen, maar haar ex-minnaar is degene die mijn man heeft vermoord.'

'Politiemensen hebben de plicht om mishandeling te melden,' zei Will.

Sara voelde een vonk van woede, want nu verweet hij Jeffrey kennelijk dat die geen maatregelen had genomen. 'Ze ontkende het. Je weet hoe moeilijk het is om huiselijk geweld te bewijzen als...'

'Ja, dat weet ik,' onderbrak hij haar. 'Sorry als ik me wat onduidelijk heb uitgedrukt. Ik wilde zeggen dat het rechercheur Adams kan worden aangerekend. Ook als een politieagente zelf het slachtoffer van geweld is, moet ze het volgens de wet aangeven.'

Sara probeerde haar ademhaling onder controle te krijgen. Ze was zo opgefokt door die hele geschiedenis dat hij vast dacht dat ze gek was. 'Lena is een slechte rechercheur. Ze is slordig. Ze is nalatig. Door haar toedoen leeft mijn man niet meer. Door haar toedoen leeft Tommy niet meer. Waarschijnlijk is Brad ook door haar toedoen op straat neergestoken. Door haar raken anderen in bepaalde situaties verzeild, komen ze in de vuurlinie, en dan doet zij een stap terug en kijkt toe terwijl het bloedbad zich voltrekt.'

'Opzettelijk?'

Sara's keel was zo droog dat ze nauwelijks kon slikken.
'Maakt dat iets uit?'

'Ik denk het niet,' moest hij toegeven. 'Heb ik het goed als ik vermoed dat rechercheur Adams nooit in staat van beschuldiging is gesteld voor enige betrokkenheid bij de moord op je man?'

'Ze is nooit voor wat dan ook ter verantwoording geroepen. Ze slaagt er voortdurend in om zich al glibberend onder haar rotsblok terug te trekken.'

Hij knikte en staarde naar de beregende voorruit. Sara had de motor afgezet. Voor de komst van Will had ze het koud gehad, maar door hun gezamenlijke lichaamswarmte besloegen nu de ruiten.

Sara keek Will weer vluchtig aan en probeerde te raden wat er in hem omging. Zijn gezicht stond onbewogen. Ze had nog nooit iemand ontmoet die zo ondoorgrondelijk was.

'Het klinkt net alsof ik een heksenjacht op touw zet, vind je niet?' vroeg ze ten slotte.

Het duurde even voor hij antwoordde. 'Een verdachte heeft zich van het leven beroofd terwijl hij in hechtenis zat. Het GBI heeft als taak om dat te onderzoeken.'

Nu was hij te mild. 'Nick Shelton is de plaatselijke GBI-agent. Ik heb zo ongeveer tien mensen gepasseerd.'

'Agent Shelton zou geen toestemming hebben gekregen om het onderzoek uit te voeren. Hij heeft een band met het plaatselijke politiekorps. Ik of een vergelijkbaar iemand zou erop af zijn gestuurd. Ik heb wel vaker in kleine stadjes gewerkt. Het is veel gemakkelijker om een pennenlikker uit Atlanta te haten.' Glimlachend voegde hij eraan toe: 'Maar als je mevrouw Wagner niet rechtstreeks had gebeld, zou er misschien een dag overheen zijn gegaan voor er iemand ter plekke was.'

'Sorry dat ik je zo vlak voor de feestdagen van huis heb weggesleept. Je vrouw is vast laaiend.'

'Mijn...?' Even keek hij verbaasd, alsof hij vergeten was

dat hij een ring om zijn vinger droeg. Hij deed een niet-geslaagde poging om eroverheen te praten. 'Die vindt het niet erg.'

'Toch spijt het me.'

'Ik kan ermee leven.' Hij bracht het gesprek weer op de lopende zaken. 'Vertel eens wat er vandaag gebeurd is.'

Deze keer kwamen de woorden vanzelf: het telefoon-tje van Julie, de geruchten over het neersteken van Brad, Franks verzoek om hulp. Ten slotte vertelde ze hoe ze Tommy in de cel had aangetroffen en wat hij op de muur had gekrabbeld. 'Hij is gearresteerd voor de moord op Allison Spooner.'

Will fronste zijn wenkbrauwen. 'Hebben ze Braham moord ten laste gelegd?'

'Nu komt het ergste.' Ze reikte hem de fotokopie aan die ze van Tommy's bekentenis had gemaakt.

Hij keek verbaasd. 'Hebben ze dit aan jou gegeven?'

'Ik heb een band met ze... had een band.' Ze wist niet zo goed hoe ze moest uitleggen waarom Frank haar als een bulldozer haar gang had laten gaan. 'Ik was vroeger de plaatselijke patholoog. Ik was met de commissaris ge-trouwd. Ze zijn het gewend me bewijsmateriaal te laten zien.'

Will klopte op zijn zakken. 'Volgens mij zit mijn leesbril in mijn koffertje.'

Sara haalde haar eigen bril uit haar tas.

Hij trok een bedenkelijk gezicht, maar zette de bril toch op. Knipperend liet hij zijn blik over het papier gaan. 'Komt Tommy hiervandaan?'

'Hij is hier geboren en getogen.'

'Hoe oud was hij?'

'Negentien,' zei Sara, en haar stem trilde van woede.

'Negentien?' Will keek op.

'Ja,' zei ze. 'Ik snap niet hoe ze erbij komen dat hij het brein achter dit alles zou zijn. Hij kan amper zijn eigen naam spellen.'

Will knikte en richtte zijn aandacht weer op de bekentenis. Zijn ogen vlogen heen en weer. Uiteindelijk keek hij Sara aan. 'Had hij een of ander leesprobleem, dyslexie of iets dergelijks?'

'Dyslexie is een taalstoornis. Nee, Tommy was niet dyslectisch. Hij had een IQ van rond de tachtig. Geestelijk gehandicapten zitten op zeventig of lager; dat werd vroeger achterlijk genoemd. Dyslexie heeft niets met het IQ te maken. Ik heb een paar dyslectische kinderen in behandeling gehad die mij het nakijken gaven.'

Weer schonk hij haar dat grijnslachje. 'Dat geloof ik niet.'

Ze glimlachte terug en besefte dat hij bar weinig over haar wist. 'Laat je niet afleiden door een paar spelfouten.'

'Het zijn er nogal wat.'

'Je moet het zo zien: ik kan de hele dag tegenover iemand met dyslexie zitten zonder dat ik het doorheb. Met Tommy kon ik eindeloos over honkbal of football praten, maar zodra het over ingewikkelder zaken ging, raakte hij volledig de kluts kwijt. Begrippen waarbij logica kwam kijken of oorzaak en gevolg moesten worden beredeneerd, waren ongelooflijk moeilijk voor hem. Je kunt iemand met dyslexie al evenmin een valse bekentenis afdwingen als iemand met groene ogen of rood haar laten zeggen dat hij iets gedaan heeft als hij het niet heeft gedaan. Maar Tommy kon je alles wijsmaken. Je kon hem alles aanpraten.'

Will keek haar een tijdje zwijgend aan. 'Denk je dat rechercheur Adams een valse bekentenis aan hem heeft ontlokt?' vroeg hij ten slotte.

'Ja.'

'Denk je dat haar grove nalatigheid verweten kan worden?'

'Ik weet niet wat daarvoor de juridische drempel is. Ik weet wel dat haar optreden tot zijn dood heeft geleid.'

Hij koos zijn woorden met zorg, en opeens besefte ze

dat hij haar ondervroeg. 'Kun je me vertellen hoe je tot die conclusie bent gekomen?'

'Behalve dat hij voor hij stierf met zijn eigen bloed "Ik niet" op de muur heeft geschreven?'

'Afgezien daarvan.'

'Tommy is – was – zeer beïnvloedbaar. Dat ging hand in hand met zijn lage IQ. Zijn testscore was niet laag genoeg om hem als zwaar gehandicapt te classificeren, maar hij vertoonde wel een aantal kenmerkende eigenschappen: het verlangen om het anderen naar de zin te maken, onschuld, lichtgelovigheid. Wat er vandaag is gebeurd, dat briefje, de schoenen, de mislukte poging om de misdaad te verbergen... Oppervlakkig gezien zijn dat allemaal dingen die iemand zou kunnen doen die traag van begrip of dom is, maar voor Tommy is dat veel te ingewikkeld.' Ze probeerde vanuit Wills standpunt naar zichzelf te luisteren. 'Ik weet dat het klinkt alsof ik met alle geweld Lena onderuit wil halen, en dat is ook zo, maar dat betekent niet dat wat ik zeg niet de aantoonbare waarheid is. Het was moeilijk om Tommy te behandelen, want hij had altijd last van alle symptomen waarnaar ik vroeg, of het nou hoofdpijn of hoest was. Als ik het op de juiste manier had gevraagd, zou hij me nog hebben verteld dat hij de builenpest had.'

'Dus daarmee wil je zeggen dat Lena had moeten inzien dat Tommy traag van begrip was en...?'

'Ten eerste had ze hem niet zo op de huid moeten zitten dat hij zich van het leven beroofde.'

'En ten tweede?'

'Ze had voor de juiste medische hulp moeten zorgen. Hij was duidelijk zwaar aangeslagen. Hij bleef maar huilen. Hij wilde met niemand praten...' Haar stem stierf weg toen ze het gat in haar redenering zag. Per slot van rekening had Frank haar gebeld en om hulp gevraagd.

In plaats van haar hierop te wijzen vroeg Will: 'De arrestant valt toch onder de verantwoordelijkheid van de agent die de arrestatie heeft verricht?'

'Lena heeft hem in de cel gezet. Ze heeft hem niet gefouilleerd, althans niet goed genoeg om de inktpatroon te vinden waarmee hij zichzelf heeft gedood. Ze heeft de dienstdoende agenten niet gewaarschuwd dat ze hem extra in de gaten moesten houden. Zodra ze die bekentenis te pakken had, is ze vertrokken.' Sara voelde zichzelf met de seconde kwader worden. 'Wie weet hoe hij er emotioneel aan toe was toen ze hem achterliet. Waarschijnlijk heeft ze hem het idee aangepraat dat zijn leven niet de moeite waard was. Dat doet ze altijd. Ze zet de hele zaak op scherp en iemand anders wordt de dupe.'

Will keek uit over het parkeerterrein. Zijn handen rustten op zijn knieën. Hoewel het ziekenhuis gesloten was, deed de elektriciteit het nog. De lampen op het parkeerterrein flikkerden aan. In de gele gloed zag Sara het litteken dat aan één kant over Wills gezicht liep en onder zijn boord verdween. Het was oud, waarschijnlijk uit zijn kindertijd. De eerste keer dat ze het had gezien, had ze gedacht dat hij zijn gezicht misschien had opengehaald toen hij naar het eerste honk gleed of was gevallen bij een huzarenstukje op de fiets. Toen wist ze nog niet dat hij in een weeshuis was opgegroeid. Nu vroeg ze zich af of er meer achter stak.

Het was bepaald niet Wills enige litteken. Zelfs van opzij kon ze de plek tussen zijn neus en lip zien waar iemand hem zo hard en vaak had geslagen dat zijn huid was opengesprongen. Degene die de zaak weer aan elkaar had genaaid had er een rommeltje van gemaakt. Het litteken was wat kartelig van vorm waardoor zijn mond bijna iets verdorvens kreeg.

Will slaakte een zucht. Toen hij uiteindelijk het woord nam, klonk hij zakelijk. 'Is Tommy Braham alleen van moord beschuldigd? Verder niets?'

'Nee, alleen dat.'

'Niet van poging tot moord op rechercheur Stephens?' vroeg Will. Sara schudde haar hoofd. 'Commissaris Wallace is toch ook gewond geraakt?'

Sara voelde het bloed naar haar wangen stijgen. Ze vermoedde dat Frank had besloten dat Tommy en hij quitte stonden nadat hij de jongen midden op straat in elkaar had geslagen. 'Het arrestatierapport vermeldt moord. Verder niets.'

'Zoals ik het zie heb ik met twee kwesties te maken. De eerste is de zelfmoord van een verdachte nadat rechercheur Adams hem in hechtenis had genomen, en de tweede is dat ik niet goed snap waarom ze Tommy Braham voor moord heeft gearresteerd op basis van zijn bekentenis. En dan heb ik het niet alleen over zíjn bekentenis, maar over bekentenissen in het algemeen.'

'Wat bedoel je?'

'Je kunt iemand niet puur op basis van een bekentenis voor moord arresteren. Dat moet met bewijs gestaafd worden. Volgens het zesde amendement heeft een verdachte het recht om zich tegen zijn beschuldiger te verweren. Als je jezelf hebt beschuldigd en je trekt je bekentenis weer in...' Hij trok zijn schouders op. 'Het is als een hond die zijn eigen staart najaagt.'

Sara vond het dom van zichzelf dat ze dit niet uren eerder zelf had bedacht. Ze was bijna vijftien jaar gemeentelijk patholoog geweest. Ook zonder dat de doodsoorzaak bekend was mocht de politie iemand aanhouden op verdenking van moord, maar voordat er een arrestatiebevel uitging moest er wel officieel sprake zijn van moord.

'Ze hadden redenen te over om Braham aan te houden zonder hem moord ten laste te leggen,' zei Will. 'Geweldpleging met een dodelijk wapen, poging tot moord, mishandeling van een politieofficier in functie, geweldpleging tijdens zijn arrestatie, poging om aan arrestatie te ontkomen, huisvredebreuk. Dat zijn allemaal ernstige misdrijven. Op grond van elke willekeurige combinatie had hij voor een jaar de bak in kunnen gaan zonder dat er een haan naar kraaide.' Hij schudde zijn hoofd, alsof de logica hem ontging. 'Ik wil hun rapporten inzien.'

Sara draaide zich om en van de achterbank pakte ze de kopieën die ze had gemaakt. 'Pas als de drogisterij morgenochtend opengaat kan ik de foto's laten afdrukken.'

Terwijl hij de stukken doorbladerde, verbaasde Will zich over het gemak waarmee ze overal toegang toe kreeg. 'Wauw. Mooi zo.' Al pratend liet hij zijn blik over de pagina's gaan. 'Ik weet dat je ervan overtuigd bent dat Tommy dat meisje niet heeft vermoord, maar het is mijn taak om dat op de een of andere manier te bewijzen.'

'Uiteraard. Het is niet mijn bedoeling om...' Sara zweeg. Het was wel degelijk haar bedoeling om hem te beïnvloeden. Juist daarom zaten ze hier. 'Je hebt gelijk. Ik weet dat je je onpartijdig moet opstellen.'

'Ik wil je alleen waarschuwen. Als blijkt dat Tommy het gedaan heeft, of als ik geen onomstotelijk bewijs vind dat hij het niet gedaan heeft, is er geen mens die zich erom bekommert hoe hij in de cel is behandeld. Dan denken ze dat die rechercheur Adams hun een hele berg belastingcenten heeft bespaard door een proces overbodig te maken.'

De moed zonk Sara in de schoenen. Hij had gelijk. Ze had al vaker meegemaakt dat de plaatselijke bevolking van veronderstellingen uitging die niet noodzakelijk op feiten berustten. Nuance stond niet in hun woordenboek.

Hij legde haar een alternatief scenario voor. 'Als Tommy dat meisje niet heeft vermoord, loopt er ergens een moordenaar rond die of heel veel geluk heeft of heel slim is.'

Weer had Sara niet tot zover doorgedacht. Ze had zich zo druk gemaakt om Lena's betrokkenheid dat het niet bij haar was opgekomen dat iemand anders de moordenaar was als Tommy onschuldig bleek te zijn.

'Wat heb je nog meer ontdekt?' vroeg Will.

'Volgens Frank hebben Lena en hij allebei touwsporen op Spooners polsen gezien die erop duidden dat ze vastgebonden is geweest.'

'Hm,' zei Will sceptisch. 'Dat valt moeilijk vast te stellen als een lichaam zo lang in het water heeft gelegen.'

Sara liet zich niet meeslepen door haar triomfgevoelens. 'In haar nek zit een steekwond, of iets wat op een steekwond lijkt.'

'Kan ze die zichzelf hebben toegebracht?'

'Ik heb het niet gezien, maar ik kan me niet voorstellen dat iemand zichzelf van het leven berooft door zich met een mes in de nek te steken. Dan zou er ook veel bloed hebben gevloeid, vooral als haar halsslagader was geraakt. Dat stroomt met een vaart naar boven en weer terug, als door een tuinslang terwijl de kraan helemaal openstaat. Dan heb ik het algauw over twee à tweeënhalve liter bloed op de plek van de moord.'

'Wat stond er op dat zelfmoordbriefje?'

'"Ik wil niet langer",' wist Sara nog.

'Vreemd.' Hij sloeg de map dicht. 'Is de plaatselijke lijkschouwer goed in zijn vak?'

'Dan Brock. Hij is begrafenisondernemer, geen arts.'

'Nee dus.' Will keek haar aan. 'Als ik Spooner en Braham naar Atlanta laat overbrengen, zijn we een dag kwijt.'

Ze was hem voor. 'Ik heb al met Brock gesproken. Hij vindt het geen enkel bezwaar als ik sectie verricht, maar dan kunnen we pas na elf uur beginnen, zodat we niemand storen. Morgenochtend heeft hij een begrafenis. Hij zou me later nog bellen om de exacte tijd door te geven zodat we de procedures op elkaar kunnen afstemmen.'

'Worden secties in het rouwcentrum verricht?'

Ze wees naar het ziekenhuis. 'Vroeger deden we ze hier, maar de staat heeft in het budget gesneden en toen kon het niet langer openblijven.'

'Het is ook overal hetzelfde.' Hij wierp een blik op zijn mobiel. 'Ik zal me maar eens aan commissaris Wallace gaan voorstellen.'

'Waarnemend commissaris,' verbeterde ze hem. 'Sorry, dat doet er helemaal niet toe,' liet ze er meteen op volgen. 'Frank is momenteel niet op het bureau.'

'Ik heb al twee berichten voor hem ingesproken, want

ik wil een afspraak met hem maken. Is hij ergens opgeroepen?'

'Hij is bij Brad in het ziekenhuis. Samen met Lena, vermoed ik.'

'Ze nemen er vast alle tijd voor om hun verhalen op één lijn te krijgen.'

'Ga je naar het ziekenhuis?'

'Ze krijgen straks toch al de pest aan me, ook zonder dat ik de ziekenkamer van een gewonde agent kom binnenstampen.'

Heimelijk moest Sara hem gelijk geven. 'Wat ga je nu doen?'

'Eerst wil ik naar het bureau om te kijken waar Tommy werd vastgehouden. Er zit daar vast een buitengewoon vijandige agent die me gaat vertellen dat hij de dienst net heeft overgenomen, dat hij van niets weet en dat Tommy zelfmoord heeft gepleegd omdat hij schuldig was.' Hij tikte op het dossier. 'Ik zal ook eens met de andere arrestanten gaan praten, als ze die inmiddels niet hebben vrijgelaten. Ik stel me zo voor dat waarnemend commissaris Wallace pas morgenochtend zijn gezicht weer laat zien, zodat ik alle tijd heb om deze dossiers te bestuderen.' Hij diepte zijn portefeuille op uit zijn achterzak. 'Hier heb je mijn kaartje. Achterop staat het nummer van mijn mobiele telefoon.'

Sara las Wills naam naast het logo van het GBI. 'Heb je een universitaire graad?'

Hij pakte het kaartje weer terug en bekeek het. 'Het nummer klopt,' zei hij, zonder op haar vraag in te gaan. 'Weet jij waar ik het dichtstbijzijnde hotel kan vinden?'

'Er is er een bij de hogeschool. Het is niet zo mooi, maar redelijk schoon. Het is er vast rustig nu de studenten met vakantie zijn.'

'Dan ga ik daar eten en...'

'Ze hebben geen restaurant.' Even schaamde Sara zich voor haar stadje. 'Alles is dicht op dit tijdstip, behalve de pizzeria, en die is al zo vaak door de gezondheidsdienst gesloten dat er alleen nog studenten eten.'

'Dan staan er vast wel een paar snackautomaten in het hotel.' Hij legde zijn hand al op de kruk van het portier, maar Sara hield hem tegen.

'Mijn moeder heeft een gigantische maaltijd gekookt en er is heel veel over.' Ze pakte het dossier terug en schreef haar adres op de voorkant. 'Shit,' mompelde ze, en ze kraste het huisnummer weer door. Ze had haar oude adres opgeschreven in plaats van dat van haar ouders. 'Lakeshore.' Ze wees naar de straat tegenover het ziekenhuis. 'Daar rechtsaf. Of linksaf als je de toeristische route wilt nemen. Die loopt in een grote bocht om het meer heen.' Ze schreef ook het nummer van haar mobiele telefoon op. 'Bel maar als je verdwaald bent.'

'Ik kan me toch niet zomaar aan je familie opdringen?'

'Ik heb je hiernaartoe gesleept. Het minste wat ik kan doen is je te eten geven. Of zorgen dat mijn moeder je te eten geeft, wat trouwens veel beter is voor je gezondheid.' Dom was hij niet en daarom voegde ze eraan toe: 'Bovendien wil ik graag van de zaak op de hoogte blijven.'

'Ik weet niet hoe laat ik er ben.'

'Ik blijf wel op.'

Vijf

Will Trent stond met zijn neus tegen de gesloten glazen deur van het politiebureau. Er brandde geen licht. Er zat niemand achter de balie. Voor de derde keer tikte hij met zijn sleutels op de deur, bang dat het glas zou breken als hij nog meer druk uitoefende. Hij stond onder een afdakje, maar desondanks hield hij het niet droog. Zijn maag rammelde. Hij had het koud en was nat en zo langzamerhand begon het hem mateloos te irriteren dat hij in zijn vakantie naar dit gat was ontboden.

Het ergste van deze klus was nog wel dat Will voor het eerst in zijn loopbaan een hele week vrij had gevraagd. Zijn hele voortuin lag overhoop nadat hij een geul had gegraven rondom de rioolbuis die van zijn huis naar de straat liep. Boomwortels hadden zich om de negentig jaar oude stenen pijp gewrongen, en de loodgieter vroeg achtduizend dollar om de pijp te vervangen door een kunststof buis. Will was met de schop de gleuf aan het uitgraven – waarbij hij zijn best deed om de aanplant te sparen waarin hij de afgelopen vijf jaar duizenden dollars had geïnvesteerd – toen zijn telefoon ging. Niet opnemen leek hem geen optie. Hij wachtte al een tijdje op nieuws van Faith: dat haar baby eindelijk kwam, of nog beter: dat die er al was.

Maar nee, het was Amanda Wagner. 'We zeggen geen nee tegen de weduwe van een collega,' had ze hem laten weten. Will had de geul afgedekt met een stuk zeil, maar hij had

een vaag vermoeden dat tegen de tijd dat hij weer thuiskwam twee dagen graafwerk door de regen teniet zouden
zijn gedaan. Als hij ooit nog thuiskwam. Het zag ernaar
uit dat hij de rest van zijn leven in de stromende regen
voor de deur van dit achterlijke politiebureau zou moeten
doorbrengen.

Hij wilde net weer tegen het glas tikken toen er eindelijk
een lamp aanging in het gebouw. Er verscheen een wat
oudere vrouw, die op haar dooie gemak door de met tapijt
beklede hal naar de deur waggelde. Ze was fors en droeg
een felrode jurk in prairiestijl, die als een tent om haar
heen hing. Ze had haar grijze haar met een vlinderspeld in
een knot opgestoken. Op haar brede boezem bungelde een
kruisje aan een gouden halsketting.

Haar hand ging naar het slot, maar ze deed niet open.
'Kan ik helpen?' klonk het gedempt door het glas.

Will toonde haar zijn pasje. Ze boog zich naar voren om
de foto beter te bekijken en vergeleek die toen met de man
die voor haar stond. 'Dat langere haar staat u beter.'

'Dank u.' Hij knipperde de regen uit zijn ogen.

Ze wachtte tot hij nog iets zei, maar Will hield zijn
mond. Ten slotte liet ze zich vermurwen en deed de deur
van het slot.

Het was bepaald niet warm binnen, maar in elk geval
stond hij niet meer in de regen. Will probeerde met zijn
vingers de nattigheid uit zijn haar te strijken, en hij stampte zijn schoenen droog.

'U maakte er een troep van,' zei de vrouw afkeurend.

'Neemt u me niet kwalijk.' Even overwoog Will om haar
om een handdoek te vragen, maar uiteindelijk haalde hij
zijn zakdoek tevoorschijn en veegde zijn gezicht af. Hij
rook parfum. Sara's parfum.

Met een ijzige blik keek de vrouw hem aan, alsof ze zijn
gedachten kon lezen en er bitter weinig mee op had. 'Blijft
u daar de rest van de avond aan uw zakdoek staan ruiken?
Ik moet nog koken.'

Will vouwde de zakdoek op en stopte die weer weg. 'Ik ben agent Trent van het GBI.'

'Dat heb ik al op uw pasje gelezen.' Ze nam hem keurend van top tot teen op en was duidelijk niet ingenomen met wat ze zag. 'Ik ben Marla Simms, de bureausecretaresse.'

'Aangenaam, juffrouw Simms. Kunt u me vertellen waar commissaris Wallace is?'

'Nog altijd mevrouw,' zei ze bits. 'Ik weet niet of u het gehoord hebt, maar een van onze jongens is vandaag bijna gedood. Op straat neergestoken terwijl hij zijn werk deed. Daar worden we nogal door in beslag genomen.'

Will knikte. 'Ja, mevrouw, dat heb ik gehoord. Hopelijk houdt rechercheur Stephens er niets aan over.'

'Die jongen werkt hier al sinds zijn achttiende.'

'Ik zal bidden voor hem en zijn familie.' Will wist maar al te goed dat een beetje religie het goed deed in dit soort stadjes. 'Als commissaris Wallace niet aanwezig is, zou ik dan de bureau-agent kunnen spreken?'

Kennelijk irriteerde het haar dat hij van het bestaan van een dergelijke functie op de hoogte was. Frank Wallace had haar ongetwijfeld opgedragen om die knurft van het GBI zo lang mogelijk aan de praat te houden. Will kon de radertjes in haar hoofd bijna zien draaien toen ze naar een manier zocht om zijn vraag te omzeilen.

Hij hield het beleefd, maar bleef aandringen. 'Ik weet dat de arrestanten hier niet zonder bewaking achterblijven. Houdt u toezicht op de cellen?'

'Larry Knox zit achter,' zei ze ten slotte. 'Ik wilde net weggaan. Ik heb alle dossiers al opgeborgen, dus als u...'

Will had het dossier dat Sara hem had gegeven onder zijn broekriem geschoven om het droog te houden. Hij hees zijn trui op en gaf het aan Marla. 'Zou u deze twaalf pagina's voor me willen faxen?'

Met enige aarzeling nam ze het document aan. Hij kon het haar niet kwalijk nemen. Het dossier was nog warm van zijn lichaam. 'Het faxnummer is...'

'Wacht even.' Ze groef in haar haar en diepte er een pen uit op. Die was van plastic, een Bic-pen, zoals je ze op elk kantoor aantrof. 'Gaat uw gang.' Hij dicteerde het faxnummer van zijn collega. De vrouw nam er de tijd voor en deed alsof ze de cijfers door elkaar haalde. Vluchtig nam Will de hal in zich op, die in niets verschilde van elke hal in willekeurig welk politiebureau dat hij ooit had bezocht. De muren waren gelambriseerd. Er hingen groepsfoto's van geüniformeerde agenten: rechte schouders, geheven kin en een glimlach op het gezicht. Tegenover de muur met de foto's zag hij een hoge balie en een poort die het voorste gedeelte van het gebouw scheidde van het achterste deel, waar allemaal bureaus op een rij stonden. Nergens brandde licht.

'Goed,' zei ze. 'Ik fax het wel even voor ik vertrek.'

'Zou ik soms een pen van u kunnen lenen?'

Ze bood hem haar Bic aan.

'Ik wil u niet van uw laatste pen beroven.'

'Neem nou maar.'

'Nee, echt niet,' zei hij met klem en afwerend stak hij zijn handen op. 'Dat kan ik echt niet...'

'Er staan nog twintig dozen met die dingen in de kast,' snauwde ze. 'Toe dan.'

'Oké, bedankt.' Hij stopte de pen in zijn achterzak. 'Wat die fax betreft... Ik heb de pagina's genummerd; zou u ervoor willen zorgen dat ze alle twaalf in de juiste volgorde worden verzonden?'

Mopperend liep ze naar de poort. Hij wachtte terwijl ze zich bukte om op de knop te drukken. Er klonk luid gezoem en het klikken van een slot. Will verbaasde zich over de geavanceerde beveiligingsmethode op het politiebureau, maar na 9/11 hadden kleine stadjes op allerlei inventieve manieren de hand weten te leggen op fondsen van het ministerie van Binnenlandse Veiligheid. Ooit had hij een huis van bewaring bezocht waar de cellen Kohlertoiletten en wastafels met nikkelen kranen hadden.

Marla rommelde wat bij de kantoormachines, die naast elkaar bij het koffiezetapparaat stonden. Will liet zijn blik door het vertrek gaan. In het midden zag hij drie rijen bureaus. Langs de achterste muur stonden tafels met klapstoelen. Aan de straatkant van het gebouw was een gesloten deur naar een kantoor. Een raam keek uit op de recherchekamer, maar de jaloezieën zaten dicht.

'De cellen zijn achterin,' zei Marla misprijzend. Ze legde de stapel papieren op tafel en hield hem nauwlettend in de gaten. Will keek weer naar de gesloten deur, en opeens leek het alsof Marla door paniek werd bevangen, alsof ze bang was dat hij de deur zou openen.

'Hierdoor?' Will wees naar een stalen deur achter in het vertrek.

'Zo kom je achter, of niet soms?'

'Dank u,' zei hij. 'Bedankt voor uw hulp.'

Pas toen de deur zich achter hem had gesloten, haalde Will Marla's pen tevoorschijn en schroefde de houder open. Zoals hij al dacht was de inktpatroon van plastic. Sara had gezegd dat de patroon waarmee Tommy Braham zijn polsen had opengesneden van metaal was. Will vermoedde dat die uit een duurdere pen kwam dan een Bic.

Terwijl hij de gang door liep, draaide hij het ding weer in elkaar. Bordjes met UITGANG verlichtten een tegelvloer die zo'n twintig meter lang en anderhalve meter breed was. Will opende de eerste deur die hij tegenkwam. Die bleek van een voorraadkast te zijn. Na een blik over zijn schouder knipte hij het licht aan. Op de planken stonden rijen dozen met paperclips en allerlei andere kantoorbenodigdheden, en ook de twintig dozen met Bic-pennen die Marla had genoemd. Naast de pennen stonden twee hoge stapels gele blocnotes, en in zijn verbeelding zag Will de rechercheurs de kast al binnenlopen om een pen en schrijfblok mee te grissen zodat een verdachte zijn bekentenis kon opschrijven.

Er kwamen nog drie deuren op de gang uit. Twee voerden naar lege verhoorkamers. De indeling was zoals je kon verwachten: een lange tafel met een metalen oogbout in het blad, en eromheen een aantal stoelen. Elke kamer beschikte over een confrontatiespiegel. Will vermoedde dat je vanuit de voorraadkast in de voorste kamer kon kijken. De andere kijkruimte zat achter de derde deur. Hij probeerde hem, maar die zat op slot.

De deur aan het uiteinde van de gang ging open en er verscheen een agent in vol uniform, inclusief pet. Will keek achterom en zag in de hoek een camera, die hem had gevolgd toen hij de gang door liep.

'Wat zoekt u?' vroeg de agent.

'Bent u agent Knox?'

De man kneep zijn ogen tot spleetjes. 'Dat klopt.'

'Hebt u bureaudienst?' vroeg Will verbaasd. Bureaudienst was een noodzakelijk kwaad. Nieuwe arrestanten moesten worden geregistreerd en de betreffende agent was verantwoordelijk voor hun welzijn zolang ze in de cel zaten. Over het algemeen werd dat soort licht werk door een oudere agent verricht om de overgang naar zijn pensioen wat te verzachten. Soms diende het baantje als straf. Will betwijfelde of dit voor Knox gold. Frank Wallace zou Will vast niet aan een gekrenkte agent hebben toevertrouwd.

Knox keek hem met onverholen woede aan. 'Wat komt u hier doen?'

Will toonde zijn penning. 'Ik ben agent Trent. Ik werk voor het GBI.'

De man deed zijn pet af en er kwam een bos knalrood haar tevoorschijn. 'Alsof ik dat niet weet.'

'Uw chef heeft u ongetwijfeld op de hoogte gebracht. We zijn erbij gehaald om onderzoek te doen naar de zelfmoord van Tommy Braham, zoals gebruikelijk in dit soort situaties.'

'Sara Linton heeft u opgeroepen,' was zijn commentaar. 'Ik stond er zelf bij.'

Will glimlachte, want de ervaring had hem geleerd dat

dit de spanning uit de lucht haalde wanneer anderen dachten dat je kwaad was. 'Fijn dat u uw medewerking wilt verlenen aan dit onderzoek, agent. Ik begrijp dat dit een moeilijk moment voor u is.'

'O, is dat zo?' Die glimlach had niet veel geholpen. Zo te zien zou Knox het liefst zijn vuisten op Will loslaten. 'Een prachtkerel vecht op dit moment voor zijn leven in het ziekenhuis in Macon, en u maakt zich druk om de rotzak die hem heeft neergestoken. Zo zie ik het.'

'Kende u Tommy Braham?'

De vraag overviel Knox. 'Doet dat er iets toe?'

'Gewoon nieuwsgierigheid.'

'Ja, ik kende hem. Al vanaf zijn geboorte heeft hij ze niet allemaal op een rijtje gehad.'

Will knikte zogenaamd begrijpend. 'Zou u me de cel wil laten zien waar Tommy is gevonden?'

Het was duidelijk dat Knox uit alle macht een reden probeerde te bedenken om nee te zeggen. Will wachtte geduldig. Elke agent wist dat je iemand het snelst aan de praat kreeg door zelf te zwijgen. Mensen hadden van nature de neiging om stilte met geluid op te vullen. Wat de meeste politiemensen niet beseften, was dat ze zelf al even gevoelig waren voor deze truc.

'Goed,' zei Knox. 'Maar ik mag u niet en u mag mij niet, dus laten we maar niet doen alsof.'

'Niet meer dan redelijk,' beaamde Will, waarna hij achter hem aan de deur door liep naar een kortere gang met weer een deur. Aan één kant stond een bank met een rij wapenkluisjes. Elk huis van bewaring dat Will had bezocht was op dezelfde manier ingericht. Begrijpelijk genoeg waren wapens in het cellenblok niet toegestaan.

Knox wees naar de kluisjes. 'Haalt u het magazijn er maar uit en ook de kogel.'

'Ik heb geen wapen bij me.'

Naar Knox' gezicht te oordelen had Will evengoed kunnen zeggen dat hij zijn penis thuis had gelaten.

Met een van walging opgetrokken lip draaide de man zich om en liep naar de volgende deur.

'U zei toch dat u erbij was toen dokter Linton dat telefoontje pleegde?' vroeg Will. 'Was uw dienst toen net begonnen?'

Knox keerde zich naar hem toe. 'Ik was hier niet toen die jongen zich van kant maakte, als u dat bedoelt.'

'Had u dienst?' herhaalde Will.

Weer aarzelde hij, alsof hij niet genoeg had benadrukt dat hij geen zin had om mee te werken.

'Ik ga ervan uit dat bureaudienst niet tot uw vaste taken behoort. U zit toch bij patrouille?'

Knox antwoordde niet.

'Wie had er vanmiddag bureaudienst?'

Hij hield zo lang mogelijk zijn mond. 'Carl Phillips,' zei hij ten slotte.

'Die wil ik graag spreken.'

Knox glimlachte. 'Carl is op vakantie. Hij is vanmiddag vertrokken. Hij is aan het kamperen met zijn vrouw en kinderen en heeft geen telefoon bij zich.'

'Wanneer komt hij terug?'

'Dat moet u Frank vragen.'

Knox pakte zijn sleutels en opende de deur. Tot Wills opluchting waren ze eindelijk bij het cellenblok aangekomen. Naast een grote deur was een raam dat uitkeek op een andere gang, waar hij de bekende stalen celdeuren zag. Vlak naast de cellen was een soort kantoortje voor de dienstdoende agent. Aan de ene kant stond een grote dossierkast, aan de andere kant een ingebouwd bureau met zes flatscreenmonitoren waarop het interieur van vijf cellen te zien was. Op het zesde scherm stond een spelletje patience. Voor het toetsenbord lag Knox' avondeten: patat en een van huis meegenomen dubbele boterham.

'We hebben vanavond maar drie man in de cel,' zei Knox bij wijze van verklaring.

Will bestudeerde de beeldschermen. Eén man liep in zijn

cel te ijsberen, de andere twee lagen opgerold op hun bed.
'Waar zijn de bewakingstapes?'

De agent legde zijn hand op de computer. 'Hij neemt niet
op sinds gisteren. We hebben al iemand besteld om hem te
repareren.'

'Heel vreemd dat hij er op het cruciale moment mee
stopte.'

Knox haalde zijn schouders op. 'Zoals ik al zei, ik ben er
niet bij geweest.'

'Zijn er gevangenen vrijgelaten nadat Braham was gevonden?'

Weer haalde hij zijn schouders op. 'Daar ben ik niet bij
betrokken geweest.'

Will vatte zijn antwoord als een verkapt ja op. 'Hebt u
het bezoekerslogboek bij de hand?'

Knox opende een van de laden van de dossierkast en
haalde er een vel papier uit dat hij aan Will gaf. Het formulier was voorzien van kolommen voor namen en tijd-
stippen, het soort document dat je op elk politiebureau
in Amerika aantrof. Boven aan de pagina had iemand de
datum opgeschreven. Verder was het formulier blanco.

'Dan zal Sara wel niet getekend hebben,' zei Knox.

'Kent u haar al lang?'

'Ze heeft mijn kinderen altijd behandeld, tot ze hier wegging. Hoe lang kent u haar al?'

Will bespeurde een subtiele verandering in de afwerende
houding van de man. 'Nog niet zo lang.'

'Zo te zien kent u haar anders aardig goed, want u hebt
net een uur lang voor het ziekenhuis bij haar in de auto
gezeten.'

Will hoopte dat hij er minder verbaasd uitzag dan hij zich
voelde. Hij was vergeten hoe bekrompen en benauwend
kleine stadjes konden zijn. Hij besloot de gok te wagen.
'Het is een fantastische vrouw.'

Knox zette een hoge borst op. Hij was minstens vijftien
centimeter kleiner dan Will, wat hij met branie probeerde

te compenseren. 'Jeffrey Tolliver was de fijnste man met wie ik ooit heb gewerkt.'

'Zijn reputatie is tot in Atlanta bekend. Mijn chef heeft me dan ook uit respect voor hem hiernaartoe gestuurd, om zijn mensen bij te staan.'

Knox kneep zijn ogen tot spleetjes, en Will besefte dat de agent zijn woorden op allerlei manieren kon opvatten, bijvoorbeeld als teken dat hij uit respect voor Jeffrey Tolliver de zaak niet tot op de bodem zou uitzoeken. Knox ontspande meteen, en Will hielp hem niet uit de droom.

'Het is wel zo dat Sara soms wat heetgebakerd is,' zei Knox. 'Ze kan heel emotioneel worden.'

Will had niet de indruk dat Sara zich door haar emoties liet leiden, en een cliché als 'Vrouwen!' kreeg hij niet over zijn lippen. Hij knikte maar wat, alsof hij wilde zeggen: tja, wat doe je eraan?

Knox nam hem nog steeds onderzoekend op, alsof hij niet wist wat hij van hem moest denken. 'Goed dan,' zei hij ten slotte. Met een plastic sleutelkaart maakte hij de laatste deur open. Hij had zijn sleutels nog in zijn hand en onder het lopen rammelde hij ermee. 'Hier ligt een zuiplap zijn roes uit te slapen. Die is een uur geleden binnengebracht.' Hij wees naar de volgende cel. 'Een speedfreak. Het spul is bijna uitgewerkt. De laatste keer dat we hem wakker probeerden te maken, heeft hij bijna iemands tanden uit zijn mond geslagen.'

'En cel nummer drie?' vroeg Will.

'Die slaat zijn vrouw.'

'Niet waar!' klonk het gedempt van achter de deur.

Knox knikte zachtjes. 'Dit is al de derde keer dat hij daarvoor in de cel zit. Ze wil niet getuigen...'

'Moet ze niet wagen ook!' schreeuwde de man.

'Hij heeft zichzelf helemaal ondergekotst, dus als u hem wilt spreken moet ik hem eerst schoonspuiten.'

'Ik hoop dat u het niet vervelend vindt...' Will maakte een verontschuldigend gebaar. 'Dan gaat het misschien wat sneller, zodat we allemaal weer naar huis kunnen. Mijn vrouw vermoordt me als ik niet op tijd thuis ben voor Thanksgiving.'

'Vertel mij wat.' Knox wenkte Will mee naar de volgende cel. De deur stond open. 'Hier is het.'

Het bloed van Tommy Braham was weggeboend, maar de rode vlek op de betonnen vloer liet niets aan de verbeelding over. Hij had met zijn voeten naar de deur gelegen, met zijn hoofd naar achteren en mogelijk op zijn zij, met zijn arm naar voren. Uit de omtrek van de vlek leidde Will af dat Tommy het niet bij één pols had gelaten. Om zichzelf voor een mislukking te behoeden had hij ze allebei opengekerfd.

Zodra Will de cel binnenstapte voelde hij zich licht claustrofobisch. Hij liet zijn blik over de muren van betonblokken gaan en over het metalen beddenframe met de dunne matras. Het toilet en de wastafel vormden een roestvrijstalen unit. De wc-pot zag er schoon uit, maar er hing een doordringende rioollucht. Naast de wastafel zag hij een tandenborstel, een metalen beker en een tubetje tandpasta, zoals je die in hotels krijgt. Will was niet bijgelovig, maar hij was zich er scherp van bewust dat Tommy Braham zich hier in al zijn ellende minder dan acht uur geleden van het leven had beroofd. Er hing nog een zweem van zijn dood in de cel.

'"Ik niet",' zei Knox.

Will vroeg zich af wat hij bedoelde en draaide zich om.

Met een knikje wees Knox naar de lichte muur. 'Dat heeft hij opgeschreven. "Ik niet." Als jij het niet was, maat, waarom heb je jezelf dan van kant gemaakt?' vroeg hij op geladen toon.

Will had het nooit erg zinvol gevonden om de doden naar hun beweegredenen te vragen, en daarom kaatste hij de vraag terug. 'Waarom bleef hij er volgens u op hameren dat hij Allison Spooner niet had vermoord?'

'Dat zei ik toch?' Knox tikte tegen de zijkant van zijn

hoofd. 'Hij had ze niet allemaal op een rijtje.'

'Was hij gestoord?'

'Nee, gewoon zo dom als een deur.'

'Te dom om iemand te kunnen vermoorden?'

'Jezus, als dat eens bestond. Dan hoefde ik moeder de vrouw niet zo scherp in de gaten te houden als ze opoe weer eens op bezoek heeft.' Hij lachte luidkeels en Will lachte noodgedwongen mee, waarbij hij zijn best deed om niet aan Tommy te denken, die hier op de vloer van de cel had gelegen terwijl hij met de inktpatroon tot bloedens toe in zijn pols zaagde. Hoe lang had het geduurd voor de huid uiteenweek? Zou die warm zijn geworden door de wrijving? Zou de metalen inktpatroon ook warm zijn geworden? Hoe lang had het geduurd voor er zoveel bloed uit zijn lichaam was gestroomd dat zijn hart het begaf?

Will richtte zijn blik weer op de vage letters op de muur. Hij wilde het nieuwe, valse gevoel van kameraadschap dat hij nu met Knox deelde niet verbreken. 'Hebt u Allison Spooner gekend?'

'Die werkte in het eetcafé. We kenden haar allemaal.'

'Wat was ze voor iemand?'

'Een prima meid. Bij haar had je je bord in een wip voor je neus staan. Die zag je ook niet vaak staan kletsen.' Hij keek naar de vloer en schudde zijn hoofd. 'Knap grietje bovendien. Daar zal Tommy wel op gevallen zijn. Arm kind. Waarschijnlijk heeft ze niets kwaads achter hem gezocht.'

'Had ze vrienden? Een vriendje?'

'Volgens mij had ze alleen Tommy. Ik heb haar nooit met iemand anders gezien.' Hij maakte een onverschillig gebaar. 'Niet dat ik op haar lette, hoor. Van moeder de vrouw moet ik mijn ogen in mijn zak houden.'

'Zag u Tommy regelmatig in het eetcafé?'

Knox schudde zijn hoofd. Will zag dat zijn meegaandheid aan het afnemen was.

'Kan ik die vrouwenmishandelaar even spreken?'

'Ik heb haar niet eens aangeraakt!' schreeuwde de arrestant, en hij sloeg met zijn hand tegen de celdeur.

'Dunne wandjes,' merkte Will op. Knox leunde met zijn armen over elkaar tegen de deurpost. Het borstzakje van zijn overhemd bolde op en Will zag dat er een goudkleurige pen aan de rand zat gehaakt. 'Zeg, zou ik uw pen even mogen lenen?'

Knox raakte de klem aan. 'Sorry, maar dit is de enige die ik heb.'

Will herkende het Cross-logo. 'Da's een mooie.'

'Die hebben we van commissaris Tolliver gekregen, de kerst voor zijn overlijden.'

'Jullie allemaal?' Knox knikte. Will floot zachtjes. 'Dat moet een paar centen gekost hebben.'

'Ze zijn niet goedkoop, nee.'

'Daar heb je toch speciale patronen voor? Van metaal?'

Knox wilde antwoorden, maar klapte zijn mond weer dicht.

'Wie heeft er verder nog een?' vroeg Will.

'Sodemieter op.' Smalend trok Knox zijn lip op.

'Laat maar zitten. Ik vraag het Sara wel als ik haar straks zie.'

Knox rechtte zijn rug en ging voor de deur staan. 'Ik zou maar oppassen als ik u was, agent Trent. Met de laatste knaap die in deze cel is geweest, is het niet goed afgelopen.'

Will lachte. 'Ik red me wel.'

'O?'

Hij plooide zijn mond tot een grijns. 'Dat hoop ik tenminste, want ik heb de indruk dat u me bedreigt.'

'Dacht u dat?' Knox beukte tegen de openstaande celdeur. 'Hoor je dat, Ronny? Meneer GBI zegt dat ik hem bedreig.'

'Zei je iets, Larry?' riep de echtgenoot met de losse handjes. 'Die muren zijn zo dik dat ik niks hoor. Geen ene moer.'

Will zat in de verhoorkamer en terwijl hij door zijn mond probeerde te ademen, bekeek hij de gefotokopieerde pagina's die Sara hem had gegeven. Agent Knox was teruggekomen op zijn aanbod om de vrouwenmishandelaar schoon te spuiten. Will had twintig minuten in de stank gezeten voor hij zijn pogingen staakte om de man te verhoren. In Atlanta zou Ronny Porter het wel geweten hebben en Will alles hebben verteld wat hij had gehoord en gezien om zo snel mogelijk de cel uit te kunnen. In dit soort stadjes ging het anders. In plaats van het op een akkoordje te gooien, had Porter het opgenomen voor elke agent van het bureau. Hij had zich zelfs lyrisch uitgelaten over Marla Simms, die vroeger zijn zondagschooljuf was geweest.

Will spreidde het dossier op tafel uit en probeerde het in een bepaalde volgorde te leggen. De bekentenis van Tommy Braham was met de hand geschreven, en door het gele papier was de kopie donker uitgevallen. Die legde Will apart. Het politierapport was net als alle andere formulieren die Will tijdens zijn GBI-carrière door zijn handen had laten gaan. Er waren speciale vakjes voor de datum, het tijdstip, de weersomstandigheden en andere bijzonderheden die de misdaad betroffen, en alles moest met de hand worden ingevuld. Het zelfmoordbriefje had het licht van het kopieerapparaat opgevangen waardoor de letters wazig waren.

Er waren nog twee vellen: fotokopieën van blaadjes uit een kleine blocnote, van het soort dat de meeste agenten in hun achterzak hadden. Vier velletjes van het kleinere papier waren naast elkaar gelegd om op één gekopieerde pagina te passen. Alles bij elkaar waren er acht blaadjes uit de blocnote gescheurd. Will bestudeerde de wijze waarop ze gerangschikt waren. Hij zag vage vlekken waar het gelinieerde papier op een groter vel was geplakt. In plaats van een rafelige rand waar het papier van de spiraal was getrokken, was de bovenkant recht, alsof die met een schaar was afgeknipt. Dat vond hij nog het allermerkwaardigst: niet alleen omdat agenten meestal niet zo netjes waren, maar vooral omdat hij in zijn hele loopbaan nog nooit een politieman had ontmoet die blaadjes uit zijn opschrijfboekje scheurde.

Het laatste blad van de stapel was het arrestatiebevel, maar dat deel van het proces was tenminste in de computer ingevoerd. De tekst in de vakjes was geprint. De naam van de verdachte, zijn adres en telefoonnummer stonden bovenaan. Will zag het omlijnde vakje met de naam van Tommy's werkgever. Hij boog zich over het document heen en tuurde ernaar terwijl zijn vinger langs de kleine lettertjes schoof. Prevelend probeerde hij het woord te vormen. Will was moe van de lange, eentonige rit. De letters dansten voor zijn ogen. Hij knipperde en verwenste het gebrekkige licht.

Sara Linton had in één opzicht zonder meer gelijk gehad. Ze had een heel uur naast Will gezeten zonder te beseffen dat hij dyslectisch was.

Zijn telefoon ging en hij schrok van het schelle geluid in de kleine ruimte. Hij herkende het nummer van Faith Mitchell. 'Hallo, collega.'

'Je zou me bellen zodra je was aangekomen.'

'Het was nogal hectisch,' zei hij, wat in zekere zin klopte. Will had nooit goed met routebeschrijvingen overweg gekund, en tussen Main Street en de snelweg lagen stukken Heartsdale die niet op zijn GPS stonden.

'Hoe gaat het?' vroeg ze.

'Ik word met buitengewoon veel respect en zorg behandeld.'

'Ik zou maar niks drinken tenzij het uit een verzegelde fles komt.'

'Goede tip.' Hij leunde achterover. 'En met jou?'

'Nog even en ik vermoord iemand of ik maak er zelf een eind aan,' bekende ze. 'Morgenmiddag krijg ik een keizersnede.' Faith was diabeet. Haar artsen wilden de regie houden over haar bevalling om haar gezondheid niet in gevaar te brengen. Ze begon Will tot in detail over de procedure te vertellen, maar tegen de tijd dat ze het woord 'baarmoeder' voor de tweede keer noemde, volgde hij het niet meer. Hij bekeek zichzelf in de confrontatiespiegel en vroeg zich af of mevrouw Simms gelijk had toen ze zei dat lang haar hem beter stond.

Faith was aan het eind van haar verhaal gekomen. 'Wat is dat voor fax die je me gestuurd hebt?'

'Heb je alle twaalf blaadjes ontvangen?'

Hij hoorde haar tellen. 'Ik heb er zeventien in totaal. Allemaal vanaf hetzelfde nummer verstuurd.'

'Zeventien?' Hij krabde over zijn kaak. 'Zitten er dan dubbele bij?'

'Nee. Ik heb hier een politierapport, gekopieerde aantekeningen, die blaadjes zijn uit een aantekenboekje geknipt, dat is raar. Je haalt geen blaadjes uit je aantekenboekje... En...' Hij vermoedde dat ze de bekentenis van Tommy Braham zat te lezen. 'Heb jij dit geschreven?'

'Heel grappig,' zei Will. Toen Sara hem in de auto de bekentenis had laten zien, had hij de woorden niet kunnen lezen, maar zelfs hem was het opgevallen hoe bizar het krullerige, karikaturale handschrift van Tommy Braham was. 'Wat vind je ervan?'

'Het lijkt wel een boekverslag van Jeremy toen hij in groep drie zat.'

Jeremy was haar bijna volwassen zoon. 'Tommy Braham was negentien.'

'Was hij achterlijk of zo?'

'Eigenlijk moet je "verstandelijk beperkt" zeggen.'

Ze maakte een snuivend geluid.

'Volgens Sara lag zijn IQ rond de 80.'

Faith klonk achterdochtig, maar ze het had het dan ook behoorlijk irritant gevonden toen Sara zich in een vorige zaak had gemengd. 'Hoe weet Sara nou wat zijn IQ was?'

'Ze heeft hem vroeger behandeld in haar kliniek.'

'Heeft ze zich nog verontschuldigd omdat ze je tijdens je vakantie naar dat muggengat heeft ontboden?'

'Ze weet niet dat het mijn vakantie is, maar ze heeft inderdaad haar verontschuldigingen aangeboden.'

Faith zweeg een paar tellen. 'Hoe gaat het met haar?'

Will dacht niet aan Sara, maar aan haar geur op zijn zakdoek. Hij vond haar geen parfumtype. Misschien was het zo'n dure zeep waarmee vrouwen hun gezicht wasten.

'Will?'

Hij schraapte zijn keel om de stilte te overbruggen. 'Goed hoor. Ze was eerst behoorlijk overstuur, maar ik denk dat ze daar goede redenen voor heeft.' Hij dempte zijn stem. 'Deze zaak klopt van geen kant.'

'Denk je dat Tommy dat meisje niet vermoord heeft?'

'Ik weet nog niet wat ik denk.'

Faith zweeg, en dat was nooit een goed teken. Ze waren nu ruim een jaar partners, en net toen Will dacht dat hij haar stemmingen had leren peilen, was ze zwanger geworden en werd alles weer op zijn kop gezet. 'Goed,' zei ze. 'Wat heeft Sara je nog meer verteld?'

'Iets over de moordenaar van haar man.' Will wist dat Faith achter Sara's rug de bijzonderheden al had achterhaald. Ze wist niet dat Lena Adams erbij betrokken was en al evenmin dat Sara Lena verantwoordelijk achtte voor Tollivers dood. Will stond op en liep de gang in om zich ervan te verzekeren dat Knox niet in de buurt was. Niettemin dempte hij zijn stem toen hij Sara's verhaal over de moord op haar man aan Faith vertelde. Toen hij klaar was, zuchtte ze diep.

'Zo te horen heeft Sara behoorlijk de pik op die Adams.'

Will ging weer zitten. 'Zo zou je het ook kunnen zeggen.' Hij verzweeg het detail dat hem nog het meest was opgevallen. Terwijl Sara aan het vertellen was, had ze niet één keer Jeffrey Tollivers naam genoemd. Ze had het uitsluitend over 'mijn man' gehad.

'Volgens mij moet je allereerst die Julie Smith zien op te sporen. Ze heeft de moord gezien of erover gehoord. Heb je het nummer van haar mobiel?'

'Dat krijg ik later van Sara.'

'Later?'

Will ging niet op haar vraag in. Faith zou willen weten

waarom hij bij Sara's ouders ging eten en dan zou hij er later verslag van moeten uitbrengen. 'Waar werkt – werkte – Tommy Braham?'

Ze bladerde de papieren door. 'Hier staat dat hij werkzaam was bij de bowlingbaan. Misschien heeft hij zich daarom van kant gemaakt: om niet langer de hele dag lysol in schoenen te hoeven spuiten.'

Will kon er niet om lachen. 'Hij is meteen beschuldigd van moord. Niet van geweldpleging of poging tot moord of verzet bij arrestatie.'

'Hoe kwamen ze bij moord? Zie ik het sectierapport misschien over het hoofd? De laboratoriumuitslagen? De forensische dossiers?'

Will legde het uit. 'Brad Stephens is neergestoken. Hij is per helikopter naar het ziekenhuis gebracht. Het eerste wat Adams doet, is Tommy Braham meenemen naar het bureau, waar ze een bekentenis van hem lospeutert over de moord op dat meisje Spooner.'

'Is ze dan niet met haar collega naar het ziekenhuis gegaan?'

'Ik ga ervan uit dat hun chef is meegegaan. Hij heeft zijn gezicht nog niet laten zien.'

'Is er een advocaat bij Braham geweest?' Faith gaf zelf het antwoord. 'Geen enkele advocaat zou toestaan dat hij een bekentenis aflegde.'

'Beschuldiging van moord heeft meer impact dan geweldpleging. Het zou weleens tactiek kunnen zijn: zorg dat je de hele stad achter je hebt, dan maakt niemand zich druk om een moordenaar die zich van kant heeft gemaakt.' Will had hetzelfde tegen Sara gezegd. Als Tommy Braham de moordenaar van Allison Spooner was, zou iedereen vinden dat het recht zijn beloop had gehad.

'Vreemd, die bekentenis,' vond Faith. 'Het hele verhaal staat vol bijzonderheden, tot aan de moord. Dan volgen er nog drie regeltjes. "Ik werd woedend. Ik had een mes bij me. Ik heb haar één keer in haar nek gestoken." Niet echt een verklaring. En bovendien zou het een zee van bloed hebben gegeven. Weet je nog van die vrouw bij wie de keel was doorgesneden?'

Will huiverde toen hij er weer aan dacht. Het bloed was alle kanten op gespoten: tegen de muren, tegen het plafond en de vloer. Het was alsof je een verfcabine binnenliep. 'Ze is in haar nek gestoken. Misschien is het dan anders?'

'Dat is trouwens ook interessant. Bij één steekwond denk je niet aan iemand die woedend is. Dat klinkt me veel te beheerst.'

'Waarschijnlijk wilde rechercheur Adams zo snel mogelijk naar het ziekenhuis. Misschien was ze van plan het verhoor later voort te zetten. Of misschien wilde commissaris Wallace Tommy later nog eens onder handen nemen.'

'Zo doe je dat niet,' zei Faith. 'Als een verdachte gaat praten, en al helemaal als hij bekent, wil je elk detail boven water krijgen.'

'Tot nu toe hebben ze geen al te groot talent voor politiewerk aan de dag gelegd. Volgens Sara is Adams slordig, heeft ze de zaak niet in de hand. En als ik naar dit onderzoek kijk, moet ik haar gelijk geven.'

'Is ze mooi?'

Heel even dacht Will dat ze Sara bedoelde. 'Ik heb nog geen foto van haar gezien, maar de agent die ik sprak zei dat ze knap was.'

'Een jonge vrouw, een studente. Daar gaat de pers zich op storten, vooral als ze mooi is.'

'Waarschijnlijk wel,' beaamde hij. Dat was nog een reden om de moordenaar van Allison Spooner zo snel mogelijk achter de tralies te krijgen. 'Het meisje werkte in het plaatselijke eetcafé. Ik heb begrepen dat veel agenten van het bureau haar kenden.'

'Dat zou weleens kunnen verklaren waarom ze zo snel iemand hebben gearresteerd.'

'Zou kunnen. Maar als Sara gelijk heeft en Tommy het

meisje niet heeft vermoord, loopt er nog steeds een moordenaar rond.'

'Wanneer is de sectie?'

'Morgen.' Will vertelde er niet bij dat Sara had aangeboden de sectie te verrichten.

'Het komt allemaal wel heel erg goed uit,' benadrukte Faith. ''s Ochtends vroeg wordt er een dood meisje gevonden, voor de middag wordt de moordenaar gearresteerd en nog voor het avondeten ligt hij dood in zijn cel.'

'Als Brad Stephens het niet haalt, mag Tommy Braham waarschijnlijk niet eens binnen de stadsgrenzen begraven worden.'

'Wanneer ga je naar het ziekenhuis?'

'Dat was ik eigenlijk niet van plan.'

'Will, er ligt een agent in het ziekenhuis. Als je binnen een straal van honderd kilometer zit, ga je naar hem toe. Je blijft daar een tijdje rondhangen en troost zijn vrouw of zijn moeder. Je geeft bloed. Dat doen politielui nou eenmaal.'

Will beet op zijn lip. Hij haatte ziekenhuizen. Hij had nooit begrepen waarom je daar zou rondhangen tenzij het niet anders kon.

'Brad Stephens is toch ook een potentiële getuige?'

Will moest lachen. Tenzij Stephens de braafheid zelf was, betwijfelde hij of de man ook maar enig licht zou werpen op wat er de vorige dag was gebeurd. 'Ik weet zeker dat hij even beleefd als behulpzaam zal zijn.'

'Toch moet je de schijn ophouden.' Ze zweeg even. 'En nu ik toch de smeris uithang, zal ik gelijk zeggen hoe het zit: Tommy heeft zelfmoord gepleegd om dezelfde reden dat hij ervandoor is gegaan toen hij in de garage betrapt werd. Hij was schuldig.'

'Of hij was niet schuldig, maar hij wist dat niemand hem zou geloven.'

'Je lijkt wel een advocaat,' merkte Faith op. 'Hoe zit het met de rest van dit verhaal? Het lijken wel de eerste pagina's van een roman.'

'Wat bedoel je?'

'Die handgeschreven aantekeningen over de plek waar Spooner is gevonden. "Op de oever, op ongeveer dertig meter van de vloedlijn en vier meter van een grote eik liggen een paar witte Nike Sport-tennisschoenen maat negenendertig. In de linkerschoen, op het zooltje – dat blauw is, met het woord SPORT op de plek van de hiel – ligt een geelgouden ring..." Kom op, zeg. Dit is *Oorlog en vrede* niet. Dit is een politieverslag.'

'Heb je het zelfmoordbriefje ook?'

'"Ik wil niet langer."' Ze reageerde al net als Will. 'Niet bepaald het "vaarwel wrede wereld" dat je zou verwachten. En het papier is van een groter vel afgescheurd. Dat is toch vreemd? Je gaat een zelfmoordbriefje schrijven en dan scheur je het van een ander vel papier af?'

'Wat heb je nog meer? Je zei dat er zeventien pagina's waren.'

'Incidentenrapporten.' Ze las hardop: '"De politie werd om ongeveer 21.00 uur naar Skateys, de rolschaatsbaan aan Old Highway 5, geroepen..."' Haar stem stierf weg terwijl ze de tekst vluchtig doornam. 'Oké. Vorige week heeft hij ruzie gehad met een meisje van wie niet eens de naam is genoteerd. Hij bleef maar tegen haar tekeergaan. Hij werd verzocht om te vertrekken. Dat weigerde hij. De politie kwam erbij en sommeerde hem om op te stappen. Hij ging weg. Geen arrestaties.' Weer zweeg Faith. 'Het tweede rapport is van vijf dagen geleden en betreft een blaffende hond op zijn adres. Het laatste rapport gaat over harde muziek. Dat was twee dagen geleden. Op de laatste bladzij staat een aantekening van de agent die het rapport heeft opgesteld; hij schrijft dat er contact moet worden opgenomen met Tommy's vader zodra die weer in de stad is.'

'Wie heeft die rapporten opgesteld?'

'Steeds dezelfde agent. Carl Phillips.'

Die naam klonk maar al te bekend. 'Ik kreeg te horen dat Phillips bureaudienst had toen dit alles gebeurde.'

'Dat klopt niet. Je laat een straatagent toch geen bureaudiensten draaien?'

'Of hij is een heel slechte leugenaar of ze zijn bang dat hij me de waarheid gaat vertellen.'

'Zoek hem maar op, dan kom je er vanzelf achter.'

'Ik heb gehoord dat hij momenteel aan het kamperen is met zijn vrouw en kinderen. Hij heeft geen mobiel bij zich. Ik kan geen contact met hem opnemen.'

'Wat een verbluffend toeval. Hij heet dus Carl Phillips?'

'Klopt.' Will wist dat Faith de naam noteerde. Ze kon er niet tegen als mensen zich verscholen. 'De bewakingscamera's in de cellen nemen ook al niet op.'

'Is het verhoor van Tommy wel opgenomen?'

'Als dat al gebeurd is, dan weet ik zeker dat de band per ongeluk is gevallen en dat er toen toevallig iets met water en elektriciteit aan te pas kwam.'

'Shit, Will. Je hebt deze pagina's toch zelf genummerd?'

'Ja.'

'Van een tot en met twaalf?'

'Klopt. Wat is er?'

'Nummer elf ontbreekt.'

Will bladerde door de originelen. Ze lagen allemaal door elkaar.

'Weet je zeker dat je ze goed...'

'Ik weet heus wel hoe ik pagina's moet nummeren, Faith.' Hij vloekte binnensmonds toen hij zag dat ook bij hem pagina elf ontbrak.

'Waarom haalt iemand een pagina weg en stuurt er incidentenrapporten voor in de plaats?'

'Ik zal eens kijken of Sara...'

Achter zich hoorde hij een geluid. Een kuchje of genies. Hij vermoedde dat Knox in de kijkruimte stond om hen af te luisteren.

'Will?'

Hij stond op, maakte een stapeltje van de papieren en stopte ze weer in de dossiermap. 'Ben je nog steeds van plan met Thanksgiving naar je moeder te gaan?'

Ze begreep hem niet meteen en zweeg even. 'Ik zou je wel meevragen als...'

'Angie heeft een verrassing voor me. Je weet hoe dol ze op koken is.' Hij liep de gang op, bleef bij de voorraadkast staan en roffelde met zijn knokkels op de deur. 'Bedankt voor uw hulp, agent Knox.' De deur ging niet open, maar Will hoorde wel geschuifel van voeten. 'Ik weet de weg.'

Faith zei pas weer iets toen hij in de recherchekamer was. 'Alles veilig?'

'Nog één minuut.'

'Dus Angie is dol op koken.' Ze liet een diepe lach horen. 'Wanneer heb je de ongrijpbare mevrouw Trent eigenlijk voor het laatst gezien?'

Er waren zeven maanden verstreken sinds Angie voor het laatst was opgedoken, maar dat ging Faith niks aan. 'Hoe gaat het met Betty?'

'Ik heb een kind grootgebracht, Will. Dan kan ik ook voor je hond zorgen.'

Will duwde de glazen voordeur open en liep de motregen in. Zijn auto stond aan het eind van het parkeerterrein. 'Honden zijn gevoeliger dan kinderen.'

'Dan ben je duidelijk nooit in de buurt van een nukkige elfjarige geweest.'

Hij wierp een blik over zijn schouder. Knox, of in elk geval iemand die als twee druppels water op Knox leek, stond voor het raam. Will liep opzettelijk langzaam en nonchalant. Hij zei pas weer iets toen hij goed en wel in de auto zat. 'Er is nog iets wat me dwarszit bij de moord op dat meisje, Faith.'

'Wat bedoel je?'

'Noem het intuïtie.' Will keek achterom naar het bureau. Aan de voorkant van het gebouw gingen een voor een de lichten uit. 'Het komt wel heel goed uit dat de enige die me waarschijnlijk de ware toedracht had kunnen vertellen nu dood is.'

Zes

Lena hield Brads hand vast. Zijn huid voelde koel aan. De apparaten in de kamer piepten, bliepten en zoemden, maar toch wisten de artsen niet hoe Brad er echt aan toe was. Een paar uur terug had ze een verpleegster 'kantje boord' horen zeggen, maar Brad zag er in Lena's ogen nog hetzelfde uit. Hij rook ook hetzelfde. Naar iets antiseptisch, zweet en die stomme Axe-douchegel die hij was gaan gebruiken vanwege de tv-reclame.

'Het komt goed, hoor,' zei ze, en ze hoopte vurig dat het waar was. Al het slechts dat ze die dag over Brad had gedacht galmde als een klok door haar hoofd. Hij was niet gewiekst genoeg. Hij was niet geschikt voor dit werk. Als rechercheur ontbrak het hem aan deskundigheid. Was het Lena's schuld dat hij gewond was geraakt, omdat ze haar mond had gehouden? Had ze tegen Frank moeten zeggen dat Brad niet in het team thuishoorde? Frank wist dat als geen ander. Al twee jaar lang ging er geen week voorbij waarin hij niet mompelde dat Brad eigenlijk ontslagen hoorde te worden. Tien minuten voor Brad werd neergestoken, had Frank hem nog de huid vol gescholden.

Was het echt Brads schuld? In gedachten zag Lena de gebeurtenissen van die ochtend als in een film eindeloos aan zich voorbijtrekken. Brad rende de straat op. Hij riep tegen Tommy dat hij moest blijven staan. Tommy bleef staan. Hij draaide zich om. In zijn hand had hij het mes. Het mes stak in Brads buik.

Lena wreef over haar gezicht. Eigenlijk zou ze zichzelf moeten feliciteren omdat ze Tommy Braham een bekentenis had ontfutseld. Toch kon ze zich niet aan het gevoel onttrekken dat ze iets over het hoofd had gezien. Ze zou nog eens met Tommy gaan praten om erachter te komen wat hij voor en na de moord precies had gedaan. Hij hield iets voor haar achter, wat niet ongebruikelijk was bij moordzaken. Tommy wilde niet toegeven dat hij iets slechts had gedaan. Dat was tijdens het hele verhoor duidelijk geweest. Hij had de bloederige details gemeden en Lena had niet ingegrepen, want ze wilde – nee, ze moest – zo snel mogelijk naar Brad toe om te zien hoe het met hem ging. Ondanks haar vermoeidheid had ze wel gemerkt dat Tommy meer wilde zeggen. Ze moest alleen even slapen voor ze hem weer onder handen nam. Ze moest er zeker van zijn dat haar aandeel in de zaak, tenminste voor zover ze daar enige invloed op had, klopte als een bus.

Het grootste probleem was dat het zo verdomd moeilijk was om met Tommy te praten. Het verhoor was nog maar net begonnen toen Lena besefte dat de jongen niet helemaal goed bij zijn verstand was. Hij was niet alleen traag, hij was ook dom. Hij wilde maar al te graag de leemten vullen die Lena openhield, maar dan moest zij het hem voorkauwen. Ze had hem beloofd dat hij naar huis mocht als hij bekende. Ze zag nog steeds de verwarde blik in zijn ogen toen ze hem had meegenomen naar het cellenblok. Waarschijnlijk zat hij op dat moment op zijn bed en vroeg zich af wat hij zich in godsnaam op de hals had gehaald.

Dat vroeg Lena zich ook af. Alle stukjes hadden zich die ochtend zo snel achter elkaar aangediend dat ze geen tijd had gehad om zich af te vragen of ze echt pasten of dat de puzzel met geweld in elkaar was gezet. De steekwond in de nek van Allison Spooner. Het zelfmoordbriefje. Die 911-oproep. Het mes.

Dat stomme mes.

Lena's telefoontje trilde in haar zak. Ze negeerde het, zoals ze alles om zich heen had genegeerd sinds haar komst naar het ziekenhuis. Twee uur met Tommy op het bureau. Een rit van twee uur naar Macon. Lange uren waarin ze de wacht had gehouden bij Brads kamer. Ze had bloed gegeven. Ze had te veel koffie gedronken. Delia Stephens, Brads moeder, was net even een luchtje aan het scheppen. Ze vertrouwde haar zoon alleen aan Lena toe.

Waarom eigenlijk? Lena was zo ongeveer de laatste op aarde aan wie ze haar zoon zou moeten toevertrouwen.

Ze trok een tissue uit de doos en doopte een hoekje in de beker met water naast het bed. Brad lag aan de beademing en rond zijn mond zat wat opgedroogd speeksel. Hij had een klaplong, zijn lever was beschadigd en hij had nogal wat inwendige bloedingen. Er werd voor infectie gevreesd. Er werd gevreesd dat hij de volgende ochtend niet zou halen.

Toen ze zijn kin afveegde, voelde ze tot haar verbazing stoppeltjes. Lena had Brad altijd als een jongen beschouwd, maar nu ze zijn baardgroei zag en zijn grote hand voelde, besefte ze dat hij een volwassen man was. Hij wist dat politiewerk risico's met zich meebracht. Als eerste politieman ter plekke was Brad erbij geweest toen Jeffrey stierf. Hij sprak er nooit over, maar vanaf die dag was hij anders geweest. Volwassener. De dood van de commissaris had hen er onverbiddelijk aan herinnerd dat ze geen van allen onkwetsbaar waren voor de boeven die ze arresteerden.

Weer trilde haar telefoontje. Lena haalde het uit haar zak en scrolde door de nummers. Ze had haar oom Hank in Florida gebeld om hem te laten weten dat alles in orde was, voor het geval hij iets op het nieuws zag. Jared had haar gebeld toen ze Tommy Braham op de achterbank van de auto zette. Hij werkte zelf bij de politie. Hij had op de radio over de steekpartij gehoord. Ze had slechts twee woorden tegen hem gezegd: 'Alles oké', en toen had ze opgehangen om niet in tranen uit te barsten.

Alle andere telefoontjes waren van Frank geweest. Hij

probeerde haar nu al minstens vijf uur te bereiken. Ze had hem niet meer gezien sinds hij met Brad was meegegaan in de helikopter die midden op straat was geland. De blik in zijn waterige ogen had een verhaal verteld dat ze niet wilde horen. En nu was hij bang dat ze iedereen ging vertellen wat ze wist.

Terecht dat hij bang was.

Terwijl ze haar telefoon nog in haar hand hield ging het ding weer over, maar Lena drukte hem uit. Ze wilde niet met Frank praten, ze wilde zijn smoezen niet langer aanhoren. Hij wist wat er die dag fout was gegaan. Hij wist dat hij net als Lena Brads bloed aan zijn handen had, misschien nog wel meer dan zij.

Ze kon er maar beter mee kappen. Haar ontslagbrief zat in haar jaszak, al wekenlang. Ze had Tommy in recordtijd laten bekennen. Wat haar betrof mocht iemand anders de bijzonderheden uit hem lospeuteren. Wat haar betrof mocht een ander twee uur lang naar dat slome gezicht van Tommy Braham kijken om uit te vinden wat er zich in zijn minibrein afspeelde. Er viel niets op Lena's werk aan te merken. Jeffreys geest kon haar hier niet vasthouden na wat er die dag was gebeurd.

Delia Stephens kwam de kamer weer binnen. Ze was fors, maar ze liep heel zachtjes om het bed heen, schudde Brads kussens op, drukte een zoen op zijn voorhoofd en streek het dunner wordende blonde haar naar achteren. 'Hij vindt het fantastisch bij de politie.'

'Hij is ook goed in zijn werk,' zei Lena toen ze haar stem weer onder controle had.

Delia schonk haar een droevige glimlach. 'Hij wilde het je altijd naar de zin maken.'

'Dat is hem ook gelukt,' loog ze. 'Hij is een goede rechercheur, mevrouw Stephens. Voor u het weet gaat hij de straat weer op.'

Er verscheen een bezorgde blik in Delia's ogen. Ze wreef over Brads schouder. 'Misschien kan ik hem overhalen om samen met zijn oom Sonny verzekeringen te gaan verkopen.'

'U hebt nog alle tijd om hem over te halen.' Lena's stem haperde. Wie hield ze voor de gek met haar valse optimisme?

Delia stond op. Ze vouwde haar handen. 'Bedankt dat je een oogje op hem hebt gehouden. Het geeft me een veiliger gevoel als jij bij hem bent.'

Weer duizelde het Lena. De kamer was te klein, het was er te benauwd. 'Ik ga even naar het toilet.'

Toen Delia dankbaar naar haar glimlachte, was het alsof er een mes in Lena's borst werd gestoken. 'Doe maar rustig, schat. Je hebt een lange dag achter de rug.'

'Ik ben zo terug.'

Met opgeheven hoofd liep Lena de gang door. Voor de wachtkamer van de Intensive Care stonden een paar agenten uit Grant County. Binnen zag ze mensen van het politiekorps uit Macon rondlopen. Frank Wallace was nergens te bekennen. Hoogstwaarschijnlijk hing hij met zijn dikke pens aan een of andere bar om de vieze smaak uit zijn mond te spoelen. Op dat moment kon hij haar beter niet onder ogen komen. Als hij in de gang had gestaan zou ze hem ter verantwoording hebben geroepen voor zijn drankzucht en zijn leugens, voor alles wat ze de afgelopen vier jaar had genegeerd. Dat was voorbij. Na deze dag was er van Lena's hondentrouw niet veel meer over.

Gavin Wayne, de commissaris van politie uit Macon, was er in elk geval wel. Hij knikte toen Lena langsliep. Een paar weken terug had hij Lena benaderd met de vraag of ze bij zijn team wilde komen. Ze had Jared aan het einde van zijn dienst opgepikt omdat zijn auto naar de garage was. Lena had commissaris Wayne een geschikte kerel gevonden, maar Macon was een enorme stad, die zich naar alle kanten uitbreidde. Wayne was meer politicus dan politieman. Hij leek in niets op Jeffrey, en dat had ze een onoverkomelijk obstakel gevonden toen hij over die baan was begonnen.

Lena liep het damestoilet binnen. Tot haar opluchting was er niemand. Ze draaide de koude kraan open. Het water stroomde over haar handen. Ze had ze ontelbare keren gewassen, maar het bloed – dat van Brad en dat van haarzelf – zat nog steeds onder haar nagels.

Ze had een schotwond in haar hand. De kogel had een hap uit de rand van haar handpalm genomen. Met spullen uit de eerstehulpkoffer op het politiebureau had ze zichzelf behandeld. Merkwaardig genoeg had het niet erg gebloed. Misschien had de hitte van de kogel de wond dichtgeschroeid. Toch had ze drie pleisters over elkaar moeten plakken om de zaak te bedekken. Aanvankelijk was de pijn nog wel te harden, maar nu ze van de eerste schrik was bekomen, voelde ze haar hele hand kloppen. Ze kon er in het ziekenhuis niet naar laten kijken. Schotwonden moesten gerapporteerd worden. Lena zou iemand om een gunst moeten vragen om aan antibiotica te komen zodat het niet ging ontsteken.

Gelukkig was het haar linkerhand. Met haar goede hand draaide ze de warmwaterkraan open. Lena voelde zich smerig. Ze maakte een papieren handdoekje nat, pompte er wat zeep op en waste haar oksels. Nu ze eenmaal bezig was gaf ze zichzelf een snelle wasbeurt. Hoe lang was ze al op? Het was een uur of drie 's nachts geweest toen Brad had gebeld over het lijk in het meer. De laatste keer dat ze op een klok had gekeken, was het bijna tien uur 's avonds geweest. Geen wonder dat ze verdoofd was van uitputting.

'Lee?' Jared Long stond in de deuropening. Hij droeg zijn motoruniform. Op zijn laarzen zaten slijtplekken. Zijn haar was in de war. Lena's hart sloeg over toen ze hem zag.

'Je mag hier helemaal niet komen,' zei ze gehaast.

'Ik ben hier met mijn team om bloed te doneren.' Hij liet de deur achter zich dichtvallen. Het leek een eeuwigheid voor hij bij haar was en haar in zijn armen sloot. Ze legde haar hoofd op zijn schouder. Als een puzzelstukje, zo goed paste ze in hem. 'Wat vreselijk voor je, liefje.'

Ze wilde huilen, maar ze had geen tranen meer.

'Ik bestierf het bijna toen ik hoorde dat een van jullie gewond was geraakt.'

'Met mij is alles goed.'

Hij pakte haar hand en zag de pleisters die ze op de wond had geplakt. 'Wat is er gebeurd?'

Ze drukte haar gezicht tegen zijn borst. Ze kon zijn hart horen slaan. 'Het was heel erg.'

'Dat weet ik, schat.'

'Nee,' zei ze. 'Dat weet je niet.' Lena deed een stap terug zonder zich van hem los te maken. Ze wilde hem vertellen wat er echt was gebeurd, niet wat er in de rapporten zou staan, niet wat de pers te horen zou krijgen. Ze wilde hem over haar medeplichtigheid vertellen, haar hart bij hem uitstorten.

Maar toen ze in zijn donkerbruine ogen keek, stokten de woorden in haar keel.

Jared was tien jaar jonger dan zij. Ze vond hem puur en volmaakt. Hij had geen kraaienpootjes of rimpels om zijn mond. Zijn enige litteken was het gevolg van een heftige tackle tijdens een footballwedstrijd op de middelbare school. Zijn ouders waren nog steeds gelukkig getrouwd. Zijn jongere zusje aanbad hem. Hij was het absolute tegenovergestelde van Lena. Het absolute tegenovergestelde van elke man met wie ze ooit iets had gehad.

Ze hield beangstigend veel van hem.

'Vertel eens wat er gebeurd is,' zei hij.

Ze koos voor de halve waarheid. 'Frank was dronken. Ik had pas door hoe erg toen...' Ze schudde haar hoofd. 'Misschien heb ik gewoon niet opgelet. Hij drinkt de laatste tijd veel. Meestal kan hij het wel hanteren, maar...'

'Maar?'

'Ik heb het gehad,' zei Lena. 'Ik neem ontslag. Ik heb nog wat vakantiedagen te goed. Ik moet mijn hoofd weer helder zien te krijgen.'

'Je kunt wel bij mij intrekken tot je weet wat je wilt.'

'Deze keer meen ik het. Ik kap er echt mee.'

'Ik weet dat je het meent, en daar ben ik blij om.' Jared legde zijn handen op haar schouders om haar beter aan te kunnen kijken. 'Maar op dit moment wil ik alleen maar voor je zorgen. Je hebt een zware dag achter de rug. Laat alles maar aan mij over.'

Toegeven kostte haar geen enkele moeite. De gedachte dat ze de komende paar uur van haar leven aan Jared kon overdragen was het mooiste cadeau ter wereld. 'Ga jij maar vast. Ik kijk nog even bij Brad en dan rij ik achter je aan.'

Hij tilde haar kin op en kuste haar op haar mond. 'Ik hou van je.'

'Ik ook van jou.'

Zijn hand ging al naar de deur toen die aan de andere kant werd geopend. Frank bleef als aan de grond genageld staan en keek Jared aan alsof hij een spook zag.

'Jezus christus,' fluisterde hij. Vanwaar Lena stond kon ze de whiskylucht ruiken.

'Ga maar,' zei ze tegen Jared. 'Ik kom wel naar je huis toe.'

Zo gemakkelijk liet Jared zich echter niet wegsturen. Zonder te wijken keek hij Frank woedend aan.

'Ga nu maar, Jared,' smeekte ze. 'Alsjeblieft.'

Ten slotte ging zijn blik van Frank naar Lena. 'Weet je zeker dat je het redt?'

'Ja hoor,' zei ze. 'Ga maar.'

Hij vertrok, maar niet van harte. Frank staarde hem na en pas toen Lena de deur sloot keek hij haar aan.

'Waar ben jij in godsnaam mee bezig?' vroeg hij. Met zijn hand zocht hij steun bij de muur. 'Hoe oud is die knaap helemaal?'

'Dat gaat je geen moer aan. Vijfentwintig,' voegde ze er niettemin aan toe.

'Maar hij lijkt tien,' snauwde Frank. 'Hoe lang ga je al met hem om?'

Lena had geen zin om vragen te beantwoorden. 'Wat voer jij hier uit, Frank? Je kunt amper op je benen staan.'

Met de rug van zijn hand veegde hij zijn mond af.

'Ben je hier met de auto gekomen? Nee, vertel het maar niet.' Ze moest er niet aan denken hoeveel levens hij op het spel had gezet door achter het stuur te kruipen.

'Komt het goed met de jongen?'

Hij bedoelde Brad. 'Dat is nog niet bekend. Voorlopig is zijn toestand stabiel. Heb je vandaag al iets gedronken waar geen alcohol in zat?'

Frank wankelde naar de wasbak en het scheelde niet veel of hij was er met zijn kop voorover in gevallen.

Lena draaide de kraan voor hem open. In een flits zag ze een scène uit haar jeugd: haar oom Hank die zo dronken was dat hij zich had ondergepist. Ze probeerde haar gevoelens te ordenen, zich te distantiëren van de woede die zich van haar meester maakte. Het lukte niet. 'Je stinkt naar de kroeg.'

'Ik denk de hele tijd aan wat er gebeurd is.'

'Welk deel?' Ze boog zich voorover zodat ze nog maar een paar centimeter van zijn gezicht verwijderd was. 'Toen we ons niet als politiemensen legitimeerden of toen we bijna een jongen neerschoten die een briefopener in zijn hand hield?'

Frank kreeg een panische blik in zijn ogen.

'Had je gedacht dat ik daar niet achter zou komen?'

'Het was een jachtmes.'

'Het was een briefopener,' benadrukte Lena. 'Dat weet ik van Tommy, Frank. Het was een cadeau van zijn opa. Een briefopener. Het leek een mes, maar dat was het niet.'

Frank spuugde in de wasbak. Lena's maag draaide zich om toen ze de donkerbruine fluim zag. 'Dat maakt niet uit. Hij heeft Brad ermee neergestoken. Dan is het een wapen.'

'Waar heeft hij jou mee gestoken?' wilde Lena weten. Frank had kronkelend op de vloer van de garage gelegen, met zijn hand om zijn linkerarm geslagen. 'Je bloedde. Dat heb ik zelf gezien. Dat heeft de hele zaak in gang gezet. Ik heb tegen Brad gezegd dat hij jou had neergestoken.'

'Dat had hij ook.'

'Niet met een briefopener, en behalve een speelgoedautootje en kauwgom heb ik niks anders bij hem aangetroffen.'

Frank bekeek zichzelf in de spiegel. Lena richtte haar blik op zijn spiegelbeeld. Hij zag eruit alsof hij nog maar twee stappen van zijn graf verwijderd was.

Ze trok de pleisters van haar hand. In de spiegel was de wond rood en rauw. 'Dat is van een verdwaalde kogel. Had je wel door dat je me geraakt had?'

Hij slikte moeizaam. Waarschijnlijk was hij aan een borrel toe. Zo te zien was hij daar hard aan toe.

'Wat is er gebeurd, Frank? Je had je pistool getrokken, Tommy kwam op je af. Je haalde de trekker over en raakte mij. Hoe kom je aan die snee in je arm? Hoe kan het dat een sulletje van nog geen zestig kilo aan je ontglipte met een lullige briefopener in zijn hand?'

'Ik heb toch gezegd dat hij me met dat mes heeft gestoken? Dat van die briefopener heeft hij verzonnen.'

'Voor een smeris kun je wel erg slecht liegen.'

Frank zette zich schrap tegen de wasbak. Hij kon amper op zijn benen staan. 'In zijn bekentenis zegt Tommy niks over een briefopener.'

'Ik heb nog zo ongeveer één korreltje loyaliteit voor je over, ouwe,' sneerde Lena, 'en dat jeukt de hele dag al. Vertel op: wat is er in die garage gebeurd?'

'Ik weet het niet. Ik kan het me niet meer herinneren.'

'Hoe kon Tommy langs je rennen en ontsnappen? Had je een black-out? Ben je gevallen?'

'Dat doet er niet toe. Hij is weggerend. Daar gaat het om. Alles wat daarna is gebeurd, is zijn schuld.'

'We hebben ons niet gelegitimeerd in de garage. We waren gewoon drie mensen die hun wapen op zijn hoofd richtten.'

Hij keek haar woedend aan. 'Blij te horen dat je zelf ook in de fout bent gegaan, prinses.'

Lena werd door woede overmand en nu kon het haar niet meer schelen of ze schade aanrichtte. 'Toen Brad "Politie!" riep, bleef Tommy staan. Hij draaide zich om. Hij had de briefopener in zijn hand. Brad liep er recht in. Tommy wilde hem helemaal niet neersteken. En dat ga ik iedereen vertellen die ernaar vraagt.'

'Hij heeft dat meisje in koelen bloede vermoord. Wil je beweren dat dat je niks kan schelen?'

'Natuurlijk kan dat me wel iets schelen,' beet ze terug. 'Jezus, Frank, ik beweer niet dat hij het niet gedaan heeft. Ik zeg alleen dat jij voor de bijl gaat zodra Tommy een advocaat heeft.'

'Ik heb niks verkeerd gedaan.'

'Laten we dan maar hopen dat de rechter het met je eens is, anders verklaart hij de arrestatie ongeldig, en ook de bekentenis en alles wat er is gebeurd nadat we Tommy in de garage aantroffen. Die jongen komt straks met moord weg omdat jij niet eens rechtop kunt staan zonder een fles whisky in je pens.' Ze bracht haar gezicht tot vlak bij het zijne. 'Wil je zo herinnerd worden, Frank? Als de smeris die een moordenaar liet lopen omdat hij tijdens zijn werk niet van de drank af kon blijven?'

Frank draaide de kraan weer open. Hij spetterde water tegen zijn gezicht en maakte zijn nek nat. Ze zag dat zijn handen beefden. Zijn knokkels lagen open. Op zijn pols zaten diepe krassen. Hoe hard had Frank Tommy wel niet geslagen dat de tanden van de jongen door zijn leren handschoenen heen waren gedrongen?

'Het is jouw schuld dat dit verkeerd is afgelopen,' zei ze. 'Je hebt Tommy laten ontsnappen. Ik heb geen idee waarom je daar op de vloer lag te rollen en hoe je aan die snee in je arm komt, maar ik weet wel dat als jij je werk naar behoren had gedaan en hem bij de deur had tegengehouden...'

'Bek houden, Lena.'

'Krijg wat!'

'Ik ben nog steeds je baas.'

'Niet langer, smerige zuiplap.' Ze stak haar hand in haar zak en haalde haar ontslagbrief tevoorschijn. Toen hij die niet aannam, gooide ze hem de envelop in zijn gezicht. 'Ik heb het helemaal gehad met jou.'

Hij raapte de brief niet op. Hij overlaadde haar niet met scheldwoorden. Wel stelde hij haar een vraag: 'Welke pen heb je gebruikt?'

'Wat?'

'De pen die je van Jeffrey hebt gekregen. Heb je die gebruikt?'

'Probeer je me een schuldgevoel aan te praten zodat ik blijf? Ga je nu de herinnering aan Jeffrey bezoedelen om te zorgen dat ik je uit deze zooi red?'

'Waar is je pen?' Toen ze die niet wilde pakken begon hij in haar jas te zoeken en klopte op haar zakken. Ze stribbelde tegen, waarop hij haar sloeg en tegen de muur drukte.

'Blijf van me af!' Ze duwde hem weer tegen de wasbak. 'Jezus, wat heb je?'

Voor het eerst sinds hij het toilet was binnengelopen keek hij haar recht in haar ogen. 'Tommy heeft zich in zijn cel van kant gemaakt.'

Lena sloeg haar hand voor haar mond.

'Hij heeft zijn polsen opengesneden met een inktpatroon. Zo eentje van metaal, die in kwaliteitspennen zit. Zoals de pen die we van Jeffrey hebben gekregen.'

Een paar tellen lang weigerden Lena's handen dienst. Ze pakte de pen, die ze altijd op dezelfde plek bewaarde: in de spiraal van haar notitieboekje, dat in haar achterzak zat. Ze draaide aan de huls. De punt van de inktpatroon kwam niet naar buiten. 'Shit,' siste Lena, en nu schroefde ze de dop van de pen. 'Nee... nee...' De pen was leeg. 'Hoe heeft hij...' Ze werd misselijk van ellende. Haar maag kromp samen. 'Wat heeft hij...'

'Heb je hem gefouilleerd voor je hem opsloot?'

'Natuurlijk heb ik...' Was dat wel zo? Had ze de tijd genomen om hem te controleren of had ze hem zo snel mogelijk in een cel gegooid zodat ze naar het ziekenhuis kon gaan?

'Nog een geluk dat hij niemand heeft aangevallen terwijl hij daar zat. Hij had al een moord op zijn geweten en een agent neergestoken.'

Ze kon niet meer op haar benen staan. Haar knieën begaven het. Ze liet zich op de vloer zakken. 'Is hij echt dood? Weet je dat zeker?'

'Hij is doodgebloed.'

Lena legde haar hoofd in haar handen. 'Waarom?'

'Wat heb je tegen hem gezegd?'

'Ik heb niet...' Ze schudde haar hoofd om zich te bevrijden van het beeld van Tommy Braham die dood in zijn cel lag. Hij was overstuur geweest toen ze hem opsloot, maar ook suïcidaal? Die indruk had ze niet. Al had Lena nog zo'n haast gehad om naar het ziekenhuis te vertrekken, ze zou ongetwijfeld iets tegen de dienstdoende agent hebben gezegd als ze van mening was geweest dat Tommy in de gaten moest worden gehouden. 'Waarom heeft hij dat gedaan?'

'Je zult wel iets tegen hem gezegd hebben.'

Ze keek op naar Frank. Nu zette hij het haar betaald. Dat zag ze aan de valse blik in zijn ogen.

'Dat denkt Sara Linton tenminste,' voegde hij eraan toe.

'Wat heeft Sara hiermee te maken?'

'Ik heb haar gebeld toen Tommy, jouw gevangene, niet rustig wilde worden. Ik dacht dat zij hem misschien iets kalmerends kon geven. Ze was erbij toen ik hem vond.'

Lena besefte dat ze zich om haar eigen hachje zou moeten bekommeren, maar ze kon alleen maar aan Tommy Braham denken. Wat had hem bezield? Wat had die domme jongen het laatste zetje gegeven?

'Ze heeft een of andere hoge ome van het GBI hiernaartoe

laten komen om de zaak te onderzoeken. Knox heeft hem al op bezoek gehad. Hij heeft uitgevogeld dat Tommy die pen van een van ons heeft gekregen.'

Lena kreeg een vieze smaak in haar mond. Tommy was haar arrestant. Zij had hem onder haar hoede gehad. Wettelijk viel hij onder haar verantwoordelijkheid. 'Weten ze dat de inktpatroon van mij was?'

Frank groef in zijn jaszak. Hij wierp Lena een kartonnen doosje toe. Ze herkende het Cross-logo. In een plastic omhulsel zat een nieuwe inktpatroon.

'Heb je die net gekocht?' vroeg ze.

'Zo dom ben ik nou ook weer niet. Ik koop ze online. Die patronen kun je hier niet krijgen.'

Zo deed iedereen het. Het was lastig, maar het geschenk betekende veel voor hen, zeker nu Jeffrey er niet meer was. Lena had thuis een doos met wel tien inktpatronen.

'We zitten allebei dik in de problemen,' zei Frank.

Lena antwoordde niet. Ze was met haar gedachten bij de tijd die ze met Tommy had doorgebracht en vroeg zich af wanneer hij had besloten zich van het leven te beroven. Had hij nog iets tegen haar gezegd voor ze de celdeur op slot deed? Lena meende van niet. Misschien was dat een van de vele aanwijzingen die ze had gemist. Tommy was veel te snel rustig geworden nadat ze de kamer uit was gegaan om zakdoekjes voor hem te halen. Kort daarna had ze hem teruggebracht naar de cel. Hij had nog wat nagesnotterd, maar niets meer gezegd, ook niet toen ze de zware metalen deur dichtdeed. Wie zweeg had zijn besluit genomen, werd altijd beweerd. Hoe had ze dat over het hoofd kunnen zien? Waarom had ze niets gemerkt?

'We moeten één lijn trekken, zorgen dat we hetzelfde verhaal vertellen,' zei Frank.

Lena schudde haar hoofd. Hoe was ze toch in deze puinhoop beland? Hoe was het mogelijk dat ze van de ene drekput in de andere tuimelde?

'Sara ruikt bloed. Jouw bloed. Ze denkt dat ze eindelijk

een manier heeft gevonden om je te straffen voor wat je Jeffrey hebt aangedaan.'

Lena's hoofd ging met een ruk omhoog. 'Ik heb hem niks aangedaan.'

'We weten allebei dat dat niet waar is.'

Het was alsof er een mes in haar lichaam werd gestoken. 'Wat ben jij een hufter. Weet je dat?'

'Ja, en jij bent niks beter.'

Lena voelde een steek in haar hand. Ze had het plastic omhulsel van de inktpatroon zo stevig vastgeklemd dat het in haar huid sneed. Ze probeerde het open te peuteren, maar haar nagels waren te kort. Uiteindelijk beet ze het karton open en trok het los van het plastic.

'Hoe hard is die bekentenis?' wilde Frank weten.

Ze probeerde de nieuwe patroon in haar pen te duwen. 'Tommy heeft alles toegegeven. Hij heeft het op papier gezet.'

'Dat zou ik dan maar van de daken tetteren, want anders procedeert zijn pappie net zo lang tot je geen nagel meer hebt om je gat te krabben.'

Ze snoof. 'Waar is hij op uit? Een vijftien jaar oude Celica en een hypotheek van tachtigduizend dollar op een huis dat zestigduizend waard is? Hij kan de sleutels meteen krijgen.'

'Je raakt je penning kwijt.'

'Misschien maar goed ook.' Ze liet de pen voor wat die was. Ze liet alles voor wat het was. Vier jaar terug zou Lena alles op alles hebben gezet om de zaak in de doofpot te stoppen. Nu wilde ze alleen nog de waarheid vertellen en haar leven weer oppakken. 'Dit verandert niets, Frank. Tommy viel onder mijn verantwoordelijkheid. Ik accepteer de gevolgen. Maar dat moet jij ook doen.'

'Zo hoeft het niet te gaan.'

Ze keek hem aan en vroeg zich af waar die plotselinge verandering op sloeg. 'Hoe bedoel je?'

'Tommy heeft dat meisje vermoord. Denk je dat ook

maar iemand zich druk maakt om een of andere achterlijke moordenaar die in een cel zijn polsen heeft doorgesneden?' Frank veegde met zijn hand over zijn mond. 'Hij heeft dat meisje vermoord, Lee. Hij heeft haar in haar nek gestoken alsof hij een dier afmaakte. En dat alles omdat ze hem niet aan zijn gerief liet komen.'

Lena sloot haar ogen. Ze was zo moe dat ze niet meer kon denken. Frank had gelijk. Niemand zou zich druk maken om de dood van Tommy. Maar dat betekende nog niet dat er niks mis was. Dat veranderde niets aan wat er die dag in de garage was gebeurd of aan Brads verwondingen.

'Je drankzucht is volledig uit de hand gelopen,' zei ze. 'Ik heb verzwegen dat Brad niet geschikt is voor dit werk. Misschien haalt hij het, maar anders betekent het dat ik door te zwijgen zijn dood op mijn geweten heb. Ik weet het niet. Ik wil er niet bij zijn als hetzelfde met jou gebeurt. Je bent niet in staat om te werken. Je zou niet achter het stuur van een auto mogen zitten, laat staan een wapen mogen dragen.'

Frank hurkte voor haar neer. 'Je zou veel meer kunnen verliezen dan alleen je penning, Lena. Denk daar eens over na.'

'Ik hoef nergens over na te denken. Ik heb mijn besluit genomen.'

'En als ik nou eens naar Gavin Wayne ga en hem over dat jonge vriendje van je vertel?'

'Zorg eerst maar eens dat je niet naar whisky stinkt.'

'We weten allebei hoe ik je het leven zuur kan maken.'

'Jared begrijpt heus wel dat ik me heb vergist,' zei Lena. 'En dan weet hij ook dat ik de gevolgen heb aanvaard.'

'Sinds wanneer ben je zo nobel?'

Ze antwoordde niet, maar bij de gedachte aan Tommy Braham die in zijn cel met haar inktpatroon in zijn polsen zat te zagen, voelde ze zich verre van nobel. Hoe had ze het toch voor elkaar gekregen om in zo korte tijd zoveel te verknallen?

Frank drong aan. 'Kent dat vriendje je eigenlijk wel, Lena? Ik bedoel, kent hij je echt?' Zijn lippen plooiden zich tot een glimlach. 'Denk eens aan al die dingen die je me in de loop van de jaren hebt verteld. Al die patrouillewagens waar we samen in hebben gezeten. Al die late en vroege diensten na Jeffreys dood.' Hij ontblootte zijn gele tanden. 'Je bent een corrupte smeris, Lee. Denk je dat je vriendje je dat zal vergeven?'

'Ik ben niet corrupt.' Lena was talloze keren tot de grens gegaan, maar die had ze nooit overschreden. 'Ik ben goed in mijn werk, en dat weet jij ook.'

'Is dat zo?' vroeg hij smalend. 'Brad is neergestoken terwijl jij uit je neus stond te vreten. Je hebt net zo lang op een achterlijke jongen van negentien ingepraat tot hij zich van kant maakte. In de cel ernaast heb ik een getuige die alles zegt wat ik wil zolang ik hem maar naar zijn vrouw laat teruggaan.'

Lena's hart stond stil.

'Denk je dat ik mijn pensioen laat schieten, dat ik mijn wapen en mijn penning inlever, alleen omdat jij plotseling een geweten hebt gekregen?' Hij lachte rauw. 'Eén ding, dame: het laatste wat je wilt, is dat ik ga rondvertellen wat ik over jou weet, want tegen de tijd dat ik klaar ben, mag je blij zijn als je aan de goede kant van een celdeur zit.'

'Dat doe je me niet aan.'

'Je loopt met je slechte reputatie rond te paraderen alsof je heel wat bent. Heeft Jeffrey je daar niet altijd voor gewaarschuwd? Je hebt te veel schepen achter je verbrand. Je hebt te veel mensen in de stad een mes in de rug gestoken.'

'Bek houden, Frank.'

'Het mooie aan een slechte reputatie is dat mensen zo ongeveer alles geloven wat er over je gezegd wordt.' Hij ging op zijn hurken zitten. 'De chef was nog met moord weggekomen, omdat niemand dacht dat hij tot iets slechts in staat was. Denk je dat de mensen dat ook van jou vinden? Denk je dat ze op je karakter vertrouwen?'

'Je kunt niks bewijzen en dat weet je best.'

'Moet ik dan iets bewijzen?' Weer verscheen die glimlach, waarbij hij zijn tanden ontblootte. 'Ik heb mijn hele leven in Grant County gewoond. De mensen kennen me. Ze vertrouwen me, ze geloven wat ik ze vertel. En als ik zeg dat jij een corrupte smeris bent...' Hij haalde zijn schouders op.

Lena's keel zat zo dichtgeschroefd dat ze niet kon slikken.

'Misschien vraag ik onze Jared wel of hij een biertje met me wil drinken,' vervolgde Frank. 'Wedden dat Sara Linton hem graag het achterste van haar tong laat zien? Wat vind je daarvan? Als die twee eens gezellig over jou gaan zitten kletsen?' Lena keek hem vol haat aan. Frank keek woedend terug met zijn waterige ogen. 'Vergeet niet dat ik een hufter ben, dame. En ik zou er maar niet van uitgaan dat ik jou niet laat creperen om mijn eigen huid te redden.'

Ze wist dat hij het meende. Ze wist dat zijn dreigement even reëel en gevaarlijk was als een tikkende tijdbom.

Frank pakte zijn flacon. Hij schroefde met zorg de dop eraf en nam een grote slok.

'Wat wil je dat ik doe?' fluisterde ze.

Frank glimlachte, en ze had het gevoel alsof ze stront was dat hij van zijn schoenzolen veegde. 'Dat je je aan de feiten houdt. Tommy heeft bekend dat hij Allison heeft vermoord. Hij heeft Brad neergestoken. De rest doet er niet toe.' Weer haalde hij zijn schouders op. 'Als jij je aan mijn regels houdt tot we dit alles achter de rug hebben, laat ik jou misschien naar Macon vertrekken zodat je bij je vriendje kunt zijn.'

'En verder?' vroeg ze. Er zat altijd meer achter.

Hij haalde een plastic zak tevoorschijn. Nu ze het ding van dichtbij zag, vroeg Lena zich af hoe ze het ooit voor echt had kunnen aanzien: het dikke, doffe lemmet, het nepleren handvat. De briefopener.

Hij wierp de zak op haar schoot. 'Zorg dat die verdwijnt.'

Zeven

Sara zat aan de eettafel een tijdschrift door te bladeren terwijl haar zus en haar moeder aan het kaarten waren. Haar neef Hareton was een halfuur eerder ook aangeschoven, onaangekondigd zoals gewoonlijk. Hare was twee jaar ouder dan Sara. Ze hadden altijd met elkaar gewedijverd, en ook nu weer troonde hij haar mee de stromende regen in zodat ze zijn splinternieuwe BMW 750LI kon bewonderen. Hoe hij zich met het salaris van een plattelandsdokter zo'n dure auto kon veroorloven snapte Sara niet, maar ze maakte wat obligate geluiden omdat ze voor iets anders de energie niet had.

Ze was dol op haar neef, hoewel hij soms maar één doel in zijn leven leek te hebben, namelijk op haar zenuwen werken. Hij stak de draak met haar lengte. Hij noemde haar 'Rooie', gewoon om te plagen. Het ergste was nog dat iedereen hem allercharmantst vond. Zelfs haar moeder vond hem het einde, en vooral dat was pijnlijk, want het beeld dat Cathy van haar eigen kinderen had was stukken minder roze getint. Wat Sara nog het meest op Hare tegen had was dat er geen situatie was waarover hij niet luchtig deed, wat soms een bezoeking was voor zijn naasten.

Toen Sara het tijdschrift uit had, begon ze weer voorin, zich erover verbazend dat geen enkele pagina haar bekend voorkwam. Ze was te afwezig om te kunnen lezen en ze keek wel uit om met een van de anderen een gesprek aan te knopen. Vooral niet met Hare, die zijn best deed om haar aandacht te trekken.

'Wat is er?' vroeg ze ten slotte toch.

Met een klap legde hij een kaart op tafel. 'Hoe is het weer daarboven, Rooie?'

'Zalig,' zei ze, met dezelfde blik die ze hem dertig jaar geleden had toegeworpen toen hij haar voor het eerst die vraag had gesteld.

Weer legde hij een kaart op tafel. Tessa en Cathy kreunden. 'Je hebt vakantie, Rooie. Wat is er aan de hand?'

Sara sloeg het tijdschrift dicht en bedwong de neiging om te zeggen dat het haar speet dat ze niet vrolijker was, maar dat ze het beeld van Tommy Braham die dood op de vloer van zijn cel lag niet van zich af kon zetten. Ze keek haar moeder vluchtig aan en zag dat Cathy precies wist wat ze dacht.

'Ik verwacht iemand,' bekende ze ten slotte. 'Will Trent. Een agent van het GBI.'

Cathy kneep haar ogen samen. 'Wat komt een GBI-agent hier doen?'

'Hij doet onderzoek naar de moord bij het meer.'

'En naar dat sterfgeval in het politiebureau.' Cathy's stem klonk scherp. 'Waarom komt hij hiernaartoe?'

'Hij heeft nog niet gegeten. Ik dacht dat jij misschien...'

'Moet ik nu ook al wildvreemden van eten voorzien?'

Zoals gewoonlijk maakte Tessa het alleen maar erger. 'En onderdak verschaffen.' Tegen Sara zei ze: 'Het hotel is wegens verbouwing gesloten. Tenzij hij liever drie kwartier wil rijden naar Cooperstown zou ik maar snel het appartement boven de garage in orde maken.'

Sara slikte de verwensing die op haar lippen lag weer in. Hare leunde naar voren, met zijn kin op zijn hand, alsof hij naar een film zat te kijken.

Cathy schudde de kaarten maar weer eens, en door de spanning klonk het extra luid. 'Waar kent die man je van?'

'Er loopt altijd politie rond in het ziekenhuis.' Officieel

was dat geen leugen, maar het scheelde niet veel.

'Wat is er aan de hand, Sara?'

Ze haalde haar schouders op, maar dat voelde zo nep dat het haar moeite kostte om ze weer te laten zakken. 'Het is ingewikkeld.'

'Ingewikkeld?' herhaalde Cathy. 'Dat is dan snel gegaan.' Ze legde haar kaarten met een klap op tafel en stond op. 'Ik ga maar eens tegen je vader zeggen dat hij een broek aan moet trekken.'

Tessa wachtte tot haar moeder de kamer uit was. 'Vertel het haar nou, zus. Uiteindelijk krijgt ze het er toch wel uit.'

'Het gaat haar niks aan.'

Tessa bulderde van het lachen. Er was níéts wat hun moeder niet aanging.

Hare pakte de kaarten. 'Kom op, Rooie. Neem je het niet allemaal te serieus? Waarschijnlijk is dit het spannendste wat Brad Stephens ooit heeft meegemaakt. Die jongen woont nog bij zijn moeder.'

'Het is niet grappig, Hare. Er zijn twee mensen dood.'

'De een is achterlijk en de ander is een studente. De hele stad is in de rouw.'

Sara beet op haar tong, omdat ze anders niets van hem zou hebben heel gelaten.

Met een zucht schudde Hare de kaarten. 'Oké. Dat van dat meisje in het meer was niet netjes, maar Tommy heeft erom gevraagd. Mensen maken zich niet zonder aanleiding van kant. Hij voelde zich schuldig omdat hij het meisje had vermoord. Daarom heeft hij Brad neergestoken. Einde verhaal.'

'Je kunt zo bij de politie.'

'Nou.' Hij legde zijn hand op zijn borst. 'Weet je dat ik me ooit voor Halloween als politieagent heb verkleed?' Hij wendde zich tot Tessa. 'Herinner je je die string nog?'

'Dat was mijn verjaardagsfeestje, niet Halloween,' corrigeerde Tessa hem. 'Waarom ben je eigenlijk naar het politiebureau gegaan?' vroeg ze aan Sara.

'Tommy moest...' Ze maakte haar zin niet af. 'Ik weet niet waarom ik daar naartoe ben gegaan.' Ze stond op van tafel. 'Het spijt me. Nou goed? Het spijt me dat ik naar het bureau ben gegaan. Het spijt me dat ik dit mee naar huis heb genomen. Het spijt me dat mama kwaad op me is. Het spijt me vooral dat ik hiernaartoe ben gekomen.'

'Zus...' begon Tessa, maar Sara was de kamer al uit voor ze nog iets kon zeggen.

Ze liep door de gang en bleef bij de voordeur staan, en voor de zoveelste keer die dag vulden haar ogen zich met tranen. Eigenlijk zou ze naar boven moeten gaan om met haar moeder te praten. Het minste wat ze kon doen was een verklaring verzinnen zodat Cathy zich geen zorgen meer hoefde te maken. Uiteraard zou Cathy dwars door elke verklaring heen kijken, want ze wisten allebei waar het om ging: Sara probeerde Lena een hak te zetten. Haar moeder zou met pijn in haar hart tegen Sara zeggen dat ze net zo goed buiten tegen de regen kon gaan staan janken. En ze zou nog gelijk hebben ook, tenminste gedeeltelijk. Lena kon als geen ander liegen, bedriegen en wat er verder voor nodig was om uit de problemen te blijven. Sara was niet tegen haar opgewassen, want het ontbrak haar aan de elementaire sluwheid waarmee Lena elke situatie in haar leven het hoofd bood.

En het dode meisje dan? Sara was al even erg als Hare. Ze had helemaal niet meer aan Allison Spooner gedacht, maar haar dood als springplank gebruikt om Lena aan te vallen. Mensen die Allison gekend hadden, begonnen al over haar te praten. Tessa had vrijwel de hele middag aan de telefoon gezeten en toen Sara terugkwam van het bureau kreeg ze het verhaal te horen. Allison was tenger en opgewekt, zo'n meisje zonder stadse allures, maar wel met goede manieren en een vrolijke lach voor iedereen. In het eetcafé had ze lunch- en weekenddiensten gedraaid. Ergens moest ze familie hebben, een vader en moeder die inmiddels het ergste bericht hadden ontvangen dat een ouder kon krijgen. Ongetwijfeld waren ze nu met lood in het hart op weg naar Grant County.

Achter zich hoorde ze voetstappen op de trap: Cathy, naar de lichte tred te oordelen. Ze hoorde dat haar moeder even in het trapportaal bleef staan en toen naar de keuken liep.

Sara had onbewust haar adem ingehouden, en nu slaakte ze een zucht.

'Snoes?' riep Eddie van boven. Hij zat naar zijn oude platen te luisteren, iets wat hij vaker deed als hij wat zwaarmoedig was.

'Er is niks, pa.' Ze luisterde of hij terugging naar zijn kamer. Het duurde heel lang voor ze zijn voetstappen hoorde.

Sara sloot haar ogen. Haar vader zette Bruce Springsteen op en de naald haperde op het vinyl toen hij de goede plek probeerde te vinden. Ze hoorde haar moeder in de keuken rondscharrelen. Er klonk gekletter van borden en pannen. Hare zei iets grappigs, want Tessa's lach schalde door het huis.

Wrijvend over haar armen om de kou te verdrijven keek Sara de straat op. Het was dwaas, besefte ze, om bij de deur te staan wachten op een man die misschien helemaal niet kwam opdagen. Ook al wilde Sara het niet toegeven, ze verlangde meer van Will dan alleen informatie. Hij hoorde bij haar leven in Atlanta. Dankzij hem wist ze weer dat er nog iets anders bestond.

En toen was hij er godzijdank.

Voor de tweede keer die dag zag Sara hoe Will zijn elektronica in de Porsche verstopte. Ditmaal leek hij er langer over te doen, of misschien was ze ongeduldiger. Eindelijk stapte hij uit. Terwijl hij over de oprit naar het huis rende, hield hij het dossier dat ze hem had gegeven boven zijn hoofd om zich tegen de regen te beschermen.

Ze wilde de deur al openen toen ze zich bedacht. Hij mocht niet denken dat ze op hem had staan wachten. Aan de andere kant: als ze ongezien had willen blijven, had ze niet voor het raam moeten gaan staan.

'Stomkop,' mompelde ze terwijl ze opendeed.

'Hallo.' In de beschutting van de veranda schudde hij de regen uit zijn haar.

'Zal ik...' Ze stak haar hand uit naar het natte dossier en onderdrukte een kreun van teleurstelling. Het was doorweekt. Helemaal naar de knoppen.

'Hier.' Hij hees zijn trui omhoog en trok zijn hemd uit zijn broek. Tegen zijn blote huid zag Sara de papieren die ze hem had gegeven. Ook zag ze iets wat op een donkere kneuzing leek die zich over zijn onderbuik verspreidde en verdween in de band van zijn spijkerbroek.

'Wat...'

Snel trok hij zijn hemd naar beneden. 'Bedankt.' Hij krabde over zijn gezicht, een zenuwtrek die ze zich opeens weer herinnerde. 'Die map kunnen we wel weggooien.'

Ze knikte zonder iets te zeggen. Ook Will stond met zijn mond vol tanden. Zo keken ze elkaar aan, tot het licht in de gang opeens aanging.

Cathy stond met haar handen in de zij in de deuropening van de keuken. Eddie kwam de trap af. De stilte die volgde was de onbehaaglijkste die Sara ooit had meegemaakt. Voor het eerst besefte ze wat een puinhoop ze van de dag had gemaakt. Als ze met een klik van haar hakken zou kunnen terugkeren naar die ochtend, zou ze nog steeds in Atlanta zijn en zou haar familie deze pijnlijke situatie bespaard zijn gebleven. Ze kon wel door de grond zakken.

Haar vader verbrak het zwijgen. 'Eddie Linton,' zei hij terwijl hij Will zijn hand toestak. 'Gelukkig kunnen we je een dak boven het hoofd bieden met deze regen.'

'Will Trent.' Will schudde hem ferm de hand.

'Ik ben Cathy,' zei Sara's moeder, en ze gaf Will een klopje op zijn arm. 'Mijn hemel, je bent drijfnat. Eddie, zoek jij eens iets droogs voor hem.' Om de een of andere reden moest haar vader zachtjes lachen terwijl hij de trap op rende. 'Doe eerst die trui maar eens uit voor je kou vat,' zei Cathy tegen Will.

Will keek opgelaten, zoals elke man zou kijken die van een overdreven beleefde drieënzestigjarige vrouw opdracht kreeg in haar hal zijn kleren uit te trekken. Toch deed hij wat ze zei en trok zijn trui over zijn hoofd uit. Eronder droeg hij een zwart T-shirt met lange mouwen. Het kroop omhoog toen hij zijn armen hief, en zonder erbij na te denken pakte Sara het vast en hield het tegen.

Cathy keek haar scherp aan, alsof ze Sara op stelen had betrapt.

'Mama,' zei ze terwijl het klamme zweet haar uitbrak. 'Ik moet je echt even spreken.'

'Dat komt later wel, schat.' Cathy nam Will bij de arm en voerde hem mee de gang door. 'Ik begrijp van mijn dochter dat je uit Atlanta komt.'

'Ja, mevrouw.'

'Uit welk deel? Ik heb een zus die in Buckhead woont.'

'Eh.' Hij keek achterom naar Sara. 'Ik woon in Poncey-Highlands, dat is vlak bij...'

'Ik weet precies waar dat is. Dan woon je bij Sara in de buurt.'

'Inderdaad.'

'Mam...'

'Later, schat.' Met een ondoorgrondelijk lachje naar Sara nam ze Will mee de eetkamer in. 'Dit is Tessa, mijn jongste dochter. Hareton Earnshaw is de zoon van mijn broer.'

Hare nam hem met onverholen nieuwsgierigheid op. 'Tjonge, wat een lang end ben jij.'

'Let maar niet op hem,' zei Tessa terwijl ze Will de hand schudde. 'Aangenaam.'

Toen Will aanstalten maakte om op de dichtstbijzijnde stoel plaats te nemen, kreeg Sara bijna een hartstilstand van schrik. Jeffreys plek.

Gelukkig was Cathy niet geheel zonder gevoel. 'Als jij nou eens aan het hoofd van de tafel gaat zitten,' opperde ze, en met zachte hand dirigeerde ze hem in de juiste richting. 'Ik kom zo terug met je eten.'

Sara zeeg neer op de stoel naast Will. Ze legde haar hand op zijn arm. 'Het spijt me vreselijk.'

'Wat spijt je vreselijk?' vroeg hij met geveinsde verbazing.

'Bedankt dat je het spelletje meespeelt, maar we hebben niet veel tijd voor...' Sara trok snel haar hand weg. Haar moeder was alweer terug met een bord vol eten.

'Ik hoop dat je van gebraden kip houdt.'

'Zeker, mevrouw.' Will keek naar het volle bord. Er was genoeg voor de halve stad.

'Zoete thee?' vroeg Cathy. Sara wilde opstaan, maar met een knik droeg haar moeder Tessa op om een glas te pakken. 'Waar ken je mijn dochter eigenlijk van?'

Will stak zijn vinger op en werkte eerst een hap sperziebonen weg. 'Ik heb dokter Linton in het ziekenhuis ontmoet.'

Sara had hem wel willen zoenen voor zijn merkwaardige gehechtheid aan goede manieren. 'Mama, ik heb een collega van agent Trent behandeld,' legde ze uit.

'O ja?'

Will knikte en nam een flinke hap kip. Sara wist niet of hij trek had of wanhopig op zoek was naar een reden om niet te hoeven praten. Ze keek even naar Hare. Voor het eerst in zijn ellendige leven deed die er het zwijgen toe.

'Werkt je vrouw ook bij de politie?'

Will stopte met kauwen.

'Ik zag dat je een ring droeg.'

Hij keek naar zijn hand. Cathy bleef hem aankijken. Hij begon weer te kauwen. 'Ze is privédetective,' zei hij ten slotte.

'Dan hebben jullie vast veel gespreksstof. Hebben jullie elkaar tijdens een onderzoek ontmoet?'

Will veegde zijn mond af. 'Het smaakt uitstekend.' Tessa zette een glas thee voor hem neer. Will nam een grote slok, maar het zou Sara niet hebben verbaasd als hij liever iets sterkers in zijn glas had gehad.

Heel subtiel bleef Cathy druk op hem uitoefenen. 'Waren mijn dochters maar in koken geïnteresseerd, maar ze hebben er geen van beiden aanleg voor.' Ze laste een adempauze in. 'Vertel eens, waar komen je ouders vandaan?'

Het had niet veel gescheeld of Sara had haar hoofd in haar handen laten vallen. 'Mama, alsjeblieft. Dat gaat ons niks...'

'Geeft niet.' Met zijn servet veegde Will zijn mond af. 'Ik ben in een kindertehuis opgegroeid,' zei hij tegen Cathy.

'Arme jongen.'

Kennelijk wist Will niet hoe hij daarop moest reageren. Hij nam weer een slok thee.

'Agent Trent,' vervolgde Cathy, 'van mijn jongste dochter hoorde ik dat het hotel wegens verbouwing gesloten is. Mag ik je hier onderdak aanbieden zolang je in de stad bent?'

Will verslikte zich in zijn thee.

'We hebben een appartement boven de garage. Het stelt helaas niet veel voor, maar ik zou het vervelend vinden als je in dit weer dat hele eind naar Cooperstown moest rijden.'

Will veegde de thee van zijn gezicht. Hij keek Sara hulpzoekend aan.

Ze schudde haar hoofd, niet in staat om haar moeders overweldigende zuidelijke gastvrijheid een halt toe te roepen.

De verbouwing van het huis van de Lintons had zich niet tot aan de wasruimte uitgestrekt. Sara moest de trap af naar het half afgewerkte deel van het souterrain om schone handdoeken voor Will te halen. De wasdroger draaide toen ze het licht aandeed. Ze zette het apparaat uit en voelde aan de handdoeken. Die waren nog vochtig.

Sara deed de droger weer aan. Ze liep de trap op, maar

stopte halverwege en ging zitten. Ze had zich het grootste deel van de dag als een idioot gedragen, maar ze was nog net niet gek genoeg om zich meteen weer aan de genade van haar moeder over te leveren.

Ze wreef over haar gezicht. Haar wangen waren knalrood, al vanaf het moment dat Cathy Will Trent had verwelkomd in haar huis.

'Zus?' fluisterde Tessa van boven aan de trap.

'Sst,' deed Sara. Het laatste waarop ze zat te wachten was nog meer aandacht van haar moeder.

Zachtjes trok Tessa de deur dicht. Met één hand onder haar buik en de andere aan de leuning daalde ze de trap af. 'Gaat het?'

Sara knikte, en ze ondersteunde Tessa toen die zich een tree hoger installeerde.

'Ik snap niet waarom ze de wasruimte niet naar de begane grond hebben verplaatst.'

'Misschien omdat het haar heiligdom is?'

Ze moesten allebei lachen. Als pubers hadden Tessa en Sara de wasruimte angstvallig gemeden omdat ze anders misschien aan het werk werden gezet. Dat hadden ze heel slim van zichzelf gevonden, tot ze beseften dat hun moeder er juist van genoot om even niemand om zich heen te hebben.

Sara legde haar hand op de buik van haar zus. 'Hé, wat is dit?'

Tessa grijnsde. 'Een baby, geloof ik.'

Sara omspande het geheel met beide handen. 'Je bent gigantisch.'

'Het is fantastisch,' fluisterde Tessa. 'Je wilt niet weten wat ik allemaal eet.'

'Je voelt het nu zeker de hele tijd schoppen?'

'Ze gaat later op voetbal.'

'Ze?' Sara trok een wenkbrauw op.

'Ik doe maar een gok. Lem wil zich laten verrassen.'

'We kunnen morgen wel even naar de kliniek gaan.' Elliot Felteau had Sara's praktijk overgenomen, maar het gebouw was nog steeds van haar. 'Dan speel ik de huiseigenaar die toevallig in de buurt van het echoapparaat moet zijn.'

'Zelf wil ik me ook laten verrassen. Bovendien heb je momenteel genoeg op je bord.'

Sara trok een vertwijfeld gezicht. 'Mama.'

Tessa grinnikte. 'Lieve help, dat was indrukwekkend. Het leek wel een verhoor!'

'Ongelooflijk zoals ze zich misdroeg.'

'Je hebt haar anders wel voor het blok gezet met die Will.'

'Ik dacht...' Sara schudde haar hoofd. Wat had ze eigenlijk gedacht? 'Aan Hare had ik ook al niks.'

'Die heeft het er moeilijker mee dan je denkt.'

'Dat betwijfel ik.'

'Tommy heeft ook altijd zíjn gras gemaaid.' Tessa haalde haar schouders op. 'Je weet hoe Hare is. Hij heeft veel meegemaakt.'

Hare had vrienden en ook zijn geliefde aan aids verloren, maar Sara had de indruk dat zij de enige in haar familie was die nog wist dat zijn nonchalante houding van vóór de epidemie dateerde. 'Ik hoop dat hij Will niet in verlegenheid heeft gebracht.'

'Will stond trouwens aardig zijn mannetje.'

Hoofdschuddend dacht Sara aan de puinhoop die ze had veroorzaakt. 'Het spijt me, Tess. Het was niet mijn bedoeling om jullie met dit alles te confronteren.'

'Wat bedoel je met "dit alles"?'

Ze liet de vraag bezinken. 'Deze wraakoefening,' bekende ze. 'Ik geloof dat ik eindelijk heb ontdekt hoe ik Lena te grazen kan nemen.'

'O, schat, denk je echt dat dat iets uitmaakt?'

Sara voelde tranen opwellen. Deze keer bedwong ze ze niet. Tessa had haar in nog veel ergere toestand meegemaakt. 'Ik weet het niet. Ik wil alleen...' Ze zuchtte even.

'Ik wil het haar laten voelen.'

'Denk je dat ze het niet voelt?' vroeg Tessa behoedzaam. 'Ook al is het nog zo'n akelig mens, ze hield wel van Jeffrey. Ze aanbad hem.'

'Nee, ze heeft geen greintje gevoel. Ze wil niet eens erkennen dat zij de oorzaak is van Jeffreys dood.'

'Je gelooft toch niet echt dat ze wist dat die lul van een vriend van haar Jeffrey ging vermoorden?'

'Het gaat niet om wat ze wílde dat er gebeurde,' gaf Sara toe, 'maar om wat ze heeft láten gebeuren. Als Lena er niet was geweest, zou Jeffrey niet eens hebben geweten dat die man bestond. Zij heeft hem in ons leven gebracht. Als iemand een handgranaat werpt zeg je ook niet dat hij onschuldig is omdat hij er niet bij heeft stilgestaan dat het ding weleens zou kunnen afgaan.'

'Laten we het maar niet meer over haar hebben.' Tessa sloeg haar arm om Sara's schouders. 'Het enige wat telt is dat Jeffrey ongelooflijk veel van je heeft gehouden.'

Sara kon slechts knikken. Dat was het enige waarachtige in haar leven. Aan Jeffreys liefde had ze nooit getwijfeld.

'Will is aardig,' zei Tessa tot haar verbazing.

Zelfs Sara vond haar eigen lach niet erg overtuigend klinken. 'Tess, hij is getrouwd.'

'Aan tafel zat hij de hele tijd smachtend naar je te kijken.'

'Dat was angst.'

'Volgens mij vindt hij je leuk.'

'Volgens mij gaan je hormonen met je aan de haal en zie je spoken.'

Tessa leunde achterover tegen de trap. 'Bereid je er maar op voor: de eerste keer is altijd vreselijk.' Sara's blik moest haar hebben verraden. Tessa's mond viel open. 'O, help. Ben je al met iemand naar bed geweest?'

'Sst,' siste Sara. 'Praat eens wat zachter.'

Tessa leunde naar voren. 'Waarom sleep ik me naar de enige telefooncel in dat apendorp om jou te bellen als je me niet eens over je seksleven vertelt?'

Sara maakte een afwerend gebaar. 'Er valt niks te vertellen. Je hebt gelijk. Het was vreselijk. Het gebeurde veel te snel en hij heeft me nooit meer gebeld.'

'En nu? Is er nog iemand in je leven?'

Sara dacht aan de epidemioloog van het centrum voor infectieziektebestrijding. Het feit dat dit de eerste keer in de hele week was dat ze aan de man dacht, zei al genoeg. 'Niet echt. Ik ben een paar keer met iemand uit geweest, maar... wat heeft het voor zin?' Sara wierp haar handen in de lucht. 'Ik krijg nooit meer zo'n band, met niemand. Jeffrey heeft het verpest voor alle anderen.'

'Dat weet je pas als je het probeert,' wierp Tessa tegen. 'Je moet jezelf niet tekortdoen, Sara. Dat zou Jeffrey ook niet willen.'

'Van Jeffrey zou ik nooit meer een andere man mogen aanraken, en dat weet je best.'

'Waarschijnlijk heb je gelijk. Toch denk ik dat die Will niet verkeerd voor je zou zijn.'

Sara schudde haar hoofd. Het liefst sprak ze er niet meer over. Zelfs als Will beschikbaar was – en zelfs als hij wonderbaarlijk genoeg in haar geïnteresseerd was – zou Sara nooit meer een relatie beginnen met een politieman. Ze was er niet meer toe in staat om een man 's ochtends haar bed te zien verlaten in de wetenschap dat hij 's avonds misschien niet heelhuids thuis zou komen. 'Wat zei ik nou? Hij is getrouwd.'

'Tja, je hebt getrouwd en je hebt getrouwd.' Tessa had al heel wat mannen versleten voor ze eindelijk gesetteld raakte. Soms had het erop geleken of ze een draaideur in haar slaapkamer had. 'Hoe komt hij aan dat litteken op zijn lip?'

'Geen idee.'

'Je zou er zo een kus op drukken.'

'Tess.'

'Wist je dat hij in een tehuis is opgegroeid?'

'Ik dacht dat je in de keuken was toen hij dat vertelde.'

'Ik stond met mijn oor tegen de deur. Hij eet net als de kinderen in het weeshuis.'

'Hoezo?'

'Zoals hij zijn arm om zijn bord legt zodat niemand zijn eten kan stelen.'

Het was Sara nog niet opgevallen, maar nu besefte ze dat het waar was.

'Ik kan me niet voorstellen hoe het is om zonder ouders op te groeien. Ik bedoel...' Tessa lachte. 'Na vanavond lijkt het me ideaal, maar hij heeft het vast heel moeilijk gehad.'

'Waarschijnlijk wel,' beaamde Sara.

'Vraag hem er eens naar.'

'Dat zou onbeleefd zijn.'

'Wil je dan niet meer over hem weten?'

'Nee,' loog Sara. Natuurlijk wilde ze meer over hem weten. Ze wilde weten hoe hij aan zijn littekens kwam. Ze wilde weten hoe het mogelijk was dat hij als baby in het tehuis was gekomen, maar nooit was geadopteerd. Ze wilde weten waarom hij in een kamer vol mensen toch zo'n eenzame indruk maakte.

'De kinderen in mijn weeshuis zijn heel gelukkig,' vertelde Tessa. 'Ze missen hun ouders, dat staat buiten kijf. Maar ze gaan naar school. Ze krijgen drie maaltijden per dag en schone kleren. Ze hoeven niet te werken. De andere kinderen die nog wel ouders hebben zijn jaloers.' Ze streek haar rok glad. 'Waarom vraag je Will niet hoe hij het ervaren heeft?'

'Dat gaat me niks aan.'

'Als je mama nog even haar gang laat gaan kom je alles te weten.' Tessa richtte haar vinger op Sara's borst. 'Je moet toegeven dat ze vanavond in topvorm was.'

'Ik hoef helemaal niks toe te geven.'

Tessa imiteerde het zachte accent van hun moeder. 'Vertel eens, agent Trent, wat draag je liever: een boxershort of een slip?' Sara moest lachen en Tessa deed er nog een schepje bovenop. 'Deed je je eerste seksuele ervaring op in de missionarishouding of op zijn hondjes?'

Sara lachte zo hard dat ze er buikpijn van kreeg. Ze veegde de tranen uit haar ogen en besefte dat ze voor het eerst blij was om thuis te zijn. 'Ik heb je gemist, Tess.'

'Ik heb jou ook gemist, zus.' Met enige moeite hees Tessa zich overeind. 'Maar nu moet ik snel naar het toilet, anders pies ik nog in mijn broek van het lachen.' Tree voor tree beklom ze de trap. Zachtjes viel de deur achter haar dicht.

Sara liet haar blik door het souterrain gaan. Haar moeders schommelstoel en lamp stonden in een hoek bij een raampje. De strijkplank was opengeklapt, klaar voor gebruik. In plastic bakken langs de achterste muur zaten alle jeugdaandenkens van Sara en Tessa, voor zover hun moeder ze de moeite van het bewaren waard had gevonden. Elk van haar dochters had twee bakken, gevuld met jaarboeken, klassenfoto's, rapporten en opstellen. Na verloop van tijd zou Tessa's baby een eigen bak krijgen. Er zouden babyschoentjes in zitten, folders van schooltoneel en pianouitvoeringen. Of voetbalbekers, als Tessa haar zin kreeg.

Sara kon geen kinderen krijgen. Een buitenbaarmoederlijke zwangerschap tijdens haar studie had haar van die mogelijkheid beroofd. Jeffrey en zij hadden een kind willen adopteren, maar die droom vervloog op de dag dat hij stierf. Hij had ergens een zoon, een buitengewoon begaafde, sterke jongeman, die niet wist dat Jeffrey zijn echte vader was. Jeffrey was voor hem een ere-oom en Sara een eretante. Vaak overwoog ze om contact met de jongen te zoeken, maar die beslissing was niet aan haar. Hij had een vader en moeder die zich heel goed van hun opvoedtaak hadden gekweten. Het zou erg wreed zijn als ze dat verpestte door hem te vertellen dat hij een vader had met wie hij nooit meer zou kunnen praten.

Behalve waar het Lena betrof, moest Sara niets van wreedheid hebben.

De droger zoemde. De handdoeken waren zo goed als droog, hoewel ze er nog mee door de regen moest. Ze trok haar jas aan en liep zo zachtjes mogelijk het huis uit. Inmiddels miezerde het buiten. Ze keek op naar de nachthemel. Tussen de donkere wolken kon ze de sterren zien. Sara was vergeten hoe het was om ver van de lichten van de grote stad verwijderd te zijn. De nacht was inktzwart. De stilte werd niet verscheurd door sirenes, gegil of willekeurige schoten. Hier hoorde je alleen krekels en af en toe het gejank van een eenzame hond.

Sara bleef voor Wills deur staan en vroeg zich af of ze nog kon aankloppen. Het was laat. Misschien sliep hij al.

Net toen ze zich omdraaide, deed hij open. Will keek haar allerminst smachtend aan, zoals Tessa had beweerd. Verward kwam nog het dichtst in de buurt.

'Handdoeken,' zei ze. 'Die wilde ik even afgeven.'

'Wacht.'

Sara hield haar hand boven haar ogen tegen de regen. Ze betrapte zichzelf erop dat ze naar Wills mond staarde, naar het litteken boven zijn lip.

'Kom binnen.' Hij deed een stap naar achteren om haar door te laten.

Vreemd genoeg voelde Sara zich opeens op haar hoede. Toch liep ze naar binnen. 'Het spijt me van daarnet, dat met mijn moeder.'

'Ze kan zo op de politieacademie verhoortechniek doceren.'

'Het was echt vreselijk.'

Hij gaf haar een van de schone handdoeken om haar gezicht mee af te drogen. 'Ze houdt heel veel van je.'

Een dergelijke reactie had Sara niet verwacht. Ze ging ervan uit dat een man die op zo jonge leeftijd zijn moeder had verloren een heel andere kijk op Cathy's opdringerigheid zou hebben.

'Heb je ooit...' Sara zweeg. 'Laat maar. Ik moet je laten slapen.'

'Heb ik ooit wat?'

'Ik bedoel...' Sara voelde het bloed weer naar haar wangen stijgen. 'Heb je weleens bij een pleeggezin gewoond? Of...'

Hij knikte. 'Een paar keer.'

'Bij goede mensen?'

Hij haalde zijn schouders op. 'Soms.'

Sara dacht aan de kneuzing op zijn buik; eigenlijk was het geen kneuzing, maar iets veel akeligers. In het mortuarium had ze regelmatig brandwonden gezien die door stroomstoten waren veroorzaakt. Die zagen er heel apart uit, alsof er onder de huid een laagje kruit zat dat niet weggewassen kon worden. Het donkere brandmerk op Wills lichaam was in de loop van de tijd vervaagd. Waarschijnlijk was hij nog klein geweest toen het gebeurde.

'Dokter Linton?'

Verontschuldigend schudde ze haar hoofd. Automatisch raakte ze zijn arm aan. 'Kan ik iets voor je halen? Volgens mij liggen er extra dekens in de kast.'

'Ik zou je nog een paar dingen willen vragen. Heb je even?'

Ze had niet meer aan de belangrijkste reden gedacht waarom ze naar hem toe was gegaan. 'Natuurlijk.'

Hij wees naar de bank. Sara zonk bijna helemaal weg in de oude bekleding. Ze probeerde de kamer door Wills ogen te zien. Het appartement was van alle luxe gespeend. Er was een smal keukentje. Een kleine slaapkamer met een nog kleinere badkamer. Het hoogpolige tapijt had betere tijden gekend. Alle verticale oppervlakken waren bedekt met kromgetrokken lambrisering. De bank was ouder dan Sara. Bovendien was hij zo groot dat twee mensen er heel behaaglijk op konden liggen, wat ook de reden was geweest dat Cathy hem van de tv-kamer naar het appartement boven de garage had verplaatst toen Sara vijftien werd. Niet dat de jongens in de rij hadden gestaan om met Sara op de bank te mogen liggen, maar bij Tessa, die drie jaar jonger was, was dat later wel degelijk het geval geweest.

Will legde de handdoeken op het keukenblad. 'Wil je een glaasje water?'

'Nee, dank je.' Sara gebaarde om zich heen. 'Sorry dat we je niks beters kunnen bieden.'

Hij glimlachte. 'Ik heb erger meegemaakt.'

'Misschien een schrale troost, maar dit is beter dan het hotel.'

'Het eten is in elk geval stukken beter.' Hij wees naar het andere uiteinde van de bank, de enige vrije zitplek. 'Mag ik?' vroeg hij.

Sara vouwde haar benen onder zich toen hij op de rand van de bank plaatsnam. Ze sloeg haar armen over elkaar, zich er plotseling van bewust dat ze slechts met zijn twee-en waren.

Weer viel er een onbehaaglijke stilte. Will zat aan zijn trouwring te frunniken en te draaien. Ze vroeg zich af of hij aan zijn vrouw dacht. Sara had haar één keer ontmoet. Angie Trent was een opgewekt, levendig type, zo iemand die nooit zonder make-up het huis uit ging. Haar nagels waren piekfijn in orde. Ze droeg strakke rokken. Haar benen zouden de paus nog aan het twijfelen hebben gebracht. Het verschil tussen haar en Sara was ongeveer even groot als dat tussen een rijpe perzik en een lollystokje.

Will klemde zijn handen tussen zijn benen. 'Bedankt voor de maaltijd. Of bedank je moeder maar namens mij. Ik heb niet meer zo lekker gegeten sinds...' Grinnikend wreef hij over zijn maag. 'Tja, eigenlijk betwijfel ik of ik ooit in mijn leven zo lekker heb gegeten.'

'Sorry dat ze je zo zat uit te horen.'

'Geeft niet. Sorry dat ik jullie tot last ben.'

'Mijn schuld, want ik heb je hiernaartoe gehaald.'

'Vervelend dat het hotel dicht is.'

Sara besloot ter zake te komen, anders zaten ze de hele avond onbeduidende verontschuldigingen uit te wisselen. 'Wat wilde je me vragen?'

Hij zweeg even en keek haar toen recht aan. 'De eerste vraag ligt nogal gevoelig.'

Ze sloeg haar handen nog steviger om haar middel. 'Ga je gang.'

'Toen commissaris Wallace je eerder op de dag belde om te vragen of je bij Tommy wilde komen...' Zijn stem stierf weg. 'Heb je altijd diazepam bij je? Dat is toch valium?'

Sara sloeg haar blik neer. Ze keek naar de salontafel. Zo te zien had Will zitten werken. Zijn laptop was dicht, maar het lampje knipperde. Snoeren verbonden het apparaat met de draagbare printer op de vloer. Een nog onuitgepakte stapel gekleurde mappen lag ernaast. Erbovenop zag ze een houten liniaal naast een pak gekleurde viltstiften. Verder een nietmachine, paperclips en elastiekjes.

'Dokter Linton?'

'Will.' Ze probeerde haar stem in bedwang te houden. 'Wordt het geen tijd om me Sara te noemen?'

'Sara,' zei hij instemmend. Toen ze bleef zwijgen, vroeg hij nogmaals: 'Heb je altijd valium bij je?'

'Nee,' moest ze bekennen. Ze schaamde zich zo diep dat ze alleen nog naar de tafel kon staren. 'Ik had ze voor mezelf meegenomen. Voor deze reis. Voor het geval...' De rest van haar antwoord deed ze met een schouderophalen af. Hoe moest ze de man uitleggen dat ze het middel zelf nodig had om een feestelijke familiebijeenkomst te overleven?

'Wist commissaris Wallace dat je valium bij je had?'

Ze probeerde zich het gesprek weer voor de geest te halen. 'Nee. Ik heb zelf aangeboden het mee te nemen.'

'Heb je gezegd dat je het in je artsenkoffer had zitten?'

'Hij hoefde niet te weten dat ze voor...'

'Geeft niet,' onderbrak hij haar. 'Het spijt me dat ik zo'n persoonlijke vraag moest stellen. Ik probeer er alleen achter te komen hoe het gegaan is. Commissaris Wallace belde je om je om hulp te vragen, maar hoe wist hij dat je kon helpen?'

Sara sloeg haar blik op. Will keek terug, zonder met zijn ogen te knipperen. Zijn gezicht was vrij van oordeel, vrij van medelijden. Sara kon zich niet herinneren wanneer iemand haar voor het laatst echt had aangekeken. In elk geval niet sinds ze die ochtend in de stad was gearriveerd.

'Frank dacht dat ik wel met Tommy kon praten,' zei ze. 'Op zijn niveau, vermoed ik.'

'Heb je eerder arrestanten geholpen?'

'Niet echt. Wel ben ik een paar keer opgeroepen als iemand een overdosis had genomen. En één keer had iemand een gesprongen blindedarm. Die heb ik allemaal naar het ziekenhuis laten overbrengen. Ik heb ze niet in de cel behandeld. Niet medisch...'

'En toen commissaris Wallace belde...'

'Sorry,' zei Sara, 'maar zou je hem Frank willen noemen? Alleen maar om...'

'Je hoeft het niet uit te leggen,' zei hij sussend. 'Toen je hem aan de telefoon had en zei dat je je Tommy Braham niet meer goed kon herinneren, dat er geen belletje ging rinkelen, had je toen het gevoel dat Frank je probeerde over te halen om naar het bureau te komen?'

Eindelijk had Sara door waar hij naartoe wilde. 'Denk je dat hij me na afloop heeft gebeld? Dat Tommy al dood was?' In gedachten zag ze Frank weer door het raampje van de celdeur turen. Hij had zijn sleutels op de vloer laten vallen. Was dat allemaal toneelspel geweest?

'Zoals je weet, kan het tijdstip van overlijden achteraf nooit exact worden bepaald,' zei Will. 'Als hij je gebeld heeft onmiddellijk nadat hij Tommy had gevonden...'

'Het lichaam was nog warm,' herinnerde ze zich. 'Maar het was wel stikheet in de cel. Frank zei dat de verwarmingsketel van slag was.'

'Is dat voor zover je weet eerder gebeurd, dat de ketel van slag was?'

Sara schudde haar hoofd. 'Ik had al ruim vier jaar geen stap meer in het bureau gezet.'

'De temperatuur was normaal toen ik er vanavond was.'

Sara schoof naar achteren. Dit waren mensen die met Jeffrey hadden samengewerkt. Mensen die ze haar hele leven had vertrouwd. Maar als Frank Wallace dacht dat Sara hem zou dekken, had hij het grondig mis. 'Denk je dat zij hem vermoord hebben?' Meteen gaf ze zelf het antwoord: 'Ik heb de blauwe inkt van de pen gezien. Ik kan me niet voorstellen dat ze Tommy tegen de grond hebben gedrukt en ermee over zijn polsen hebben gezaagd. Er zijn gemakkelijker manieren om iemand te doden en het voor zelfmoord te laten doorgaan.'

'Ophangen bijvoorbeeld,' opperde hij. 'Tachtig procent van de zelfmoorden in hechtenis gebeurt door middel van ophanging. De kans dat gevangenen zich van het leven beroven is zeven keer zo groot als bij de bevolking in het algemeen. Tommy beantwoordt aan zo ongeveer alle aspecten van het profiel.' Will somde ze voor haar op: 'Hij was buitengewoon berouwvol. Hij huilde aan één stuk door. Hij was niet getrouwd. Hij was tussen de achttien en vijfentwintig. Dit was zijn eerste misdrijf. Thuis had hij een dominante ouder of voogd die boos of teleurgesteld zou zijn als hij hoorde dat hij in de cel zat.'

'Al die dingen zijn op Tommy van toepassing,' beaamde Sara. 'Maar waarom zou Frank willen liegen over het moment waarop hij het lichaam vond?'

'Je wordt hier alom gerespecteerd. Een gevangene heeft zich in een politiecel van het leven beroofd. Als jij zegt dat er geen luchtje aan zit, gelooft iedereen jou.'

Dat moest Sara toegeven. Dan Brock was begrafenisondernemer, geen arts. Als het idee postvatte dat Tommy op het bureau om het leven was gebracht, zou Brock er een hele kluif aan hebben om het tegendeel te bewijzen.

'En dan de inktpatroon van de pen die Tommy heeft gebruikt,' vervolgde Will. 'Agent Knox heeft me vanavond verteld dat je man ooit iedereen een pen heeft gegeven met kerst. Dat was heel attent.'

'Wat je attent noemt.' Het was eruit voor Sara er erg in had. 'Ik bedoel, hij had het heel druk en toen vroeg hij...' Ze wuifde haar woorden weg. Ze was heel kwaad op Jeffrey geweest omdat hij haar achter die pennen had aangestuurd, alsof haar leven minder hectisch was dan het zijne. Tegen Will zei ze slechts: 'Jij vraagt je vrouw vast ook weleens om iets voor je te regelen als je er zelf niet aan toekomt.'

Hij glimlachte. 'Weet je nog waar je die pennen gekocht hebt?'

Weer werd Sara door schaamte overspoeld. 'Ik heb Nelly, mijn bureauchef op de kliniek, gevraagd om ze online te bestellen. Ik had geen tijd om...' Ze schudde haar hoofd, zo verachtelijk vond ze zichzelf. 'Als het van belang is, kan ik het creditcardafschrift misschien nog ergens vinden. Het is al meer dan vijf jaar geleden.'

'Hoeveel heb je er laten bestellen?'

'Vijfentwintig, meen ik. Alle korpsleden kregen er een.'

'Dat is een heel bedrag.'

'Ja,' beaamde ze. Jeffrey had niet gezegd hoeveel het mocht kosten, en bij Sara hing er meestal een hoger prijskaartje aan een duur cadeau dan bij Jeffrey. Nu leek het allemaal zo dwaas. Waarom hadden ze er dagen over lopen ruziën? Waarom was het zo belangrijk geweest?

'Hier praat je met een ander accent,' merkte Will volkomen onverwacht op.

Ze moest lachen, zo overrompeld was ze. 'Alsof ik uit de klei ben getrokken?'

'Je moeder heeft een prachtig accent.'

'Beschaafd,' vond Sara. Met uitzondering van deze avond had ze haar moeders stem altijd heel mooi gevonden.

Weer verraste hij haar. 'Je bent min of meer aan je haren bij deze zaak gesleept, maar in allerlei opzichten ben je er ook door eigen toedoen bij betrokken geraakt.'

Ze bloosde omdat hij zo recht op zijn doel afging.

Zijn gezicht stond vriendelijk en begrijpend. Ze vroeg zich af of hij het meende of een van zijn verhoortechnieken toepaste. 'Ik besef dat ik nu vrijpostig ben, maar mag ik ervan uitgaan dat je er een reden voor had om bij het ziekenhuis met me af te spreken, in het zicht van heel Main Street?'

Opnieuw moest Sara lachen, maar nu om zichzelf en om de situatie. 'Zo berekenend ben ik nou ook weer niet. Het lijkt achteraf misschien wel zo.'

'Ik logeer bij jullie. Iedereen ziet dat mijn auto hier geparkeerd staat. Ik weet hoe het gaat in kleine stadjes. De mensen denken vast dat we iets hebben.'

'Maar dat is niet zo. Jij bent getrouwd en ik ben...'

Hij glimlachte nogal verkrampt. 'In dit soort situaties schiet je met de waarheid niet veel op. Dat weet jij ook.'

Sara keek weer naar zijn verzameling kantoorspullen. Hij had de elastiekjes op kleur gesorteerd. Zelfs de paperclips wezen allemaal dezelfde kant op.

'Er speelt hier iets,' zei Will. 'Ik weet niet of het is wat jij denkt, maar er klopt iets niet op dat politiebureau.'

'Wat dan?'

'Ik ben er nog niet achter, maar ik zou me maar voorbereiden op negatieve reacties.' Hij koos zijn woorden met zorg. 'Zo gaat het nou eenmaal bij dit soort zaken, als de politie zelf ter discussie staat. Daar moeten ze niets van hebben. Een van de redenen waarom ze goed zijn in hun vak is dat ze altijd gelijk denken te hebben.'

'Ik ben arts. Neem maar van mij aan dat dat niet alleen voor politiemensen geldt.'

'Toch kun je beter voorbereid zijn, want als dit achter de rug is, ongeacht of ik ontdek dat Tommy schuldig is of dat rechercheur Adams het verprutst heeft of dat er uiteindelijk niks verkeerd is gegaan, zullen de mensen het jou aanrekenen omdat jij me hiernaartoe hebt gehaald.'

'Ze hebben me wel vaker iets aangerekend.'

'Ze zullen zeggen dat je de nagedachtenis aan je man door het slijk haalt.'

'Ze weten helemaal niets over hem. Ze hebben geen idee.'

'De lege plekken vullen ze zelf wel in. Het wordt nog een stuk moeilijker dan het nu al is.' Hij keerde zich naar haar toe. 'En dat komt dan door mij. Ik ga met opzet dingen doen waardoor ze zo kwaad worden dat ze zich in de kaart laten kijken. Ga je daarmee akkoord?'

'En als ik nee zeg?'

'Dan probeer ik het zo te doen dat jij er geen last van hebt.'

Ze zag dat zijn aanbod oprecht gemeend was, en voelde zich schuldig omdat ze zijn motieven in twijfel had getrokken. 'Ik woon hier niet meer. Over drie dagen vertrek ik, ongeacht wat er gebeurt. Ga je gang maar.'

'En je familie?'

'Mijn familie staat achter me.' De laatste tijd waren er heel veel dingen waaraan Sara twijfelde, maar hieraan niet. 'Misschien zijn ze het niet met me eens, maar ze staan wel achter me.'

'Goed.' Hij keek opgelucht, alsof hij het moeilijkste achter de rug had. 'Zou je me het telefoonnummer van Julie Smith kunnen geven?'

Die vraag had Sara verwacht. Ze haalde een opgevouwen blaadje uit haar zak en gaf het aan Will.

Hij wees naar de roze telefoon naast de bank. 'Is dat dezelfde lijn als die van het woonhuis?'

Ze knikte.

'Ik wil graag dat de nummerherkenning hetzelfde nummer weergeeft.' Hij nam de telefoon op en keek naar de kiesschijf.

Sara trok een vertwijfeld gezicht. 'Van technologie hebben mijn ouders geen kaas gegeten.'

Hij wilde het nummer draaien, maar halverwege glipte de schijf van zijn vinger.

'Laat mij maar,' bood ze aan en voor hij kon protesteren had ze de telefoon al van hem overgenomen. Met enige aarzeling moest ze toegeven dat het ouderwetse gebaar meteen weer vertrouwd aanvoelde.

Will drukte de hoorn tegen zijn oor, en op dat moment klonk er een automatisch gegenereerd gesnerp. Hij hield het ding tussen hen in zodat ze allebei de opgenomen mededeling konden horen dat het nummer dat hij had gedraaid buiten gebruik was.

Hij legde de hoorn weer op de haak. 'Ik zal het morgen door Faith laten natrekken. Wedden dat het een wegwerptelefoon was? Kun je je nog iets herinneren van die Julie? Iets wat ze zei?'

'Ik kon horen dat ze vanuit een toiletruimte belde. Ze zei dat Tommy haar had ge-sms't dat hij vastzat. Zou je via zijn telefoongegevens aan de transcriptie kunnen komen?'

'Dat zal ik ook aan Faith vragen,' antwoordde hij. 'Wat Julies stem betrof: klonk ze jong? Oud?'

'Ze klonk jong en ze sprak nogal plat.'

'Plat? Hoe bedoel je?'

Sara glimlachte. 'Anders dan ik. Tenminste, dat hoop ik. Ze klonk behoorlijk volks. Ze zei "u heb", dat soort dingen.'

'Alsof ze uit de bergen kwam.'

'O? Zo goed ben ik niet in dialecten.'

'Ik heb een tijd terug in de Blue Ridge Mountains gewerkt,' legde hij uit. 'Praten ze hier ook zo?'

Ze schudde haar hoofd. 'Niet echt. Niet dat ik weet.'

'Goed, dus we hebben te maken met een jonge vrouw, waarschijnlijk iemand die vanuit het noorden van Georgia of de Appalachen hiernaartoe is verhuisd. Ze zei dat ze met Tommy bevriend was. We zullen zijn telefoongegevens eens natrekken om te zien of ze elkaar ooit gebeld hebben.'

'Julie Smith.' Het was nog niet bij Sara opgekomen dat het meisje misschien een valse naam had gebruikt.

'Misschien leveren de telefoontaps iets op.'

Sara wees naar de fotokopieën die ze had gemaakt. 'Heb je daar nog iets aan gehad?'

'Ja, maar niet wat je denkt.' Hij bladerde de documenten

door. 'Ik heb de bureausecretaresse, mevrouw Simms, gevraagd om ze naar Faith te faxen. Zou jij er nog eens naar willen kijken?'

Sara nam de papieren vluchtig door. Bovenaan waren ze met de hand genummerd. Bij het elfde blad stopte ze. Iemand had in de hoek een 12 geschreven. De twee stond achterstevoren. 'Heb jij deze genummerd?'

'Ja,' zei hij. 'Toen ik ze terugkreeg van mevrouw Simms ontbrak er een pagina. Pagina elf. Die volgde op het rapport van rechercheur Adams.'

Sara bladerde terug naar de tweede pagina. De 2 was op de juiste wijze geschreven. Ze controleerde de derde en vijfde pagina. Beide getallen waren correct geschreven. De pen had zo hard op het papier gedrukt dat hij er bijna doorheen kwam.

'Kun je zien wat er ontbreekt?' vroeg Will.

Weer bladerde Sara het stapeltje door, en nu concentreerde ze zich op de inhoud in plaats van op de nummering. 'De transcriptie van het 911- telefoontje.'

'Weet je dat zeker?'

'Er zat een blaadje uit Lena's opschrijfboekje bij. Dat was op een apart stuk papier geplakt. Ze had er de inhoud van het 911-telefoontje op geschreven.'

'Weet je nog wat er stond?'

'Ik weet dat het een vrouwenstem was. Van de rest kan ik me weinig meer herinneren.'

'Is het nummer nagetrokken?'

'Daar heb ik niets over gelezen.' Ze schudde haar hoofd. 'Waarom weet ik nou niet wat er stond?'

'Dat kunnen we via de centrale achterhalen.'

'Tenzij ze het daar zijn kwijtgeraakt.'

'Zo belangrijk is het nou ook weer niet,' zei Will. 'Je hebt dat dossier toch van Frank gekregen?'

'Van Carl Phillips.'

'De agent die bureaudienst had?'

'Ja. Heb je hem vanavond nog gesproken?'

'Hij is op vakantie met zijn gezin. Ik heb geen idee wanneer hij terugkomt. Hij heeft geen telefoon bij zich. Geen mobiel. Ik kan op geen enkele manier met hem in contact komen.'

Sara's mond viel open.

'Ik betwijfel of hij echt weg is. Waarschijnlijk houden ze hem bij mij uit de buurt. Misschien is hij morgen gewoon op het bureau en doet hij een mislukte poging om zich te verstoppen.'

'Hij is de enige Afro-Amerikaan in het team.'

Will moest lachen. 'Bedankt voor de tip. Dat beperkt de mogelijkheden aanzienlijk.'

'Dit is toch niet te geloven?'

'Politiemensen vinden het niet prettig om ondervraagd te worden. Dan schieten ze in de verdediging, ook al weten ze dat het verkeerd is.'

Ze vroeg zich af of Jeffrey zich ooit aan iets dergelijks had bezondigd. Als dat zo was, had hij het alleen gedaan omdat hij zijn eigen zaken wilde opknappen. Hij zou dat karwei nooit aan iemand anders hebben overgelaten.

'Waar heb je die kopieën gemaakt?' vroeg Will.

'In de recherchekamer.'

'De kopieermachine staat toch op de tafel bij het koffiezetapparaat?'

'Dat klopt.'

'Heb je nog een bak koffie gepakt?'

'Ik wilde daar niet te lang rondhangen.' Iedereen had naar haar gekeken alsof ze een monster was. Sara had alleen kopiën willen maken en er snel weer vandoor willen gaan.

'Je staat dus bij de kopieermachine op de blaadjes te wachten. Het leek me een oud apparaat. Maakt het veel geluid?'

Sara knikte en ze vroeg zich af waar hij naartoe wilde.

'Gezoem of gerammel?'

'Allebei.' In gedachten hoorde ze het weer.

'Hoeveel koffie zat er in de pot? Kwam er nog iemand bij staan?'

Ze schudde haar hoofd. 'Nee. De pot zat vol.' Het koffiezetapparaat was nog ouder dan de kopieermachine. Het koffiedik had branderig geroken.

'Heeft iemand iets tegen je gezegd?'

'Nee. Ze wilden niet eens...' Ze zag zichzelf weer bij de machine staan. Het ding was oud en je moest de blaadjes een voor een invoeren. Om niet doelloos naar de muur te staren had ze het dossier gelezen. 'O.'

'Wat is er?'

'Terwijl het apparaat warm stond te draaien heb ik het verslag van het 911-telefoontje vluchtig doorgenomen.'

'Wat stond erin?'

Ze zag zichzelf het dossier lezen. 'De vrouw had het over een mogelijke zelfmoord. Ze was bang dat haar vriendin zichzelf iets had aangedaan.' Sara kneep haar ogen samen in een poging de herinnering boven te krijgen. 'Ze was bang dat Allison zich van kant ging maken omdat ze ruzie had gehad met haar vriendje.'

'Heeft ze ook gezegd waar Allison volgens haar was?'

'Bij Lover's Point,' herinnerde ze zich. 'Zo wordt het hier genoemd. Dat is de inham waar Allison is gevonden.'

'Hoe zie het er daar uit?'

'Gewoon, een inham,' zei Sara schouderophalend. 'Het is een romantisch plekje voor een wandeling, maar niet in de kou en de stromende regen.'

'Is het afgelegen?'

'Ja.'

'Dus volgens de beller had Allison ruzie met haar vriendje. De beller was bang dat Allison zelfmoordplannen had. Ze wist ook dat ze naar Lover's Point ging.'

'Waarschijnlijk is het Julie Smith geweest. Denk je ook niet?'

'Misschien, maar waarom? De beller wilde de politie op het spoor van Allisons moord brengen. Julie Smith probeerde Tommy Braham juist te helpen om onder die moord uit te komen. Het doel van de een staat schijnbaar haaks op dat van de ander.' Hij zweeg even. 'Faith probeert haar op te sporen, maar daar is meer voor nodig dan een nummer dat niet meer in gebruik is.'

'Frank en Lena denken waarschijnlijk hetzelfde,' vermoedde Sara. 'Daarom hebben ze het verslag achtergehouden. Ze willen niet dat jij met haar praat, of ze willen eerst zelf met haar praten.'

Will krabde over zijn wang. 'Zou kunnen.' Hij scheen een derde optie te overwegen. Sara stond ervan versteld dat Marla Simms tijdens een officieel onderzoek informatie had achtergehouden. De vrouw werkte al sinds mensenheugenis op het bureau.

Will ging rechtop zitten. Hij bladerde door de papieren op de salontafel. 'Mevrouw Simms heeft uit eigen beweging wat extra informatie meegestuurd. Ik heb ze door agent Mitchell laten scannen zodat ik ze kon uitprinten.' Toen hij de betreffende blaadjes had gevonden overhandigde hij ze aan Sara. Ze herkende het formulier: een politierapport van twee pagina's. De agenten van de patrouilledienst vulden wekelijks tientallen van dat soort formulieren in als ze ergens waren ontboden zonder dat er een arrestatie uit voortvloeide. Het waren nuttige documenten voor het geval er later iets ernstigers gebeurde, een soort voortgangsrapportage bij een persoon of een wijk.

'Dit zijn incidentenrapporten over alle keren dat Tommy in aanvaring met de wet is geweest,' zei Will. Hij wees naar de papieren in Sara's hand. 'Dit hier gaat over de keer dat hij bonje had met een meisje op de rolschaatsbaan.'

Sara zag een gele stip in de hoek van het rapport.

'Was Tommy nogal opvliegend, voor zover je weet?' vroeg hij.

'Nee.' Sara nam de overige rapporten door. Er waren er nog twee, telkens twee aan elkaar geniete pagina's, met in de hoek een gekleurde stip van een viltstift. De ene was rood, de andere groen.

Ze keek Will weer aan. 'Tommy was behoorlijk evenwichtig. Dat soort kinderen is vaak heel lief.'

'Vanwege hun geestelijke toestand?'

Sara dacht weer aan hun gesprek in de auto en staarde hem aan. 'Ja. Hij was traag. Heel goedgelovig.'

Maar dat kon ook van haar worden gezegd.

Ze hield Will een ander rapport voor, maar nu ondersteboven. Ze wees naar het midden van de pagina, waar de agent het voorval had opgetekend. 'Heb je dit gedeelte gelezen?'

Zijn blik ging naar de rode stip. 'De blaffende hond. Tommy ging tegen zijn buurvrouw tekeer. De buurvrouw belde de politie.'

'Oké.' Ze pakte het derde rapport en hield het hem op de correcte wijze voor. 'En dit?'

Weer ging zijn blik niet naar de tekst, maar naar de gekleurde stip. 'Twee dagen geleden kwam er een klacht binnen over harde muziek. Tommy heeft de agent uitgescholden.'

Ze zweeg en wachtte op zijn reactie.

'Wat vind jij?' vroeg hij uiteindelijk.

Ze vond hem in elk geval ongelooflijk slim. Sara keek naar de mappen, de viltstiften. Hij markeerde alles met een kleurencode. Zijn handschrift was een verschrikking en heel kinderlijk. Hij had het cijfer 2 omgedraaid, maar zonder daar consequent in te zijn. Hij zag het niet als een pagina hem ondersteboven werd voorgehouden. Onder andere omstandigheden zou het haar misschien niet zijn opgevallen. Ze had het niet eens gemerkt toen ze elkaar voor het laatst hadden gesproken. Hij was bij haar thuis geweest. Ze had hem zien werken zonder te beseffen dat hij een probleem had.

'Is dit soms een test?' vroeg hij bij wijze van grap.

'Nee.' Dat kon ze hem niet aandoen. Niet op deze manier. Misschien wel nooit. 'Ik wilde de datums controleren.' Ze bladerde door de formulieren om zichzelf een houding te geven. 'Al die incidenten zijn van de laatste paar weken. Iets moet hem ertoe hebben aangezet. Die opvliegendheid van Tommy is iets van de laatste tijd.'

'Ik zal kijken wat ik nog meer kan vinden.' Hij nam de papieren weer van haar over en legde ze op een stapel op tafel. Hij was nerveus, en bepaald niet dom. Zijn hele leven was hij alert geweest op aanwijzingen, tekens en signalen die zijn geheim zouden kunnen verraden.

Sara legde haar hand op zijn arm. 'Will...'

Hij stond op en liep bij haar weg. 'Bedankt, dokter Linton.'

Sara ging ook staan. 'Sorry dat ik niet beter heb kunnen helpen,' stamelde ze.

'Je hebt juist fantastisch geholpen.' Hij liep naar de deur en hield die voor haar open. 'En bedank je moeder voor haar gastvrijheid.'

Sara liep snel naar buiten voor ze eruit werd gezet. Onder aan de trap draaide ze zich om, maar Will was alweer naar binnen gegaan.

'Lieve hemel,' mompelde ze terwijl ze over het natte gras liep. Ze was er zowaar in geslaagd Will in nog grotere verlegenheid te brengen dan haar moeder al had gedaan.

In de verte hoorde ze een auto naderen. Even later reed er een patrouillewagen voorbij. Deze keer tilde de agent achter het stuur zijn pet niet op toen hij haar zag. Zijn gezicht stond nors.

Will had haar hiervoor gewaarschuwd, dat de stad zich tegen haar zou keren. Sara had niet verwacht dat het zo snel zou gebeuren. Terwijl ze over de oprit naar het huis liep moest ze om zichzelf en de hele situatie lachen. Will mocht dan moeite hebben met het lezen van woorden op papier, maar het lezen van mensen ging hem verdomd goed af.

Acht

Jason Howell liep te ijsberen door zijn krappe studentenkamer, en het geschuifel van zijn voeten vermengde zich met
het ruisen van de regen aan de andere kant van het raam.
De vloer lag bezaaid met papier. Zijn bureau ging schuil
onder opengeslagen boeken en blikjes Red Bull. Met een
vermoeide zucht ging zijn oude laptop in de slaapstand.
Hij moest aan het werk, maar de gedachten maalden door
zijn hoofd. Niets kon zijn aandacht langer dan een paar
minuten vasthouden: of het nu de kapotte lamp op zijn
bureau was, de e-mails die zijn inbox binnenstroomden of
het essay dat hij moest afmaken.

Jason legde zijn hand vlak onder het toetsenbord van de
laptop. De kunststof voelde warm aan. Een paar weken
terug was de ventilator die het moederbord koel hield
gaan klikken, zo rond de tijd dat hij bijna derdegraads
brandwonden aan zijn benen had opgelopen doordat hij
de computer op schoot had gezet. Hij vermoedde dat er
iets misging tussen de accu en de oplader in het stopcontact. Ook nu rook het vaag naar verbrand plastic.
Jason greep de stekker, maar iets weerhield hem ervan
die uit het contact te trekken. Met zijn tong tussen zijn
tanden keek hij naar het kronkelende snoer in zijn hand.
Nog even en het apparaat raakte oververhit. Een kapotte laptop was een niet te overziene ramp. Misschien
zou hij al zijn werk kwijt zijn: zijn aantekeningen, zijn
onderzoek en het hele afgelopen jaar zouden versmelten

tot een gigantische klomp stinkend plastic.

En dan?

Hij had geen vrienden meer. Iedereen in het studenten-huis meed hem als hij door de gang liep. Op college sprak niemand hem aan en niemand vroeg of hij zijn aanteke-ningen mocht lenen. Hij was al maanden niet in de kroeg geweest. Behalve zijn docenten kon Jason niemand beden-ken met wie hij sinds de paasvakantie een zinnig gesprek had gevoerd.

Behalve Allison dan, maar die telde niet. De laatste tijd praatten ze eigenlijk ook niet met elkaar. Het eindigde al-tijd in ruzie om de stomste dingen: wie pizza had moeten bestellen, wie de deur open had laten staan. Zelfs de seks was slecht. Agressief. Ongeïnspireerd. Teleurstellend.

Jason snapte wel dat Allison de pest aan hem had gekre-gen. Hij bracht nergens iets van terecht. Zijn essay was een rommeltje. Zijn cijfers begonnen af te glijden. Het geld dat zijn grootvader voor hem had vastgelegd was bijna op. Van zijn vader had hij twaalfduizend dollar gekregen als aanvulling op zijn studiebeurs en lening. Toentertijd was het een enorm bedrag geweest. Jason was nu een jaar met zijn master bezig en inmiddels leek het een schijntje. Een schijntje dat met de dag kleiner werd.

Geen wonder dat hij zo gedeprimeerd was dat hij amper zijn hoofd kon optillen.

Het enige wat hij echt wilde was Allison. Nee, herstel: hij wilde de Allison die hij nu een jaar en elf maanden gelden had leren kennen. Die lachte als ze hem zag. Die niet om de vijf minuten in tranen uitbarstte en hem voor rotzak uitschold als hij vroeg waarom ze verdrietig was.

'Dat komt door jou,' zei ze dan, en daar zat hij niet op te wachten. Wie wilde de schuld voor de ellende van een an-der op zich nemen als hij zelf tot aan zijn nek in de misère zat?

Jason voelde zich dan ook doodellendig. Het straalde van hem af, als van de warmtelamp boven de patat van Mc-

Donald's. Hij zou niet weten wanneer hij voor het laatst had gedoucht. Hij kon niet slapen. Wat hij ook probeerde, hij kon zijn brein niet lang genoeg stilzetten om tot rust te komen. Zodra hij ging liggen, begonnen zijn oogleden als een luie jojo op en neer te gaan. In het donker kwam alles weer boven alsof het net was gebeurd, en dan duurde het niet lang of een loodzware eenzaamheid drukte op zijn borst zodat hij bijna stikte.

Niet dat het Allison iets uitmaakte. Wat haar betrof lag hij op dat moment dood op de vloer. Hij had geen mens meer gezien sinds het studentenhuis drie dagen eerder was leeggelopen vanwege de Thanksgivingvakantie. Zelfs de bibliotheek was die zondag vroeg dichtgegaan; een paar achterblijvers hadden nog wat getreuzeld op de trap toen het personeel uiteindelijk de deuren op slot deed. Jason had hen van achter zijn raam nagekeken en zich afgevraagd of zij ook alleen waren of de vakantie met iemand anders doorbrachten.

Op het achtergrondgeruis van Cartoon Network en zijn eigen incidentele gemompel na was het doodstil in het gebouw. Zelfs de conciërge had zich al dagen niet laten zien. Waarschijnlijk mocht Jason hier niet eens zijn. De verwarming was uitgezet toen de laatste studenten vertrokken. Hij sliep in zijn warmste kleren, diep weggedoken onder zijn winterjas. En de enige die daar iets om zou moeten geven, interesseerde het blijkbaar geen moer.

Allison Spooner. Hoe had hij toch verliefd kunnen worden op een meisje met zo'n stomme naam?

Dagenlang had ze hem als een gek gebeld, tot de vorige dag, toen het opeens ophield. Jason had haar nummer telkens op het schermpje van zijn telefoon zien opflitsen, maar hij had niet opgenomen. Haar sms'jes waren allemaal hetzelfde: bel me. Was het nou zo moeilijk om iets anders te zeggen? Was het zo moeilijk om te zeggen dat ze hem miste? In gedachten voerde hij hele gesprekken met haar en als hij haar die vraag dan stelde, antwoordde ze:

'Zal ik jou eens wat vertellen? Je hebt gelijk. Ik zou een betere vriendin moeten zijn.'

Gesprekken. Fantasietjes, dat waren het.

Drie dagen lang was de telefoon voortdurend overgegaan. Hij begon al bang te worden dat Allisons nummer zich in het scherm zou branden. Hij had de batterijstreepjes een voor een zien verdwijnen. Bij elk streepje nam hij zich voor om op te nemen als ze belde voor het volgende verdween. Als dat uitging zonder dat er gebeld was, besloot hij het bij het volgende streepje te doen. En dan bij het daaropvolgende. Ten slotte was de telefoon vanzelf uitgegaan toen hij lag te slapen. In paniek had Jason de oplader gezocht. Hij had de stekker in het stopcontact gestoken, maar er gebeurde niets.

Haar zwijgen sprak boekdelen. Je liet iemand niet zomaar stikken als je van hem hield. Dan bleef je bellen. Je stuurde berichtjes met een diepere, persoonlijker tekst dan 'Hé, bel eens'. Je bood je verontschuldigingen aan. Je stuurde niet om de twintig minuten een stom chatberichtje met de tekst 'WRU?' Dan bonkte je op zijn deur en smeekte je hem om open te doen.

Waarom had ze hem laten zitten?

Omdat hij zo'n slappe zak was. De laatste keer dat ze elkaar spraken, had ze dat gezegd. Jason miste het lef om te doen wat er gedaan moest worden. Hij miste het lef om het voor haar op te nemen. Misschien had ze gelijk. Hij wás ook bang. Telkens als ze hun plannen bespraken, had hij het gevoel dat zijn ingewanden werden samengeknepen. Had hij maar nooit met die lul uit de stad gepraat. Kon hij alles maar terugdraaien, alles wat ze de afgelopen twee weken hadden gedaan. Allison deed alsof het haar niet raakte, maar hij wist dat zij ook bang was. Het was nog niet te laat. Ze konden zich nog terugtrekken. Ze konden doen alsof het niet was gebeurd. Zag Allison maar in dat er geen elegante uitweg was. Waarom was Jason de enige van iedereen die bij deze ellende betrokken was, die geplaagd werd door een geweten?

Opeens hoorde hij buiten iets. Jason wierp de deur open en stapte de gang op. In het donker keek hij als een waanzinnige om zich heen. Er was niemand. Niemand hield hem in de gaten. Hij was gewoon paranoïde. Gezien het aantal Red Bulls dat hij naar binnen had gewerkt en de twee zakken Cheetos die als een steen op zijn maag lagen, was het geen wonder dat hij helemaal opgefokt was.

Jason keerde terug naar zijn kamer. Hij opende het raam voor wat frisse lucht. Het regende minder hard, maar de zon had zich al dagen niet laten zien. Hij had geen idee of het ochtend of avond was en keek op de klok naast zijn bed. Nog een paar minuten, dan was het middernacht. Er stond een stevige bries, maar hij had zo lang binnen opgesloten gezeten dat hij blij was met de tochtstroom, ook al was die zo koud dat zijn adem een wolk vormde voor zijn gezicht. Hij keek naar het verlaten studentenparkeerterrein. In de verte blafte een hond.

Hij ging weer aan zijn bureau zitten en staarde naar de lamp naast zijn laptop. De stang was gebroken. De kap bungelde aan twee snoertjes, alsof hij beschaamd zijn hoofd liet hangen. Het licht wierp vreemde schaduwen in de kamer. Hij had nooit van het donker gehouden. Dan voelde hij zich kwetsbaar en eenzaam. Dan moest hij aan dingen denken die hij liever vergat.

Nog twee dagen, dan was het Thanksgiving. Eerder die dag had Jason plichtmatig zijn moeder gebeld, maar ze had er geen behoefte aan gehad om hem te zien. Dat had ze nooit. Jason was het kind uit haar eerste huwelijk, met een man die op een dag een biertje was gaan drinken en nooit meer was teruggekomen. Haar tweede man had Jason vanaf het begin duidelijk gemaakt dat hij zijn zoon niet was. Ze hadden drie dochters die zich nauwelijks van Jasons bestaan bewust waren. Hij werd nooit op familiebijeenkomsten uitgenodigd. Zijn aanwezigheid op huwelijken of feestdagen werd niet op prijs gesteld. Zijn moeder communiceerde met hem via de post. Op zijn verjaardag en met kerst stuurde ze hem een cheque van vijfentwintig dollar.

Met Allison zou alles anders gaan. Ze zouden samen de feestdagen doorbrengen. Ze zouden elkaars familie zijn. Zo hadden ze het afgelopen jaar en elf maanden eigenlijk al geleefd. Ze gingen naar de film of een Chinees restaurant terwijl andere mensen zaten opgescheept met verwanten die ze niet mochten en dingen aten die ze niet lekker vonden. Daar draaide het om: zij tegen de rest van de wereld, dolgelukkig omdat ze elkaar hadden. Jason had nooit geweten hoe het was om het goed te hebben met iemand anders. Hij was altijd een buitenstaander geweest die met zijn neus tegen het raam naar binnen keek. Allison had hem dat alles geschonken en nu had ze het weer afgepakt.

Hij wist niet eens of ze nog in de stad was. Misschien was ze naar huis gegaan, naar haar tante. Misschien was ze er met iemand anders vandoor. Ze was aantrekkelijk. Ze had de mannen voor het uitkiezen. Het zou hem niks verbazen als ze op dat moment met een andere vent lag te neuken.

Een andere vent.

De gedachte sneed als een mes door hem heen. Hun armen en benen verstrengeld, haar lange haar dat over de borst van die ander viel. Het zou wel een behaarde borst zijn, zo'n echte mannenborst, niet zijn holle, blekige borstkas die sinds de brugklas niet was veranderd. Die nieuwe vent had vast ballen als grapefruits. Telkens als hij zin had zou hij Allison oppakken en haar nemen als een beest.

Ze kon toch onmogelijk bij een ander zijn? Vanaf hun allereerste zoen had Jason geweten dat hij met haar zou trouwen. Hij had haar die ring gegeven met de belofte dat ze een mooiere zou krijgen zodra dit alles achter de rug was. Een echte. Wist Allison dat niet meer? Was ze echt zo wreed?

Jason beet op zijn tong en bewoog hem tussen zijn tanden heen en weer tot hij bloed proefde. Hij stond op en begon weer te ijsberen. De kapotte lamp wierp een griezelige schaduw die hem zwaaiend volgde over de muur. Zes stappen heen. Zes stappen terug. De schaduw aarzelde, stopte en begon weer te lopen, klampte zich als in een nachtmerrie aan Jason vast. Hij hief zijn handen, trok zijn schouders op, en zag de schaduw in een monster veranderen.

Jason liet zijn handen weer zakken, want als hij hier niet snel mee stopte werd hij helemaal gek.

Als hij Thanksgiving maar overleefde, dan zou dit alles voorbij zijn. Allison en hij zouden rijk zijn, of in elk geval minder arm. Tommy zou voldoende gereedschap kunnen kopen om zijn eigen hoveniersbedrijfje te beginnen. Allison zou haar baantje bij het eetcafé kunnen opzeggen om zich op haar studie te concentreren. Jason zou... tja, wat zou Jason gaan doen?

Hij zou die ring voor Allison kopen. Hij zou die andere vent en zijn stomme behaarde borst uit zijn hoofd zetten, en Allison en hij zouden samen een nieuw leven beginnen. Ze zouden trouwen. Kinderen krijgen. Ze zouden allebei wetenschapper worden, promoveren. Ze zouden een nieuw huis kopen, nieuwe auto's, de airconditioning de hele zomer op vijftien graden zetten als ze daar zin in hadden. De afgelopen drie maanden zouden slechts een vage herinnering zijn, een anekdote voor over tien, vijftien jaar, als het allemaal achter hen lag. Tijdens een etentje met vrienden bijvoorbeeld. Allison zou iets te veel drinken. Het gesprek kwam op de woeste studententijd, en haar ogen zouden schitteren in het kaarslicht als ze Jason met een glimlach om haar lippen aankeek.

'O, daar kunnen wij nog een schepje bovenop doen,' zou ze zeggen, en iedereen zou geschokt luisteren terwijl ze vertelde over de krankzinnige puinhoop waarin ze de afgelopen paar weken verzeild waren geraakt.

Zo zou het eindigen, als een mooi verhaal voor een feestje, net als Jasons verhaal over de eerste keer dat hij met zijn vader op eendenjacht ging en per ongeluk twee lokeenden verminkte.

Maar dan moest hij eerst zijn essay afmaken. Het diploma alleen was niet voldoende. Hij moest de beste zijn, de uitblinker van zijn jaargroep, want ook al zei Allison het niet, ze hield van mooie spullen. Het leek haar prachtig om een winkel binnen te gaan en alles te kopen wat haar hartje begeerde. Ze vond het vreselijk op elke stuiver te moeten letten als ze het einde van de maand wilde halen. Jason zou echt niet zo'n type worden dat wilde weten hoe duur een paar schoenen was of waarom ze alweer een zwart jurkje nodig had. Als ze getrouwd waren ging hij zoveel verdienen dat Allison wel tien kasten met designkleding kon vullen en dan zouden ze nog genoeg overhouden om naar Cancún of Saint Croix te gaan, of waar al die rijke stinkerds ook met hun privévliegtuig op vakantie naartoe gingen.

Jason bracht zijn vingers naar het toetsenbord, maar begon nog niet te typen. Hij voelde zich rusteloos. Hij had nooit goed met schuldgevoel overweg gekund. De ergste straf die hij kon bedenken was dat ellendige gevoel van teleurstelling in zichzelf. En hij had alle reden om teleurgesteld te zijn. Hij zou ontzet moeten zijn door wat hij gedaan had. Hij had Allison tegen dit alles mocten beschermen, moeten zeggen dat het het geld niet waard was. Hij had haar in gevaar gebracht. Hij had Tommy er ook in meegesleept, want Tommy was dom genoeg om overal mee in te stemmen zolang je hem een duwtje in de goede richting gaf. Jason was verantwoordelijk voor hen beiden. Hij hoorde zijn vrienden te beschermen in plaats van hen tot doelwit te maken. Betekende hun leven echt zo weinig? Kwam het daar uiteindelijk op neer: zo'n twintig jaar leven in ruil voor minder dan wat een conciërge mee naar huis nam?

'Nee,' zei hij, maar zijn stem ging verloren in de kletterende regen. Hij mocht ze hier niet in meeslepen. Allison zag het verkeerd. Jason had wel degelijk lef. Lef genoeg om het deze keer goed aan te pakken.

In plaats van aan zijn essay te beginnen, klikte hij zijn browser aan. Een snelle zoekopdracht bracht hem naar de juiste plek. De contactinformatie vond hij ergens in de sitemap. Jason klikte op de icoon voor een nieuw e-mailbericht, maar bedacht zich. Dit mocht niet naar hem herleid kunnen worden. Het was laf, maar Jason was liever een eerlijke lafaard dan een klokkenluider achter de tralies. Zijn eigen aandeel in dit alles viel niet te ontkennen: afpersing, fraude, en wie weet wat nog meer. Dit werd een FBI-zaak. Het zou zelfs als poging tot moord beschouwd kunnen worden.

Jason opende zijn Yahoo-account die hij voor porno had aangemaakt en kopieerde het contactadres in het e-mailprogramma. Al typend las hij hardop: 'Ik weet niet of u de juiste persoon bent tot wie ik me moet richten, maar er is iets ergs aan de hand in Grant County, in uw...' Jasons stem stierf weg terwijl hij naar het juiste woord zocht. Was het een gebouw? Een locatie? Een inrichting?

'Hé.'

Jasons hoofd schoot omhoog van verbazing. 'Jezus, ik schrik me dood.' Hij graaide naar de muis om de browser af te sluiten.

'Alles goed?'

Jason wierp een nerveuze blik op de computer. 'Wat kom je hier doen?' Dat stomme e-mailprogramma vroeg of hij het bericht wilde bewaren. Met de muis minimaliseerde hij de pagina. Nog steeds vroeg het programma of hij alles wilde bewaren.

'Wat ben je aan het schrijven?'

'Dingen voor mijn studie.' In plaats te saven drukte Jason op DELETE. Het programma werd afgesloten. Hij hoorde de ventilator van de laptop klikken om de processor voldoende af te koelen en de opdracht te voltooien. Zijn scriptie flitste langs en verdween. Het scherm werd zwart.

'Shit,' fluisterde hij. 'Nee, nee, nee...'

'Jason.'

'Ogenblik.' Jason tikte op de spatiebalk in een poging de computer weer tot leven te wekken. Soms hielp dat. Soms moest het ding alleen even weten dat hij oplette.

'Je hebt erom gevraagd.'

'Wa...' Jason vloog naar voren en zijn kaken klapten dicht toen zijn gezicht op het toetsenbord sloeg. Het plastic voelde warm tegen zijn wang. Donker vocht verzamelde zich rond de toetsen. De krankzinnige gedachte kwam bij hem op dat de computer gewond was, bloedde.

Een windvlaag trok door het open raam naar binnen. Jason probeerde te hoesten. Zijn keel werkte niet mee. Weer deed hij een poging. Iets vochtigs en diks kwam naar buiten. Hij keek ernaar, bedacht dat het net een stuk varkensvlees was. Roze vlees. Rauw vlees.

Jason kokhalsde.

Hij staarde naar zijn eigen tong.

DINSDAG

Negen

Als een dief in de nacht sloop Will door de voortuin van de Lintons naar zijn Porsche. De striemende regen verschafte hem in elk geval een excuus om er met gedoken hoofd snel vandoor te gaan. Hij stak de sleutel in het slot en zat al in de auto toen hij zag dat er iets onder zijn ruitenwisser uitstak. Kreunend deed Will het portier open en reikte ernaar, maar zijn arm was niet lang genoeg. Zijn mouw was praktisch doorweekt tegen de tijd dat hij uitstapte om het plastic boterhamzakje te pakken.

Iemand had een briefje voor hem achtergelaten. Het papier was dubbelgevouwen en veilig weggeborgen in het plastic. Will wierp een blik om zich heen en probeerde de straat te overzien. Het krioelde bepaald niet van de mensen, wat geen wonder was in dit rotweer. Nergens zag hij een auto met stationair draaiende motor. Will opende het zakje. Hij ving een bekend luchtje op.

Luxezeep.

Starend naar het opgevouwen blaadje vroeg hij zich af of Sara een grap met hem uithaalde. De halve nacht had hij door de oude speelkamer van de Lintons lopen ijsberen en telkens had hij in gedachten de laatste vijf minuten van hun gesprek doorgenomen. Eigenlijk had ze niets gezegd. Was dat wel zo? Ze had een bepaalde blik in haar ogen gehad. Er was iets veranderd tussen hen, maar het was geen verandering ten goede.

Behalve Wills vrouw waren er maar twee mensen in zijn

leven die wisten dat hij dyslectisch was. Ieder had zo haar eigen manier om hem het leven zuur te maken. Amanda Wagner, zijn chef, zei af en toe met een kwinkslag dat hij in het beste geval professioneel onder de maat was en in het ergste geval geestelijk gestoord. Faith had het beter met hem voor, maar ze was veel te nieuwsgierig. Ooit had ze Will met zo veel vragen over zijn afwijking bestookt dat hij twee dagen lang geen woord met haar had gewisseld.

Zijn vrouw, Angie, was een combinatie van beiden. Ze was samen met Will opgegroeid, had hem geholpen met zijn huiswerk, zijn essays en de formulieren die hij moest invullen. Zij had zijn rapporten altijd doorgelezen en ervoor gezorgd dat hij niet als een achterlijke aap overkwam. Ook had ze de neiging om hem haar hulp aan te bieden in ruil voor zaken waar ze haar zinnen op had gezet. En dat was nooit veel goeds. Tenminste niet voor Will.

Ieder op hun eigen manier hadden de drie vrouwen hem ervan doordrongen dat er volgens hen iets aan hem mankeerde. Dat hij niet helemaal spoorde. Er was iets mis met zijn hoofd. Met de manier waarop hij dingen aanpakte. Ze hadden geen medelijden met hem. Hij wist bijna zeker dat Amanda hem niet eens mocht. Ze behandelden hem anders. Ze behandelden hem alsof hij een ziekte had.

Wat zou Sara doen? Misschien niets. Will wist niet eens zeker of ze het ontdekt had. Misschien hield hij zichzelf voor de gek. Sara was slim, dat was deel van het probleem. Ze was stukken slimmer dan Will. Had hij zich versproken? Had ze een of ander speciaal dokterstrucje waarmee ze nietsvermoedende idioten in de val liet lopen? Hij had vast iets gezegd of gedaan waarmee hij zichzelf had verraden. Maar wat?

Will keek achterom naar het huis van de Lintons om er zeker van te zijn dat niemand hem zag. Sara hield er de merkwaardige gewoonte op na om achter dichte deuren te staan loeren. Hij vouwde het blocnoteblaadje open. Onderaan stond een smiley.

Dacht ze dat hij een kind was? Waren de gouden sterretjes soms op?

Hij wreef in zijn ogen en voelde zich een idioot. Een man van vijfendertig die amper kon lezen was niet bepaald sexy.

Weer keek hij naar het briefje.

Gelukkig schreef Sara niet schuin. Ze had ook geen doktershandschrift. Met zijn vinger onder de letters las Will prevelend de tekst. 'Uitvrat...' Hij trok een bevreemd gezicht, maar al snel had hij zijn vergissing door. 'Uitvaart.' Het volgende woord kende hij, en getallen waren nooit een probleem voor hem geweest.

Hij keek weer naar de voordeur. Er stond niemand achter de ruit. Opnieuw bestudeerde hij het briefje. 'Uitvaartcentrum 11.30 uur.'

En een smiley, want kennelijk dacht ze dat hij niet goed bij zijn verstand was.

Will stak de sleutel in het contact. Blijkbaar doelde ze op het tijdstip waarop de secties zouden plaatsvinden. Maar was het ook een test om te zien hoe goed hij kon lezen? Bij de gedachte dat Sara Linton hem als een laboratoriumrat aan een onderzoek onderwierp, wilde hij het liefst zijn koffer pakken en naar Honduras vertrekken. Ze had vast medelijden met hem. Erger nog: misschien wilde ze hem helpen.

'Hallo?'

Will schrok zo dat hij met zijn hoofd tegen het dak knalde. Cathy Linton stond bij zijn auto en keek hem vriendelijk aan. Boven haar hoofd hield ze een grote paraplu. Ze gebaarde dat hij het raampje naar beneden moest draaien.

'Goedemorgen, agent Trent.' Ze was weer een en al glimlach, maar hij had zich al een keer laten inpakken door dat lieve, gastvrije gedoe van haar.

'Goedemorgen, mevrouw Linton.'

Haar adem vormde een wolk in de kou. 'Ik hoop dat je goed geslapen hebt.'

Hij keek weer naar het huis en vroeg zich af waarom Sara uitgerekend op dat moment niet achter de deur stond te loeren. 'Zeker, mevrouw.'

'Ik heb net een ommetje gemaakt. Je kunt de dag maar het beste met wat lichaamsbeweging beginnen.' Weer glimlachte ze. 'Waarom kom je niet binnen om met ons te ontbijten?'

Zijn maag rammelde zo luid dat hij bang was dat de auto ervan schudde. De energiereep die hij die ochtend onder in zijn koffer had gevonden had weinig uitgehaald. Een vrouw als Cathy Linton bakte vast heerlijke broodjes. Er zou boter op tafel staan en ham. Waarschijnlijk ook maïspap. Eieren. Worstenbroodjes. Het was alsof ze hem meelokte naar haar hutje van suikergoed in het bos.

'Agent Trent?'

'Nee, dank u, mevrouw. Ik moet aan het werk.'

'Avondeten dan.' Zoals zij het zei, klonk het als een als voorstel verpakt bevel. 'Ik hoop dat het appartement niet al te erg is tegengevallen.'

'Nee, integendeel. Alles was prima in orde.'

'Ik glip er later wel even binnen om te stoffen. Eddie en ik hebben die ruimte niet meer gebruikt sinds de meiden het huis uit zijn. Ik moet er niet aan denken hoe het eruitziet...'

Will dacht aan de hoop vuile kleren die hij op de bank had gedumpt. Toen hij in Atlanta zijn koffer had gepakt, had hij in de veronderstelling verkeerd dat hij in het hotel wel kon wassen. 'Dat hoeft niet. Ik...'

'Onzin.' Ze tikte op het portier als een rechter die een vonnis velt. 'Alleen al het stof dat je inademt.'

Hij besefte dat ze niet te stuiten was. 'Eh... let u maar niet op mijn troep, alstublieft. Het spijt me.'

Hij had haar nog nooit zo vriendelijk zien glimlachen. Opeens zag hij van wie Sara haar schoonheid had geërfd. Cathy stak haar hand naar binnen en legde die zachtjes op zijn arm. De vorige avond had Sara ook regelmatig zijn arm aangeraakt. De hele familie was kennelijk nogal aanhalig, maar voor Will was dat iets van een andere planeet.

Ze gaf hem een kneepje in zijn arm. 'We eten om klokslag halfacht.'

Hij knikte. 'Dank u.'

'Op tijd zijn, hoor.' Nu schonk ze hem de glimlach waarmee hij inmiddels vertrouwd was. Ze knipoogde nog even naar hem, draaide zich om en liep naar het huis.

Will draaide zijn raampje omhoog. Hij zette zijn auto in de eerste versnelling en reed de weg op, en pas toen het te laat was besefte hij dat hij de verkeerde kant op ging. Of misschien ook niet. Sara had gezegd dat Lakeshore een grote cirkel beschreef. Will had de laatste tijd genoeg rondjes gedraaid voor de rest van zijn leven, maar hij wilde het risico vermijden dat hij nogmaals langs het huis van de Lintons reed.

De weg was verlaten, waarschijnlijk vanwege het vroege uur. Het was Wills bedoeling op het politiebureau te arriveren voor de meeste agenten aan hun dienst begonnen. Hij wilde een gedreven, alerte indruk maken. Ze moesten zijn hete adem voelen.

Bij een bocht minderde hij vaart. De weg leek wel een rivier zoals het regenwater over het asfalt stroomde. Hij stuurde zijn Porsche naar de andere kant van de straat om zijn vloerplanken droog te houden. Will had tien jaar van zijn leven en een smak spaargeld in de Porsche geïnvesteerd, die hij eigenhandig had opgeknapt. Het grootste deel van de tijd had hij zich over handleidingen en diagrammen gebogen om uit te puzzelen hoe de auto in elkaar zat. Hij had leren lassen. Hij had alles over het werk aan de carrosserie geleerd. Hij had ontdekt dat hij geen van beide echt leuk vond.

De motor was betrouwbaar, maar de versnellingsbak vertoonde kuren. Hij voelde de koppeling haperen toen hij naar een lagere versnelling schakelde. Zodra hij het overstroomde gedeelte achter zich had gelaten, zette hij de auto met draaiende motor aan de kant om het water uit het onderstel te laten lopen, voor zover dat mogelijk was. Iets verderop stond een blauwe brievenbus met het logo van Auburn University te schudden in de krachtige wind. Hij zag het eerste huisnummer weer voor zich dat Sara op de map had geschreven toen ze hem wees hoe hij bij het huis van haar ouders moest komen. Cijfers had Will altijd goed kunnen onthouden.

In Atlanta woonde Sara in de oude zuivelfabriek, zo'n industrieel gebouw dat in de hoogtijdagen van de onroerendgoedmarkt tot een verzameling lofts was verbouwd. Destijds had hij opgemerkt dat het appartement niet echt bij haar paste. De lijnen waren te strak. Het meubilair was te glad. In zijn verbeelding had ze een warme, gastvrije woning gehad, een soort cottage.

Het klopte helemaal.

De brievenbus met het Auburnlogo hoorde bij een smal, rechthoekig huis van één verdieping. De voortuin was een zee van groen. Sara had aan het meer gewoond en in het eerste ochtendlicht kon Will haar prachtige achtertuin zien. Hij vroeg zich af wat voor leven Sara hier had geleid. Hij vond haar niet het type vrouw dat het avondeten en een droge martini klaar had staan als haar man thuiskwam, maar misschien had ze af en toe uit genegenheid die rol gespeeld. Ze straalde een groot vermogen tot liefde uit.

De verandalamp ging aan. Will drukte het gaspedaal in en vervolgde zijn rit langs het meer. Hij miste Main Street en keerde. Met behulp van zijn trouwring probeerde hij te onthouden aan welke kant de afslag was. In de loop van de jaren had hij zich aangewend op zijn horloge af te gaan in plaats van op zijn ring. Waarschijnlijk omdat het horloge een blijvertje was.

Will had Angie Polaski leren kennen toen hij acht was. Angie was drie jaar ouder; ze was aan de zorg van de overheid toevertrouwd nadat haar moeder een overdosis heroïne met speed had genomen. Terwijl Diedre Polaski in coma in de badkamer lag, nam haar pooier in de slaapkamer haar dochter Angie onder handen. Uiteindelijk had iemand de politie gebeld. Diedre belandde in het ziekenhuis, waar ze tot op de dag van vandaag aan de beademing lag, en Angie kwam in het kindertehuis van Atlanta terecht voor de resterende zeven jaar van een jeugd die allang was afgeschreven. Will was op slag verliefd op haar geworden. Op haar elfde was ze een licht ontvlambaar type met de hel in haar ogen. Als ze de jongens niet stond af te trekken in de garderobe, sloeg ze ze met haar rappe vuisten verrot.

Will had van haar gehouden omdat ze zo fel was, en toen haar felheid hem helemaal had uitgeput, had hij zich aan haar vastgeklampt omdat ze zo vertrouwd was. Na jaren van loze beloften was ze met hem getrouwd, alleen om zich niet te laten kennen. Ze bedroog hem. Ze dreef hem tot het uiterste om vervolgens haar klauwen in hem te slaan en hem met een ruk terug te halen. Zijn relatie met Angie was net een getikte hokey-pokeydans. Ze was er en ze was weer weg. In en uit en alle kanten op.

Na een paar verkeerde afslagen had Will Main Street gevonden. De regen kwam niet langer met bakken naar beneden, en nu kon hij de bescheiden winkels langs de straat zien. Een ervan moest een ijzerwarenzaak zijn. Een andere was kennelijk een winkel voor dameskleding. Tegenover het politiebureau was een stomerij. Will dacht aan de berg vuile was op de bank. Als hij even tijd had ging hij snel terug om alles op te halen. Meestal droeg Will een pak met stropdas naar zijn werk, maar die ochtend had hij niet veel keus gehad. Hij had nog één T-shirt en een boxershort over. Zijn spijkerbroek kon nog wel een dag mee. De trui had hij de vorige avond ook al gedragen. Het kasjmier had de regen niet goed doorstaan. Telkens als hij zijn schouders spande, voelde hij hoe strak de wol zat.

Will parkeerde de Porsche zo ver mogelijk van de hoofdingang en met de neus naar de straat. Schuin tegenover het politiebureau stond een laag kantoorgebouw met een voorgevel van glassteen. Op het naambord was een teddy-beer afgebeeld met ballonnen in zijn poot. Waarschijnlijk een kinderdagverblijf. Een patrouillewagen verscheen. In plaats van te stoppen reed hij de poort door van wat on-getwijfeld de hogeschool was. Wills auto was de enige op het parkeerterrein. Hij vermoedde dat Larry Knox nog op het bureau was, tenzij die inmiddels was afgelost na Wills bezoek van de vorige avond. Hij was hoe dan ook niet van plan om twintig minuten in de regen voor een gesloten deur te staan.

In de ijdele hoop dat ze nog niet op kantoor was toetste hij het nummer van Amanda Wagner in.

Het zat hem niet mee. Amanda nam zelf op.

'Met Will. Ik sta bij het politiebureau.'

Amanda gunde niemand het voordeel van de twijfel, en Will al helemaal niet. 'Ben je net aangekomen?'

'Ik ben hier al sinds gisteravond.' Hij voelde lichte op-luchting. Ergens in zijn achterhoofd was hij bang geweest dat Sara Amanda zou bellen om te vragen of ze Will van de zaak wilde halen. Ze zou de beste agent willen hebben die het GBI te bieden had, niet een praktische analfabeet met een koffer vol smerig wasgoed.

Amanda klonk afgemeten. 'Hou het kort, Will. Ik heb niet de hele dag.'

Hij vertelde wat hij van Sara had gehoord: dat ze een te-lefoontje had ontvangen van Julie Smith, en daarna van Frank Wallace. Dat ze naar het bureau was gegaan en Tommy Braham dood in zijn cel had aangetroffen. Hij ver-zweeg de onmin tussen Sara en Lena Adams, en maakte een sprong naar de Cross-pennen die Jeffrey Tolliver aan zijn personeel had gegeven. 'Ik weet bijna zeker dat de inktpatroon die Braham gebruikt heeft afkomstig was uit een van die pennen.'

'Nu maar hopen dat je de eigenaar vindt.' Amanda had hetzelfde losse draadje te pakken dat Will ook had ontdekt.

'Het valt dus niet te achterhalen wanneer Tommy Braham precies is gestorven: voor of nadat Frank Wallace Sara belde.'

'We zullen zien wat de sectie oplevert. Die gaat dokter Linton verrichten.'

'Er gloort wat licht in de duisternis.'

'Inderdaad prettig dat hier iemand is met verstand van zaken.'

'Die iemand ben jij toch, Will?'

Hij ging niet op haar opmerking in.

'Wat denk je van de moord op Allison Spooner?'

'Ik hink op twee gedachten. Misschien heeft Tommy Braham het gedaan. Of anders denkt haar moordenaar dat hij ermee wegkomt.'

'Goed, zoek die zaak uit en kom dan maar snel terug, want erg geliefd zul je daar niet meer zijn als je zijn onschuld bewijst.'

Ze had gelijk. Politiemensen hadden de pest aan boeven, maar je moest niet beweren dat ze de verkeerde boeven te pakken hadden. Will had in Atlanta een rechercheur meegemaakt die bijna een toeval kreeg, zo fanatiek hield hij vol dat het DNA dat zijn verdachte vrijpleitte vals moest zijn.

'Ik heb vanochtend het Macon General Hospital gebeld,' zei Amanda. 'Brad Stephens moest opnieuw onder het mes. De eerste keer hebben ze een bloeding over het hoofd gezien.'

'Gaat hij het redden?'

'Ze zijn heel voorzichtig met een prognose. Voorlopig wordt hij onder sedatie gehouden, dus het duurt nog wel even voor hij aanspreekbaar is.'

'Ik wil wedden dat hij zich niet veel nuttigs zal kunnen herinneren, behalve dat zijn collega's zijn leven hebben gered.'

'Hoe het ook zij, hij is wel een politieman. Je zult er op zeker moment toch naartoe moeten en meedoen met de gezelligheid. Geef maar bloed. Koop een tijdschrift voor hem.'

'In orde, chef.'

'Hoe zien je plannen eruit?'

'Vanochtend ga ik wat balletjes opgooien, kijken wat het oplevert. Faith trekt het papieren spoor van Julie Smith en Carl Phillips na. Die staan boven aan mijn lijstje, maar we moeten ze eerst vinden. Ik wil bij dat meer gaan kijken waar Spooner is gevonden en dan ga ik naar de garage waar ze woonde. Ik heb het gevoel dat de moord op haar het middelpunt vormt. Wat ze ook voor me verbergen, het is terug te voeren op haar dood.'

'Denk je niet dat ze staan te dansen van vreugde vanwege die zelfmoord?'

'Zou kunnen, maar mijn intuïtie zegt dat er iets anders speelt.'

'Ah, je beroemde vrouwelijke intuïtie.' Amanda liet nooit een kans schieten om hem te beledigen. 'Hoe zit het met Adams?'

'Die hou ik bij me in de buurt.'

'Ik heb haar een keer ontmoet. Daar zul je nog een hele kluif aan hebben.'

'Dat had ik ook al begrepen.'

'Breng aan het eind van de dag maar verslag uit.'

Ze hing op voor Will kon antwoorden. Hij streek met zijn vingers door zijn haar en vroeg zich af of hij regen voelde of zijn eigen zweet.

Voor de tweede keer die ochtend schrok Will op toen iemand op het raampje tikte. Deze keer was het een oudere zwarte man. Hij stond aan de passagierskant en grijnsde toen hij Wills reactie zag. Hij maakte een draaigebaar. Will leunde opzij en opende het portier.

'Ga zitten, dan blijft u droog ,' bood hij aan. Hij bedacht dat dit het eerste niet-blanke gezicht was dat hij had gezien sinds hij de stad was binnengereden. Zonder te willen generaliseren zou hij er zijn halve salaris onder durven verwedden dat de Afro-Amerikanen in de stad er geen gewoonte van maakten om buiten het politiebureau rechercheurs te benaderen.

Kreunend hees de man zich op de kuipstoel. Will zag dat hij een wandelstok bij zich had. Hij had een stijf been dat moeizaam boog bij de knie. Regen droop van zijn zware jas. Aan zijn peper-en-zoutkleurige baard hingen neveldruppeltjes. Hij was minder oud dan Will aanvankelijk had gedacht, misschien begin zestig. Toen hij sprak klonk zijn stem als schuurpapier dat over grind werd gehaald.

'Ik ben Lionel Harris.'

'Will Trent.'

Lionel trok zijn handschoen uit en ze schudden elkaar de hand. 'Mijn vader heette ook Will. Voluit William.'

'Net als ik,' zei Will, hoewel het nergens op zijn geboortebewijs stond.

Lionel wees naar een gebouw iets verderop. 'Mijn vader heeft drieënveertig jaar in het eetcafé gewerkt. Old Pete is er in 2001 mee gestopt.' Hij streek over het leren dashboard. 'Van welk jaar?'

'Negenenzeventig,' zei Will, die aannam dat hij het over de auto had.

'Hebt u hem zelf opgeknapt?'

'Kunt u dat zien?'

'Nee,' zei hij, hoewel hij meteen de kreukel in het leer onder het handvat van het dashboardkastje had ontdekt. 'Goed werk, jongen. Klasse.'

'U hebt zeker iets met auto's?'

'Mijn vrouw zou zeggen dat ik er meer mee heb dan goed voor me is.' Hij wierp een nadrukkelijke blik op Wills trouwring. 'Kent u Sara al lang?'

'Nog niet zo lang.'

'Ze heeft mijn kleinzoon behandeld. Die had veel last van astma. Ze kwam weleens midden in de nacht langs om hem te helpen. Soms had ze haar pyjama nog aan.'

Will probeerde niet aan Sara in haar pyjama te denken,

hoewel hij vermoedde dat ze in Lionels verhaal een heel ander kledingstuk had gedragen dan wat zijn fantasie hem voorschotelde.

'Sara komt uit een goed nest.' Hij streek met zijn vinger over de sierstrip op het portier, dat Will gelukkig beter had afgewerkt. Kennelijk vond Lionel dat ook. 'U hebt van uw fouten geleerd. Die plooi in de hoek hier ziet er mooi uit.'

'Daar heb ik een halve dag over gedaan.'

'Dan hebt u uw tijd goed besteed,' zei hij goedkeurend.

Het was een stomme vraag, maar Will stelde hem toch. 'Is Carl Phillips soms uw zoon?'

Er klonk een diepe, geamuseerde lach. 'Zeker omdat we allebei zwart zijn...'

'Nee,' onderbrak Will hem. 'Nou ja, eigenlijk wel.' Hij voelde zich behoorlijk opgelaten toen hij het uitlegde. 'Het wemelt hier bepaald niet van de minderheidsgroepen.'

'Als u uit Atlanta komt, zal het wel een hele cultuurschok zijn.'

Hij had gelijk. In Atlanta was Will als blanke in de minderheid. Grant County vormde een schril contrast. 'Neem me niet kwalijk.'

'Geeft niet. U bent niet de eerste. Carl hoort bij mijn kerk, maar verder ken ik hem niet.'

Will probeerde over zijn blunder heen te praten. 'Hoe weet u dat ik uit Atlanta kom?'

'Op uw kentekenplaat staat Fulton County.'

Will glimlachte geduldig.

'Oké, die is voor u,' gaf Lionel toe. 'U bent hier toch om die toestand met Tommy te onderzoeken?'

'Jazeker.'

'Het was een beste jongen.'

'Hebt u hem gekend?'

'Je kwam hem overal tegen. Het was zo'n jongen met wel dertig verschillende baantjes: grasmaaien, honden uitlaten, vuilnis wegbrengen, helpen met verhuizen. Zo ongeveer de hele stad kende hem.'

'Hoe wordt erop gereageerd dat hij Brad Stephens heeft neergestoken?'

'Zoals te verwachten. Mensen zijn verward. Kwaad. Aan de ene kant denken ze dat er een vergissing in het spel is en aan de andere kant...' Hij zweeg even. 'Hij was een beetje getikt.'

'Is hij ooit eerder gewelddadig geweest?'

'Nee, maar je weet het niet. Misschien is er bij hem een knop omgegaan en is hij opeens gek geworden.'

De ervaring had Will geleerd dat iemand al of niet met aanleg tot geweld werd geboren. Hij had niet de indruk dat Tommy Braham daarop een uitzondering vormde. 'Denkt u dat het zo is gegaan: dat er iets bij hem geknapt is?'

'Ik weet niet meer wat ik moet denken, ik zweer het.' Hij slaakte een vermoeide zucht. 'Heremijntijd, wat voel ik me oud vandaag.'

'Het weer gaat in je botten zitten,' zei Will. Ooit had hij zijn hand gebroken en telkens als het koud werd, deden zijn vingers pijn. 'Hebt u hier uw hele leven gewoond?'

Opnieuw lachte Lionel zijn tanden bloot. 'Toen ik een jongen was, werd de wijk waar ik woonde het Zwarte Dorp genoemd.' Hij keek Will aan. 'Snapt u dat? Het Zwarte Dorp, en nu woon ik in één straat met een stelletje docenten van de hogeschool.' Hij liet zijn diepe lach weer horen. 'Er is in vijftig jaar veel veranderd.'

'Geldt dat ook voor het politiekorps?'

Lionel keek Will recht in het gezicht, alsof hij afwoog hoeveel hij kwijt wilde. Uiteindelijk kwam hij tot een besluit. 'Toen ik hier wegging was Ben Carver commissaris. Ik was niet de enige zwarte jongeman die het geen slecht idee vond om te vertrekken zolang je er beter van kon worden. Ik ging bij het leger en kreeg dit als dank.' Hij klopte op zijn been. Het klonk hol en Will besefte dat de man een kunstbeen had. 'Laos. 1964.' Lionel zweeg, als om stil te staan bij zijn verlies. 'In die tijd waren er twee soorten werk, zoals er onder commissaris Carver ook twee soorten wetten waren: één voor de zwarten en één voor de blanken.'

'Carver is met pensioen gegaan, heb ik gehoord.'

Lionel knikte bevestigend. 'Toen kwam Tolliver.'

'Was hij een goede politieman?'

'Ik heb de man nooit ontmoet, maar dit weet ik wel: een hele tijd terug werkte mijn vader in het eetcafé toen er een docente van de hogeschool werd vermoord. Iedereen zag daar een zwarte rondlopen en dacht er het zijne van. Commissaris Tolliver heeft die nacht in mijn vaders huis doorgebracht om te zorgen dat hij de volgende ochtend levend wakker werd.'

'Was het zo erg?'

'Commissaris Tolliver was zo goed. Allison was ook een goeie meid,' voegde hij eraan toe.

Will had het vermoeden dat ze eindelijk bij de reden van Lionels onverwachte bezoekje waren aangekomen. 'Hebt u haar gekend?'

'Het eetcafé is tegenwoordig van mij, geloof het of niet.' Hij schudde zijn hoofd, alsof hij het zelf nog niet helemaal geloofde. 'Een paar jaar geleden ben ik teruggekomen en toen heb ik het van Pete overgenomen.'

'Loopt het goed?'

'In het begin ging het wat moeizaam, maar tegenwoordig is het bijna elke dag volle bak. Mijn vrouw doet de administratie. Soms helpt mijn zus een handje, maar dat bevalt me niet zo.'

'Wanneer hebt u Allison voor het laatst gezien?'

'Zaterdagavond. Zondags zijn we dicht. Ik denk dat ik op Tommy na een van de laatsten ben geweest die haar levend hebben gezien.'

'Wat voor indruk maakte ze?'

'Net als altijd. Moe. Blij dat het werk erop zat.'

'Wat was ze voor iemand?'

Hij slikte iets weg en het duurde even voor hij zichzelf weer in de hand had. 'Ik neem nooit studenten aan. Die kunnen niet met de gasten omgaan. Ze hebben alleen maar verstand van computers en mobieltjes. Geen goede werkhouding en het is nooit hun schuld, ook al gebeurt het waar je bij staat. Behalve Allison. Die was anders.'

'Hoe anders?'

'Die kon werken voor de kost.' Hij wees naar de open poort aan het eind van Main Street. 'Niemand op die school heeft ooit echt werk gedaan. Nu met deze economie worden ze wakker geschud. Die komen er nu op de harde manier achter dat je een baan moet verdienen, dat je hem niet zomaar krijgt.'

'Wat wist u over Allisons familie?' vroeg Will.

'Haar moeder was dood. Ze had nog een tante over wie ze niet veel zei.'

'En een vriendje?'

'Ze had er wel een, maar die liet haar met rust als ze werkte.'

'Weet u hoe hij heet?'

'Nee, ze had het bijna nooit over hem, alleen als ik haar vroeg wat ze het weekend ging doen. Dan zei ze weleens dat ze samen met haar vriend ging studeren.'

'Hij belde haar nooit en kwam nooit langs? Niet één keer?'

'Niet één keer,' beaamde hij. 'Ze wist donders goed dat ik haar betaalde voor haar tijd. Ik heb haar nooit zien bellen. Ook haar andere vrienden kwamen haar nooit storen. Voor haar was het werk, en ze wist dat ze op haar post moest zijn.'

'Kon ze er goed van rondkomen?'

'Nee zeg!' Hij lachte toen hij Wills verbaasde gezicht zag. 'Zoveel betaal ik niet en mijn gasten hebben het ook niet breed: meest oudere mannen en agenten, en soms studenten die het grappig schijnen te vinden om er zonder te betalen vandoor te gaan. Dat proberen ze tenminste. Nogal stom om de boel te belazeren in een zaak waar het stikt van de politie.'

'Had ze altijd een tasje of een boekentas bij zich?'

'Ze had een roze boekentas met een kwastje aan de rits. Die lag in haar auto wanneer ze aan het werk was. Haar portefeuille nam ze mee naar binnen. Ze was niet zo'n type dat zich altijd staat op te dirken en niet bij de spiegel is weg te slaan.'

'Hebt u ooit een verdacht iemand bij haar zien rondhangen? Een gast die te veel aandacht voor haar had?'

'Dan zou ik daar wel een stokje voor hebben gestoken. Niet dat dat nodig was. Die meid wist van wanten. Ze kon zich goed redden.'

'Had ze een wapen? Pepperspray bijvoorbeeld of een zakmes?'

'Niet dat ik weet.' Hij hief zijn handen. 'Nu moet u niet denken dat ze een harde was. Het was een heel lief meisje, zo iemand die met rust gelaten wil worden. Ze was geen ruziezoekster, maar als het erop aankwam kon ze goed voor zichzelf opkomen.'

'Was er de laatste tijd iets veranderd aan haar houding?'

'Ze leek wat gestrester dan anders. Een paar keer vroeg ze of ze mocht studeren als er weinig werk was. Begrijp me goed: zolang je je werk doet ben ik een heel redelijke baas. Als het niet druk was mocht ze van mij in de boeken duiken. En voor ze naar huis ging kreeg ze altijd een warme hap.'

'Weet u in wat voor auto ze reed?'

'In een oude Dodge Daytona met een kentekenplaat uit Alabama. Kent u die nog? Gebaseerd op de Chrysler G-platform. Voorwielaandrijving, laag bij de grond.'

'Vierdeurs?'

'Een hatchback. De zuigers waren naar de knoppen. Ze had de klep van de kofferbak vastgebonden met een stuk spankoord. Volgens mij uit '92 of '93.' Hij tikte tegen zijn hoofd. 'Het is hierboven niet meer wat het was.'

'Wat voor kleur?'

'Rood, min of meer. Maar vooral primer en roest. Bij het

starten kwamen er rookwolken uit de uitlaat.'

'Waar parkeerde ze altijd?'

'Achter het eetcafé. Ik heb vanochtend nog gekeken. Hij staat er niet.'

'Ging ze na het werk weleens lopend naar huis?'

'Soms als het mooi weer was, maar dat is al lang geleden, en haar huis is de andere kant op.' Hij wees over zijn schouder. 'Daar ligt het meer. Achter het bureau. Achter het eetcafé.' Hij wees naar de overkant van de straat. 'Als ze lopend naar huis ging, nam ze altijd die richting, via de voordeur.'

'Kent u Gordon Braham?'

'Volgens mij werkt hij voor het energiebedrijf. Verder heeft hij iets met de vrouw die in het warenhuis tegenover het eetcafé werkt. Zo om de drie dagen komen ze bij me lunchen.'

'U kent blijkbaar veel mensen.'

'Het is een klein stadje, meneer Trent. Iedereen weet praktisch alles van elkaar. Daarom wonen we hier ook. Het is goedkoper dan kabel-tv.'

'Wie heeft volgens u Allison vermoord?'

De vraag leek Lionel niet te verbazen, maar zijn antwoord was voorspelbaar. 'De politie zegt dat Tommy Braham het gedaan heeft.'

'En wat denkt u?'

Hij keek op zijn horloge. 'Ik denk dat ik de grill maar eens ga aanzetten voordat het ontbijtvolk binnenkomt.' Hij bracht zijn hand naar het portier, maar Will hield hem tegen.

'Meneer Harris, als u denkt dat iemand...'

'Ik weet niet wat ik moet denken,' bekende hij. 'Als Tommy het niet gedaan heeft, waarom zou hij Brad dan neersteken? En waarom zou hij zichzelf dan van kant maken?'

'U gelooft niet dat hij het gedaan heeft.' Het was geen vraag.

Weer slaakte Lionel een vermoeide zucht. 'Wat dat betreft zal ik wel op commissaris Carver lijken. Je hebt goede mensen en je hebt slechte mensen. Allison was goed. Tommy was goed. Goede mensen doen soms slechte dingen, maar niet zó slecht.'

Hij wilde uitstappen.

'Mag ik u iets vragen?' Will wachtte tot hij zich weer had omgedraaid. 'Waarom bent u met mij komen praten?'

'Omdat ik wist dat Frank niet bij mij zou aankloppen. Niet dat ik u veel heb kunnen vertellen, maar ik wilde een goed woordje voor dat meisje doen. Er is op dit moment niemand die het voor haar opneemt. Het gaat de hele tijd over Tommy en waarom hij het gedaan heeft, en niet over Allison en dat terwijl ze zo'n beste meid was.'

'Waarom denkt u dat commissaris Wallace niet met u wil praten?'

'De nieuwe chef verschilt niet zoveel van de oude.'

Will wist dat hij niet op Jeffrey Tolliver doelde. 'Ben Carver?'

'Frank en Ben, dat is van hetzelfde laken een pak. Wit laken, als u begrijpt wat ik bedoel.'

'Ik denk het wel.'

Lionels hand rustte nog steeds op de knop van het portier. 'Toen ik hier terugkwam na de dood van mijn vader viel het me op dat veel mensen veranderd waren. Let wel, aan de buitenkant, niet vanbinnen. Je moet een speciaal soort hel of een speciaal soort liefde hebben ervaren om vanbinnen te veranderen. De buitenkant is een heel ander verhaal.' Hij wreef door zijn baard, waarin grijze haren doorschemerden. 'Neem nou Sara, die is alleen maar mooier geworden. Haar vader, Eddie Linton, krijgt steeds woestere wenkbrauwen. Mijn zus wordt ouder en dikker, wat voor een vrouw nog nooit een goede combinatie is geweest.'

'En Frank?'

'Die is voorzichtiger geworden,' zei Lionel. 'Ik woon dan

misschien niet meer in het Zwarte Dorp, maar ik weet nog heel goed hoe het was om de voet van die man in mijn nek te voelen.' Hij duwde de knop van het portier naar beneden. 'Als u een heteluchtpistool neemt en er heel even mee over dat leer op uw dashboardkastje gaat, krijgt u die plooi er wel uit.' Hij tilde zijn been op om te kunnen uitstappen. 'Heel even maar. Te veel hitte en je brandt er een gat in.' Hij schonk Will een geladen blik. 'Niet te veel hitte, jongen.'

'Bedankt voor de tip.'

Moeizaam stapte Lionel uit. Hij greep het dak van de Porsche vast en hees zichzelf overeind. Terwijl hij zich met zijn stok in evenwicht hield, stak hij zijn hand uit. 'Ta-da,' zei hij met een elegante zwaai en toen deed hij het portier zachtjes dicht.

Will keek Lionel na toen hij steunend op zijn stok de straat overstak. Voor de ijzerwarenzaak bleef hij staan om een praatje te maken met een man die het vuil van het trottoir veegde. Het regende niet meer en blijkbaar hadden ze geen haast. Het zou Will niet verbazen als ze het over Allison Spooner en Tommy Braham hadden. In een plaats als Grant County was dat momenteel het enige onderwerp van gesprek.

Een oude Cadillac draaide het terrein op. Al van een afstand galmde de gospelmuziek Will tegemoet. Marla Simms parkeerde haar auto zo ver mogelijk bij zijn Porsche vandaan. Ze keek in de spiegel om haar make-up te controleren en haar bril recht te zetten – allemaal om er geen misverstand over te laten bestaan dat ze hem negeerde – en stapte toen uit.

Will liep naar haar toe. 'Goedemorgen, mevrouw Simms,' zei hij zo opgewekt mogelijk.

Ze schonk hem een achterdochtige blik. 'Er is nog niemand.'

'Dat zie ik.' Hij stak zijn koffertje omhoog. 'Ik wilde me vast installeren. Zou u me het bewijsmateriaal kunnen brengen dat bij het meer is gevonden, en alles wat bij Tommy Braham is aangetroffen?'

Zonder hem verder een blik waardig te keuren schoof Marla de grendel van de deur. Ze deed het licht aan en liep de hal in. Weer boog ze zich over de poort, drukte op de zoemer en liet zichzelf binnen. Will kon het hekje nog net pakken voor het dichtklapte.

'Het is hier koud,' merkte hij op. 'Is er iets met de ketel?'

'De ketel is prima in orde,' zei ze afwerend.

'Is hij nieuw?'

'Zie ik er soms uit als een verwarmingsmonteur?'

'Mevrouw Simms, ik kan niet anders zeggen dan dat u eruitziet als iemand die op de hoogte is van alles wat er speelt op dit bureau en misschien wel in de hele stad.'

Mopperend pakte ze de pot van het koffiezetapparaat.

'Kende u Tommy Braham?'

'Ja.'

'Wat was hij voor iemand?'

'Een slome.'

'En Allison Spooner?'

'Bepaald geen slome.'

Will glimlachte. 'Eigenlijk moet ik u bedanken, mevrouw Simms, voor de incidentenrapporten die u gisteravond naar mijn collega hebt gestuurd. Die laten een interessant gedragspatroon bij Tommy zien. Hij had de laatste tijd last van driftbuien. Wilde u me dat laten weten?'

Ze keek hem over de rand van haar bril aan en liep toen het vertrek door, met haar lippen stijf op elkaar. Will keek haar na terwijl ze de zware stalen deur openduwde en hem in het donker achterliet.

Hij liep naar het faxapparaat, en om Marla Simms het voordeel van de twijfel te gunnen, keek hij onder de tafel. Er lag niks: geen losse papieren of de transcriptie van het 911-telefoontje dat door een spleet was gevallen. Hij opende het deksel van het kopieerapparaat en zag slechts de spiegelende glasplaat. Wel zat er iets kleverigs in het midden. Met de nagel van zijn duim peuterde Will de troep eraf, want die zou op alle kopieën komen. Hij hield het spul tegen het licht. Lijm? Of kauwgom?

Will tikte het weg, de prullenbak in. Op geen van de kopieën die Sara de vorige dag had gemaakt zat een vieze afdruk. Misschien had iemand anders het apparaat na haar gebruikt en per ongeluk kauwgom op het glas achtergelaten.

Zoals hij al vermoedde was het kantoor aan de kant van de recherchekamer leeg. Will voelde aan de knop van de deur. Die zat niet op slot. Hij ging naar binnen en trok de jaloezieën open zodat hij goed zicht had op de bureaus van de rechercheurs. De muren zaten vol spijkergaten. In het dunne lichtstraaltje dat door het buitenraam naar binnen viel, zag hij donkere plekken waar ooit foto's hadden gehangen. Op een telefoon na was het bureau leeg. Alle laden waren uitgeruimd. De stoel knarste toen hij ging zitten.

Als Will een gokker was geweest, zou hij er tien dollar om hebben verwed dat dit de oude kamer van Jeffrey Tolliver was.

Hij opende zijn koffertje en legde zijn dossiers klaar. Eindelijk knipperde boven zijn hoofd het licht aan. Will zag Marla door de ruit in de muur. Ze stond hem met open mond aan te staren. Met haar stijve knot en vuile bril leek ze sprekend op een achterdochtige oude dame uit een Gary Larsonstrip. Will toverde een glimlach op zijn gezicht en zwaaide naar haar. Marla klemde het handvat van de koffiepot vast en hij voelde bijna hoe graag ze het ding in zijn gezicht had gesmeten.

Will haalde zijn digitale recorder uit zijn zak. Elke agent ter wereld had een notitieboekje met spiraalband waarin hij alle bijzonderheden van een onderzoek opschreef. Een dergelijk artikel was aan Will niet besteed, maar hij had er een oplossing voor gevonden.

Hij keek nog even door het raam om te zien waar Marla

was, en met de recorder tegen zijn oor drukte hij op PLAY. Hij had het volume op zacht gezet en zo luisterde hij naar de stem van Faith, die Tommy Brahams bekentenis voorlas. Will had bepaald niet de hele nacht liggen tobben over zijn puberale verliefdheid op Sara Linton. Hij had zich op deze dag voorbereid door de verslagen woord voor woord te lezen en Tommy Brahams bekentenis eindeloos te beluisteren tot hij de tekst uit zijn hoofd kende. Weer luisterde hij naar het hele verhaal. Het ritme van Faiths stem was zo vertrouwd dat hij moeiteloos met haar had kunnen meepraten.

Haar toon was vlak, zonder veel intonatie. '"Ik was in Allisons kamer. Dat was gisteravond. Ik weet niet hoe laat. Mijn hond Pippy was ziek. Het was nadat ik met haar naar de dokter was geweest. Allison zei dat ze seks met me wou. We gingen seks hebben. Toen wilde ze niet meer. Ik werd woedend. Ik had een mes bij me. Ik heb haar één keer in haar nek gestoken. Ik pakte de reserveketting met slot en reed met haar naar het meer. Ik schreef het briefje, dan leek het of ze zich van kant had gemaakt. Allison was verdrietig. Dat leek me een goede reden."'

Er klonk gemompel in de recherchekamer. Toen Will opkeek zag hij een paar geüniformeerde agenten die hem verbijsterd aanstaarden. Een van hen wilde op hem afstappen, waarschijnlijk om hem ter verantwoording te roepen, maar zijn collega hield hem tegen.

Will leunde achterover en hoorde weer dat geknars. Hij pakte zijn mobiel en belde Faith. Nadat de telefoon vier keer was overgegaan, nam ze op. Haar begroeting klonk als een grom.

'Heb ik je wakker gemaakt?'

'Het is halfacht 's ochtends. Natuurlijk heb je me wakker gemaakt.'

'Ik wil wel terugbellen.'

'Eén minuut.' Hij hoorde haar rondscharrelen. Ze gaapte zo luid dat Wills eigen kaak verkrampte, zo groot was de drang om ook te gapen. 'Ik heb wat informatie over Lena Adams verzameld.'

'En?'

Weer gaapte ze. 'Daarvoor moet ik naar mijn laptop.'

Will kon zijn eigen geeuw niet langer inhouden. 'Sorry dat ik je uit bed heb gebeld.'

'Je hebt tot vier uur vanmiddag. Dan heb ik een afspraak met mijn arts in het ziekenhuis.'

Will praatte er snel overheen om te voorkomen dat ze de hele procedure weer ging uitleggen. 'Fantastisch, Faith. Je moeder brengt je er zeker naartoe? Wat zal ze dat spannend vinden. En je broer? Heb je hem al gebeld?'

'Hou je mond nou maar. Ik zit al achter mijn computer.' Hij hoorde toetsen rammelen. 'Salena Marie Adams,' zei Faith, die waarschijnlijk voorlas uit het personeelsdossier. 'Rechercheur eersteklas. Vijfendertig jaar. Een meter zestig, vijfenvijftig kilo.' Faith mompelde een verwensing. 'God, ik heb nu al een hekel aan haar.'

'En haar voorgeschiedenis?'

'Ze is verkracht.'

Ze zei het zo abrupt dat Will ervan schrok. Hij had een geboortedatum verwacht, misschien een paar eervolle vermeldingen. Sara had het vermoeden uitgesproken dat Lena door haar ex-vriend was verkracht, maar hij had de indruk gehad dat er geen aanklacht was ingediend. 'Hoe weet je dat?' vroeg hij.

'Die zaak kwam boven toen ik verwijzingen zocht naar haar dossier. Je moet eens wat vaker googelen.'

'Wanneer is dat gebeurd?'

'Tien jaar geleden.' Hij hoorde haar vingers over het toetsenbord gaan. 'Haar dossier is aardig schoon. Ze heeft aan een paar interessante zaken meegewerkt. Kun je je die pedofielenbende in het zuiden van Georgia nog herinneren, van enige tijd terug? Die hebben zij en Tolliver opengebroken.'

'Heeft ze nog smetten op haar blazoen?'

'Die teams in kleine stadjes lopen niet met hun vuile was te koop,' benadrukte Faith. 'Zes jaar geleden heeft ze verlof genomen. Minder dan een jaar. Meer heb ik niet over haar. Heb jij nog iets gevonden?'

'Ik heb vanochtend een interessant gesprek gehad met de baas van het eetcafé.'

'Wat heeft hij gezegd?'

'Niet veel. Dat Allison een beste meid was. Een harde werker. Over haar privéleven had hij weinig te melden.'

'Denk je dat hij haar vermoord heeft?'

'Hij is in de zestig en heeft een kunstbeen.'

'Een echt kunstbeen?'

Will zag Lionel weer op de prothese kloppen, en hij hoorde het holle geluid. 'Ik zal het eens natrekken, maar als dat een echt been is, is hij een prima acteur.'

'Je weet het nooit in die stadjes. Ed Gein was babysitter.'

Faith deinsde er niet voor terug om een vriendelijke oude man te vergelijken met een van de beruchtste seriemoordenaars van de twintigste eeuw.

'Het achtergrondonderzoek naar Spooner heeft ook niet veel opgeleverd. Ze heeft achttien dollar en nog wat op haar bankrekening staan. Waarschijnlijk had ze de rest van haar geld in cash bij zich. De enige cheques die ze het afgelopen halfjaar heeft uitgeschreven waren voor de hogeschool en voor de boekwinkel op de campus. Op de afschriften staat het adres aan Taylor Drive. Ze heeft geen creditcards. Ze is niet bekend bij de nutsbedrijven. Ze heeft geen kredietgeschiedenis. Geen mobiel voor zover bekend. Geen auto.'

'Volgens die oude man van het eetcafé reed ze in een Dodge Daytona met een kentekenplaat uit Alabama.'

'Die staat dan vast op naam van iemand anders. Denk je dat de plaatselijke politie daarvan op de hoogte is?'

'Geen idee. Volgens mijn bron had Allison een roze boekentas, die ze altijd in de auto liet liggen als ze moest werken.'

'Wacht even.' Faith had kennelijk iets op haar computer gevonden. 'Oké, ik zie dat ze in Grant County en omgeving geen opsporingsbericht voor de auto hebben doen uitgaan.' Als Frank Wallace had geweten dat Allison een auto had, zou hij alle omringende districten hebben verzocht ernaar uit te kijken.

'Misschien weten ze allang waar die auto is, maar willen ze niet dat ik hem vind,' opperde Will.

'Ik verstuur nu een opsporingsbericht voor de hele staat. Tijdens de briefing vanochtend zal die commissaris zijn jongens opdracht moeten geven om ernaar uit te kijken.'

'Het is een oude auto. Allison heeft hier een paar jaar gewoond zonder een ander kenteken te nemen.'

'Het is een studentenstad. Dan moet je niet vreemd opkijken als je nummerborden ziet uit andere staten. De enige reden om een auto niet te laten registreren is dat hij niet verzekerd is,' merkte Faith op. 'Daar zou ik maar van uitgaan. Dat meisje leefde in de marge. Ze heeft nauwelijks sporen achtergelaten.'

Will zag dat het steeds drukker werd in de recherchekamer. De groep agenten was groter geworden. Een angstiger man zou het een dreigende menigte noemen. Er werd tersluiks naar Will gekeken. Marla schonk voor iedereen koffie in en wierp hem over haar schouder een woedende blik toe. Opeens keken ze als op commando allemaal naar de voordeur. Will vroeg zich af of Frank Wallace zich had verwaardigd om zijn gezicht te laten zien, maar al snel zag hij dat dit niet het geval was. Een vrouw met een lichtbruine huid en krullend haar dat op haar schouders viel voegde zich bij de groep. Ze was de kleinste van het stel, maar de groep week als de Rode Zee voor haar uiteen.

'Volgens mij heeft rechercheur Adams besloten ons met haar aanwezigheid te vereren,' zei Will tegen Faith.

'Hoe ziet ze eruit?'

Lena had hem gezien. Haar ogen schoten vuur.

'Alsof ze me het liefst de strot afbijt.'

'Pas maar op. Je weet dat je een zwak hebt voor krenge-rige, rancuneuze vrouwen.'

Dat bestreed Will niet. Lena Adams had dezelfde teint en hetzelfde soort haar als Angie, hoewel ze duidelijk van Zuid-Amerikaanse afkomst was, terwijl Angie eerder iets mediterraans had. Lena was kleiner, atletischer. Ze miste Angies supervrouwelijkheid – daarvoor was ze te veel sme-ris – maar ze was zonder meer aantrekkelijk. Ook had ze met Angie gemeen dat ze niet vies was van een beetje be-roering. Verschillende agenten keken Will inmiddels met onverholen vijandigheid aan. Nog even en iemand haalde een hooivork.

'Wat heb je me nou voor e-mail gestuurd?' Faith gaf zelf het antwoord. 'Julie Smith. Oké, ik zal het nummer probe-ren na te trekken. De volmacht voor Tommy Brahams te-lefoongegevens levert vast geen problemen op nu hij dood is, maar misschien heb ik een officiële overlijdensverkla-ring nodig als we er toegang tot willen hebben.'

Will hield zijn blik op Lena gericht. Ze zei nu iets tegen de groep. Waarschijnlijk dat iedereen zijn wapen moest controleren. 'Kun je daar niet een mouw aan passen? Julie Smith heeft tegen Sara gezegd dat Tommy haar vanuit de cel heeft ge-sms't. Met een transcriptie komen we er mis-schien achter wie ze is. Zou Amanda niet iemand om een gunst kunnen vragen?'

'O, fantastisch. Uitgerekend degene die ik het liefst 's mor-gens vroeg aan de lijn heb.'

'Zou je haar dan ook willen vragen of ze versneld een huiszoekingsbevel voor de garage regelt? Ik wil die jon-gens hier graag laten zien hoe een correcte procedure in zijn werk gaat.'

'Ik weet zeker dat ze zich het vuur uit de sloffen zal lopen om aan al je verzoeken te voldoen.' Faith kreunde hartgrondig. 'Nog iets wat ik haar moet vragen?'

'Zeg maar dat ik mijn ballen terug wil.'

'Die heeft ze waarschijnlijk al in brons laten gieten.'

Lena trok haar jack uit en wierp het op een bureau. 'Ik moet ophangen.' Net toen hij de verbinding verbrak beende de rechercheur op zijn kamer af.

Will stond op. Hij schonk haar zijn innemendste lach. 'U bent vast rechercheur Adams. Will Trent. Ik ben blij om u eindelijk te ontmoeten.'

Ze staarde naar zijn uitgestoken hand. Heel even was hij bang dat ze hem zou afbijten.

'Is er iets, rechercheur?'

Kennelijk was ze zo kwaad dat ze amper een woord over haar lippen kreeg. 'Deze kamer...'

'Ik hoop dat u er geen bezwaar tegen hebt,' onderbrak Will haar. 'Hij was leeg en ik wilde u niet voor de voeten lopen.' Hij had zijn hand nog steeds naar haar uitgestoken. 'We zijn toch nog niet op het punt beland dat u mijn hand niet wilt schudden, rechercheur?'

'We zijn dat punt gepasseerd op het moment dat u achter dat bureau plaatsnam.'

Will liet zijn hand zakken. 'Eigenlijk verwachtte ik commissaris Wallace.'

'Waarnemend commissaris,' verbeterde ze hem, want het lag bij haar al even gevoelig als bij Sara. 'Frank is bij Brad in het ziekenhuis.'

'Ik heb gehoord dat rechercheur Stephens een zware nacht achter de rug heeft, maar dat het er vanochtend iets beter uitziet.'

Ze antwoordde niet, en dat was maar goed ook. Haar stem had het nasale van zuidelijk Georgia, en nu ze kwaad was kleefden haar woorden als cakebeslag aan elkaar.

Will wees naar een stoel. 'Ga zitten.'

'Ik sta liever.'

'Als u het niet erg vindt ga ik wel zitten.' De stoel knarste toen hij weer plaatsnam. Will legde zijn vingertoppen tegen elkaar. Hij zag dat er een pen aan Lena's borstzak zat geklemd. Die was van zilver, een Cross, net als de pen die de vorige avond in de borstzak van Larry Knox had gezeten.

Will keek naar de groep agenten die zich rond het koffiezetapparaat verdrongen. Ze hadden allemaal een pen in hun borstzak.

Hij glimlachte. 'Uw commissaris heeft u ongetwijfeld verteld waarom ik hier ben.'

Will zag haar oog trillen. 'Vanwege Tommy.'

'Dat klopt, vanwege Tommy Braham, en in het verlengde daarvan ook vanwege Allison Spooner. Ik hoop dat we dit snel kunnen afwikkelen. Het is bijna Thanksgiving, en dan wil iedereen er ongetwijfeld graag klaar mee zijn.'

'Dat zoetsappige gebullshit werkt niet echt bij mij.'

'We dragen allebei een penning, rechercheur. Vindt u niet dat u een poging tot samenwerking moet doen zodat we tot de kern van de zaak kunnen komen?'

'Weet u wat ik vind?' Ze sloeg haar armen over elkaar. 'Ik vind dat u naar een plaats bent gekomen waar u niet hoort, dat u op een plek slaapt waarop u geen recht hebt en dat u allerlei goede mensen de problemen in helpt voor iets waar ze geen vat op hebben.'

Er werd luid op de open deur geklopt. Marla Simms stond in de deuropening, met kaarsrechte rug en in haar handen een kartonnen doos van middelgroot formaat. Ze liep naar het bureau en zette de doos met een klap voor Will neer.

'Bedankt,' zei hij terwijl ze weer wegliep. 'Mevrouw Simms?' Ze draaide zich niet om, maar bleef wel staan. 'Zou u zo vriendelijk willen zijn me het bandje te brengen van die 911-oproep, waarin Allison Spooners zogenaamde zelfmoord werd aangekondigd?'

Ze verliet de kamer zonder aan te geven dat ze zijn verzoek zou inwilligen.

Will wierp een blik over de rand van de doos en bekeek de inhoud. Hij zag verscheidene plastic zakken met bewijsmateriaal, ongetwijfeld afkomstig van de plek waar Allison Spooner de dood had gevonden. Een van de zakken bevatte een paar witte gymschoenen. De zijkanten zaten onder de modder en die kleefde ook aan de profielen van de zolen.

In de andere zak zaten de ring en het horloge waarvan Lena in haar rapport melding had gemaakt. Hij bestudeerde de ring, een goedkoop geval, iets wat je aan je meisje gaf als je vijftien was en vijftig dollar een enorm bedrag was voor een sieraad uit de gesloten vitrine bij de drogist.

Hij hield de ring omhoog. 'Zo eentje heb ik aan mijn vrouw gegeven toen we pubers waren.'

Lena's zure blik verschilde niet veel van die van Angie toen Will haar de ring had gegeven.

Hij haalde nog een zak uit de doos. Er zat een dichte portefeuille in. Door het plastic heen peuterde Will hem open. Hij trof een foto aan van een oudere vrouw naast een jong meisje, en een andere foto van een rode kat. In het geldvak zaten een paar bankbiljetten. De studentenkaart en het rijbewijs van Allison Spooner zaten in vakjes achterin.

Will bekeek de foto van het meisje. Faith had het goed geraden. Allison was heel knap. Ook leek ze jonger dan ze was geweest. Misschien kwam het door haar bouw. Ze maakte een tengere, bijna breekbare indruk. Hij sloeg de foto met de oudere vrouw weer op, en nu zag hij dat het meisje naast haar Allison Spooner was. De foto was duidelijk van enkele jaren terug. Zo te zien was Allison daar nog een tiener.

'Is dit alles wat u in de portefeuille hebt gevonden?' vroeg hij. Hij somde de inhoud voor Lena op: 'Twee foto's, veertig dollar, het rijbewijs en haar studentenkaart?'

Ze keek naar de opengeslagen portefeuille. 'Frank heeft een lijst gemaakt.'

Het was geen antwoord op zijn vraag, maar Will besefte dat hij niet overal een punt van moest maken. Er lag nog één zak in de doos. Hij vermoedde dat die de inhoud van Tommy Brahams zakken bevatte. 'Kauwgom, achtentig cent en een metalen Monopoly-autootje.' Will keek

Lena weer aan. 'Had hij geen portefeuille bij zich?'

'Nee.'

'Geen mobiel?'

'Zit er soms eentje in de zak?'

De strijdlust waarmee ze antwoordde, sprak boekdelen, ook al had ze dat zelf niet door. 'En zijn kleren en schoenen?' vroeg Will. 'Zit er bloed op? Vlekken?'

'Overeenkomstig het protocol voor zelfmoord in hechtenis heeft Frank ze naar het lab gestuurd. Jullie lab.'

'Het centrale laboratorium van het GBI in Dry Branch?'

Ze knikte.

'En de schede?'

Ze keek verward.

'In zijn bekentenis schreef Tommy dat hij een mes bij zich had toen hij Allison doodde. Dus vermoed ik dat hij een schede aan zijn riem had hangen. Voor een mes.'

Ze schudde haar hoofd. 'Die heeft hij waarschijnlijk weggegooid.'

'Hij schrijft niet wat voor soort mes hij heeft gebruikt.'

'Nee, dat klopt.'

'Hebben jullie bij Tommy thuis messen aangetroffen?'

'We mogen zijn huis niet doorzoeken zonder huiszoekingsbevel of toestemming van zijn vader, de eigenaar van de woning.'

Ze kende in elk geval de wet. Waarom ze daar opeens zoveel belang aan hechtte, was hem een raadsel. 'Vermoedt u dat hij rechercheur Stephens met hetzelfde mes heeft neergestoken als waarmee hij Allison Spooner heeft gedood?'

Lena zweeg een paar tellen. Zelf had ze genoeg verhoren afgenomen om te weten hoe een hoek voelde als die in je rug drukte. 'In de loop van mijn carrière heb ik geleerd dat je beter geen vermoedens kunt koesteren over wat een verdachte al of niet heeft gedaan.'

'Dat is een les die elke agent ter harte kan nemen,' gaf hij toe. 'Was er een reden dat het bewijsmateriaal van Spooner niet naar het centrale lab is gestuurd?'

Weer aarzelde ze. 'Omdat de zaak is gesloten, lijkt me.'

'Weet u dat zeker?'

'Tommy ging op de vlucht voor de politie. Hij heeft een politieman neergestoken. Hij heeft de misdaad bekend. Hij heeft zelfmoord gepleegd omdat het schuldgevoel hem te veel werd. Ik weet niet hoe het in Atlanta gaat, maar hier verspillen we doorgaans geen geld meer aan onderzoek als een zaak gesloten is.'

Will wreef over zijn nek. 'Ik zou het op prijs stellen als u ging zitten. Dit duurt nog wel even, en als ik de hele tijd naar u moet opkijken, krijg ik een stijve nek.'

'Wat duurt nog wel even?'

'Rechercheur Adams, misschien ontgaat u het belang van dit onderzoek. Ik ben hier om u te ondervragen over de dood van iemand die u in hechtenis hebt genomen, in uw politiebureau, in uw stad. Bovendien is er een jonge vrouw vermoord. Een politieofficier is zwaargewond geraakt. Dit is geen babbeltje bij een bak koffie en een donut, en al helemaal niet omdat ik het advies heb gekregen geen voedsel van jullie aan te nemen tenzij het nog in de verpakking zit.' Hij glimlachte. Ze lachte niet terug. 'Wilt u alstublieft gaan zitten zodat we als redelijke mensen met elkaar kunnen praten?' Toen ze zich nog steeds niet verroerde, besloot Will de druk op te voeren. 'Als u liever naar een verhoorkamer gaat in plaats van in de kamer van uw overleden commissaris te zitten, wil ik u daarin met alle plezier tegemoetkomen.'

Haar kaak verstrakte. Ze staarden elkaar aan alsof het een wedstrijdje was, dat Will bijna verloor. Het was niet gemakkelijk om Lena aan te kijken. Pijn en uitputting tekenden haar gezicht. Haar ogen waren opgezwollen, en het wit was bloeddoorlopen. Haar hand lag op de rugleuning van de stoel voor haar, maar ze stond te zwaaien op haar benen, alsof haar knieën het elk moment konden begeven.

'Ja,' zei ze ten slotte.

'Wat ja?'

'Ja, ik denk dat u de vijand bent.' Niettemin trok ze de stoel naar achteren en ging zitten.

'Ik stel uw eerlijkheid zeer op prijs.'

'Dat zal wel.' Voortdurend opende en sloot ze haar hand. Op haar handpalm zag Will twee vleeskleurige pleisters, en haar vingers leken gezwollen.

'Is dat gisteren gebeurd?' vroeg Will.

Ze gaf geen antwoord.

Hij haalde een rode map uit zijn koffertje en legde die dichtgeslagen op het bureau. Lena wierp er een nerveuze blik op. 'Wilt u er een advocaat bij hebben?'

'Heb ik die nodig?'

'U zou toch moeten weten dat u een politieonderzoeker niet om juridisch advies moet vragen, rechercheur. Of misschien liever uw vakbondsvertegenwoordiger?'

Ze lachte kort en scherp. 'We hebben hier geen vakbonden. We hebben nauwelijks uniformen.'

Hij had het kunnen weten. 'Wilt u dat ik u op uw rechten wijs?'

'Nee.'

'Moet ik nog benadrukken dat liegen tegen een overheidsonderzoeker tijdens een lopend onderzoek een misdrijf is waar boete op staat en een gevangenisstraf van ten hoogste vijf jaar?'

'Dat hebt u nu dan toch gedaan?'

'Inderdaad. Waar is ze gestoken?'

Dat kwam onverwacht. 'Wat?'

'Allison Spooner. Waar is ze precies gestoken?'

'Hier.' Lena bracht haar hand naar haar nek en legde haar vingers op enkele centimeters afstand van de nekwervels.

'Was dat de enige wond?'

Ze wilde al antwoorden, maar deed haar mond weer dicht. Even later zei ze: 'Zoals u weet, heeft Frank touwsporen rond haar polsen ontdekt.'

'Hebt u die zelf ook gezien?'

'Het lichaam heeft een tijd in het water gelegen. Ik kan niet goed zeggen wat ik gezien heb behalve die messteek in haar nek.'

Het zat hem niet helemaal lekker, want op dat detail kwam het verhaal van Frank Wallace niet overeen met dat van Lena. 'Hebben jullie Spooners auto al gevonden?'

'Ze heeft geen auto.'

'Dat vind ik merkwaardig.'

'Dit is een studentenstad. Studenten lopen of pakken hun scooter.' Lena haalde haar schouders op. 'Als ze wat verder weg moeten, liften ze meestal.'

'Zou Allison een auto gehad kunnen hebben zonder dat jullie daarvan op de hoogte zijn?'

'Niet op de hogeschool. Daar word je al weggesleept als je twee plekken in beslag neemt. Er is uitstekend toezicht op de campus. En ook in de stad zijn er niet veel plekken waar je een auto kunt dumpen. Ik wil bij de ochtendbriefing wel vragen of ze ernaar uitkijken, maar dat zal niet veel opleveren. Dit is Atlanta niet. Achtergelaten auto's worden hier altijd meteen bij de politie gemeld.'

Will keek Lena aandachtig aan om te zien of ze hem een kunstje flikte. 'En Allisons baas in het eetcafé. Hebben jullie al met hem gesproken?'

'Lionel Harris. Frank zei dat hij hem gisteravond had gesproken. Die weet van niks.'

Dat betekende dat Frank had gelogen of dat Lena maar wat zat te verzinnen.

'Zou Harris een mogelijke verdachte kunnen zijn?' vroeg Will.

'Hij heeft maar één been en is nog ouder dan Jezus.'

'Dan valt hij waarschijnlijk af.' Will sloeg de rode map open. Bovenop lag de fotokopie van Tommy Brahams bekentenis. In Lena's blik zag hij een flits van herkenning. 'Zou u deze met me willen doornemen?'

'Welk gedeelte?'

Hij wist dat ze van hem verwachtte dat hij meteen tot

de kern zou komen: de steekpartij en wat er verder bij de garage was voorgevallen. In de hoop haar in verwarring te brengen koos hij een andere invalshoek. 'Laten we maar beginnen met het moment waarop u Tommy Braham naar het bureau bracht, dan werken we van daaruit verder. Heeft hij in de auto iets gezegd?'

'Nee.'

Will had de arrestatiefoto's nog niet gezien, evenmin als de foto's die Sara van Tommy Braham in de cel had genomen, maar hij wist wel dat er een politieman was neergestoken terwijl twee niet-gewonde collega's ter plekke waren. Hij waagde een gok. 'In wat voor toestand verkeerde Tommy op dat moment?'

Ze keek hem wezenloos aan.

'Is hij tijdens de arrestatie soms gevallen?'

Weer nam ze alle tijd. 'Dat zult u Frank moeten vragen. Ik probeerde Brad te helpen.'

'U hebt Tommy in de auto gezien. In wat voor toestand verkeerde hij?'

Lena haalde een notitieboekje uit haar achterzak. Langzaam bladerde ze erdoorheen tot ze de betreffende pagina's had gevonden. Will zag dat er losse blaadjes in het boekje waren geplakt en hij vermoedde dat dit de originelen waren die Sara de vorige avond had gekopieerd.

Lena kuchte. 'Ik heb de verdachte, Thomas Adam Braham, gisterochtend om ongeveer halfnegen opgebracht.' Ze keek hem strak aan. 'Maakt u geen aantekeningen?'

'Hoezo, wilt u me uw pen soms lenen?'

Even verscheen er een barstje in haar zelfbeheersing, en Will zag wat hij al had vermoed sinds ze de kamer was binnengelopen. Wat ze verder ook van Tommy Braham vond, zijn dood had haar geraakt. Niet omdat ze erdoor in de problemen zou kunnen komen, maar omdat hij een mens was die aan haar zorg was toevertrouwd.

'Ik heb uw aantekeningen al gelezen, rechercheur,' zei Will. 'Vertel maar eens wat er niet op schrift staat.'

Ze begon aan de pleisters te pulken.

'Wie heeft de nabestaanden in kennis gesteld?'

'Ik.'

'Zowel die van Spooner als die van Braham?'

'Elba is een stadje van niks. De rechercheur die ik sprak heeft bij Allison op school gezeten. Hij vertelde me dat haar moeder al acht jaar dood is. De vader is onbekend. Er is nog een tante, Sheila McGhee, maar die is niet veel thuis. Ze werkt in een ploeg die goedkope motels in de Florida Panhandle opknapt. De rechercheur probeert haar op te sporen. Ik heb een bericht ingesproken op haar antwoordapparaat, maar dat hoort ze pas bij thuiskomst of als ze haar berichten checkt.'

Ze klonk nu als een echte rechercheur. 'Geen mobiel?' vroeg Will.

'Heb ik niet kunnen achterhalen.'

'Lag er een adresboek in Allisons kamer?'

'We hebben geen tijd gehad om die te doorzoeken.' Haar stem was weer afgemeten. 'Er is gisteren heel veel gebeurd. Mijn collega lag op straat dood te bloeden.'

'Ik hoor het graag als mevrouw McGhee u terugbelt.'

Ze knikte.

'En Tommy's familie?'

'Hij heeft alleen een vader, Gordon. Ik heb hem vanochtend gesproken en hem verteld wat er gebeurd is.'

'Hoe reageerde hij?'

'Geen enkele vader vindt het prettig om te horen dat zijn zoon een moord heeft bekend.'

'Hoe reageerde hij op de zelfmoord?'

'Zoals te verwachten.' Lena keek in haar aantekeningen, maar het was duidelijk dat ze dat alleen deed om zichzelf weer in de hand te krijgen. 'Gordon is onderweg van Florida hiernaartoe. Ik weet niet hoe lang hij daarover doet. Een uur of zes, zeven.'

Will vroeg zich af wat de rol van Frank Wallace was in dit alles, en waarom Lena de zwaarste taken toebedeeld had gekregen. 'Kende u Allison Spooner?' vroeg hij.

'De halve stad kende haar. Ze werkte in het eetcafé verderop.'

'Maar kende ú haar?'

'Ik heb haar nooit ontmoet.'

'Komt u nooit in het eetcafé?'

'Wat doet dat ertoe?' Ze verwachtte geen antwoord. 'Tommy heeft alles verteld. U hebt zijn bekentenis voor u liggen. Hij zei dat hij seks met haar wilde. Ze weigerde. Toen heeft hij haar vermoord.'

'Hoe lang duurde het voor hij die bekentenis aflegde?'

'Hij heeft er ongeveer een uur omheen gedraaid voor ik het hele verhaal uit hem kreeg.'

'Kwam hij met een alibi? In het begin, bedoel ik.'

'Hij zei dat hij bij de dierenarts was geweest. Hij heeft een hond, Pippy. Die had een sok of iets dergelijks doorgeslikt. Tommy ging met haar naar de dienstdoende dierenarts in Conford. Het personeel kan niet met zekerheid zeggen of hij daar de hele tijd is geweest.'

'Heeft hij een auto?'

'Een groene Chevy Malibu. Die is in de garage. Volgens Tommy waren er problemen met de startmotor. Hij heeft de sleutels gisterochtend in het kastje van Earnshaw gedeponeerd.'

Will keek verrast. 'Earnshaw?'

'Sara's oom.'

'Zijn er beelden van de bewakingscamera's?'

'Nee, maar ik heb de garage gebeld. De auto staat daar.' Ze haalde haar schouders op. 'Voor hetzelfde geld heeft Tommy die gebracht nadat hij Allison had vermoord.'

'Hebben jullie de auto doorzocht?'

'Dat wilde ik vandaag gaan doen.' In haar stem klonk duidelijk door dat Will het grootste obstakel vormde tussen haar en het uitvoeren van haar taak.

Will gaf het niet op. 'Waar kende Tommy Allison van?'

'Ze huurde woonruimte van zijn vader, een verbouwde

garage.' Lena keek op haar horloge.

'Wat was Tommy voor iemand?'

'Dom,' zei ze. 'Zijn hersens werkten traag. Sara heeft u er vast alles al over verteld.'

'Volgens dokter Linton had Tommy een IQ van rond de tachtig. Hij was niet bepaald pienter, maar hij werkte wel bij de bowlingbaan. Het was een goede jongen. Alleen de laatste tijd had hij problemen.'

'Ik vind moord wel iets meer dan een probleem.'

'Ik heb het nu over de incidentenrapporten.'

Ze wist haar verbazing goed te verbergen, maar heel even blikkerde er een vraag in haar ogen.

'In drie rapporten wordt melding gemaakt van ruzies in de afgelopen maand. Mevrouw Simms is zo vriendelijk geweest ze mij te geven.' Toen ze bleef zwijgen vroeg hij: 'U kent die rapporten toch?'

Lena zei nog steeds niets. Will schoof de documenten naar haar toe zodat ze ze kon inzien.

Ze liet haar blik over de beknopte verslagen gaan. 'Niks belangrijks. Kennelijk was hij nogal opvliegend.'

'Van wie kreeg u opdracht om Tommy te arresteren wegens de moord op Allison Spooner?'

'Frank...' Ze keek alsof ze die naam het liefst weer inslikte. 'Frank en ik hebben het besproken. Het was een gezamenlijke beslissing.'

Nu wist hij tenminste hoe ze eruitzag als ze loog. Het slechte nieuws was dat haar leugenachtige gezicht bar weinig verschilde van haar eerlijke gezicht. 'Wanneer hoorde u dat er een lijk in het meer was gevonden?'

'Brad belde me gisternacht om een uur of drie. Ik heb alle anderen wakker gebeld en het onderzoek gestart.'

'Hebt u met Allisons docenten op de hogeschool gesproken?'

'Die zijn allemaal vrij vanwege Thanksgiving. Ik heb hun telefoonnummers, maar ik heb nog niemand gebeld. De meesten wonen hier. Die gaan vast niet weg. Ik wilde vanochtend contact met ze opnemen, maar...' Ze spreidde haar armen als om de afstand tussen hen aan te geven.

'Wat gaat u verder nog natrekken?' Hij somde de plannen op die ze genoemd had: 'Met de docenten praten. Misschien met het personeel van de dierenkliniek. Tommy's auto onderzoeken. Mogelijke bekenden van Allison opsporen. Zeker via de hogeschool of misschien via Lionel Harris?'

Ze haalde haar schouders op. 'Wie weet.'

'Had u weer met Tommy willen praten? Als hij geleefd had, bedoel ik.'

'Ja.'

'Waarom?'

'Ik wilde zijn bekentenis op de band opnemen. Hij heeft een overtuigende verklaring tegen zichzelf afgelegd.'

'Maar u had geen twijfels bij alles wat hij zei: zijn motieven, dat hij haar in de nek had gestoken?'

'Ik wilde opheldering over een aantal zaken. Het spreekt voor zich dat ik het moordwapen wilde vinden. Ik neem aan dat het ergens in de garage ligt. Of in zijn auto. Hij zal Allison wel hebben meegenomen naar het meer. Daarvan moeten sporen terug te vinden zijn. Zeg het maar als dit alles u herinnert aan wat u in een of ander studieboek hebt gelezen toen u voor het GBI werd opgeleid.'

'Dat is een goed woord: "studieboek". Het lijkt me nogal veel werk voor een zaak die u als gesloten beschouwt,' verklaarde hij. 'Dat zei u daarnet toch, dat de zaak gesloten was?'

Ze staarde hem weer aan. Will wist dat ze erop zat te wachten dat hij haar naar de 911-oproep zou vragen.

'U zult wel moe zijn,' zei hij.

'Nee hoor, helemaal niet.'

'U hebt een paar zware dagen achter de rug.' Hij wees naar haar aantekeningen. 'Rond drie uur gisternacht heeft Brad u gebeld. Vermoedelijk zelfmoord. U bent naar het meer gegaan. Daar trof u Spooner aan, dood en mogelijk vermoord. Vervolgens bent u naar het huis van Spooner gegaan, waar uw chef gewond raakte en uw collega werd neergestoken. U hebt Tommy in hechtenis genomen. U hebt een bekentenis uit hem los weten te krijgen. U hebt waarschijnlijk de hele nacht in het ziekenhuis doorgebracht.'

'Wat wilt u daarmee zeggen?'

'Was Tommy kwaadwillig?'

'Nee,' zei ze zonder aarzelen.

'Gaf hij blijk van woede tijdens het verhoor?'

Ze zweeg nadenkend. 'Ik geloof niet dat hij van plan was om Brad iets aan te doen. Maar hij heeft hem wel neergestoken. En hij heeft Allison vermoord, dus...'

'Dus?'

Ze sloeg haar armen weer over elkaar. 'Hoor eens, we draaien in cirkeltjes rond. Het is heel erg wat er met Tommy is gebeurd, maar hij heeft wel bekend dat hij Allison Spooner heeft gedood. Hij heeft mijn collega neergestoken. Frank is gewond geraakt.'

Will liet haar woorden bezinken. Ze was er duidelijk van overtuigd dat Tommy schuldig was aan de moord op Allison Spooner. Haar verhaal werd vager zodra het over het neersteken van Brad Stephens en de verwonding van Frank Wallace ging.

Lena keek op haar horloge. 'Zijn we klaar?'

Ze was hier heel goed in, maar ze hield het niet eeuwig vol. 'Het meer is toch achter het bureau?'

'Dat klopt.'

'Tussen de hogeschool en Lover's Point?'

'Niet precies in het midden.'

'Zou ik een jas kunnen lenen?'

'Wat?'

'Een regenjas. Een jack. Wat jullie maar hebben.' Will stond op van het bureau. 'We gaan samen een wandeling maken.'

Het regende nog harder dan eerst; donkere wolken dreven over, het water kwam met bakken naar beneden en leek rechtstreeks op Wills hoofd te vallen. Hij droeg een politiejack dat bedoeld was voor een aanmerkelijk forsere man dan hijzelf. De mouwen hingen over zijn duimen. De capuchon viel voor zijn ogen. De reflecterende strips op de voor- en achterkant sloegen bij elke stap tegen hem aan.

Will had altijd moeite om passende kleren te vinden, maar meestal kampte hij met het tegenovergestelde probleem: te korte manchetten, naden die om zijn schouders spanden. Hij had verwacht dat Lena hem bij wijze van grap een van haar eigen jassen zou aanbieden. Blijkbaar had ze iets beters bedacht. Terwijl ze om het meer heen liepen, probeerde Will het stiksel op de borstzak te lezen. Blijkbaar was de jas van agent Carl Phillips.

De wind trok aan en hij stak zijn handen in zijn zakken. Daar stuitte hij op een paar rubberen handschoenen, een meetlint, een plastic pen en een kleine zaklantaarn. Hij hoopte tenminste dat het een zaklantaarn was. Ondanks Lena's kwade bedoelingen was het een fijne jas: een imitatie-North Face vol ritszakken en windbestendig. Thuis had Will een echte North Face. Die had hij niet meegenomen, want in Atlanta hield slecht weer nooit langer dan een paar dagen aan en als de zon tevoorschijn kwam, was de kou al snel uit de lucht. Bij de gedachte aan zijn jack dat thuis in de kast hing, bekroop hem een hevig verlangen naar Atlanta.

Lena bleef staan en keerde zich met haar gezicht naar het politiebureau toe. Ze verhief haar stem om boven de regen uit te komen: 'Daar is de hogeschool.'

Will schatte dat ze ongeveer een kwartier hadden gelopen. Bij een bocht in de oever, net voorbij het politiebureau, zag hij een verzameling gebouwen.

'Ik heb geen idee wat Allison hier te zoeken had,' zei Lena.

'Waar is Lover's Point?'

'Die inham een kleine kilometer verderop.'

Ze wees naar een plek waar de oever terugweek en Will volgde haar vinger met zijn blik. De inham was kleiner dan hij had verwacht. Of misschien kwam het door de afstand. Overal langs de oever lagen grote rotsblokken. In zijn verbeelding brandden er kampvuren als het mooi weer was. Het leek de ideale plek om met je gezin naartoe te varen voor een uitgebreide picknick.

'Blijven we hier staan of zo?' Lena had haar handen diep in haar zakken gestoken en hield haar hoofd gebogen tegen de wind. Ook zonder zesde zintuig voelde Will dat ze helemaal geen zin had om door de stromende regen te sjouwen. Het was zo koud aan de waterkant dat het hem moeite kostte om niet te klappertanden.

'Waar lopen de wegen ook alweer?' vroeg hij.

Naar haar gezicht te oordelen wilde ze zijn spelletje niet veel langer meespelen. 'Daar.' Ze wees in de verte. 'Dat is de brandweg. Die wordt al jaren niet meer gebruikt. Nadat het lijk uit het meer was gehaald hebben we hem gecontroleerd. Er is daar niks te vinden.'

'Dat is de enige weg tussen hier en Lover's Point?'

'Dat heb ik u op het bureau op de kaart laten zien.'

Will had nooit goed kaart kunnen lezen. 'Die plek daar.' Hij wees verderop, naar een punt iets voorbij de inham. 'Dat is toch de tweede weg, die meestal gebruikt wordt om bij de inham te komen?'

'Daar was niks, zoals ik al zei. Die hebben we ook gecontroleerd. We zijn niet achterlijk. We hebben naar auto's gezocht. Naar bandensporen, voetafdrukken. We hebben beide wegen gecontroleerd en nergens hebben we sporen gevonden.'

Will probeerde zich te oriënteren. Hij had wel wat licht kunnen gebruiken, maar de zon liet het afweten. De hemel was zo donker dat het evengoed avond had kunnen zijn in plaats van midden op de ochtend. 'Waar is de woonwijk?'

Ze wees naar de overkant van het meer. 'Daar woont Sara. Haar ouders, bedoel ik. En dat gebied daar' – ze wees een eind verder – 'dit hele stuk oever, ook waar we nu staan, is van de staatsboswachterij.'

'Wordt hier veel gevaren?'

'Bij de campus is een aanlegplaats voor de roeiteams. Veel mensen die hier wonen gaan 's zomers het meer op. Niemand haalt het in zijn hoofd om hier met deze regen naartoe te komen.'

'Behalve wij.' Will probeerde zo opgewekt mogelijk te klinken. 'Kom, we gaan verder.'

Ze sjokte voor hem uit. Will zag dat haar gymschoenen drijfnat waren. De hardloopschoenen die hij uit de koffer-bak van zijn auto had gehaald, waren er niet veel beter aan toe. Allisons schoenen, althans de exemplaren die in de buurt van haar lichaam waren gevonden, waren vuil, maar ze zaten niet volledig onder de modder. Als ze langs de oever had gelopen was het terrein daar een stuk harder dan de typische rode klei van Georgia waarop zijn voeten nu weg glibberden.

De vorige avond had Will op de computer het weerrap-port van die week bestudeerd. Op de ochtend dat Allison was gevonden was het kouder geweest, maar de avond er-voor had het al even hard geregend als nu. Prima weer om iemand te doden. Alle sporen op de oever zouden zijn uit-gewist. Door het koude water was het praktisch onmoge-lijk om het precieze tijdstip van overlijden vast te stellen. Zonder die 911-oproep zou niemand hebben geweten dat er een lijk op de bodem van het meer lag.

Lena gleed uit in de modder. Will stak zijn hand uit en ving haar op voor ze in het water viel. Ze was zo licht dat hij haar bijna met één hand kon optillen.

'Jezus.' Ze leunde zwaar hijgend tegen een boom. Ze had er ongetwijfeld de vaart in gehouden om hem een eind voor te blijven.

'Gaat het?' vroeg Will.

Met een verbeten blik liet ze de boom los. Will keek naar haar voeten terwijl ze zich een weg baande over de grote wortels en gevallen takken waarmee de oever bedekt was. Hij had geen idee of Allison dezelfde route naar Lover's Point had genomen. Het was vooral zijn bedoeling om Lena Adams het bureau uit te lokken, weg van haar natuurlijke omgeving, om haar aan het praten te krijgen. Nu ze in de kletterende regen over het ruwe terrein liepen, bedacht hij dat het misschien verstandiger was om de lat iets lager te leggen. Hij zou er bijvoorbeeld voor kunnen zorgen dat ze niet omkwamen van de kou.

Lena was ervan overtuigd dat Tommy Braham Allison Spooner had vermoord, zoals Sara ervan overtuigd was dat Tommy het niet had gedaan. Will zat er ergens tussenin, en hij was zich er terdege van bewust dat hij zijn oordeel door geen van beide vrouwen mocht laten beïnvloeden. Hij vermoedde dat Tommy's eventuele onschuld een zwaardere last voor Lena zou zijn dan ze wenste te dragen. Dat zou namelijk betekenen dat de jongen om niets zelfmoord had gepleegd. Dat zij hem de middelen – en het motief – had verschaft om zich van het leven te beroven. En als Sara toegaf dat Tommy de moord had gepleegd, moest ze ook erkennen dat Lena minder meedogenloos was dan ze wilde geloven.

Nog eerder dan dat hij het voelde, hoorde Will dat de regen afnam. Het voortdurende getik van water op blad stierf weg tot een zacht geruis. Hij hoorde een vogel en een stel krekels. Iets verderop lag een grote boom over het pad. Dikke wortels staken in de lucht en de modder droop van de twijgen. Lena hees zich eroverheen. Will volgde en keek om zich heen om zich opnieuw te oriënteren. Ze waren in de buurt van de brandweg. Dat vermoedde hij althans.

'Kijk,' zei ze, en ze wees naar een stapel boomstammen. 'Dat is het einde van de weg.' Ze trok de capuchon van haar hoofd en Will volgde haar voorbeeld. Aan weerszijden van de weg liepen twee stroken aarde ter breedte van een auto en ruim drie meter lang, en daarachter begon het dichte bos. Nu begreep Will waarom Lena ervan overtuigd was dat niemand de weg had gebruikt. Je had een bulldozer nodig om erdoorheen te komen.

'De meeste mensen gebruiken de andere weg,' zei Lena, 'maar die ligt zo'n honderd meter ten westen van de inham. Zoals ik al zei moesten we een pad vrijmaken zodat de wagens van de hulpdiensten hier konden komen.'

Op weg naar een vermeende zelfmoord was er vast niet naar bandensporen gezocht, dacht Will. Waarschijnlijk waren alle eventuele sporen van een andere auto vernietigd. 'Als Allison geen auto had, hoe is ze hier dan gekomen?' vroeg hij.

Lena keek hem aan. 'Tommy heeft haar gebracht.'

'Maar u zei net dat jullie het terrein op auto's hebben gecontroleerd.'

'Hij had een scooter. Misschien heeft hij die gebruikt.'

Het was mogelijk, maar Will zag Tommy nog niet door het bos manoeuvreren met een dode over zijn stuur. 'Waar was ze voor Tommy haar vermoordde?'

'Ze zat thuis op haar moordenaar te wachten.' Lena probeerde de kou uit haar voeten te stampen. 'Goed. De bibliotheek van de hogeschool ging zondag om twaalf uur dicht. Misschien was ze daar.'

'En haar werk?'

'Het eetcafé is zondags gesloten.'

'Zou Allison hierlangs naar huis zijn gegaan?'

Lena schudde haar hoofd. 'Dan ging ze vast door het bos tegenover het bureau. Zo was ze binnen tien minuten thuis.'

Op dat punt was ze in elk geval eerlijk. Lionel Harris had hetzelfde gezegd. 'Wat deed Allison hier dan?'

De wind zwol aan en Lena stak haar handen in haar zakken.

'Rechercheur?'

'Ze was hier omdat Tommy haar hiernaartoe had gebracht.' Ze begon weer door de modder te ploeteren. Bij elke stap maakten haar schoenen een zuigend geluid.

Wills passen waren twee keer zo lang als die van Lena. Hij haalde haar moeiteloos in. 'Laten we eens een dader-profiel van onze moordenaar opstellen.'

Ze lachte snuivend. 'Gelooft u in die onzin?'

'Niet echt, maar dan hebben we iets om de tijd mee te doden.'

'Wat stom.' Ze gleed weer uit, maar wist haar evenwicht te bewaren. 'Wilt u echt dat ik dat hele eind naar de inham loop?'

Het enige wat hij van haar wilde was dat ze hem de waarheid vertelde. Dat leek geen optie en daarom zei hij: 'Laten we eens aan dat profiel beginnen.'

'Goed dan,' mompelde ze, en ze zette de pas er weer in. 'Het gaat om een achterlijke jongen, tussen de negentien en de negentienenhalf jaar oud, die in een groene Chevy Malibu rijdt en bij zijn vader woont.'

'Laten we Tommy hier voorlopig buiten houden.'

Ze keek hem achterdochtig aan.

'Wat is er gebeurd?' vroeg Will.

Lena stapte voorzichtig om een tweede omgevallen boom heen.

'Wat is er gebeurd?' herhaalde hij.

Toen ze sprak was elk woord van weerzin doortrokken. 'U bedoelt de moord?'

'Ja. Hoe is het gegaan?'

'Allison Spooner is in de nacht van zondag op maandag in haar nek gestoken.'

'Was het bloederig?'

'Waarschijnlijk,' zei ze schouderophalend. 'Er zit van alles en nog wat in de nek. Slagaderen en aderen. Het zal wel vreselijk gebloed hebben, en daarom had Tommy ook een emmer en een spons bij zich in Allisons kamer. Hij wilde de troep opruimen.'

'Waarom is het gebeurd?'

Ze liet een ongelovig lachje horen. 'En dat noemt u een daderprofiel?'

In elk geval Wills versie ervan. Hij was een stuk minder overtuigd dan Lena. Ze was er zo zeker van dat Tommy Braham het gedaan had dat ze niet had stilgestaan bij de mogelijkheid dat een wrede moordenaar op dat moment zijn mes sleep voor zijn volgende slachtoffer. 'Waarom besloot de moordenaar tot de daad over te gaan? Woede? Gelegenheid? Geld?'

'Hij heeft haar vermoord omdat ze geen seks met hem wilde. Hebt u zijn bekentenis eigenlijk wel gelezen?'

'Ik dacht dat we Tommy erbuiten zouden houden.' Ze schudde haar hoofd, maar Will gaf niet op. 'Denk even met me mee, rechercheur. Stel dat er een geheimzinnige moordenaar rondloopt die Allison dood wilde hebben. Tommy Braham buiten beschouwing gelaten.'

'Daar heb je nogal wat fantasie voor nodig, in aanmerking genomen dat hij heeft bekend.'

Hij pakte haar bij haar elleboog om haar over een grote plas heen te helpen. 'Heeft de moordenaar het wapen meegenomen naar de plaats delict?'

Lena dacht even na. 'Misschien. Hij had ook de betonblokken, de ketting en het slot bij zich.'

Will vermoedde dat de blokken en de ketting van tevoren naar de plek waren gebracht, maar dit leek niet het geschikte moment om die theorie te lanceren. 'Dus het was met voorbedachten rade.'

'Of hij had die dingen thuis liggen. Aan Taylor Drive,' voegde ze eraan toe.

Will hapte niet. Als Allison bij het meer was vermoord in plaats van in de garage, kwam Lena's theorie over Tommy's schuld op losse schroeven te staan. 'Was de moordenaar kwaad?' vroeg hij.

'Die wond in haar nek wijst op behoorlijk veel geweld.'

'Maar niet op woede. De wond is op beheerste wijze toegebracht. Opzettelijk.'

'Waarschijnlijk werd hij helemaal hysterisch toen hij een mondvol bloed in zijn gezicht kreeg.' Ze sprong over een plas. 'En verder?'

'Laten we eens kijken naar wat we weten: onze moordenaar heeft zijn zaakjes goed voor elkaar. Hij laat niets aan het toeval over. Hij kent het terrein goed. Hij kent Allison. Hij heeft een auto.'

Ze knikte. 'Dat kan wel kloppen.'

'Laten we dan alles nog eens nalopen.'

Lena bleef staan. Ze waren zo'n tien meter van de inham verwijderd. 'Goed. Tommy, of onze geheimzinnige dader, vermoordt Allison en brengt haar hiernaartoe.' Ze kneep haar ogen samen. 'Waarschijnlijk legt hij haar op de oever neer. Hij wikkelt de ketting om haar middel, maakt haar vast aan de cementblokken en gooit haar dan in het water.'

'Hoe doet hij dat, dat gooien?'

Lena keek naar de inham. Will kon haar bijna horen denken. 'Hij zou haar het water in moeten dragen. Ze is op ongeveer vijf meter van de oever gevonden, waar de bodem steil afloopt. De cementblokken waren zwaar. Misschien heeft hij haar drijvend meegetrokken het water in en toen de ketting en blokken aan haar vastgemaakt. Dat klinkt logischer. Ze kan onmogelijk vanaf de kant in het water zijn gegooid als ze uiteindelijk op die plek gevonden is.'

Will bleef erop doorgaan. 'De moordenaar loopt met haar het water in en ketent haar vast. Het was koud die avond.'

'Hij droeg vast lieslaarzen of iets dergelijks. Daarna moest hij zijn auto weer in. Wat heeft het voor nut om een lijk in het water te dumpen als je het halve meer mee terugneemt in je auto?'

'Het was anders niet zo'n slecht idee om het water in te stappen.'

'Klopt. Hij zat natuurlijk onder het bloed.'

'Onze moordenaar wilde niet dat het lichaam gevonden werd. Hij liep met haar naar het diepe gedeelte zodat ze niet ontdekt zou worden. Hij verzwaarde haar met gewichten.'

Lena zweeg weer, maar hij wist dat ze te slim was om niet tot dezelfde conclusie te komen als hij.

Will verwoordde haar gedachten. 'Iémand wilde dat haar lichaam gevonden werd. Denk aan dat telefoontje naar 911.'

'Misschien heeft een van Tommy's buren iets gezien.'

'En die is hem dan naar het meer gevolgd, heeft gezien dat hij het lijk dumpte en...'

'Denkt u dat hij een handlanger heeft gehad?' vroeg Lena.

'Wat denkt u zelf?'

'Ik denk dat we in het gunstigste geval een doorslaggevende getuige hebben. We zullen op een gegeven moment met haar moeten praten, maar waarom is dat zo belangrijk als degene die naar eigen zeggen Allison heeft vermoord zelf dood is?'

Will keek om zich heen. Ze stonden tot aan hun enkels in de modder. De aarde was hier donkerder, vrijwel zwart waar het water begon. Op Allisons schoenen had zwarte modder gezeten, geen rode klei.

'Heeft Tommy nog iets gezegd over een eventueel vriendje van Allison?' vroeg Will.

'Denkt u niet dat we in dat geval nu met hem zaten te praten?'

Will zag een dikke eekhoorn met zwiepende staart tegen een boom op klauteren. Verschillende kleinere takken waren gebroken. De ondergroei was op sommige plaatsen geplet. In de verte hoorde hij een auto. 'Is er een weg in de buurt?'

'Zo'n anderhalve kilometer verderop.' Ze wees in de richting van het geluid. 'Daar ligt een vierbaansweg.'

'Staan er woningen?'

Lena perste haar lippen opeen en weigerde hem aan te kijken.

'Rechercheur?'

Ze staarde naar de grond en wreef wat modder van haar schoen. 'Tommy woonde daar in de buurt.'

'En Allison Spooner dus ook.' Will keek weer naar het meer. Het water kolkte. De aanlandige wind was als ijs op zijn huid. 'Hebt u ooit van een zekere Julie Smith gehoord?'

Lena schudde haar hoofd. 'Wie is dat?'

'Heeft Tommy het over vrienden gehad? Van hem of van Allison?'

'Daar was het verhoor niet op gericht.' Ze klonk afgemeten. 'Ik probeerde een moordbekentenis uit hem los te krijgen, niet zijn levensverhaal.'

Will bleef naar het meer kijken. Hij pakte dit helemaal verkeerd aan. Hun moordenaar was slim. Hij wist dat water elk bewijs zou uitwissen. Hij wist dat hij het lijk naar het diepere deel van het meer moest brengen. Waarschijnlijk had hij er goed over nagedacht voor hij Allison hiernaartoe lokte. Het drassige terrein, de modder en de dichte begroeiing: hij zou er zijn sporen moeiteloos kunnen verbergen.

Will rolde de pijpen van zijn spijkerbroek op. Zijn schoenen waren toch al doornat, dus die trok hij niet uit voor hij het meer in liep. Het koude water klotste in zijn gympen.

'Wat bent u aan het doen?'

Hij liep een paar passen het water in en liet zijn blik langs de oever gaan, waarbij hij de bomen en de ondergroei nauwlettend bekeek.

Lena zette haar handen in haar zij. 'Bent u gek geworden? U raakt nog onderkoeld!'

Will bestudeerde elke boom, elke tak, elk met onkruid en mos overwoekerd stuk grond. Tegen de tijd dat hij had gevonden wat hij zocht, had hij geen gevoel meer in zijn voeten. Hij liep naar een grote eik die schuin over het water hing. De knoestige wortels staken als een geopende hand in het meer. Aanvankelijk meende Will dat hij een schaduw op de schors zag, maar toen bedacht hij dat daar zon of een andere lichtbron voor nodig was.

Hij ging voor de boom staan terwijl zijn schoenen wegzakten in het slib op de bodem. Het stakerige takkengewelf van de loofboom torende wel dertig meter boven hem uit. De stam was ongeveer een meter in omvang en hing krom boven het water. Will was geen boomspecialist, maar in Atlanta stonden veel eiken en hij wist dat het bruin van de gegroefde schors in de loop van de jaren donkergrijs werd. De geschubde bast had de regen als een spons geabsorbeerd, maar Will had nog iets anders gezien nu hij in het water stond. Met zijn nagels krabde hij een stukje van de schors. Het hout liet een vochtig, roestkleurig residu achter. Hij wreef de korreltjes fijn tussen zijn vingers en kneep het vocht eruit.

Bloed was echt anders dan water.

'Wat is dat?' vroeg Lena. Met haar handen in haar zakken boog ze zich over het water.

Will dacht aan de zaklamp in zijn jaszak. 'Kijk eens.' Hij scheen over een donkere vlek die tegen de stam was gespat. Hij herinnerde zich wat Sara over Allisons wond had gezegd, dat het bloed er met hoge snelheid uit was gespoten, als uit een tuinslang waarvan de kraan helemaal openstond. Twee à tweeënhalve liter bloed. Dat was nogal wat.

'Ze heeft waarschijnlijk met haar gezicht op de grond gelegen, vlak bij het water,' zei Will. 'Het bloed is in een boog omhoog gespoten. U ziet dat de vlek hier, aan de voet van de boom, dikker is, want dat is dichter bij haar nek. Verder naar boven verspreidt het zich.'

'Dat is niet...' Lena zweeg. Nu zag ze het ook, naar haar geschokte blik te oordelen.

Will keek naar de lucht. Er vielen weer druppels. Veel respijt hadden ze niet gekregen. Dat maakte niet uit. Tenzij je de schors met een schrobber bewerkte, kreeg je de boom nooit helemaal schoon. Het hout had het teken des doods geabsorbeerd alsof het rook van een vuur was.

'Denkt u nog steeds dat de moordenaar een negentienjarige jongen is die bij zijn vader woont?' vroeg Will.

Een striemende wind kwam van het meer terwijl Lena naar de boom staarde. Haar ogen schoten vol tranen. Haar stem beefde. 'Hij heeft bekend.'

Will herhaalde Tommy's eigen woorden. '"Ik werd woedend. Ik had een mes bij me. Ik heb haar één keer in haar nek gestoken." Hebt u bloed in de garage gevonden?' vroeg hij.

'Ja.' Met de muis van haar hand veegde ze haar ogen af. 'Hij was het aan het wegboenen toen we daar kwamen. Ik zag een emmer, en er lag...' Haar stem stierf weg. 'Er lag bloed op de vloer. Ik heb het zelf gezien.'

Will rolde zijn broekspijpen weer af. Zijn schoenen zakten weg in de modder aan de voet van de boom. Hij zag dat een nieuwe kleur zich met de grond had vermengd, een donkere roestkleur die tot in de ribbeltjes op de punt van zijn gymschoen doordrong.

Lena zag het ook. Ze liet zich op haar knieën vallen. Ze stak haar vingers diep in de grond en pakte een handvol aarde. De grond was doorweekt, maar niet alleen van de regen. Ze liet de aarde weer vallen. Haar hand was donkerrood, besmeurd met het bloed van Allison Spooner.

Tien

Lena depte haar nek met een vochtig papieren handdoekje. Ze zat met haar rug tegen het toilethokje in de kleedkamer. Een agent was binnengekomen toen zij stond te kokhalzen. Hij was zonder een woord weer vertrokken.

Ze had nooit een sterke maag gehad. Haar oom Hank zei altijd dat ze daardoor totaal ongeschikt was voor haar werk. Niet dat hij blij zou zijn geweest als hij wist dat hij gelijk had.

'O jezus,' fluisterde ze, en het had niet veel gescheeld of ze was voor het eerst in een eeuwigheid gaan bidden. Wat had dat stomme joch bezield? Wat had ze verder nog over het hoofd gezien?

Ze sloot haar ogen. Er klopte helemaal niks meer van. Alles wat de vorige ochtend nog zo goed in elkaar had gepast, wrong nu van alle kanten.

Hij had het gedaan. Lena wist gewoon dat Tommy Allison had gedood. Tenzij je schuldig was, legde je geen moordbekentenis af. En al zou hij niet hebben bekend, dan hadden ze Tommy nog geen kwartier nadat het meisje uit het meer was opgevist in Allisons kamer aangetroffen, waar hij haar spullen doorzocht. Met een bivakmuts op zijn hoofd. Toen ze hem naderden, sloeg hij op de vlucht. Hij stak Brad neer, ook al was het dan met een briefopener. Lena had met eigen ogen gezien dat hij Brad neerstak. Ze had naar Tommy's bekentenis geluisterd. Ze had hem alles in zijn eigen stomme woorden zien opschrijven. En toen had hij zich van kant gemaakt. Door schuld overmand had hij zijn polsen doorgesneden omdat hij wist dat het fout was wat hij Allison had aangedaan.

Waarom twijfelde Lena dan aan zichzelf?

Verdachten logen altijd. Ze weigerden schuld te bekennen aan alle vreselijke dingen die ze hadden uitgespookt. Haarklovers, dat waren het. Ze bekenden schuld aan verkrachting, maar niet aan moord. Ze gaven toe dat ze een klap hadden uitgedeeld, maar niet dat ze iemand in elkaar hadden geslagen; dat ze iemand hadden neergestoken, maar niet dat ze hem hadden vermoord. Was het zo simpel? Had Tommy gelogen toen hij zei dat hij Allison in de garage had vermoord, omdat zijn misdaad dan begrijpelijker zou zijn, iets wat hij in een opwelling had gedaan?

Lena duwde haar hoofd tegen de muur.

Ze moest telkens aan dat stomme profiel denken waarmee Will Trent op de proppen was gekomen. Kil. Berekenend. Weloverwogen. Zo was Tommy niet. Hij was niet slim genoeg om alle variabelen te overzien. Dan had hij vooruit moeten denken, de betonblokken en de ketting paraat moeten hebben en ze dus van tevoren naar het meer hebben moeten brengen. Zelfs als Tommy de blokken na de daad had opgehaald, had hij moeten bedenken dat er bloed zou vloeien en had hij erop gerekend dat de regen zijn sporen zou uitwissen.

Al dat bloed. De grond was ervan doordrenkt.

Lena hees zich op haar knieën en hield haar hoofd boven de toiletpot. Haar maag draaide zich om, maar er zat niets meer in. Ze ging op haar hurken zitten en keek naar het reservoir. Het koele witte porselein staarde terug. Dit was haar hok, van haar alleen. Dit toilet was het enige stukje terrein dat ze voor zichzelf had veroverd in deze uniseks kleedkamer. De pisbakken waren vlekkerig als oudevrouwentanden. De twee overige toiletten waren ranzig. Ze stonken naar ontlasting, ongeacht hoe vaak ze werden schoongemaakt. Deze ochtend bleef het daar niet bij. De hele tent stonk naar stront. Het droop van boven naar beneden.

Met het papieren handdoekje veegde Lena haar mond af. De schotwond in haar hand klopte. Waarschijnlijk was hij ontstoken. De huid op haar pols voelde warm aan. Ze kneep haar ogen dicht. Kon ze hier maar weg. Lag ze maar weer in bed met Jared. Kon ze maar terugkeren naar de vorige dag en Tommy Braham net zolang door elkaar schudden tot hij haar vertelde wat er echt was gebeurd. Wat deed hij in Allisons kamer? Waarom stond hij in haar spullen te rommelen? Waarom droeg hij die bivakmuts? Waarom rende hij weg? En waarom had hij zichzelf in godsnaam van het leven beroofd?

'Lena?' fluisterde Marla Simms met haar krakerige stem. 'Heb je even?'

Lena duwde zich overeind. Ze besefte maar al te goed dat de enige plek in dit hele ellendige gebouw die ze de hare kon noemen het toilet was.

Marla had een opgevouwen stuk papier in haar handen. 'Gaat het?'

'Nee,' zei Lena, want liegen had geen zin. Ze hoefde alleen maar in de spiegel te kijken om te zien hoe ze eraan toe was. Haar haar zat in de war. Haar gezicht was rood en vlekkerig. Ze was suf van slaapgebrek en stond zo strak van de zenuwen dat ze leek te vibreren, ook als ze zich niet verroerde.

'Hier heeft agent Trent om gevraagd.' Marla klemde het papier tussen haar vingers en schonk Lena een geladen blik, alsof ze twee spionnen waren die voor de deur van het Kremlin een koffer uitwisselden. 'Het zat er gisteravond niet bij.'

Lena trok het velletje uit Marla's onwillige handen. Ze herkende haar eigen handschrift. De gekopieerde pagina kwam uit haar notitieboekje. Het was de transcriptie die ze van de 911-oproep had gemaakt. Ze probeerde de tekst te lezen, maar er zat een waas voor haar ogen. 'Ik dacht dat hij om de tape vroeg.'

'Als hij nog meer wil, zal hij daarvoor naar Eaton moeten rijden.' Ze zette haar handen op haar brede heupen. 'En zeg maar tegen hem dat ik zijn privésecretaresse niet ben. Wie denkt hij wel dat hij is dat hij iedereen loopt te commanderen?'

De man die dit politiekorps zou opheffen als ze niet precies deden wat hij zei. 'Heb je Frank vanochtend al gesproken?'

'Ik heb zo'n vermoeden dat hij gisteravond langs is geweest. Mijn dossiers lagen helemaal overhoop toen ik hier kwam.'

Lena wist al dat Frank Tommy's telefoon achterover had gedrukt en de foto uit Allisons portefeuille had verwijderd, maar toen ze deze nieuwe informatie hoorde, ging er een huivering door haar heen. 'Welke dossiers?'

'Allemaal. Ik weet niet waarnaar hij op zoek was, maar ik hoop dat hij het gevonden heeft.'

'Jij hebt Trent die incidentenrapporten gegeven.'

'Nou en?'

'Waarom?'

'Niemand spreekt graag kwaad van de doden, maar tegen iedereen die ernaar vraagt zeg ik gewoon waar het op staat. Tommy gedroeg zich de laatste tijd niet normaal. Hij haalde zich problemen op de hals, schreeuwde tegen mensen, bedreigde ze. Begrijp me niet verkeerd: hij was een lieve jongen toen hij klein was. Met van die schattige blonde krulletjes en mooie blauwe ogen. Dat is het beeld dat Sara van hem heeft. Maar ze heeft geen idee hoe hij de laatste tijd was. Ik denk dat er bij hem gewoon een stop is doorgeslagen. Misschien was het altijd al mis, maar hebben we het niet gezien. Wilden we het niet zien.' Driftig schudde Marla haar hoofd. 'Wat een zooi. Een gegarandeerde eersteklas puinhoop.'

Nu pas keek Lena Marla echt aan. De oudere vrouw behoorde niet tot haar grootste fans. In het gunstigste geval kon er een zuinig knikje af als Lena 's ochtends op het werk verscheen. Meestal keek ze niet eens op van haar bureau. 'Waarom praat je nu opeens met me?' vroeg Lena. 'Anders zeg je nooit iets tegen me.'

Dat was tegen het zere been. 'Neem me niet kwalijk dat ik je wilde helpen.' Ze maakte rechtsomkeert en liep met grote stappen weg.

Lena keek hoe de deur langzaam dicht knerpte. Het vertrek voelde klein en claustrofobisch. Ze kon hier niet de hele dag blijven zitten, hoewel ze zich uit een moeilijk te onderdrukken, intuïtieve drang het liefst voor Will Trent schuilhield. Larry Knox had tegen Frank gezegd dat Will een kantoorpik was in plaats van een politieman. Dat was ook Lena's eerste indruk geweest. Met zijn kasjmieren trui en zijn metroseksuele kapsel leek Will iemand die achter een bureau hoorde, om vijf uur uitklokte en dan naar huis ging, waar vrouw en kinderen op hem wachtten. De oude Lena zou hem als een praatjesmaker hebben weggezet, iemand die zich niet met haar kon meten en het recht niet had om de penning te dragen.

De oude Lena had zich zo vaak gebrand aan haar eigen overhaaste conclusies dat ze bijna vlam had gevat. Inmiddels was ze zo wijs om niet op haar eerste indruk af te gaan, maar de waarheid onder ogen te zien. Will was hiernaartoe gestuurd door een onderdirecteur voor wie de hoogste functie binnen handbereik lag. Jaren geleden had Lena Amanda Wagner eens ontmoet. Het was een taaie tante. Geen denken aan dat Amanda iemand van het tweede garnituur zou sturen, en al helemaal niet nu het verzoek van Sara Linton kwam. Will was waarschijnlijk een van de beste speurders van haar team. Dat kon niet anders. Binnen twee uur had hij geen spaan heel gelaten van Lena's pleidooi tegen Tommy Braham.

En nu was het moment aangebroken dat ze hem weer onder ogen moest komen.

Lena's voeten deden nog pijn van de tocht door het bos. Haar schoenen waren drijfnat. Ze liep naar haar kluis. Zodra haar vinger de draaischijf raakte, wist ze niet meer wat de combinatie was. Ze duwde haar voorhoofd tegen het koele metaal. Waarom was ze hier nog? Dat gedoe met Will Trent hield ze niet vol. Inmiddels stapelden de leugens en halve waarheden zich op en kon ze zich de helft niet meer herinneren. Telkens zette hij een nieuwe val voor haar en het gevoel bekroop haar dat het niet lang meer zou duren of ze trapte erin. Ze kon maar beter naar huis gaan voor ze zich versprak. Als Trent haar wilde tegenhouden, zou hij haar in de boeien moeten slaan.

Opeens wist ze de combinatie weer. Lena draaide aan de schijf en opende haar kluis. Ze keek naar haar regenjas, haar toiletspullen, alle troep die ze in de loop van de jaren had verzameld. Het enige wat ze zocht was het extra paar gymschoenen dat onderin lag. Net toen ze het deurtje wilde sluiten, bedacht ze zich. In een tampondoosje zat een foto van Jared van drie jaar terug. Hij stond bij het Sandford Stadium op het terrein van de University of Georgia. Het stadion was afgeladen. Georgia speelde tegen Louisiana State University. Overal om hem heen dromden studenten, maar hij was de enige die in de camera keek. Die naar Lena keek.

Op het moment dat ze de foto nam was ze verliefd op hem geworden: daar bij de poort van het lawaaiige stadion, omgeven door wildvreemde dronkenlappen. Lena was erin geslaagd het exacte moment vast te leggen waarop alles in haar leven was veranderd. Zou er ook iemand het moment vastleggen waarop alles weer werd teruggedraaid?

Waarschijnlijk de bureau-agent die haar arrestatiefoto maakte.

De deur vloog open. Vier agenten kwamen binnen, zo diep in gesprek dat ze Lena's aanwezigheid amper opmerkten. Ze schoof de foto van Jared in haar achterzak. Haar sokken waren doorweekt, maar toch trok ze haar reserve-gympen aan. Ze wilde hier weg. Ze zou straks dwars door de recherchekamer lopen, pal langs Will Trent, in haar auto stappen en naar huis rijden, naar Jared.

Diezelfde avond nog ging Lena pakken. Dan werd ze een van de velen die hun huissleutel in de brievenbus deponeerden voor de bank. Haar auto was in goede staat. Ze had genoeg gespaard om drie maanden van te kunnen leven, vier als ze Jared geen huur hoefde te betalen. Ze zou bij hem intrekken en dit alles achter zich proberen te laten, een nieuw leven proberen op te bouwen, een leven waarin de politie geen rol meer speelde.

Als ze niet achter de tralies belandde vanwege het hinderen van een onderzoek. Als ze niet werd veroordeeld wegens nalatigheid. Als Gordon Braham haar niet de grond in procedeerde. Als Frank Jareds gedachten niet vergiftigde. Jared zou hem nog geloven ook, want het mooie van liegen was dat mensen een leugen geloofden zolang die maar dicht genoeg bij de waarheid lag.

Lena sloeg het kluisdeurtje dicht en legde haar hand ertegenaan.

'Als jij die knakker van het GBI op zijn bek laat gaan,' zei een van de agenten, 'is er niemand die er een traan om laat.'

Ze trokken hun zware regenspullen aan. Will had foto's en monsters van de schors en de grond onder de boom genomen, maar hij had ook opdracht gegeven tot een grootschalig onderzoek van het omringende bos. Hij wilde meer foto's, tekeningen en schetsen. Hij wilde het team met de neus op het feit drukken dat ze een fout hadden gemaakt. Dat Lena een fout had gemaakt.

'Stomme idioot,' zei een andere agent.

Lena wist niet of hij Will of Tommy bedoelde. Wel zei ze gemaakt stoer: 'Was hij maar slim genoeg om te beseffen hoe stom hij is.'

Ze lachten allemaal nog toen ze de kleedkamer verliet. Lena trok haar jas aan. Vol gespeelde branie liep ze de recherchekamer door. Ze moest rustig worden. Ze moest zich wapenen tegen het volgende spervuur aan vragen dat Will Trent op haar zou loslaten. Hoe minder antwoorden ze gaf, hoe beter het voor haar zou zijn.

In haar hand had ze het papier dat Marla haar had gegeven. Al lopend liet Lena haar blik over de tekst gaan, zodat ze met niemand hoefde te praten. Bij de voordeur bleef ze staan. Ze las de transcriptie nogmaals. De woorden waren in haar handschrift, maar de laatste paar regels van de oproep waren verdwenen. De beller had gezegd dat Allison ruzie had gehad met haar vriendje. Waarom was dat gedeelte verwijderd?

Ze keek even naar Marla, die achter de balie zat. Marla keek terug en haar ene wenkbrauw schoot omhoog, tot boven de rand van haar bril. Ze was nog steeds boos, of anders wilde ze Lena een teken geven. Het was moeilijk te peilen. Lena keek weer naar de transcriptie. Het laatste gedeelte ontbrak, maar het was zo netjes afgeknipt dat je het niet zag. Had Marla met bewijs geknoeid? Frank had de vorige avond haar dossiers doorzocht. Waarom zou hij iets aan de transcriptie hebben veranderd zonder het tegen Lena te zeggen? Jezus, ze had haar notitieboekje met het origineel in haar achterzak zitten. Trent hoefde haar er alleen maar naar te vragen en Lena had een aanklacht aan haar broek wegens belemmering van het onderzoek en knoeien met bewijsmateriaal.

Nog voor Lena bij de voordeur was aangekomen, ging die open. Will Trent had buiten staan wachten en kennelijk was zijn geduld opgeraakt.

'Rechercheur,' zei hij bij wijze van groet. Hij had zijn nette schoenen weer aangedaan en de jas van Carl Phillips uitgetrokken. Zo te zien was hij even gretig als Lena terughoudend was.

Lena reikte hem het papier aan. 'Dit moest ik u van Marla geven. Ze zei ook dat u de tape zelf uit Eaton moest ophalen.'

'Bedankt, mevrouw Simms!' riep Will naar Marla achter

haar bureau. Hij nam het document aan. Zijn ogen schoten over het blad. 'U hebt het telefoontje toch gehoord?' Hij keek op. 'U hebt de transcriptie toch vanaf de tape gemaakt?'

'Het werd me vanaf het scherm gedicteerd. De audiotapes worden ergens anders bewaard. Het is niet moeilijk om eraan te komen.' Lena hield haar adem in en hoopte vurig dat hij haar niet zou vragen de tape op te sporen.

'Enig idee van wie dat telefoontje afkomstig was?'

Ze schudde haar hoofd. 'Het was een vrouwenstem. De nummerweergave was geblokkeerd en ze wilde niet zeggen wie ze was.'

'Hebt u deze kopie voor me gemaakt?'

'Nee. Ik heb hem van Marla gekregen.'

Hij wees naar een zwarte vlek op de pagina. 'Er zit kauwgom op het glas van jullie kopieerapparaat.'

Lena vroeg zich af waarom hij haar dat vertelde. Een politieman als Will Trent had ze nog nooit ontmoet. Hij maakte er een gewoonte van de echte vragen te omzeilen en in plaats daarvan losse opmerkingen te maken die nergens op leken te slaan tot het te laat was en ze wist dat ze haar hoofd in de strop had gestoken. Hij speelde een spelletje schaak terwijl zij niet eens kon dammen.

Lena besloot een eigen afleidingstactiek toe te passen. 'Laten we maar naar de plaats delict gaan als u nog op tijd wilt zijn voor de secties.'

'We waren net toch op de plaats delict?'

'We weten niet zeker wat er gebeurd is. Misschien heeft Tommy gelogen. Dat gebeurt toch ook in Atlanta? Dat boeven liegen tegen de politie?'

'Vaker dan me lief is.' Hij stopte de transcriptie in zijn koffertje. 'Voor hoe laat staan de procedures gepland?'

'Volgens Frank om halftwaalf.'

'Zei hij dat toen u hem gisteravond sprak?'

Lena probeerde zich het antwoord te herinneren dat ze Will eerder had gegeven. Ze had twee keer met Frank gepraat. Beide keren had hij er bij haar ingestampt wat ze over Tommy's bekentenis moest zeggen. Beide keren had hij opnieuw gedreigd dat hij haar leven kapot zou maken als ze hem en zijn dronken kop niet dekte.

Lena gaf een vaag antwoord in de hoop dat Will erin zou trappen. 'Dat heb ik u al verteld.'

Hij hield de voordeur voor haar open. 'Hebt u enig idee waarom de pers er niet bovenop zit?'

'De pers?' Als ze niet tot over haar oren in de ellende zat, zou ze gelachen hebben. 'De krant verschijnt niet vanwege de vakantie. Tomas Ross gaat rond deze tijd van het jaar altijd skiën.'

Will lachte geamuseerd. 'Er gaat niks boven plattelandsstadjes.' Er stak een koude wind op en hij duwde de deur met zijn schouder dicht. Hij stak zijn hand in de zak van zijn spijkerbroek. De pijpen waren nog steeds nat aan de onderkant. 'Laten we uw auto maar nemen.'

Lena had hem liever niet in haar Celica, en daarom knikte ze in de richting van Franks Town Car. Ze haalde haar sleutelbos tevoorschijn. Het district had een krap budget en Frank en zij deelden de auto.

Met een druk op de knop opende ze de portieren.

Will stapte niet in, maar fronste zijn wenkbrauwen toen hij de lucht rook die naar buiten walmde. 'Wordt er gerookt in die auto?'

'Dat doet Frank,' antwoordde Lena. De stank was erger dan anders. Hij had ongetwijfeld zitten kettingroken tijdens de rit naar Macon en terug.

'Is dit de auto van commissaris Wallace?'

Ze knikte.

'Waar is commissaris Wallace als dit zijn auto is?'

De gal steeg Lena naar de keel en ze slikte. 'Hij is met een patrouillewagen naar het ziekenhuis gegaan.'

Will zei niets, maar ze vroeg zich af of hij hiervan aantekening zou maken. Frank had een patrouillewagen genomen om onderweg niet aangehouden te worden. Te hard

rijden als er geen sprake was van een noodsituatie was verboden, maar het was het soort vergrijp waarbij vaak een
oogje werd dichtgeknepen.

'Kunt u met een versnellingspook overweg?' vroeg Will.

Nu was het Lena's beurt om de wenkbrauwen te fronsen.
Natuurlijk kon ze met een versnellingspook overweg.

'Laten we mijn auto maar nemen,' zei Will.

'Is dat een grapje of zo?' Nog voor ze die ochtend op het
bureau arriveerde, had Lena al over de Porsche gehoord.
De hele stad sprak erover: wat het ding gekost moest hebben, wat een rechercheur van het GBI ermee deed en vooral waarom hij de hele nacht voor het huis van de Lintons
had gestaan.

Zonder te kijken of ze hem volgde liep Will naar de overkant van het parkeerterrein. Hij bleef praten en al die tijd
zwaaide zijn leren koffer zachtjes heen en weer. 'Ik wil
graag wat meer over Allison Spooner weten. Zei u niet dat
ze uit Alabama kwam?'

'Ja.'

'En ze studeerde aan de technische hogeschool van Grant?'

'Ze stond bij de hogeschool ingeschreven,' antwoordde
Lena behoedzaam.

Will keerde zich naar haar toe. 'Dat betekent toch dat ze
daar studeerde?'

'Het betekent dat ze daar stond ingeschreven. We hebben nog niet met haar docenten gesproken. We weten niet
of ze daadwerkelijk college liep. Deze tijd van het jaar komen er veel telefoontjes van ouders binnen die zich afvragen waarom ze geen cijferlijsten ontvangen.'

'Denkt u dat Allison Spooner met haar studie was gestopt?' wilde hij weten.

Ze probeerde een nieuwe strategie. 'Ik denk dat ik u pas
iets vertel als ik zeker weet dat het honderd procent waar is.'

Hij gaf weer zo'n typisch knikje. 'Daar zit wat in.'

Lena wachtte op de volgende vraag, de volgende insinu-
atie. Maar Will liep door en hield zijn mond. Als hij dacht

dat hij haar met zijn nieuwe techniek kon breken, had hij het goed mis. Lena had haar hele leven al met stilzwijgende afkeuring te maken gehad. Die negeerde ze, daar was ze een kei in.

Het was zo koud dat ze wegdook in haar jas. In gedachten keerde ze terug naar haar eerdere gesprek met Will. Ze was zo woedend geweest omdat hij in Jeffreys kamer zat dat ze aanvankelijk geen aandacht had geschonken aan wat hij zei. Maar toen had hij Allisons portefeuille tevoorschijn gehaald, en had ze gezien dat de derde foto ontbrak.

Op die foto zat Allison naast een jongen die zijn arm om haar middel had geslagen, met iets links van hen een oudere vrouw. Ze zaten op een bank voor het studentencentrum. Lena had de foto lang genoeg bekeken om zich de details te kunnen herinneren. De jongen was van Allisons leeftijd. Hij had de capuchon van zijn sweater over zijn voorhoofd getrokken, maar ze had gezien dat hij bruin haar en bruine ogen had. Op zijn weke kin groeide een pluizig baardje. Hij was wat dikkig, zoals veel studenten aan de hogeschool, die overdag in de collegezaal zaten en hele nachten aan het gamen waren.

De vrouw op de foto kwam duidelijk uit het armere deel van de stad. Ze was in de veertig of ouder. Bij vrouwen met een harde uitstraling was dat na een bepaalde leeftijd moeilijk te zeggen. Het goede nieuws was dat ze niet langer zichtbaar verouderden. Het slechte nieuws dat ze al minstens negentig leken. Elke rimpel op haar gezicht getuigde van haar rookverslaving. Haar geblondeerde haar was droog als stro.

Ook Tommy's mobiel ontbrak aan het bewijsmateriaal. Frank had die op straat aan Lena gegeven. Hij had het ding in Tommy's broekzak gevonden toen hij hem fouilleerde voor hij hem op de achterbank van de patrouillewagen liet plaatsnemen. Ze had het apparaat in een plastic zak gestopt, die verzegeld, de gegevens genoteerd en het als bewijsmateriaal geregistreerd.

De vorige avond was op zeker moment zowel de foto uit Allisons portefeuille als Tommy's mobiel verdwenen.

Er was maar één persoon die het bewijsmateriaal verstopt kon hebben, en dat was Frank. Volgens Marla had hij haar dossiers doorzocht. Waarschijnlijk had hij ook met de transcriptie van de 911-oproep geknoeid. Maar waarom? Uit de foto en het telefoontje bleek dat Allison mogelijk een vriendje had. Misschien wilde Frank de jongen opsporen voor Will Trent hem vond. Frank had tegen Lena gezegd dat ze zich aan de waarheid moesten houden, althans aan een zo zuiver mogelijke versie van de waarheid. Waarom zocht hij dan achter haar rug naar een andere verdachte?

Lena veegde met haar hand over haar ogen. Er stond een snijdende wind waarvan haar neus en ogen gingen lopen. Ze had dringend behoefte aan een stil kwartiertje om dit alles te verwerken. Met Will in de buurt maakte ze zich alleen maar zorgen om de volgende vraag die hij op haar afvuurde.

'Bent u zover?' vroeg Will. Ze stonden nu bij de Porsche. Het model was ouder dan Lena had verwacht. Er was geen afstandsbediening om de portieren mee te ontgrendelen. Die taak nam Will op zich, waarna hij haar de sleutel gaf.

Weer voelde Lena een golf van spanning. 'Stel dat ik ergens tegenaan knal met dit ding?'

'Ik zou het zeer op prijs stellen als u dat niet deed.' Hij boog zich naar voren en legde zijn koffertje achter de passagiersstoel.

Lena kon zich amper verroeren. Dit voelde als een val, maar de reden ontging haar.

'Is er iets?' vroeg Will.

Lena gaf zich gewonnen en ging op de kuipstoel zitten, die overigens meer weg had van een ligstoel. Toen ze haar voeten naar de pedalen uitstrekte, waren haar kuiten maar een paar centimeter van de vloer verwijderd.

Will opende het portier aan de passagierskant. 'Hebt u

geen auto voor het werk?' vroeg Lena.

'Van mijn chef moest ik hier zo snel mogelijk naartoe.' Hij schoof de stoel eerst naar achteren voor hij instapte. 'Aan de voorkant kun je hem bijstellen,' zei hij. Lena stak haar hand naar beneden en trok de stoel wat dichter naar het stuur toe. Wills benen waren ongeveer drie meter langer dan die van haar. Tegen de tijd dat ze de koppeling en het gaspedaal had gevonden, zat ze praktisch klem tegen het stuur.

Will was ook met zijn stoel aan het hannesen. Hij schoof hem zo ver mogelijk naar achteren en liet hem toen zakken om niet met zijn hoofd tegen het dak te stoten. Uiteindelijk vouwde hij zichzelf als een origamifiguur in de auto. Terwijl ze wachtte tot hij zijn gordel had omgedaan, bekeek ze hem tersluiks. Op zijn lengte na zag hij er redelijk gewoon uit. Hij was mager, maar zijn schouders waren breed en gespierd, alsof hij veel tijd in de sportschool doorbracht. Zijn neus was kennelijk ooit gebroken geweest. Op zijn gezicht zag ze vage littekens, van het soort dat je bij een vuistgevecht oploopt.

Nee, hij was absoluut niet Amanda Wagners tweede keus.

'Oké,' zei Will toen hij zich eindelijk had geïnstalleerd.

Ze stak haar hand uit naar het contact, maar vond het niet.

'Het zit aan de andere kant.' Het bleek links van het stuur te zitten.

'Dat heeft met de races van Le Mans te maken. Zo kun je met je ene hand de auto starten terwijl je met de andere schakelt.'

Lena was zeer rechtshandig en pas na een paar pogingen slaagde ze erin de sleutel om te draaien. De motor begon te brullen. Onder zich voelde ze de stoel trillen. De koppeling drukte tegen de bal van haar voet.

Ze wilde wegrijden, maar Will hield haar tegen. 'Geef hem een paar minuten om warm te draaien.'

Lena haalde haar voet van het pedaal. Ze keek de straat in. Will had de auto aan het uiteinde van het terrein geparkeerd, met de neus naar voren. Zo had ze goed zicht op de kinderkliniek aan de overkant. Sara's kliniek. Ze vroeg zich af of hij zijn auto met opzet op die plek had geparkeerd. Hij leek alles zeer weloverwogen aan te pakken. Of misschien was ze zo paranoïde dat ze hem niet eens kon zien ademen zonder het gevoel te hebben dat het deel uitmaakte van een ingewikkeld plan om haar onderuit te halen.

Will stelde weer een van zijn lukrake vragen. 'Wat vindt u van die 911-oproep?'

Ze vertelde hem de waarheid. 'Ik vind het vreemd dat het van een geblokkeerd nummer kwam.'

'Ze wilde een nepzelfmoord melden. Waarom?'

Lena schudde haar hoofd. De beller was wel de laatste om wie ze zich op dat moment bekommerde. 'Misschien had Tommy met haar gepraat. Misschien werkte ze met hem samen. Was ze een handlangster. Een jaloers vriendinnetje.'

'Tommy leek me niet bepaald een donjuan.'

Nee, dat was hij zeker niet. Tijdens het verhoor had Lena hem gevraagd zich wat nauwkeuriger uit te drukken, want ze had het vermoeden dat hij niet precies wist wat seks was.

'Heeft Tommy het nog over een eventueel vriendinnetje gehad?' vroeg Will.

Ze schudde haar hoofd.

'We zouden het links en rechts kunnen vragen. Het meisje dat over die nepzelfmoord belde, wist in elk geval dat er iets aan de hand was. Ze legde duidelijk een basis voor Tommy's verdediging.'

Met een ruk draaide Lena haar hoofd om. 'Hoezo?'

'Dat telefoontje. Ze zei dat Allison ruzie had gehad met haar vriend. Daarom was ze bang dat ze zelfmoord ging plegen. Over Tommy heeft ze niks gezegd.'

Lena voelde haar bloed verkillen. Ze omklemde het

stuur. In Franks aangepaste transcriptie stond niets over een vriend. Will had ongetwijfeld al contact opgenomen met de centrale in Eaton. Waarom had hij Marla dan om die tape gevraagd?

Het was een val. En Lena was er zojuist ingelopen.

Wills stem klonk vlak. 'Uiteraard moeten we die vriend zien te vinden. Hij kan ons waarschijnlijk op het spoor van de beller brengen. Had Allison foto's op haar kamer? Liefdesbrieven? Een computer?'

Foto's. Wist hij dat er een foto ontbrak? Lena's keel was zo rauw dat ze niet kon slikken. Ze schudde haar hoofd.

Will haalde zijn koffertje achter zijn stoel vandaan. Hij klikte de slotjes open. Lena hoorde een hoge pieptoon. Ze kreeg het benauwd en er trok een waas voor haar ogen. Ze vroeg zich af of het zo voelde als je een paniekaanval kreeg.

'Hm,' mompelde Will terwijl hij in zijn koffer zocht. 'Ik heb mijn bril niet bij me.' Hij stak de transcriptie omhoog. 'Zou u misschien...?'

Lena's hart bonkte tegen haar ribben. De rand van het stuk papier dat Will in zijn hand hield, fladderde heen en weer op de luchtstroom uit de verwarming.

Ze kon alleen nog fluisteren. 'Waarom doet u dit?'

Elk woord was van angst doortrokken. Will keek haar langdurig aan, en ze kreeg het gevoel dat haar ziel werd losgepeld van haar lichaam. Ten slotte gaf hij een van zijn eigenaardig knikjes, alsof hij tot een besluit was gekomen. Hij stopte de transcriptie weer in zijn koffer en klikte de slotjes dicht.

'Kom, dan gaan we naar Allisons kamer.'

Taylor Drive was nog geen tien minuten rijden van het politiebureau, maar het ritje leek uren te duren. Lena was zo panisch dat ze een paar keer vaart minderde omdat ze bang was dat ze moest overgeven. Ze moest zich op Frank concentreren, uitvinden hoeveel nagels hij in haar doodskist zou slaan, maar ze kon alleen aan Tommy Braham denken.

Hij was gestorven tijdens haar dienst. Hij was haar arrestant. Hij viel onder haar verantwoordelijkheid. Ze had hem niet gefouilleerd toen ze hem in de cel stopte. Omdat hij zo sloom was, was ze ervan uitgegaan dat hij van alle sluwheid verstoken was. Wie was er nou dom? Lena achtte de jongen in staat om een moord te plegen, maar tegelijkertijd vond ze hem zo onnozel dat ze hem opsloot terwijl hij een scherp voorwerp op zijn lichaam had verborgen. Frank had gelijk: ze mocht blij zijn dat Tommy het wapen niet tegen iemand anders had gebruikt.

Wanneer had Tommy de inktpatroon uit haar pen gehaald? Hij was op dat moment ongetwijfeld al van plan er iets ergs mee te doen. Tegen de tijd dat hij zijn bekentenis had opgeschreven, was Tommy in tranen. De doos met papieren zakdoekjes was leeg. Lena had hem nog geen halve minuut alleen gelaten om een nieuwe doos te halen. Toen ze de kamer weer binnenkwam, hield hij zijn handen onder de tafel. Ze had zijn neus afgeveegd alsof hij een kind was. Ze had hem getroost, over zijn schouder gewreven, gezegd dat alles goed zou komen. Hij leek haar te geloven. Hij had zijn neus gesnoten en zijn tranen gedroogd. Ze had gedacht dat Tommy zich bij zijn lot had neergelegd, maar misschien was het lot waarvoor hij had gekozen heel anders dan wat Lena in gedachten had gehad.

Was het uit medeleven met Tommy of uit een intuïtieve drang tot zelfbehoud dat Lena de briefopener waarmee hij Brad Stephens had verwond niet had laten verdwijnen? De vorige avond had ze overwogen hem van een van de ontelbare betonnen bruggen tussen hier en Macon te gooien. Maar dat had ze niet gedaan. Hij lag nog steeds in een plastic zak onder het reservewiel in de kofferbak van haar auto. Lena had hem niet thuis willen bewaren. Nu vond ze het een akelig idee dat het ding zich zo dicht bij het politiebureau bevond. Frank had met papieren geknoeid. Hij had het aanhoudingsprotocol geschonden. Hij had gerommeld met bewijsmateriaal. Het zou haar niet verbazen als die oude vent haar auto ook doorzocht.

Jezus. Waar was hij nog meer toe in staat?

Ze sloeg rechts af Taylor Drive in. De vorige avond had het gestortregend en het bloed op straat was weggespoeld. In gedachten zag ze het tafereel echter weer voor zich. Brad die de regendruppels had weggeknipperd. Zijn gezicht dat al grauw werd toen de helikopter landde.

Lena reed de auto naar de overkant van de straat en stopte. 'Hier is Brad neergestoken.'

'Waar woonde Spooner?' vroeg Will.

Ze wees voor zich uit. 'Vier huizen verderop, aan de linkerkant.'

Hij keek de straat in. 'Welk nummer?'

'16a.' Lena trok weer op en reed weg van de plek waar Brad was neergestoken. 'Het adres hebben we van de hogeschool gekregen. We zijn hiernaartoe gegaan om te kijken of er een kamergenote of een huiseigenaar was met wie we konden praten.'

'Hadden jullie een huiszoekingsbevel?'

Dat had hij al eerder gevraagd. Ze gaf hem hetzelfde antwoord. 'Nee. We kwamen niet met de bedoeling om het huis te doorzoeken.'

Ze wachtte op zijn volgende vraag, maar Will zweeg. Lena vroeg zich af of het waar was wat ze hem had verteld. Ook als Tommy niet in Allisons kamer was geweest, zouden ze een manier hebben gevonden om de garage binnen te komen. Gordon Braham was niet thuis. Frank kennende zou hij het slot hebben geforceerd en Allisons kamer hoe dan ook zijn binnengegaan. Hij zou gezegd hebben dat je beter om vergeving dan om toestemming kon vragen, of iets in die trant. Niemand zou iets zeggen van een simpele inbraak als het ging om de moord op een studente van de hogeschool.

'Hebben jullie een buurtonderzoek gehouden?' vroeg Will.

Lena parkeerde de auto voor het huis van de Brahams.

'Dat hebben de agenten van de patrouilledienst gedaan. Iedereen heeft hetzelfde gezien.'

'En hoe is het precies gegaan?'

'Brad werd neergestoken.'

'Vertel het eens vanaf het begin. Jullie kwam aangereden...'

Ze probeerde adem te halen. Haar longen vulden zich slechts tot de helft. 'We liepen naar de garage...'

'Nee,' onderbrak hij haar. 'Ga eens terug naar het begin. Jullie reden naar het huis. En toen?'

'Brad was er al.' Ze verzweeg de roze paraplu en Franks woede-uitbarsting.

'Jullie stapten uit?' drong Will aan. Hij dwong haar om alles in detail door te nemen.

Ze opende het portier. Trage, dikke regendruppels spatten op haar gezicht. Will was inmiddels ook uitgestapt. 'De regen was afgenomen,' zei ze. 'Het zicht was goed.' Ze liep de oprit op. Will liep naast haar met zijn koffertje in zijn hand. Toen ze boven aan de heuvel was, zag ze dat de garage met geel politielint was afgezet. Dan was Frank de vorige avond teruggekomen. Of misschien had hij er een patrouillewagen op afgestuurd om de plek te markeren en de indruk te wekken dat ze dit serieus aanpakten. Ze had geen zicht meer op wat hij deed of waarom hij het deed.

Will opende zijn koffertje en haalde er een papier uit. 'Het huiszoekingsbevel kwam binnen toen u uw jas aantrok.'

Hij gaf het document aan Lena. Ze zag dat het was afgegeven door een rechter in Atlanta.

'En toen?' vroeg hij. 'Ik neem aan dat de garagedeur dichtzat toen jullie naderden.'

Ze knikte. 'We stonden hier ongeveer, met z'n drieën. Er brandde geen licht. Er stonden geen auto's op de oprit of op straat.' Ze wees naar de scooter. Modder zat vastgekoekt aan de kunststof spatborden. 'Het slot en de ketting zagen er hetzelfde uit.' Lena bekeek de scooter nog eens goed, blij met de troep die aan de banden kleefde. Tommy had ermee naar het bos kunnen rijden. Er zouden geen sporen meer te vinden zijn, maar de modder aan de wielen zou dezelfde zijn als de modder bij het meer.

'Rechercheur?'

Lena draaide zich om. Ze had zijn vraag niet gehoord.

'Hebt u bij de voordeur van het huis aangeklopt?'

Ze wierp een blik op het huis. Ook nu brandde er geen licht. Bij de deur lag een bosje bloemen. 'Nee.'

Will boog zich voorover en trok de metalen garagedeur open. Die rolde omhoog met een oorverdovend geratel dat de halve buurt moest hebben gehoord. Lena zag het bed, de tafel, de papieren en tijdschriften die overal verspreid lagen. Bij de ingang, waar Frank was gevallen, lag een plas bloed met een vliesje ijs erop. De snee in zijn arm was blijkbaar dieper dan ze had gedacht. Een dergelijke wond kon onmogelijk met een briefopener zijn toegebracht. Had hij zichzelf gestoken?

'Hebt u de garage in deze staat aangetroffen?' vroeg Will.

'Zo ongeveer.' Lena sloeg haar armen over elkaar. De kou drong door haar jas heen. Na Tommy's bekentenis had ze moeten teruggaan om Allisons spullen te doorzoeken op aanwijzingen die Tommy's verhaal konden onderbouwen. Daarvoor was het nu te laat. De beste dienst die Lena zichzelf kon bewijzen was zich als rechercheur opstellen in plaats van zich als een verdachte te gedragen. Waarschijnlijk lag het moordwapen hier ergens. De scooter was een prima aanwijzing. De vlek bij het bed was nog beter. Mogelijk had Tommy Allison een klap tegen haar hoofd gegeven en haar vervolgens meegenomen naar het bos om haar te vermoorden. Misschien was hij van plan geweest haar in het meer te verdrinken. Het meisje was weer bijgekomen en toen had hij haar in haar nek gestoken. Tommy had zijn hele leven in Grant County gewoond. Hij was ongetwijfeld talloze keren bij de baai geweest. Hij wist waar de bodem van het meer diep werd. Hij wist dat hij het lichaam naar het diepe moest brengen om te zorgen dat het niet snel werd gevonden.

Lena slaakte een zucht. Ze kon weer ademen. Dit alles klopte. Tommy had gelogen over de manier waarop hij Allison had gedood, maar hij hád haar gedood.

Will kuchte. 'We gaan weer even een paar stappen terug. Jullie stonden hier met z'n drieën. De garage was dicht. Het huis maakte een verlaten indruk. En toen?'

Het duurde even voor Lena zichzelf weer helemaal in de hand had. Ze vertelde dat Brad binnen een indringer met een bivakmuts had gezien. Hij was om het gebouw heen gelopen, waarna ze zich verspreidden om de verdachte op heterdaad te betrappen.

Will leek maar half te luisteren terwijl ze de gebeurtenissen de revue liet passeren. Met zijn handen op zijn rug stond hij in de deuropening van de garage en liet zijn blik door het vertrek gaan. Lena vertelde hem net dat Tommy weigerde om het mes te laten zakken toen ze zag dat Will naar de bruine vlek bij het bed keek. Hij liep de garage in en knielde neer om die vlek te bestuderen. Naast hem stond de emmer met smerig water die ze de vorige dag ook had gezien. Ernaast lag de aangekoekte spons.

Hij keek naar haar op. 'Ga door.'

Lena moest even nadenken voor ze weer wist waar ze was gebleven. 'Tommy stond achter die tafel.' Ze knikte naar de scheve tafel.

'De deur maakt behoorlijk wat lawaai als hij omhoog wordt gerold. Had hij het mes al in zijn hand?'

Lena zweeg. Ze probeerde zich te herinneren wat ze de eerste keer had geantwoord toen Will haar die vraag stelde. Hij wilde toen weten of Tommy een schede aan zijn riem droeg waarin hij het mes bewaarde. Ook wilde hij weten of het hetzelfde mes was als dat waarmee Allison Spooner was gedood.

'Toen ik hem zag, had hij het mes al in zijn hand. Ik weet niet waar hij het vandaan had. Misschien van de tafel.'

Natuurlijk had het op tafel gelegen. Er lag daar ook een gedeeltelijk geopende envelop, het soort reclamepost met kortingsbonnen die niemand ooit gebruikte.

'Wat is u nog meer opgevallen?'

Ze wees naar de emmer met bruinig water naast het bed. 'Hij had schoongemaakt. Ik vermoed dat hij haar hier een klap tegen het hoofd heeft gegeven of haar bewusteloos heeft geslagen. Hij legde haar op de scooter en...'

'In zijn bekentenis staat niets over schoonmaken.'

Nee, dat klopte. Het was niet eens bij Lena opgekomen om hem naar de emmer te vragen. Ze had alleen maar aan Brad gedacht, aan zijn grauwe gezicht die laatste keer dat ze hem had gezien. 'Verdachten liegen nou eenmaal. Tommy wilde niet vertellen hoe hij het gedaan had. Hij verzon een verhaal waardoor hij in een gunstiger licht kwam te staan. Dat soort dingen gebeuren voortdurend.'

'Hoe ging het verder?' vroeg Will.

Lena slikte en probeerde het beeld van Brad dat telkens voor haar ogen opdoemde, te verdringen. 'Ik naderde de verdachte van rechts.'

Will had zijn koffer op het bed gelegd en opengeklikt. 'Rechts voor u of voor hem?'

'Voor mij.' Ze zweeg weer. Will had een soort veldkit gepakt. Ze herkende de drie flesjes die hij uit de plastic hoes haalde. Hij ging de vlek aan de Kastle-Meyertest onderwerpen om te zien of het bloed was.

Deze keer vroeg Will haar niet om verder te gaan met haar verhaal. Hij haalde een schoon wattenstaafje uit de veldkit en druppelde er wat ethanol uit een van de flesjes op. Hij raakte de vlek met het staafje aan en rolde het voorzichtig heen en weer over de bruine substantie. Uit het tweede flesje druppelde hij er het reagens fenolftaleïne op. Met ingehouden adem keek Lena toe terwijl hij uit het laatste flesje waterstofperoxide op het mengsel druppelde. Ze had de procedure op de opleiding geleerd en de test zelf ontelbare keren uitgevoerd. Als de bruine vlek van menselijk bloed afkomstig was, zou de punt van het wattenstaafje meteen felroze kleuren.

Het staafje verkleurde niet.

Will begon de veldkit weer in te pakken. 'En verder?'

Lena was finaal de draad kwijt. Ze kon haar blik niet van de vlek losmaken. Dat móést bloed zijn. Het had dezelfde vorm en dezelfde kleur als een bloedvlek. Tommy was in Allisons kamer geweest en had haar spullen doorzocht. Hij zag eruit als een inbreker. Hij stond op twee passen afstand van Allisons bloed, met een mes in zijn hand.

Geen mes. Een briefopener.

En het was Allisons bloed niet.

'Dus u naderde Tommy van rechts,' drong Will aan. 'Waarnemend commissaris Wallace bevond zich rechts van u?'

'Links, voor u rechts.'

'Hebt u op dat moment gezegd dat u van de politie was?'

Lena hield haar adem weer in. Nu moest ze tegen hem liegen. Ze kon onmogelijk zeggen dat ze het niet meer wist, want dan gaf ze toe dat ze de meest elementaire procedure bij het aanhouden van een verdachte niet had gevolgd.

'Rechercheur?'

Lena liet haar adem langzaam ontsnappen en probeerde zich er met sarcasme van af te maken. 'Ik weet heus wel hoe ik mijn werk moet doen.'

Hij knikte ernstig. 'Laten we het hopen.' In plaats van de druk op te voeren gaf hij haar wat ruimte. 'Vertel eens wat er daarna gebeurde.'

Lena vervolgde haar verhaal terwijl Will de garage rondliep. Het was er krap, maar hij onderzocht elke vierkante centimeter. Telkens als hij bleef staan om iets beter te bekijken – de schragen tegen de achterwand, een metalen strip die uit de gleuf van de garagedeur stak – sloeg haar hart over.

Ondertussen vertelde ze hem het hele verhaal: Tommy

die de straat op rende en Brad die de achtervolging inzette. De steekpartij. De komst van de ambulancehelikopter. Ten slotte zei ze: 'De helikopter steeg op en ik liep naar de auto. Tommy zat er al in, geboeid. Ik ben met hem naar het bureau gereden. De rest van het verhaal kent u.'

Will krabde over zijn kaak. 'Hoeveel tijd is er volgens u verstreken tussen het moment waarop Tommy u neersloeg en het moment waarop u weer overeind krabbelde?'

'Geen idee. Tien seconden. Vijftien.'

'Hebt u uw hoofd gestoten?'

Lena's hoofd deed nog steeds pijn van de klap. 'Ik weet het niet.'

Will stond nu achter in de kamer. 'Hebt u dit gezien?'

Ze moest zichzelf dwingen om de garage in te lopen. Hij wees naar een gat in de muur en met haar blik volgde ze zijn vinger. Het gat was rond met scherpe randen en ongeveer zo groot als een kogel. Automatisch keek Lena naar de voorkant van de garage, waar Frank had gestaan. De baan van het projectiel klopte. Er lag geen huls op de vloer. Ze hoopte vurig dat Frank zo slim was geweest om achter de garage te kijken. De kogel was niet gestopt nadat hij haar hand had geschampt, maar had een gat in de metalen wandplaat geslagen. Hij moest ergens buiten liggen en had zich waarschijnlijk in de aarde geboord.

'Heeft iemand zijn wapen afgevuurd?' vroeg Will.

'Het mijne is niet afgegaan.'

Hij keek naar de pleisters aan de zijkant van haar hand. 'Dus u lag hier op de vloer.' Hij liep naar het bed en bleef staan waar ze was gevallen.

'Dat klopt.'

'U stond op en zag Frank Wallace op de grond liggen. Lag hij op zijn buik? Op zijn zij?'

'Op zijn zij.' Lena volgde Will toen hij langzaam naar de voorkant van de garage liep. Ze stapte over tijdschriften heen die tijdens de worsteling alle kanten op waren gevlogen. In een flits zag ze een foto van een ouder model

Mustang dat tegen de zijkant van een racebaan kleefde.

Will wees naar het kartelige metaal dat uit de sleuf van de garagedeur stak. 'Dit ziet er link uit.'

Weer opende hij zijn koffertje. Vakkundig plukte hij met een pincet een paar draadjes lichtbruine stof van het scherpe metaal. Frank had een lichtbruine jas, van het merk London Fog; hij droeg hem al zolang Lena hem kende.

Will reikte haar de bloedtest aan. 'U kunt hier ongetwijfeld mee overweg.'

Met bevende handen pakte ze de veldkit aan. In navolging van Will druppelde ze het reagens op het wattenstaafje. Het wekte bij geen van beiden verbazing toen de punt felroze kleurde.

Will draaide zich weer om en keek de garage rond. Ze hoorde hem bijna denken. Door haar betrokkenheid bij het voorval kon Lena zich bij uitstek een beeld van de toedracht vormen. Tommy had de tafel in haar richting geschoven. Frank was in paniek geraakt of geschrokken of iets dergelijks, maar om de een of andere reden had hij de trekker van zijn pistool overgehaald. Het schot had doel gemist, maar wel een hap uit Lena's hand genomen. Frank had zijn pistool laten vallen. Waarschijnlijk had de terugstoot van de Glock hem verrast. Of misschien was hij tegen die tijd zo dronken dat hij zijn evenwicht verloor. Hij tuimelde opzij en haalde zijn arm open aan het scherpe metaal dat uit de sleuf van de deur stak. Hij viel op de vloer. Toen Lena overeind krabbelde, klemde hij zijn arm vast. Ondertussen vluchtte Tommy weg over de oprit, met de briefopener in zijn hand.

Keystone Kops. Een komisch nummer, dat waren ze.

Hoeveel had Frank de vorige ochtend gedronken? Hij had met zijn flacon in de auto gezeten terwijl Lena keek hoe Allison uit het meer werd gevist. Tijdens de rit had hij drie of vier slokken genomen. En daarvoor? Hoeveel drank had hij tegenwoordig nodig om zijn bed uit te komen?

Zwijgend pakte Will het wattenstaafje en de flesjes en

borg alles weer netjes op. Ze verwachtte een opmerking over de plek waar ze waren, over wat er in werkelijkheid was gebeurd. Maar het enige wat hij vroeg was: 'Waar is de badkamer?'

'Wat?' zei Lena verward.

'De badkamer.' Hij wees om zich heen en Lena begreep waarop hij doelde. De kamer was één open ruimte. Er was geen badkamer. Er was niet eens een toilet. Het meubilair was spartaans: een bed dat eruitzag alsof het in een dumpzaak was gekocht en een klaptafel van het soort dat bij kerkbazaars werd gebruikt. In de hoek stonden een klein tv-toestel met aluminiumfolie op de antenne en een aangesloten Playstation. In plaats van een ladekast waren er metalen planken aan de wand bevestigd. Die lagen boordevol T-shirts, spijkerbroeken en honkbalpetten.

'Waarom droeg Tommy een bivakmuts?' vroeg Will.

Lena had het gevoel dat ze een handvol grind had ingeslikt. 'Hij zei dat hij die droeg vanwege de kou.'

'Het is hier inderdaad koud,' beaamde Will. Hij stopte de veldkit in zijn koffer. Lena's gezicht vertrok toen hij de slotjes dichtklikte. Het geluid weerklonk als een schot. Of als een dichtslaande celdeur.

De autotijdschriften. De vuile lakens op het bed. Het ontbreken van zelfs de allerelementairste voorzieningen. Allison Spooner kon onmogelijk in deze troosteloze garage hebben gewoond.

Maar Tommy Braham wel.

Elf

Brocks Uitvaartcentrum was in een van de oudste panden van Grant County gevestigd. Aan het begin van de twintigste eeuw had de toenmalige directeur Onderhoud van het spoorwegemplacement het victoriaanse kasteel laten bouwen, met torentjes en al. Dat hij daarvoor geld van de spoorwegmaatschappij had gebruikt, werd later een zaak voor de openbare aanklager. Uiteindelijk werd het kasteel op de trappen van het gerechtshof geveild en verkocht aan John Brock, de plaatselijke begrafenisondernemer.

Van haar opa Earnshaw wist Sara dat de hele stad een zucht van opluchting had geslaakt toen de familie Brock Main Street verliet, vooral de slager die de pech had gehad pal naast hen te wonen. Het souterrain en de begane grond van het kasteeltje werden ingericht als rouwcentrum, en het gezin nam zijn intrek op de bovenverdieping.

Sara was samen met Dan Brock opgegroeid. Hij was een wat onhandige, serieuze knaap geweest, het soort jongen dat zich beter op zijn gemak voelde bij volwassenen dan bij leeftijdgenoten. Van heel nabij had ze het genadeloze geplaag meegemaakt dat Dan op de basisschool had moeten ondergaan. De pestkoppen hadden zich als piranha's op hem gestort en pas op de middelbare school, toen Dan tijdens een groeistuip voorbij de een meter tachtig schoot, was er een eind aan gekomen. Als het langste meisje van de klas en vervolgens als de op een na langste leerling van de school was Sara altijd blij geweest wanneer Dan in de buurt was.

Toch zag ze in hem nog steeds de slungelige tienjarige jongen die de meisjes in de schoolbus in gegil deed uitbarsten omdat hij luizen van dode mensen zou hebben.

Een begrafenisstoet stond op het punt van vertrek toen Sara het parkeerterrein op reed. De dood was een goedlopend bedrijf, ook in tijden van zware crisis. Het oude victoriaanse gebouw was prima onderhouden. Het zat strak in de verf en had een nieuw pannendak. Sara keek naar de rouwenden die naar buiten kwamen en zich opmaakten voor de korte tocht naar de begraafplaats.

Daar stond een marmeren grafsteen met Jeffreys naam erop. Sara had zijn as meegenomen naar Atlanta, maar zijn moeder had in een vlaag van godsdienstfanatisme op een echte begrafenis aangedrongen. Tijdens de dienst was de kerk zo vol geweest dat de achterdeuren open waren gezet zodat de mensen buiten op de trap de dominee ook konden horen. Iedereen liep achter de lijkwagen aan in plaats van de auto te nemen.

De mensen die de nauwste band met Jeffrey hadden gehad, hadden elk iets in de kist gestopt wat herinnerde aan hun vriend, hun chef of hun mentor. Zijn jeugdvrienden kwamen met een footballprogramma van Auburn University, met Jeffrey op de cover. Eddie had er een hamer bij gedaan die Jeffrey had gebruikt toen ze samen in de achtertuin een schuur hadden gebouwd. Haar moeder had er de oude braadpan in gestopt waarmee ze Jeffrey had geleerd hoe je kip moest braden. Van Tessa was een ansichtkaart die hij haar uit Florida had gestuurd. Hij had haar altijd verschrikkelijk geplaagd. 'Blij dat je niet hier bent!' stond erop.

Een paar weken voor Jeffrey werd vermoord, had Sara hem een gesigneerde eerste editie cadeau gedaan van *Andersonville*, van MacKinlay Kantor. Het kostte Sara moeite om afstand van het boek te doen, ook al wist ze dat het niet anders kon. Ze mocht Jeffreys kist vol herinneringen niet in de aarde laten verdwijnen zonder haar eigen bijdrage. Dan Brock had urenlang bij haar gezeten in de woonkamer van haar huis voor ze het boek kon laten gaan. Ze had elke pagina bekeken, met haar vingers de plekken aangeraakt waarop Jeffrey zijn hand had laten rusten. Dan was geduldig en kalm geweest, maar toen hij vertrok, huilde hij even hard als Sara.

Ze pakte een papieren zakdoekje uit het dashboardkastje en droogde haar tranen af. Als ze zo doorging, zat ze straks te janken als een klein kind. Sara's jas lag op de stoel naast haar, maar ze trok hem niet aan. Uit een van de zakken haalde ze een speld waarmee ze haar haar opstak. Ze bekeek de warrige bos krullen in de achteruitkijkspiegel. Eigenlijk had ze zich die ochtend moeten opmaken. Haar neus leek nog sproetiger dan anders. Ze zag bleek. Sara duwde de spiegel weg. Het was nu toch te laat om er iets aan te veranderen.

De laatste auto sloot zich bij de begrafenisstoet aan. Sara sprong uit haar SUV en landde bijna in een diepe plas. De regen kletterde naar beneden. Ze hield haar handen boven haar hoofd, maar dat mocht niet baten. Brock stond in de deuropening naar haar te zwaaien. Boven op zijn hoofd werd hij al kaal en hij droeg een driedelig pak, maar met zijn slungelige gestalte leek hij nog steeds sprekend op de middelbare scholier van weleer.

'Hallo!' Hij lachte even. 'Je bent de eerste. Ik heb tegen Frank gezegd dat we rond halftwaalf zouden beginnen.'

'Het leek me een goed idee om alles alvast klaar te zetten.'

'Dan ben ik je geloof ik voor geweest.' Hij schonk haar het soort glimlach dat hij gewoonlijk voor nabestaanden reserveerde. 'Hoe gaat het, Sara?'

Ze glimlachte terug, maar was niet in staat zijn vraag te beantwoorden. De vorige dag, toen Brock op het politiebureau verscheen om het lichaam van Tommy Braham op te halen, had ze de beleefdheden achterwege gelaten en nu voelde ze zich wat ongemakkelijk. Zoals gewoonlijk wist Brock daar wel raad mee.

'Hé, kom eens hier.' Hij sloeg zijn armen om haar heen. 'Je ziet er fantastisch uit, Sara. Echt fantastisch. Fijn dat je bent teruggekomen voor Thanksgiving. Wat zal je moeder blij zijn.'

'Anders mijn vader wel.'

Met zijn arm om haar heen leidde hij haar het gebouw binnen. 'Het is guur buiten, kom gauw binnen.'

'Wauw.' Ze bleef bij de deur staan en keek de ruime entree rond. Haar ouders waren niet de enigen die hun huis de laatste tijd hadden opgeknapt. De wat saaie inrichting van het rouwcentrum was ingrijpend gemoderniseerd. De zware fluwelen draperieën waren vervangen door vouwgordijnen, en het donkergroene tapijt had plaatsgemaakt voor een prachtige hardhouten vloer met een oosters tapijt in gedempte kleuren. De rouwkamers waren evenmin overgeslagen en leken niet langer op victoriaanse salons.

'Mijn moeder vindt het vreselijk, dus ergens moet ik het goed hebben aangepakt,' zei Brock.

'Het ziet er schitterend uit.' Sara vermoedde dat Brock niet veel complimenten had gekregen.

'De zaken gaan goed.' Met zijn hand op haar rug voerde hij haar mee de gang in. 'Die kwestie met Tommy heeft me trouwens behoorlijk geraakt. Het was een goede jongen. Hij maaide hier altijd het gras.' Brock bleef staan. Hij keek neer op Sara en ineens veranderde zijn hele houding. 'Ik weet dat ik naïef word gevonden, dat ik iedereen te veel het voordeel van de twijfel gun, maar ik zie hem dit nog niet doen.'

'Dat hij zichzelf heeft gedood of het meisje?'

'Allebei.' Brock beet op zijn onderlip. 'Tommy was een opgewekte knaap. Je weet zelf hoe hij was. Nooit een kwaad woord over wie dan ook.'

Sara hield zich op de vlakte. 'Soms kan iemand je voor een verrassing plaatsen.'

'Misschien zijn mensen dom en denken ze dat er doordat hij achterlijk was iets is geknapt in zijn hersens en dat hij is doorgeslagen.'

'Dat kan.' Tommy was gehandicapt. Hij was niet psychotisch. Het een had niets met het ander te maken.

'Waar ik niet goed bij kan is dat ze niet op gruwelijke wijze is vermoord. Niet in een vlaag van woede.'

'Wat bedoel je?'

Hij stak zijn hand tussen de knopen van zijn vest. 'Dan zou je iets anders verwachten, bedoel ik.'

'Iets anders?'

Al even snel liet hij het onderwerp weer varen. 'Hoor eens. Jij bent hier de arts. Je zult het zelf wel zien, en waarschijnlijk ontdek je veel meer dan ik ooit zou kunnen.' Hij legde zijn hand op haar schouder. 'Fijn om je weer te zien, Sara. En laat ik je vertellen dat ik heel blij voor je ben. Luister maar niet naar al die praatjes.'

Nu werd Sara achterdochtig. 'Hoezo ben je blij voor me?'

'Met je nieuwe man.'

'Mijn nieuwe...'

'Het gonst hier van de geruchten. Mijn moeder heeft gisteren de hele avond aan de telefoon gehangen.'

Sara voelde het bloed naar haar wangen stijgen. 'Brock... Dan. Hij is helemaal mijn...'

'Sst,' waarschuwde Brock. Ze hoorde geschuifel op de trap. Brock verhief zijn stem. 'Mama, ik ga nu naar de begraafplaats om de familie Billingham bij te staan. Sara is beneden aan het werk. Je mag haar niet storen. Begrepen?'

De stem van Audra Brock klonk breekbaar, hoewel het oude mens hen waarschijnlijk allemaal zou overleven. 'Wat zeg je?'

Weer verhief hij zijn stem, maar nu klonk hij kortaf. 'Ik zei dat je Sara met rust moest laten.'

Er klonk een soort 'hmf', waarop ze haar hoorden terugschuifelen naar haar kamer.

Ondanks Brocks vertwijfelde blik glimlachte hij goedhartig. 'Beneden is alles nog net zoals vroeger. Met een uur ben ik wel weer terug om je te helpen. Zal ik een briefje op de deur plakken voor je vriend?'

'Hij...' Sara zweeg. 'Dat doe ik zelf wel.'

'Mijn kantoor is nog steeds in de keuken. Ben benieuwd wat je ervan vindt.' Hij zwaaide nog even en verdween via de voordeur.

Sara liep naar achteren. Ze had haar tas in de auto laten liggen en had geen pen en papier om een briefje voor Will te schrijven. De victoriaanse keuken had altijd als kantoor dienstgedaan. Brock had eindelijk het oude aanrecht en het wasbord laten verwijderen om het vertrek geschikt te maken voor een bedrijf dat zich bezighield met de dood. De eethoek was nu een showroom met demonstratiekisten. Catalogi met bloemstukken lagen smaakvol gerangschikt op een mahoniehouten tafel. Brocks bureau was van glas en staal, een buitengewoon modern ontwerp, in aanmerking genomen dat hij de oudste ziel was die ze ooit had ontmoet.

Sara pakte een Post-itblokje van zijn bureau en begon een bericht aan Will op te stellen, maar al snel stopte ze weer. Frank was ook van plan te komen. Hoe kon ze Will met een paar woorden duidelijk maken waar hij naartoe moest zonder Franks achterdocht te wekken?

Terwijl ze met de pen tegen haar tanden tikte, liep Sara naar de voordeur. Uiteindelijk schreef ze 'naar beneden' op, met elk woord op een aparte regel. Voor alle duidelijkheid tekende ze ook een grote pijl die naar beneden wees. Ze wist niet of het iets uitmaakte. Elke dyslecticus was anders, maar er waren bepaalde eigenschappen die ze doorgaans gemeen hadden. Allereerst een volslagen gebrek aan richtinggevoel. Het was geen wonder dat Will verdwaald was toen hij van Atlanta hiernaartoe was gereden. Een telefoontje zou ook niet hebben geholpen. Tegen iemand met dyslexie zeggen dat hij rechts af moest slaan was ongeveer even zinvol als tegen een kat zeggen dat hij moest tapdansen.

Sara plakte het briefje op de ruit van de voordeur. Ze had zich suf gepiekerd over de boodschap van die ochtend, die ze op zes verschillende manieren had opgeschreven, de ene keer wel en de andere keer niet ondertekend. De smiley had ze er op het laatste moment aan toegevoegd, als teken aan Will dat alles goed was tussen hen. Een blinde had kunnen zien hoe aangeslagen hij de vorige avond was geweest. Sara vond het afschuwelijk dat ze hem zo in verlegenheid had gebracht. Hoewel ze niet bepaald een smileytype was, had ze twee ogen en een mond in de hoek van het briefje getekend voor ze het in een plastic zak onder zijn ruitenwisser had geschoven, in de hoop dat hij het positief zou opvatten.

Het leek vreselijk ongepast om een smiley op de voordeur van een rouwcentrum te plakken, maar toch tekende ze een figuurtje – twee ogen en een naar boven krullende mond. In elk geval kon niemand haar verwijten dat ze niet consequent was.

Boven kraakten de vloerplanken en Sara keerde op een drafje naar de keuken terug. In haar haast om Brocks moeder te vermijden liet ze de deur naar het souterrain wijd openstaan en nam ze de trap met twee treden tegelijk. Onder aan het trapportaal was een inbraakvrije deur. Zwarte metalen tralies en draadglas moesten voorkomen dat er ingebroken werd in de balsemruimte. Het was moeilijk voor te stellen dat iemand hier wilde zijn tenzij het niet anders kon, maar jaren terug hadden een paar studenten de oude deur opengebroken om formaldehyde te stelen, een populair middel om cocaïnepoeder mee te versnijden. Sara ging ervan uit dat de combinatie op het paneel niet was veranderd. Ze toetste 1-5-9 in en de deur klikte open.

Brock hield het gedeelte tegenover de deur altijd vrij zodat niemand die per ongeluk door het draadglas naar binnen keek iets zag wat hij beter niet kon zien. De bufferzone strekte zich uit over de lange, goedverlichte gang. Op schappen stonden allerlei chemicaliën en andere voorraden; de etiketten waren naar de muur gekeerd zodat een toevallige passant niet wist wat erin zat. In een metalen kast stonden kleine schoendozen met as die nooit was opgehaald.

Aan het einde van de gang had Brock een bordje opgehangen dat Sara herkende van het ziekenhuismortuarium: HIC LOCUS EST UBI MORS GAUDET SUCCURRERE VITAE. Grof vertaald betekende het: 'Dit is de plek waar de dood met vreugde de levenden helpt.'

De zwaaideuren naar de balsemruimte werden opgehouden met oude bakstenen uit het huis. Kunstlicht blonk van de witte tegelmuren. Terwijl de bovenverdiepingen een drastische verandering hadden ondergaan, was het souterrain nog precies zoals Sara het zich herinnerde. Midden in het vertrek stonden twee brancards van roestvrij staal, met erboven twee grote lampen met een veermechanisme. Aan het voeteneind van elke brancard was een werkplek met buizen voor de afvoer van lichaamsvocht. Brock had de sectie-instrumenten al klaargelegd: zagen, ontleedmessen, tangen en scharen. Voor het doorknippen van het borstbeen gebruikte hij nog steeds de snoeischaar die Sara bij de ijzerwarenzaak had gekocht.

Het achterste gedeelte was geheel gewijd aan het uitvaartbedrijf. Naast de koelruimte stond een roltafel met daarop de metalen trocart, het instrument dat gebruikt werd voor het aanprikken en reinigen van organen tijdens het balsemen. Onopvallend in een hoek stond het balsemapparaat, dat eruitzag als een kruising tussen een groot koffiezetapparaat en een blender. De drainageslang hing slap in de spoelbak. Dikke rubberen handschoenen lagen op het bekken. Een slagersschort. Een veiligheidsbril. Een spatmasker. Een grote doos met wattenrollen tegen het lekken.

De haardroger en het opengeklapte roze make-upkoffertje op de wattendoos vormden een bizar contrast. In het koffertje zaten potten gezichtscrème en allerlei tinten oogschaduw en lipgloss. PEARSON'S MORTUARY MAKE-UP stond in reliëf op de binnenkant van het deksel.

Sara pakte een paar chirurgische handschoenen uit de doos aan de muur. Ze opende de deur naar de koelruimte. Een vlaag ijskoude lucht kwam haar tegemoet. Binnen lagen drie lichamen in zwarte lijkzakken met ritssluiting. Ze las de naamkaartjes om te zien wie Allison Spooner was.

Zoals gewoonlijk kostte het enige moeite om de rits open te trekken, omdat die bleef steken in het stugge zwarte plastic. Allisons gezicht vertoonde de wasachtige glans van de dood. Haar lippen waren blauwzwart. Twijgjes en plukjes gras kleefden aan haar huid en kleren. Kleine kneuzingen vormden een korrelpatroon rond haar mond en op haar wangen. Sara trok de chirurgische handschoenen aan en trok voorzichtig de onderlip van het meisje omlaag. In het zachte vlees stonden tandafdrukken van toen ze met haar gezicht op de grond had gelegen. De wondjes hadden gebloed voor ze stierf. De moordenaar had haar neergedrukt om haar te doden.

Behoedzaam draaide Sara Allisons hoofd opzij. De lijkstijfheid was inmiddels weggetrokken. De gapende steekwond in de nek van het meisje was duidelijk zichtbaar.

Brock had gelijk. Ze was niet op gruwelijke wijze afgeslacht. Haar lichaam vertoonde geen tekenen van razende woede, er was alleen een dodelijke, nauwkeurige incisie.

Sara drukte met haar vingers op de boven- en onderkant van de wond en strekte de huid om die bij benadering in de oorspronkelijke positie terug te brengen. Het was waarschijnlijk een dun mes geweest, van krap anderhalve centimeter breed en nog geen tien centimeter lang. Het lemmet was in een hoek naar binnen gedrongen. De onderkant van de steekwond leek gebogen, wat betekende dat het mes was omgedraaid om zo veel mogelijk schade toe te brengen.

Sara trok de jas van het meisje omhoog om de snee in

de stof te vergelijken met de wond in de nek. In dat opzicht had Lena in elk geval gelijk gehad. Het meisje was van achteren gestoken. Sara vermoedde dat de moordenaar rechtshandig was en heel goed wist wat hij deed. Hij had snel en dodelijk toegestoken. Het heft van het mes had een kneuzing rond de wond veroorzaakt. Degene die Allison had vermoord, had zonder aarzelen het lemmet in haar nek gestoken en het voor de goede orde nog even omgedraaid.

Dit was niet het werk van Tommy Braham.

Met enige moeite deed Sara de rits weer dicht. Voor ze de koelruimte verliet, legde ze haar hand op Tommy's been. Hij voelde het niet meer – het was te laat om hem nog te troosten – maar ze vond het een prettige gedachte dat zijn lichaam aan haar was toevertrouwd.

Ze trok de handschoenen uit en op weg naar het achterste gedeelte van het souterrain wierp ze ze in de afvalbak. Achterin bevond zich een kleine ruimte zonder ramen die aanvankelijk bedoeld was als wijnkelder. Rode baksteen bekleedde de muren en liep door over het plafond en de vloer. Brock gebruikte de ruimte als kantoortje, ook al was het er een stuk kouder dan elders in het gebouw. Sara pakte de jas die naast de deur hing, maar bedacht zich toen ze Brocks aftershave rook.

Het bureau was leeg, op de autopsieformulieren en een pen na. Brock had voor de procedure twee stapeltjes klaargelegd. Op elk had hij een Post-itbriefje geplakt met de naam, de geboortedatum en het laatste adres van het slachtoffer.

Volgens de wet mocht er in Georgia alleen onder bepaalde voorwaarden sectie worden verricht. Bij dood door geweld, op de werkplek of onder verdachte omstandigheden, en bij plotseling overlijden, eenzaam overlijden en overlijden tijdens een chirurgische ingreep was nader onderzoek verplicht. De informatie die werd verzameld was in grote lijnen hetzelfde: officiële naam, schuilnamen, leeftijd, lengte, gewicht en doodsoorzaak. Er werden röntgenfoto's gemaakt. De maaginhoud werd onderzocht. Organen werden gewogen. Slagaderen, hartkleppen en aderen werden nauwkeurig bekeken. Kneuzingen werden genoteerd. Wonden. Bijtwonden. Zwangerschapsstriemen. Rijtwonden. Littekens. Blauwe plekken. Tatoeages. Moedervlekken. Elk detail dat op of in het lichaam werd aangetroffen, of het bijzonder was of niet, moest op het betreffende formulier worden genoteerd.

Voor ze uit de auto stapte had Sara haar leesbril vastgehaakt aan haar bloes. Ze zette hem op en begon de formulieren alvast in te vullen. Het meeste werd uiteraard na afloop gedaan, maar elk etiket dat op een monster of voorwerp werd geplakt moest voorzien zijn van haar naam, de plaats, de datum en het tijdstip. Bovendien moest dezelfde informatie onder aan elk formulier staan, met haar handtekening en registratienummer. Ze was halverwege de tweede stapel toen ze iemand op de metalen deur hoorde kloppen.

'Hallo?' Wills stem weergalmde door het souterrain.

Sara wreef in haar ogen, alsof ze uit een dutje ontwaakte. 'Ik kom eraan.' Ze schoof haar stoel naar achteren en liep naar de trap. Will stond aan de andere kant van de veiligheidsdeur.

Ze schoof de grendel weg. 'Dan hebben mijn briefjes dus gewerkt.'

Hij keek haar onderzoekend, bijna waarschuwend aan.

Sara wenkte hem mee naar de sectiekamer.

'Zo, wat een ruimte.' Will liet zijn blik door het vertrek gaan. Hij had zijn handen in zijn zakken. Sara zag dat de pijpen van zijn spijkerbroek aan de onderkant nat en modderig waren.

'Hoe ging het vanochtend?' vroeg ze.

'Het goede nieuws is dat ik heb ontdekt waar Allison is vermoord.' Hij vertelde haar over zijn wandeling door het bos. 'Gelukkig had de regen niet alles weggespoeld.'

'Bloed is vijf keer dikker dan water. Het duurt weken

voor de aarde het heeft weggezuiverd, en ik wil wedden dat die watereik het nog jaren vasthoudt,' legde Sara uit. 'Het plasma valt uiteen, maar de proteïne en globuline blijven voor onbepaalde tijd in een colloïdale fase.'

'Als ik het niet dacht.'

Ze glimlachte. 'En het slechte nieuws?'

Hij leunde met zijn hand op de brancard, maar bedacht zich. 'Ik heb in het verkeerde pand een huiszoeking verricht en dus bewijsmateriaal besmet.'

Sara zei niets, maar de verbazing stond op haar gezicht te lezen.

'Niet Allison woonde in de garage, maar Tommy. Op het huiszoekingsbevel dat Faith had aangevraagd stond de garage als adres vermeld. Alles wat ik daar heb aangetroffen is besmet. Ik betwijfel of een rechter het nog als bewijsmateriaal toelaat.'

Ze onderdrukte een spijtig lachje. Nu zag hij zelf hoe Lena er altijd weer in slaagde om alles om haar heen in de soep te laten draaien. 'Wat heb je gevonden?'

'Niet veel bloed, als je dat bedoelt. Frank Wallace heeft zich gesneden toen hij voor in de garage stond. De vlek op de vloer naast het bed was waarschijnlijk van Tommy's hond, Pippy, die een sok probeerde uit te kotsen.'

Sara trok een grimas. 'Denk je nog steeds dat Tommy het gedaan heeft? Zijn bekentenis spoort niet met de feiten.'

'Lena heeft een theorie uitgedacht waarbij Tommy Allison op zijn scooter heeft meegenomen naar het bos om haar daar te vermoorden. Dan zal hij wel op de betonblokken hebben gezeten, zoals je een kind op een paar telefoonboeken aan de keukentafel zet.'

'Dat klinkt buitengewoon geloofwaardig.'

'Vind je ook niet?' Hij krabde over zijn kaak. 'Heb je Allisons lichaam al onderzocht?'

'Ik heb alvast naar de wond gekeken. Haar belager stond achter haar. De meeste steekwonden aan de hals worden van achteren toegebracht, maar doorgaans wordt het lemmet van voren over de keel getrokken, wat vaak resulteert in gedeeltelijke onthoofding. Allison is van achteren gestoken, waarbij het lemmet via de nek tot in de keel doordrong. Het is één steek geweest, als bij een executie, en daarna heeft de moordenaar voor de goede orde het lemmet nog even rondgedraaid.'

'Ze is dus aan een steekwond gestorven?'

'Dat kan ik pas met zekerheid zeggen als ik haar op de snijtafel heb.'

'Maar je hebt wel een vermoeden.'

Sara was er nooit een voorstander van geweest om haar mening te ventileren zonder dat ze die met overtuigende medische bewijzen kon staven. 'Ik wil niet van veronderstellingen uitgaan.'

'Er is hier verder niemand. Ik beloof dat ik het niet doorvertel.'

Ze was zich er slechts vaag van bewust dat ze wel heel gemakkelijk toegaf. 'De hoek van de wond was zodanig dat er een snelle dood op moest volgen. Ik heb haar nog niet opengesneden, dus ik weet niet zeker...'

'Maar?'

'Zo te zien is de carotisschede doorgesneden, wat betekent dat de halsslagader van het ene op het andere moment is doorbroken en hoogstwaarschijnlijk ook de inwendige halsader. Die liggen naast elkaar, zo.' Ze plaatste beide wijsvingers tegen elkaar. 'De halsslagader brengt met hoge snelheid zuurstofrijk bloed van het hart naar het hoofd en de hals. De halsader is afhankelijk van de zwaartekracht. Die verzamelt het zuurstofarme bloed uit het hoofd en de hals en stuurt het via de bovenste holle ader terug naar het hart, waar het weer van zuurstof wordt voorzien, en dan begint het hele proces opnieuw. Volg je me nog?'

Will knikte. 'De slagaderen zijn de waterleiding, en de aderen de afvoer. Het is een gesloten systeem.'

'Klopt.' De loodgietersvergelijking kon ze wel waarderen. 'Alle slagaderen hebben kringspiertjes die zich spannen en ontspannen om de bloedstroom te reguleren. Als je een slagader doormidden snijdt, trekt de spier samen en krult op als een kapot elastiekje. Zo wordt de bloedstroom gestelpt. Maar als je de slagader niet helemaal doormidden snijdt, bloedt het slachtoffer dood, meestal heel snel. En dan hebben we het over seconden in plaats van minuten. Het bloed spuit eruit, het slachtoffer raakt in paniek, het hart begint sneller te kloppen waardoor het bloed er nog sneller uit spuit, tot de dood erop volgt.'

'Waar zit die halsslagader precies?'

Sara legde haar vingers langs haar luchtpijp. 'Je hebt aan weerszijden een halsslagader, als het ware gespiegeld. Ik zal de wond moeten wegsnijden, maar kennelijk heeft het mes deze baan gevolgd: het is bij de zesde nekwervel binnengedrongen en langs de hoek van de kaak gegaan.'

Hij keek naar haar hals. 'Hoe moeilijk is het om hem van achteren te raken?'

'Allison is heel tenger. Haar nek is niet breder dan mijn handpalm. Er zit van alles en nog wat in de nek: spieren, bloedvaten, wervels. Je zou heel even moeten wachten om goed te kunnen richten en de juiste plek te raken. Je kunt niet recht in de nek steken. Je moet vanaf de achterkant opzij steken. Met het juiste mes en in de juiste hoek is de kans vrij groot dat je zowel de halsslagader als de ader openlegt.'

'Met het juiste mes?'

'Ik vermoed dat het lemmet acht à tien centimeter lang was.'

'Een keukenmes?'

Blijkbaar was hij niet goed in afmetingen. Met haar duim en wijsvinger wees ze het aan. 'Dit is ongeveer acht centimeter. Denk eens aan de dikte van haar hals. Of neem anders mijn hals.' Sara hield de maat aan en bracht haar hand naar haar nek. 'Als het lemmet langer was geweest, zou het er aan de voorkant uit zijn gekomen.'

Hij sloeg zijn armen over elkaar. Ze wist niet of hij blij

of geïrriteerd was omdat ze het aanschouwelijk had gemaakt. 'Hoe breed denk je dat het lemmet was?' vroeg hij.

Ze verkleinde de afstand tussen haar duim en wijsvinger. 'Anderhalve centimeter? Twee centimeter? De huid is elastisch. Ze heeft zich ongetwijfeld verzet. De snee is breder aan de onderkant, dus de moordenaar heeft het mes er tot het heft in gestoken en het lemmet rondgedraaid om zo veel mogelijk schade aan te richten. Het was zeker niet breder dan tweeënhalve centimeter.'

'Dat klinkt als een groot vouwmes.'

Gezien de kneuzing door het heft had hij waarschijnlijk gelijk, maar niettemin zei Sara: 'Ik moet eerst de wond bekijken, onder betere omstandigheden dan in de koelruimte.'

'Was het gekarteld?'

'Ik denk het niet, maar laat me nou eerst die wond vanbinnen bekijken, dan vertel ik je daarna alles wat je weten wilt.'

Hij beet op zijn lip terwijl hij haar woorden liet bezinken. 'Er is nog geen kilo druk nodig om door de huid te dringen.'

'Als het mes maar puntig en scherp is en het lemmet er met kracht in wordt gestoten.'

'Zo te horen zou een jager er wel raad mee weten.'

'Een jager, een arts, een balsemer, een slager. Of iedereen met een goede zoekmachine,' voegde ze eraan toe. 'Je kunt vast allerlei anatomische tekeningen op het internet vinden. Of ze accuraat zijn is maar de vraag, maar degene die dit heeft gedaan, heeft wel laten zien wat hij kon. Ik vind het vervelend om steeds hetzelfde riedeltje af te draaien, maar Tommy had een IQ van 80. Hij heeft er drie maanden over gedaan om zijn schoenen te leren strikken. Denk je echt dat hij dit op zijn geweten had?'

'Ik speculeer liever niet.'

Ze kaatste zijn eigen woorden terug. 'Er is hier verder niemand. Ik beloof dat ik het niet doorvertel.'

Will gaf zich minder gemakkelijk gewonnen dan Sara. 'Was Tommy een jager?'

'Ik denk niet dat Gordon hem met een geweer vertrouwde.'

'Waarom heeft hij haar niet verdronken?' vroeg hij na een korte stilte. 'Ze stond op de oever van het meer.'

'De temperatuur van het water naderde het vriespunt. Hij liep het risico dat ze zich zou verzetten. Ze had kunnen schreeuwen. Mijn huis staat – stond – aan de overkant, recht tegenover Lover's Point, en soms, als de wind in de goede hoek zat, kon ik muziek horen en lachende kinderen. Allerlei mensen hadden het kunnen horen als een meisje het in doodsnood had uitgegild.'

'Was het niet makkelijker geweest om haar keel door te snijden in plaats van het mes er van achteren in te steken?'

Ze knikte. 'Als je de luchtpijp doorsnijdt, kan het slachtoffer niet meer praten, laat staan om hulp schreeuwen.'

Will krabde weer eens over zijn kaak. 'Vaak zijn het vrouwen die messen gebruiken.'

Sara had nog niet aan die mogelijkheid gedacht, maar ze was blij dat hij Tommy even op een zijspoor had gezet. 'Allison was klein. Een vrouw had haar kunnen overmeesteren en naar het water kunnen dragen.'

'Was de moordenaar linkshandig? Rechts?'

'Hm...' Bijna had Sara gevraagd of dat iets uitmaakte voor iemand die moeite had met dat verschil, maar in plaats daarvan zei ze: 'Ik vermoed rechtshandig.' Ze stak haar rechterhand op. 'De aanvaller moet over haar heen gebogen hebben gestaan, misschien met zijn benen gespreid, toen het lemmet bij haar binnendrong.' Ze zweeg even. 'Juist daarom ga ik liever niet van veronderstellingen uit. Ik moet haar maag en longen nog onderzoeken. Als we water aantreffen, wil dat zeggen dat ze waarschijnlijk met haar gezicht in het meer heeft gelegen toen hij haar stak.'

'De vraag of ze in het water of in de modder lag toen ze

werd gestoken is van wezenlijk belang voor mijn onderzoek.'

Ze fronste haar wenkbrauwen. 'Probeer je nou slim te zijn, agent Trent?'

'Als ik afga op de manier waarop je de vraag stelt, is het antwoord nee.'

'Die zit.' Sara lachte.

'Dank je, dokter Linton.' Huiverend liet hij zijn blik door de balsemruimte gaan. 'Het is koud hierbeneden. Heb jij het niet koud?'

Ze besefte dat hij dezelfde kleren droeg als de vorige dag, op het zwarte T-shirt na, dat hij had verruild voor een wit shirt. 'Heb je geen jas bij je?'

Hij schudde zijn hoofd. 'Ik zit behoorlijk met mijn kleren omhoog. Ik zou vanavond graag je moeders wasmachine en droger willen gebruiken. Denk je dat ze dat goedvindt?'

'Ja, natuurlijk.'

'Heb je vandaag nog iets van Frank Wallace gehoord?'

Ze schudde haar hoofd.

'Ik begin het irritant te vinden dat hij niet eens de moeite neemt om zijn gezicht te laten zien. Laat hij Lena altijd het zware werk opknappen?'

'Ik heb geen idee hoe de samenwerking tegenwoordig is. Vroeger pendelde ze heen weer tussen Frank en mijn man, afhankelijk van wie haar nodig had.'

'Ik vraag me af of ze verslag uitbrengt aan Frank of dat ieder zijn eigen gang gaat.' Will gebaarde naar de brancards. 'Kan ik je ergens mee helpen?'

'Kun je tegen een stootje?'

'Ik moet niks van ratten hebben en ik kan niet tegen kots.'

'Dan hebben we niks te vrezen.' Sara wilde zo snel mogelijk beginnen, anders werd het nachtwerk. 'Zou je me willen helpen Allison op de tafel te leggen?'

Hun luchtige camaraderie sloeg snel om in serieuze samenwerking. Ze gingen zwijgend aan de slag, reden de brancard de koelruimte in en tilden het lichaam samen op. De vloer had een ingebouwde weegschaal. De digitale uitlezing hield rekening met het gewicht van de brancard. Sara reed de brancard op de plaat. Allison Spooner woog zesenveertig kilo.

Sara trok chirurgische handschoenen aan en Will volgde haar voorbeeld. Samen ritsten ze de lijkzak open en rolden het meisje eruit: eerst naar links en toen naar rechts om het zwarte plastic onder haar vandaan te trekken. Will hield het uiteinde van de rolmaat vast zodat Sara het meisje kon meten.

'Een meter zevenenvijftig en een half,' zei Will.

'Dat moet ik even opschrijven.' Sara kon al die getallen met geen mogelijkheid onthouden. Boven het werkblad achter in het vertrek was een whiteboard. Met de markeerstift die er aan een touwtje naast hing noteerde Sara Allisons lengte en gewicht. Voor de volledigheid voegde ze er haar leeftijd, geslacht, ras en haarkleur aan toe. De ogen van het meisje stonden open, en ze schreef op dat die bruin waren.

Toen ze zich omdraaide, zag ze dat Will naar de getallen keek. Sara had afkortingen gebruikt die zelfs iemand die kon lezen met moeite zou hebben ontcijferd. Ze wees naar de letters: 'Geboortedatum, lengte, gewicht...'

'Ja, dat snap ik,' zei hij. Zo kortaf had ze hem nog nooit gehoord.

Het onderwerp was kennelijk taboe, en Sara onderdrukte de neiging om te zeggen hoe dwaas het was om zich te schamen. Hij had zijn dyslexie al een leven lang voor anderen verborgen, en dat loste ze niet op door hem in het souterrain van een rouwcentrum met de feiten te confronteren. Bovendien ging het haar niet aan.

In de veronderstelling dat Brock zijn voorraden nog altijd op dezelfde plek bewaarde liep ze naar de hoge kast naast het kantoortje. 'Shit,' mompelde ze. De camera lag met al zijn onderdelen los op fluwelen doeken en nam twee planken in beslag. Ze pakte een lens. 'Ik weet niet goed hoe dit ding in elkaar zit.'

'Zal ik eens proberen?' Will wachtte haar antwoord niet af. Hij pakte de lens en draaide hem aan de camera vast, waarna hij het flitslicht en de metalen dieptemeter bevestigde. Hij drukte op allerlei knoppen tot het lcd-scherm aanfloepte, en scrolde door de iconen tot hij het juiste gevonden had.

Sara had twee academische titels en een diploma van de Medical Board op haar naam staan, maar er moest een wonder gebeuren voor zij met een camera overweg kon.

Nieuwsgierigheid won het van terughoudendheid. 'Ben je weleens getest?' vroeg ze.

'Nee.' Hij stond achter Sara en hield haar de camera voor zodat ze het kon zien. 'Hier zoom je mee in,' zei hij, en hij tikte tegen de zoomregelaar.

'Je zou waarschijnlijk...'

'Dit is de macrofunctie.'

'Will...'

'Supermacro.' Hij praatte over haar heen tot ze het opgaf. 'Hiermee stel je de kleuren bij. Dit is voor het licht. Antritrilfunctie. Rode-ogencorrectie.' Als een docent fotografie klikte hij door de functies heen.

Ten slotte gaf Sara het op. 'Laat mij maar wijzen, dan maak jij de foto's.'

'Oké.' Aan zijn starre houding zag ze hoe geïrriteerd hij was.

'Het spijt me als ik...'

'Je hoeft je niet te verontschuldigen.'

Sara hield zijn blik nog even vast. Kon ze hem maar helpen. Maar als ze niet eens sorry mocht zeggen, viel er weinig te doen.

'Kom, dan beginnen we,' zei ze berustend.

Sara dirigeerde Will de tafel rond zodat hij Allison Spooner van alle kanten kon fotograferen. Het trainingsjasje. De steekwond in haar nek. De scheur in het jasje waar het mes doorheen was gegaan. De tandafdrukken op de binnenkant van haar lip.

Ze rolde de gescheurde broekspijp omhoog. Op de knie zat een halvemaanvormige snee en de huid hing er los bij. Een blauwe plek gaf de contouren van de klap aan. 'Dit soort rijtwonden is het gevolg van stomp trauma. Ze is heel hard en waarschijnlijk met haar volle gewicht met haar knie op iets hards gevallen, een steen of iets dergelijks. Door de klap is de huid opengescheurd.'

'Kunnen we de polsen even bekijken?'

De mouwen van het jasje zaten om de handen van het meisje gefrommeld. Sara schoof de stof omhoog.

Will nam een paar foto's. 'Touwsporen?'

Sara boog zich voorover om het beter te kunnen zien. Ze bekeek de andere pols. De aderen waren glanzend blauw. Rode strepen doorkruisten de huid waar stolsels het bloed op zijn plaats hielden.

'Twee uur tot twee dagen nadat het te water is geraakt begint een lichaam te drijven,' legde ze uit. 'Ontbinding zet snel in; zodra het hart en de longen stoppen keert het lichaam zich tegen zichzelf. Uit de ingewanden maken bacteriën zich los. Door de zich ophopende gassen gaat het lichaam drijven. De betonblokken voorkwamen dat ze naar de oppervlakte steeg. Het koude water heeft het ontbindingsproces vertraagd. Ik weet niet wat de temperatuur van het water was, dus ik ga er niet naar raden. Wel weet ik dat ze met haar gezicht naar beneden in het water dreef en dat haar handen naar voren hingen. In haar vingertoppen en rond haar polsen ontstonden lijkvlekken. Ik denk dat je de verkleuring gemakkelijk voor touwsporen zou kunnen aanzien. Zo vroeg op de ochtend was het nog vrijwel donker.' Dat was alles wat Sara aan excuses voor Frank kon verzinnen. 'Eerlijk gezegd dacht ik dat Frank tegen me loog toen hij dat de eerste keer zei.'

'Waarom zou hij daarover liegen?' vroeg Will. 'De steekwond is voldoende bewijs dat er iets heel erg mis was.'

'Dat moet je Frank vragen.'

'Ik heb een hele reeks vragen voor hem als hij ooit komt opdagen.'

'Waarschijnlijk is hij bij Brad. Frank kent hem al sinds hij klein was. Dat geldt voor ons allemaal.'

Will knikte slechts.

Sara legde de liniaal naast Allisons pols zodat hij een foto kon nemen. Toen hij klaar was, draaide ze de hand om. Bij de plooi van de pols was een vaag litteken zichtbaar. Sara bekeek de andere hand. 'Ze heeft ooit een zelfmoordpoging gedaan. Met een scheermes of een scherp mes. Niet langer dan tien jaar geleden, vermoed ik.'

Will bestudeerde de wat dikkere witte lijnen. 'Wat was Tommy voor iemand?'

Al haar aandacht was op Allison gericht en de vraag overviel haar. Sara had die nacht nauwelijks een oog dichtgedaan. Ze had alle tijd gehad om over Tommy na te denken. 'Hij was altijd opgewekt,' zei ze. 'Ik kan me niet herinneren dat ik hem níét zag glimlachen. Hoe rot hij zich ook voelde.'

'Heb je hem weleens boos meegemaakt?'

'Nee.'

'Brak hij weleens iets of had hij blauwe plekken?'

Ze schudde haar hoofd, want ze wist waarop hij doelde. 'Gordon is altijd heel lief voor hem geweest. Ik heb hem maar één keer kwaad gezien en dat was toen Tommy een hele pot paté had leeggegeten.'

Will glimlachte toegeeflijk. 'Daar snoepte ik vroeger ook altijd van.' Hij liet de camera zakken. 'Ik vraag me af of het nog net zo lekker is als vroeger.'

Sara lachte. 'Ik zou het maar niet proberen. Tommy is er dagenlang ziek van geweest.'

'Je hebt me niet verteld dat Lena verkracht is.'

Zijn opmerking kwam als een donderslag bij heldere hemel. Sara werd erdoor overrompeld, wat waarschijnlijk ook zijn bedoeling was. 'Dat is al heel lang geleden.'

'Faith is er via internet achter gekomen.'

Ze moest opeens dringend bij het werkblad achterin zijn, waar ze een rol bruin pakpapier onder de kast vandaan haalde om de kleren op te leggen. 'Is het belangrijk?'

'Ik weet het niet. Ik vind het vreemd dat je er niets over gezegd hebt.'

Sara spreidde het papier uit. 'Veel vrouwen zijn ooit verkracht.' Toen hij niet reageerde, keek ze op. 'Je hoeft geen medelijden met haar te hebben, Will. Daar is ze goed in, in medelijden wekken.'

'Volgens mij vindt ze het heel erg wat er met Tommy is gebeurd.'

Sara schudde haar hoofd. 'Van haar kun je niks goeds verwachten. Ze is niet normaal. Ze heeft niets zachts in zich.'

Hij koos zijn woorden met zorg en keek haar doordringend aan. 'Ik heb in mijn leven veel mensen ontmoet die het echt aan zachtheid ontbrak.'

'Toch...'

'Ik denk niet dat Lena niet ergens een ziel heeft. Volgens mij is ze kwaad, een tegen zichzelf gerichte woede, en voelt ze zich in het nauw gedreven.'

'Dat dacht ik vroeger ook. En dan had ik medelijden met haar. Tot vlak voor ze mijn man vermoordde.'

Daarmee had Sara zo ongeveer alles gezegd. Ze knoopte Allisons bloes los en kleedde het meisje verder uit. Will verwisselde de geheugenkaart en maakte foto's op aanwijzing van Sara. Ze vroeg hem niet om hulp toen ze een schoon wit laken over Allisons lichaam drapeerde. Het kameraadschappelijke zwijgen was nog slechts een vage herinnering. De spanning was zo groot dat Sara hoofdpijn voelde opkomen. Ze nam het zichzelf kwalijk dat ze het zich zo aantrok. Alsof ze bevriend was met Will Trent. Zijn dyslexie, zijn bizarre gevoel voor humor, zijn vuile kleren – dat alles ging haar niet aan. Wat haar betrof maakte hij zijn karwei af en vertrok hij weer snel naar zijn vrouw.

Op de gang hoorden ze de metalen deur dichtslaan. Even later kwam Frank Wallace het vertrek binnen met een kartonnen doos in zijn handen. Hij droeg een lange regenjas en leren handschoenen. Zijn haar was nat van de regen.

'Commissaris Wallace,' zei Will. 'Wat fijn om u eindelijk te ontmoeten. Ik dacht al dat u me meed.'

'Vertel me eerst maar eens waarom u mijn halve team in de stromende regen rondjes laat lopen.'

'U hebt ongetwijfeld gehoord dat we de plek hebben gevonden waar Allison Spooner is doodgestoken.'

'Hebt u dat bloed al getest? Dat kan evengoed van een dier afkomstig zijn.'

'Ja, ik heb het ter plekke getest,' zei Will. 'Het is menselijk bloed.'

'Oké, dan heeft hij haar dus in het bos vermoord.'

'Blijkbaar.'

'Ik heb mijn jongens teruggeroepen. Breng uw eigen team maar mee als u die laag blubber daar wilt uitkammen.'

'Uitstekend idee, commissaris Wallace. Dan zal ik een eigen team laten komen.'

Frank was zichtbaar klaar met Will. Hij liet de doos voor Sara's voeten neerploffen. 'Dit is al het bewijs dat we hebben.' Ze hield haar adem in tot hij weer wat afstand had genomen. Hij rook ranzig, naar een mengeling van mondwater, zweet en tabak.

'Ik hoop dat u er geen bezwaar tegen hebt, commissaris Wallace,' zei Will, 'maar ik heb rechercheur Adams opdracht gegeven een tweede buurtonderzoek te houden en contact op te nemen met Allisons docenten op de hogeschool.'

'U gaat uw gang maar,' bromde Frank. 'Ik heb het gehad met haar.'

'Zijn er problemen?'

'Anders zou u hier niet zijn, nietwaar?' Frank hoestte in zijn handschoen, en Sara kromp ineen. 'Lena heeft de hele zaak gigantisch verknald. Ik sta niet meer voor haar in. Wat een waardeloze rechercheur. Ze gaat slordig te werk. Door haar is er nu iemand dood.' Hij keek Sara veelbetekenend aan. 'Weer iemand.'

Ze kreeg het warm en koud tegelijk. Frank zei alles wat ze wilde horen – alles wat ze diep in haar hart geloofde – maar uit zijn mond klonken de woorden smerig. Hij maakte misbruik van Jeffreys dood terwijl Sara op genoegdoening uit was.

'Volgens Lena hebt u gisteravond met Lionel Harris gesproken,' zei Will.

Frank maakte opeens een nerveuze indruk. 'Lionel weet niks.'

'Toch heeft hij misschien persoonlijke informatie over Allison.'

'Lionel heeft een goede opvoeding gehad van zijn vader. Hij kijkt wel link uit voor hij gaat rondsnuffelen bij blanke meisjes van de hogeschool.'

Sara's mond viel open van verbazing.

Frank zag haar schrikken en zei geringschattend: 'Je weet toch wat er gezegd wordt, snoes? Een ouwe zwarte van drieënzestig heeft niet veel gemeen met een blank meisje van eenentwintig. Niet als hij verstandig is.' Hij knikte in de richting van Allison. 'Wat heb je gevonden?'

Sara was niet in staat om hem te antwoorden.

'Een messteek in de nek,' zei Will. 'De definitieve doodsoorzaak is nog niet bekend.'

Will ving Sara's blik op. Ze knikte instemmend, ook al was ze nog steeds geschokt door Franks woorden. In aanwezigheid van haar ouders had hij nooit zo gepraat. Eddie zou hem de deur hebben gewezen als Cathy hem niet voor was geweest. Sara besloot het aan uitputting toe te schrijven. Hij zag er nog slechter uit dan de vorige dag. Elk kledingstuk dat hij droeg, van zijn goedkope pak tot en met zijn regenjas, was gekreukeld alsof hij erin geslapen had. Zijn huid hing in plooien van zijn gezicht. Zijn ogen glinsterden in het licht. En hij had nog steeds zijn leren handschoenen niet uitgetrokken.

Will verbrak de stilte. 'Commissaris Wallace, hebt u uw rapport over het incident in de garage al voltooid?'

Franks kaak verstrakte. 'Daar werk ik nog aan.'

'Zou u het gebeurde nu met me willen doornemen? Alleen de belangrijke punten. De details haal ik later wel uit uw rapport.'

Frank klonk nors, en het was duidelijk dat hij niet van Wills vragen gediend was. 'Tommy stond in de garage met een mes in zijn hand. We zeiden dat hij het neer moest leggen. Dat deed hij niet.'

Sara keek hem afwachtend aan, maar Will had minder geduld. 'En toen?'

Frank maakte een onverschillig gebaar. 'De jongen raakte in paniek. Hij duwde Lena aan de kant. Ik wilde haar helpen, maar toen kwam hij met het mes op me af en stak me in mijn arm. Voor ik het wist vluchtte Tommy over de oprit weg. Brad ging hem achterna. Ik zei tegen Lena dat ze er ook op af moest.' Hij zweeg even. 'Veel haast had ze niet.'

'Aarzelde ze?'

'Lena rent meestal de andere kant op als er brand is.' Hij keek vluchtig naar Sara, alsof hij op haar instemming rekende. Voor zover Sara wist, was het tegenovergestelde waar. Lena probeerde altijd zo dicht mogelijk bij de brand te komen. Dat was de beste plek om mensen in vlammen te zien opgaan.

'Na een tijdje trippelde ze achter hen aan. Uiteindelijk heeft Brad ervoor moeten boeten.'

Will leunde tegen het werkblad, met zijn hand op de rand. Zijn ondervragingstechniek was op zijn minst ongebruikelijk. Met een biertje in zijn hand had hij het evengoed over football kunnen hebben tijdens een of andere barbecue. 'Heeft iemand zijn wapen afgevuurd?'

'Nee.'

Will knikte bedachtzaam en het duurde even voor hij zijn volgende vraag stelde. 'Had Tommy al een mes in zijn hand toen u de garagedeur opende?'

Frank bukte zich en haalde een plastic zak uit de doos. 'Dit mes.'

Will nam de zak niet aan en daarom besloot Sara het te doen. Het was een jachtmes: aan één kant gekarteld en aan de andere kant scherp. Het had een groot heft. Het lemmet was minstens twaalf centimeter lang en vier centimeter breed. Het was een wonder dat Brad nog leefde. 'Dit is niet het mes waarmee Allison is gedood,' zei Sara.

Will nam het wapen van haar over. Hij schonk haar het soort blik waarmee Tommy Braham waarschijnlijk maar al te vertrouwd was geweest. 'Dit ziet er nieuw uit,' zei hij tegen Frank.

Frank keek er vluchtig naar. 'Nou en?'

'Was Tommy gek op messen?'

Weer sloeg Frank zijn armen over elkaar. Op zijn voorhoofd verscheen een zweetdruppel. Ondanks de kilte in het souterrain leek hij het stikheet te hebben in zijn jas en met zijn handschoenen aan. 'Blijkbaar, want hij had er minstens twee. Zoals de dokter al zei: dit is niet het mes waarmee het meisje is gedood.'

Sara kon wel door de grond zakken.

'Waarom verdacht u Tommy ervan dat hij iets met Allisons moord te maken had? Behalve dan dat hij dat mes in zijn hand hield.'

'Hij was op haar kamer.'

Will liet hem in de waan, maar Sara zag dat hij wel degelijk antwoord op zijn vraag had gekregen. Als Lena met Frank had gepraat had ze niet verteld dat niet Allison maar Tommy in de garage woonde.

Franks geduld was duidelijk op. 'Hoor eens, maat, ik doe dit werk al heel lang. Er zijn twee redenen waarom een man een vrouw zoiets aandoet: seks en seks. Tommy heeft al bekend. Wat heeft dit alles voor nut?'

Will glimlachte. 'Dokter Linton, ik weet dat Allison Spooner nog niet volledig is onderzocht, maar zijn er tekenen die op een seksueel misdrijf wijzen?'

Tot haar verbazing werd Sara weer bij het gesprek betrokken. 'Niet voor zover ik kan zien.'

'Waren haar kleren gescheurd?'

'Er zat een scheur bij de knie van haar spijkerbroek, waar ze gevallen is. In haar jasje zat een snee van het mes.'

'Zijn er andere belangrijke wonden, behalve de messteek in haar nek?'

'Die heb ik niet gevonden.'

'Dus Tommy wilde seks met Allison. Ze weigerde. Hij heeft haar kleren niet verscheurd. Hij probeerde haar niet te dwingen. Hij zet haar op zijn scooter en neemt haar mee naar het meer. Daar steekt hij haar één keer in haar nek. Vervolgens dumpt hij haar met de ketting en de betonblokken in het meer, schrijft een zogenaamd zelfmoordbriefje en gaat terug om haar kamer op te ruimen. Klopt dat zo ongeveer, commissaris Wallace?'

Frank hief zijn kin. De vijandigheid sloeg van hem af als hitte van een vuur.

'Wat me dwarszit, is dat briefje,' zei Will. 'Waarom heeft hij haar niet gewoon in het meer gedumpt en het daarbij gelaten? Waarschijnlijk zou niemand haar daar ooit vinden. Het meer is toch behoorlijk diep?' Toen Frank bleef zwijgen keek hij naar Sara. 'Dat klopt toch?'

Sara knikte. 'Dat klopt.'

Will leek nog steeds op Franks antwoord te wachten, maar dat bleef uit. Sara verwachtte dat hij naar de 911-oproep zou vragen, of naar het vriendje. Dat deed hij niet. Leunend tegen het werkblad wachtte hij Franks reactie af. Die leek wanhopig naar een verklaring te zoeken.

'Het joch was achterlijk,' zei hij ten slotte. 'Dat is toch zo, dokter?'

'Ik heb liever dat je een ander woord gebruikt,' zei Sara. 'Hij...'

'Zo is het anders wel,' onderbrak Frank haar. 'Tommy was dom. Daar kun je weinig tegen inbrengen. Hij heeft haar dus één keer gestoken. En wat dan nog? Hij heeft een briefje geschreven. En wat dan nog? Hij was achterlijk.'

Will liet Franks woorden even bezinken. 'U kende Allison toch? Van het eetcafé?'

'Ik zag haar weleens.'

'Hebt u haar auto al gevonden?'

'Nee.'

Will glimlachte. 'Hebt u Tommy's auto onderzocht?'

'Sorry, Einstein, maar ik heb nieuws voor u: die mongool heeft bekend. Einde verhaal.' Hij keek op zijn horloge. 'Ik kan hier niet de hele dag met u staan rondlummelen. Ik wilde alleen het bewijsmateriaal brengen.' Hij gaf Sara een knikje. 'Als je me nodig hebt, kun je me bereiken op mijn mobiel. Ik moet terug naar Brad.'

Zijn vertrek was nogal abrupt, maar Will hield hem niet tegen. 'Bedankt, commissaris. Ik stel uw medewerking zeer op prijs.'

Frank had geen idee of hij het sarcastisch bedoelde. Zonder op Wills woorden in te gaan zei hij tegen Sara: 'Wat Brad betreft zal ik je op de hoogte houden.' Toen liep hij met grote stappen weg.

Sara wist niet zo goed wat ze moest zeggen. Bij de belangrijkste vragen had Will niet op antwoord aangedrongen. Jeffrey was bij een verhoor altijd veel agressiever te werk gegaan. Als hij Frank eenmaal in de tang had gehad, zou hij hem niet meer hebben losgelaten. Ze keerde zich naar Will toe. Hij leunde nog steeds tegen het werkblad.

Ze had geen zin meer om te doen alsof er niks aan de hand was. 'Waarom heb je Frank niet naar dat vriendje gevraagd?'

'Je hebt niet zoveel aan een antwoord als dat toch een leugen is,' zei hij schouderophalend.

'Ik geeft toe dat hij zich hufterig gedroeg, maar hij stond wel open voor vragen.' Met een ruk trok ze haar handschoenen uit en wierp die in de afvalbak. 'Besef je wel dat hij geen idee heeft dat Lena met het bewijsmateriaal heeft geknoeid?'

Will krabde weer over zijn kaak. 'Ik heb gemerkt dat mensen om allerlei redenen dingen verzwijgen. Om iemand anders te beschermen. Omdat ze denken dat ze er goed aan doen terwijl dat niet zo is. Of zelfs om een onderzoek te belemmeren.'

Sara had geen idee welke kant dit op ging. 'Ik ken Frank al heel lang. Behalve die ene oerdomme uitspraak over Lionel is het geen verkeerde man.'

'Snoes.'

Ze sloeg haar blik ten hemel. 'Het lijkt alsof we heel hecht zijn, ik weet het...'

'Hij had trouwens mooie handschoenen aan.'

Sara hield haar adem in. 'Daar ben ik gigantisch ingestonken, hè?'

'Tommy heeft er flink van langs gekregen.'

Ze zuchtte. Intuïtief had Sara Frank willen beschermen. Het was niet bij haar opgekomen dat Will zag wat erachter stak: het verbergen van bewijs. 'Frank had een behoorlijke jaap in zijn hand. Die zal hij in het ziekenhuis wel hebben laten hechten.'

'En er werden waarschijnlijk niet al te veel vragen gesteld.'

'Waarschijnlijk niet.' Zelfs in het Grady Hospital kregen politiemensen met verdacht letsel een vrijbrief.

'Hoe gevaarlijk is een schampschot in de hand?' vroeg Will.

'Over wie heb je het?'

Hij antwoordde niet. 'Stel dat een kogel je hand heeft geschampt. Je hebt de wond niet laten behandelen. Met wat eerstehulpspullen heb je de zaak schoongemaakt en er toen een paar pleisters op geplakt. Hoe groot is de kans dat de wond ontstoken raakt?'

'Buitengewoon groot.'

'Wat zijn de symptomen?'

'Dat is afhankelijk van het soort infectie, of die al of niet in de bloedbaan terechtkomt. Dan kun je alles verwachten, van koorts en rillingen tot schade aan de organen en de hersenen.' Ze herhaalde haar vraag. 'Over wie heb je het?'

'Lena.' Will stak zijn hand op en wees naar de palm. 'Hier, aan de zijkant.'

De moed zonk Sara in de schoenen, maar niet vanwege Lena. Die redde zich wel. 'Heeft Frank op haar geschoten?'

Hij haalde zijn schouders op. 'Dat zou heel goed kunnen. Heb je de snee in zijn arm gezien?'

'Nee.'

'Volgens mij heeft hij die opengehaald aan een stuk metaal dat uit de garagedeur stak.'

Steun zoekend legde Sara haar hand op het werkblad. Frank had haar recht in haar gezicht verteld dat Tommy hem met het mes had gestoken. 'Waarom zou hij daarover liegen?'

'Hij is toch aan de drank?'

Weer schudde ze haar hoofd, maar nu van verwarring. 'Hij heeft nog nooit gedronken tijdens het werk. Tenminste, niet voor zover ik weet.'

'En nu?'

'Gisteren had hij gedronken. Ik weet niet hoeveel, maar ik rook het toen ik op het politiebureau kwam. Ik ging ervan uit dat hij aangeslagen was vanwege Brad. Die generatie...' Ze zweeg even. 'Ik denk dat ik het voor mezelf heb gerechtvaardigd omdat Frank nog uit een tijd stamt dat het geen probleem was als je halverwege de dag een paar borrels nam. Mijn man zou het nooit hebben getolereerd. Niet onder diensttijd.'

'Er is sinds zijn dood veel veranderd, Sara,' zei Will vriendelijk. 'Dit is niet langer Jeffreys korps. Hij is er niet meer om ze in de hand te houden.'

Sara voelde tranen opwellen en veegde ze weg. Ze moest om zichzelf lachen. 'God, Will. Waarom huil ik altijd als jij in de buurt bent?'

'Ik hoop dat het niet aan mijn aftershave ligt.'

Weer lachte ze, maar niet van harte. 'En nu?'

Will knielde neer en rommelde in de doos met bewijsmateriaal. 'Frank weet dat Allison een auto heeft. Lena wist dat niet. Lena weet dat Allison niet in de garage woonde. Frank niet.' Hij haalde een damesportefeuille tevoorschijn en maakte de sluiting open. 'Vreemd dat ze geen overleg plegen.'

'Frank liet er geen misverstand over bestaan dat hij klaar met haar was. Mijn persoonlijke vete buiten beschouwing gelaten heeft hij alle reden om zich van haar te distantiëren.'

'Maar ik heb begrepen dat ze veel hebben meegemaakt samen. Waarom zou hij zich nu van haar distantiëren?'

Sara wist niet wat ze daarop moest zeggen. Will had gelijk. Lena had in de loop van haar carrière veel fouten gemaakt die Frank met de mantel der liefde had bedekt. 'Misschien is dit de laatste druppel. Tommy is dood. Brad is zwaargewond.'

'Onderweg hiernaartoe heb ik Faith gesproken. Ze heeft geen Julie Smith kunnen vinden. Het mobiele nummer dat je me gaf was van een wegwerptelefoon die gekocht is bij een RadioShack in Cooperstown.'

'Dat is drie kwartier rijden hiervandaan.'

'Tommy en Allison hebben waarschijnlijk ook een wegwerpmobiel gehad. Bij geen van beiden kunnen we telefoongegevens achterhalen. We hebben hun nummers nodig om uit te vinden waar de telefoons zijn gekocht, maar ik ben bang dat dat niet veel oplevert.' Hij hield het mes omhoog dat Frank had afgegeven. 'Zo te zien zit hier geen bloed op. Wordt zoiets schoongemaakt tijdens een operatie?'

'Er wordt jodium op gegoten, maar het wordt niet grondig schoongemaakt, zoals dit mes.' Ze bekeek het aandachtig. 'Je zou bloed rond het heft verwachten.'

'Inderdaad,' beaamde Will. 'Ik zal de plaatselijke GBI-agent vragen het op het lab te laten onderzoeken. Mag ik hier wat monsters achterlaten zodat hij alles kan meenemen wanneer je klaar bent?'

'Heb je het over Nick Shelton?'

'Ken je die dan?'

'Die heeft altijd met mijn man samengewerkt,' zei ze. 'Ik bel hem zodra ik hier klaar ben.'

Will hield het zelfmoordbriefje omhoog en keek naar de tekst. 'Ik snap dit niet.'

'Er staat: "Ik wil niet langer."'

Hij schonk haar een scherpe blik. 'Bedankt, Sara. Ik weet wat er staat. Wat ik niet snap is wie dit geschreven heeft.'

'De moordenaar?' opperde ze.

'Dat is mogelijk.' Will ging op zijn hurken zitten en staarde naar de zin aan de bovenkant van het stukje papier. 'Ik heb het idee dat we met twee mensen te maken hebben: de moordenaar en degene die 911 heeft gebeld. De moordenaar rekende met Allison af en de beller probeert hem te verlinken. En dan hebben we Julie Smith nog, die Tommy probeerde te redden door jouw hulp in te schakelen.'

'Zo te horen staat hij niet langer op je lijstje met verdachten.'

'Ik dacht dat je liever niet van veronderstellingen uitging.'

'Ik heb er geen bezwaar tegen als anderen dat wel doen.'

Will grinnikte, maar hij bleef naar het briefje staren. 'Stel dat de moordenaar dit heeft geschreven... tegen wie zegt hij dan dat hij niet langer wil?'

Ze ging ook op haar hurken zitten en keek over zijn schouder mee. 'Het handschrift lijkt niet op dat van Tommy.' Ze wees naar het woord 'Ik' aan het begin van de zin. 'Zie je dat? In Tommy's bekentenis gebruikte hij een officiële hoofdletter bij...' Sara besefte dat haar woorden hem niets zeiden. 'Oké, je moet het zo zien: als de eerste haal van de "I" een soort stam is, en als er dan takken aan zitten... Of eigenlijk geen takken, eerder streepjes...' Ze zweeg. De kern van zijn probleem was dat hij niet in staat was om letters te visualiseren.

'Irritant,' beaamde Will. 'Had hij maar iets makkelijkers opgeschreven. Een smiley bijvoorbeeld.'

Gelukkig voor Sara ging op dat moment zijn telefoon.

'Met Will Trent.' Het duurde wel een volle minuut voor hij weer iets zei. 'Nee. Ga door met dat buurtonderzoek. Zeg maar dat ik meteen kom.' Hij klapte het apparaat dicht. 'Dat kan er vandaag ook nog wel bij.'

'Wat is er?'

'Dat was Lena. We hebben weer een lijk.'

Twaalf

Will reed achter Sara aan naar de campus. Zo langzamerhand ging hij oriëntatiepunten herkennen, huizen met schuttingen en speeltoestellen waaraan hij afslagen onthield. De campus was onbekend terrein en zoals bij de meeste onderwijsinstellingen lag er geen specifiek ontwerp aan ten grondslag. Nieuwe gebouwen verrezen als er geld voor was. Het gevolg was dat de campus zich over verschillende hectaren uitstrekte, als een hand met te veel vingers.

Hij had de hele ochtend in het gezelschap van Lena Adams doorgebracht en meende dat hij haar stemming inmiddels aardig kon peilen. Over de telefoon had ze gespannen geklonken. Ze had het breekpunt bijna bereikt. Het liefst zou Will de druk nog wat opvoeren, maar hij kon Lena nu onmogelijk naar de plaats van het misdrijf laten komen. Sara had duidelijk aangegeven dat ze niet in één ruimte wenste te verkeren met de vrouw die volgens haar de dood van haar man op haar geweten had. Will had op dat moment meer behoefte aan Sara's forensische blik dan aan Lena's bekentenis.

Terwijl hij zijn auto met de bocht mee om het meer heen stuurde, toetste hij het nummer van Faith in. Hij zag het botenhuis dat Lena hem eerder die dag had aangewezen. Kano's en kajaks stonden opgestapeld tegen het gebouw.

'Je kunt nog drie uur over me beschikken,' zei Faith bij wijze van groet.

'We hebben een tweede slachtoffer. De vermoedelijke naam is Jason Howell.'

'Fantastisch.' Faith was niet optimistisch van aard, maar nu had ze daar alle reden toe. Een nieuw slachtoffer betekende een nieuwe plaats delict en een nieuwe reeks mogelijkheden. Ze hadden nog steeds geen bruikbare informatie over Allison Spooner. De tante was onvindbaar. Thuis en op college had Allison met niemand contact gehad. De enige die om haar dood leek te treuren was Lionel Harris van het eetcafé, en hij was niet echt met haar bevriend geweest. Maar de dood van Jason Howell zou ongetwijfeld nieuwe aanwijzingen opleveren. Een tweede lijk betekende een tweede onderzoek. Doorgaans hoefde er maar één detail gevonden te worden, één persoon, vriend of vijand die Allison Spooner met Jason Howell verbond, om op het spoor van de dader te komen. Zelfs de voorzichtigste moordenaar maakte fouten. Twee plaatsen delict betekende twee keer zoveel fouten.

'Het wordt nog een hele klus om een volmacht los te krijgen voor alle namen van de studenten in dat gebouw,' zei Faith.

'Ik hoop dat de hogeschool meewerkt.'

'Ik hoop dat de baby straks met een zak geld naar buiten komt.'

Ergens had ze gelijk. Onderwijsinstellingen stonden erom bekend dat ze privacy hoog in het vaandel hadden staan. 'Hoe ver zijn we met het huiszoekingsbevel voor Allisons kamer?'

'Bedoel je de echte kamer?' Ze leek er zin in te hebben. 'Ik heb het een minuut of tien geleden naar het bureau gefaxt. De Brahams hebben geen vaste telefoonaansluiting, dus dat spoor loopt dood. Heeft de sectie nog iets opgeleverd?'

Hij vertelde haar over Allisons wond. 'Het is heel ongebruikelijk dat een moordenaar zijn slachtoffer in de nek steekt in plaats van de keel door te snijden.'

'Ik haal het wel even door VICAP.' Ze bedoelde het

Violent Criminal Apprehension Program van het FBI, een databank waarmee overeenkomsten in crimineel gedrag opgespoord konden worden. Als Allisons moordenaar deze methode eerder had toegepast, zou VICAP er een dossier van hebben.

'Zou je Nick Shelton ook willen bellen?' vroeg Will. 'Hij is hier de plaatselijke GBI-agent. Sara kent hem. Hij moet wat spullen door het centrale laboratorium laten onderzoeken. Sara zal het hem laten weten wanneer ze alles klaar heeft staan.'

'Verder nog iets?'

'Ik zit nog steeds op de audiotape van de 911-oproep te wachten. Die wil ik Sara laten horen, misschien kan zij zeggen of het de stem van Julie Smith is.'

'Krijg jij er nog wel een zin uit waar Sara niet in voorkomt?'

Will krabde over zijn kaak en zijn vingers stuitten op het litteken dat over zijn gezicht liep. Het klamme zweet brak hem uit, net als toen hij met Sara stond te praten in het souterrain van het rouwcentrum.

'Wist je dat Charlie deze week op het centrale lab is?' vroeg Faith.

'Nee.' Charlie Reed was lid van Amanda's team. Hij was de beste technisch rechercheur met wie Will ooit had samengewerkt. 'Het lab is een uur rijden hiervandaan.'

'Zal ik hem bellen en vragen of hij naar je toe komt?'

Will dacht aan de garage, aan de plek bij het meer. Hij zat nu op twee zaken: die van Lena Adams en Frank Wallace, en die van de man die Allison Spooner had gedood en mogelijk een nieuw slachtoffer had gemaakt. 'Ik heb tegen de commissaris hier gezegd dat ik een eigen team zou inschakelen. Laat ik het dan maar doen ook.'

'Ik bel hem wel,' bood Faith aan. 'VICAP levert geen vergelijkbare hits op van moordenaars die van achteren de carotisschede, of de halsslagader en de halsader hebben doorgesneden. Ik heb ook nog gezocht op dat verdraaien van het mes. Geen overeenkomstige modus operandi.'

'Dat is dan goed nieuws, denk ik.'

'Of heel slecht,' was haar reactie. 'Dit is een schone moord, Will. Zo doe je het niet als het de eerste keer is. Op dat punt ben ik het met Sara eens. Ik zie dat die achterlijke jongen van jullie nog niet doen.'

'Verstandelijk gehandicapt.' Nu Sara zijn aandacht erop had gevestigd begon het woord hem te irriteren. Eigenlijk zou Will zich solidair moeten voelen met Tommy Braham, want ze hadden allebei een probleem. 'Bel maar als je Charlie aan de lijn hebt gehad.'

'Doe ik.'

Will klapte zijn telefoontje dicht. Een eind verderop zag hij Sara's suv een ronde oprit oprijden die naar een bakstenen gebouw van drie verdiepingen voerde. Ze parkeerde achter een wagen van de campusbewaking. Het regende onverminderd. Ze trok de capuchon van haar regenjas over haar hoofd en snelde de trap naar de ingang op.

Will stapte uit en rende spetterend door de plassen achter haar aan. Zijn sokken waren nog nat van die ochtend, toen hij het meer was in gelopen. Op zijn hiel voelde hij een blaar opkomen.

Sara stond hem op te wachten in de kleine vestibule tussen twee stel dubbele glazen deuren. Het water droop van de mouwen van haar jas. Ze klopte aan. 'Er zit niemand in de patrouillewagen.' Met haar handen als een kommetje om haar ogen tuurde ze door het glas. 'Zou hier iemand moeten zijn?'

'De bewaker heeft opdracht gekregen in het gebouw op ons te wachten.' Will drukte een paar toetsen in op het paneel naast de deur. Het lcd-scherm bleef leeg. Hij draaide zich om en zocht naar een camera.

'De achterdeur staat open.'

Will keek door het glas. Het gebouw was veel breder dan het diep was. Tegenover de voordeur zag hij een trap. Opzij was een lange gang. Achter in het gebouw, boven de

openstaande nooduitgang, gloeide zacht een bordje met
UITGANG.

'Waar is de politie?' vroeg Sara.

'Ik heb tegen Lena gezegd dat ze er niemand bij moest
roepen.'

Ze keek hem aan.

'Ze kreeg de melding op haar mobiel. Blijkbaar is zij de
contactpersoon voor de campusbeveiliging buiten kan-
tooruren.'

'Heeft ze Frank niet gebeld?'

'Nee, grappig, hè?'

'"Grappig" is niet echt het juiste woord.'

Will zweeg. Sara's persoonlijke betrokkenheid vertroebelde haar visie. Voor haar was dit iets anders dan een mis-
daadonderzoek. Als er twee verdachten waren, probeerde
je altijd de een tegen de ander uit te spelen om te zien wie
het eerst doorsloeg om er nog iets gunstigs voor zichzelf
uit te slepen. Zelfbehoud won het doorgaans van loyaliteit. Door het incident in Tommy's garage waren Frank en
Lena in zwaar weer beland. Nu ging het er alleen nog om
wie het eerst begon te praten.

Sara tuurde door het glas. 'Daar zul je hem hebben.'

Will zag een kleine zwarte man naderen. Hij was jong
en mager en het overhemd van zijn uniform bolde op als
een damesbloes. Met zijn mobiel tegen zijn borst geklemd
stapte hij op hen af. In zijn andere hand had hij zijn sleutelkaart, die hij voor een plaat bij de deur hield. Het slot
klikte open.

Sara liep op een drafje naar binnen. 'Marty, gaat het?'

Will zag meteen waarom ze zo bezorgd klonk. Het gezicht van de man was asgrauw.

'Dokter Linton,' zei hij. 'Neem me niet kwalijk. Ik was
even naar buiten gegaan om wat lucht te krijgen.'

'Kom, dan gaan we zitten.' Sara loodste hem naar een
bank bij de deur. Ze had haar arm om zijn schouders geslagen. 'Waar is je inhalator?'

'Die heb ik net gebruikt.' Hij gaf Will een hand. 'Sorry dat ik er zo aan toe ben. Marty Harris. U hebt vanochtend geloof ik met mijn opa gesproken.'

'Will Trent.' Will schudde de hand, die slap aanvoelde.

Marty zwaaide met zijn telefoontje. 'Ik was met Lena in gesprek; ik vertelde haar net wat er gebeurd is.' Hij hoestte. Geleidelijk aan kreeg zijn gezicht weer wat kleur. 'Sorry, ik had het even te kwaad.'

Will leunde tegen de muur. Hij stak zijn handen in zijn zakken. Lang geleden had hij geleerd dat hij zijn irritatie moest bedwingen om zijn doel te bereiken. 'Kunt u me vertellen wat u tegen rechercheur Adams hebt gezegd?'

Hij hoestte nog een paar keer. Sara wreef over zijn rug. 'Het gaat wel,' zei hij. 'Het is alleen moeilijk om het allemaal weer boven te krijgen. Ik heb nog nooit van mijn leven zoiets gezien.'

Het kostte Will moeite om zijn geduld te bewaren. Hij keek de gang op en neer. Het licht was nog uit, maar zijn ogen wenden snel. Bij de voordeur was geen camera. Hij vermoedde dat het toetsenpaneel bij de ingang studenten en bezoekers registreerde die het gebouw in gingen. Boven de nooduitgang aan de achterkant was wel een camera, die op het plafond was gericht.

'Zo stond hij al toen ik hier kwam,' vertelde Marty. Hij stopte zijn mobiel in zijn borstzak en schoof zijn bril omhoog.

'Wanneer was dat?'

'Ongeveer een halfuur geleden, denk ik.' Marty keek op zijn horloge. 'Het lijkt veel langer geleden.'

'Kunt u me vertellen wat er gebeurd is?'

Hij klopte op zijn borst. 'Ik was mijn ronde aan het maken. Dat doe ik om de drie uur. Omdat het vakantie is, ging ik niet in de studentenhuizen kijken. We rijden langs om te zien of de deuren voor en achter goed dicht zitten, maar we gaan niet naar binnen.' Hij hoestte in zijn hand. 'Ik was in de bibliotheek toen het me opviel dat een van de ramen op de eerste verdieping openstond. De eerste verdieping van dit gebouw.' Even zweeg hij om adem te halen. 'Dat kwam vast door de wind, dacht ik. Die oude ramen sluiten niet goed. Met al die regen zou er behoorlijk wat waterschade zijn als ik er niks aan deed.' Weer zweeg hij. Ondanks de kou in het gebouw zag Will hem zweten. 'Ik ging naar boven en toen zag ik hem, en...' Hij schudde zijn hoofd. 'Ik heb het noodnummer gebeld.'

'Niet 911?'

'We hebben een rechtstreeks nummer dat we moeten bellen als er iets aan de hand is op de campus.'

'De decaan probeert negatieve publiciteit te voorkomen,' legde Sara uit.

'Erger dan dit kan gewoon niet.' Marty lachte wrang. 'Lieve hemel, wat er met die jongen is uitgespookt... De stank is nog het ergste. Ik ben bang dat ik het altijd zal blijven ruiken.'

'Bent u door de voordeur of door de achterdeur binnengekomen?' vroeg Will.

'Door de voordeur.' Hij wees naar de nooduitgang. 'Ik weet dat ik niet door de achterdeur naar buiten had moeten gaan, maar ik had frisse lucht nodig.'

'Zat de achterdeur op slot?'

Hij schudde zijn hoofd.

Will zag de rode waarschuwingsstickers rondom de deur. 'Gaat het alarm af als de deur wordt geopend?'

'Meestal hebben de studenten binnen een week al door hoe ze het alarm kunnen omzeilen. Het valt niet bij te houden. Zodra we het weer hebben aangesloten, halen zij het eraf. Het stikt hier van de ingenieurs en computerlui. Die zien het als een uitdaging.'

'Schakelen ze het alarm voor de lol uit?'

'Zo is het korter naar de bibliotheek. De achteruitgang van de kantine is ook die kant op. In verband met de veiligheid mogen ze eigenlijk niet in de buurt van de laadperrons komen, maar ze glippen er toch langs.'

Will wees naar de camera boven de deur. 'Is dat de enige camera in het gebouw?'

'Nee, en zoals ik al zei stond hij omhoog gericht toen ik hier aankwam. Er is er nog een op de eerste verdieping, en die staat ook omhoog.'

Will begreep dat je heel gemakkelijk onopgemerkt in het gebouw kon komen. Als je wist waar de camera was, ging je eronder staan en duwde hem met het handvat van een bezem of iets dergelijks omhoog, waarna je je gang kon gaan. 'Hebben jullie beeldmateriaal van die camera's?' vroeg hij niettemin.

'Ja. Dat wordt allemaal naar een centrale plek op de campus gestuurd. Ik heb geen sleutel, maar mijn chef, Demetrius, is al onderweg. Die kan hier over een uur of twee zijn.' Tegen Sara zei hij: 'Hij zit in Griffin, bij de familie van zijn vader.'

'En buitencamera's?' vroeg Will.

'Die kunnen niet tegen de kou. Ze doen het geen van alle. De helft is bevroren en de rest is als een stel kokosnoten kapotgebarsten. Er is er laatst eentje op de auto van een student gevallen. De hele achterruit lag aan diggelen.'

Will wreef over zijn kin. 'Wie weet er verder nog dat de camera's het niet doen?'

Daar moest Marty over nadenken. 'Demetrius, de decaan, en misschien een paar mensen die toevallig omhoog hebben gekeken. Bij sommige is de schade duidelijk te zien, ook vanaf de grond.'

'Ik zag dat toetsenpaneel bij de deur. Is dat de enige ingang aan de voorkant?'

'Ja, en ik heb het logboek al bekeken. Ik wil wel een systeemdiagnose op dat paneel uitvoeren. Sinds zaterdagmiddag is er niemand via de voordeur naar binnen of naar buiten gegaan. De enige sleutelkaart die niet is uitgescand is van Jason Howell. De kamer waarin hij ligt, staat ook op zijn naam. Ik heb geen idee waarom hij hier is gebleven,' zei Marty tegen Sara. 'De verwarming is uit. De campus is

gesloten. De bibliotheek is zondag om twaalf uur al dichtgegaan. Ik dacht dat de hele tent leeg was.'

'Jij kunt er niks aan doen,' stelde Sara hem gerust, maar
Will had zijn bedenkingen. Per slot van rekening had de
man de nooduitgang geopend. Sara maakte het weer goed
met haar volgende vraag. 'Kun je aan een lijst komen van
alle studenten die in dit gebouw wonen? Dat zou wel handig zijn voor agent Trent.'

'Geen enkel probleem. Die kan ik nu voor u uitprinten.'

'Weet u nog wat u boven allemaal hebt aangeraakt?'
vroeg Will.

'Niets. De deur stond op een kier. Ik kreeg meteen al
een raar gevoel, een rotgevoel. Ik duwde de deur open
met mijn voet en zag hem liggen, en toen...' Hij keek
naar de vloer. 'Kon ik maar een pil innemen om alles te
vergeten.'

'Sorry dat ik zo aandring, meneer Harris, maar weet u
nog of het licht boven aan of uit was?'

'Alle schakelaars zitten beneden.' Hij wees naar een rij
schakelaars naast de trap. Ze zaten hoog, waarschijnlijk
om het de studenten niet al te gemakkelijk te maken ze
naar willekeur aan en uit te doen. 'Ik heb het licht aangedaan voor ik naar boven ging, maar later heb ik het weer
uitgedaan.'

'Bedankt voor de moeite, meneer Harris.' Met een knikje
in de richting van de trap gaf Will aan dat hij zover was.

Sara kwam overeind, maar ze bleef nog even staan. 'Kende je Jason?'

'Nee, mevrouw. Ik heb dat meisje, Allison, weleens in
het eetcafé gezien. U weet hoe mijn opa is, die liet haar
de hele dag rennen voor haar geld. Ik lachte weleens naar
haar, maar ik heb nooit met haar gepraat. Als er dan zoiets
gebeurt, besef je weer dat je meer aandacht moet schenken
aan de mensen om je heen. Stel dat ik iets had kunnen
doen om dit alles te voorkomen...'

Will zag dat de man oprecht aangeslagen was. Hij legde

zijn hand op Marty's schouder. 'Ik weet zeker dat u al het mogelijke hebt gedaan.'

Ze liepen naar de trap. Uit haar jaszak haalde Sara twee paar papieren overschoenen om over hun eigen schoenen aan te trekken. Ze deed ze aan en Will volgde haar voorbeeld. Ook trok ze een rubberen handschoen aan. Ze ging op haar tenen staan en drukte de schakelaar in. In het trappenhuis floepte het licht aan.

Will ging voor. Eigenlijk hoorde er een team vooruit te gaan om het gebouw te doorzoeken, maar Will wist dat de moordenaar er allang vandoor was. Verse lijken stonken niet.

Het was een oud, degelijk gebouw, met een saaie, bepaald onvriendelijke uitstraling. De trap liep door naar de tweede verdieping, en het trappenhuis was een tochtgat vol koude lucht. Will keek naar de met zwart rubber beklede treden. Die moesten op bloedsporen worden onderzocht. Hij hoopte dat Faith Charlie Reed te pakken had gekregen. Ze hadden met een slimme moordenaar te maken die wist hoe hij zijn sporen moest verbergen. Deze keer had hij echter geen meer tot zijn beschikking gehad om elk teken van zijn aanwezigheid weg te spoelen. Als er iemand was die een spoor kon vinden, was het Charlie.

De aanblik van de eerste verdieping was niet erg verrassend: een lange gang met aan weerszijden gesloten deuren, op één na. Aan het eind was een in schaduw gehuld portaal.

'De badkamer,' vermoedde Sara.

Will draaide zich om en zag de bewakingscamera hoog in de hoek bij de trap. De lens was op het plafond gericht. Jasons moordenaar had zich waarschijnlijk aan de trapleuning vastgehouden en vanaf de onderste tree van de trap naar de tweede verdieping met een of ander voorwerp de camera omhooggeduwd.

'Ruik je dat?'

Will snoof voorzichtig. 'Hij ligt hier al een tijdje.'

Sara had zich voorbereid. Ze haalde een papieren masker uit haar zak. 'Dit helpt een beetje.'

Will aarzelde, zoals het een heer betaamde, maar hij had ook geen zin om over zijn nek te gaan. 'Heb je er maar een?'

'Ik heb er geen last van.'

Ze stapte de gang op. Will schoof het masker voor zijn gezicht. Het maakte het ademen iets draaglijker. De kamer van Jason Howell lag dichter bij de badkamer dan bij de trap. Hun voetstappen werden weerkaatst door de muren. Hoe dichter ze de kamer naderden, hoe sterker de stank werd. Will zag dat de studenten allemaal een prikbord op hun deur hadden. Foto's en berichtjes gingen schuil onder vellen papier. Het bord op Jasons deur was leeg.

Sara drukte de rug van haar hand tegen haar neus. 'Jeetje, wat een stank.' Ze nam snel een hap lucht voor ze de kamer binnenging. Will bleef in de deuropening staan. Zijn adem stokte toen de geur van de dood over hem heen sloeg.

De jongen lag op zijn rug en zijn bloeddoorlopen ogen staarden naar het plafond. Zijn gezicht was opgezwollen en donkerrood. Zijn neus was gebroken. Rond zijn mond en neusgaten zat opgedroogd bloed. Eén hand hing slap op de vloer. Er zat een snee in zijn duim. Het topje van zijn pink bungelde slechts aan een paar draadjes.

'Dit moet hem zijn.' Jasons studentenkaart hing aan de kastdeur. Sara liet de foto aan Will zien. Ook al was hij nog zo toegetakeld, de gelijkenis was onmiskenbaar.

Merkwaardig genoeg droeg Jason allemaal laagjes kleding over elkaar: een trainingsbroek over een pyjamabroek, verscheidene T-shirts, een badstoffen ochtendjas en een jack met rits. De eerste tekenen van ontbinding waren al zichtbaar en zijn lichaam was opgezwollen. Zijn buik was gevuld met gas en de huid op zijn handen was groen verkleurd. Hij droeg geen strakke schoenen, maar zijn voeten waren zo opgezwollen dat de veters in zijn sokken sneden.

Zijn borst was één grote steekwond. Het bloed klonterde op de stof van zijn jas. Op de vloer lag nog meer bloed, dat in een lange veeg naar het bureau tegenover zijn bed liep. De computer, zijn schriften en papieren lagen her en der verspreid en zaten onder het bloed en stukjes hersenweefsel.

Sara legde haar hand op de pols van de jongen. Het was een routinegebaar, hoewel het niet veel zin meer had. 'Ik tel acht steekwonden in de borst, en drie in de hals. De stank wordt veroorzaakt door de bacteriën in zijn buik. Zijn darmen zijn doorboord. Hij zit vol giftige stoffen.'

'Hoe lang denk je dat hij al dood is?' vroeg Will.

'Naar de lijkstijfheid te oordelen minstens twaalf uur.'

'Denk je dat we met dezelfde moordenaar te maken hebben?'

'Ik denk dat degene die Jason gedood heeft hem kende. Dit is pure haat.' Ze drukte haar vingers op een van de halswonden en trok de huid strak. 'Moet je kijken. Dezelfde draai aan de onderkant die ik ook bij Allison heb gezien.' Ze controleerde de overige halswonden. 'Ze zijn allemaal hetzelfde. De moordenaar heeft het lemmet erin gestoken en er toen een draai aan gegeven om er zeker van te zijn dat hij zijn doel raakte. Hier zie je de kneuzing van het heft. Ik vermoed dat hetzelfde type mes is gebruikt. Ik moet nog op allebei sectie verrichten, maar alles wijst erop dat dit het werk is van een en dezelfde moordenaar.'

'Jason was veel groter dan Allison. Hij heeft zich vast niet zo gemakkelijk laten overmeesteren.'

Voorzichtig schoof ze haar hand onder het achterhoofd. 'De schedel is gebroken.' Toen ze haar hand terugtrok, kleefde er bloed aan.

'Het raam is dicht,' merkte Will op. Onder het schuifraam had zich een behoorlijke plas gevormd. Marty was toch in de kamer geweest.

Sara had het ook gezien. 'Hij heeft je een gunst willen bewijzen. Het regenwater had zich over de vloer kunnen verspreiden en alle sporen kunnen uitwissen.'

'Daar zal Charlie niet blij mee zijn.' Will bedacht dat hij haar nog niet had verteld dat er een team in aantocht was. 'Dat is onze technische man. Waarschijnlijk wil hij het lichaam hier houden tot hij de hele plek heeft afgewerkt.'

'Ik zal het aan Brock doorgeven. Zal ik de sectie doen?'

'Als het niet te veel gevraagd is,' zei hij, bang dat hij te opdringerig was.

'Je zegt het maar.'

Will stond perplex. Hij was eraan gewend dat de vrouwen in zijn leven het hem alleen maar moeilijker maakten in plaats van gemakkelijker. 'Dank je.'

'Denk je dat Jason Allisons vriendje was?' vroeg Sara.

'Ze zijn ongeveer even oud. Ze studeerden aan dezelfde hogeschool. Ze zijn uiteindelijk allebei gedood door dezelfde moordenaar. Zo onwaarschijnlijk is dat niet. Ik weet dat je liever niet van hypothesen uitgaat, maar wat is hier volgens jou gebeurd?'

Terwijl ze een schoon paar handschoenen aantrok, zei Sara: 'Volgens mij zat Jason achter de computer toen hij een klap met een of ander voorwerp kreeg. Als we op de cijfers afgaan, is het waarschijnlijk een honkbalknuppel geweest. Daar ben ik gauw genoeg achter. Dan zitten er splinters in zijn hoofdhuid.' Ze wees naar spatten op de muur, die Will nog niet had gezien. Anders dan de eik bij het meer vertoonden de witte muren van de kamer duidelijke tekenen van het geweld dat hier had plaatsgevonden. 'De klap was van gemiddelde snelheid en volgens mij was het niet de bedoeling dat hij eraan doodging. De moordenaar wilde hem bewusteloos slaan.' Ze wees naar de rode vegen op de vloer. 'Hij is naar het bed gesleept en daar gestoken, maar eigenlijk klopt het niet.'

'Waarom niet?'

Ze keek onder het bed. 'Dan had er veel meer bloed moeten vloeien.' Ze wees naar een vlezige homp op het bureau. 'Kennelijk heeft hij zijn tong afgebeten...'

Will kokhalsde. 'Sorry. Ga door.'

'Weet je het zeker?'

Zijn stem klonk hem ongewoon hoog in de oren. 'Ja. Ga door alsjeblieft.'

Ze keek hem onderzoekend aan en vervolgde toen haar verhaal. 'Het gebeurt vaker dat het slachtoffer zijn tong afbijt bij een klap tegen het achterhoofd. Meestal wordt hij niet helemaal afgebeten, maar het verklaart wel waar al het bloed op het toetsenbord vandaan komt. Zijn mond heeft vol bloed gezeten.' Ze wees naar de muur boven het bureau. 'Bij deze spatten kun je ervan uitgaan dat ze het gevolg zijn van de klap met de honkbalknuppel tegen het hoofd, maar die bij het bed duiden op iets anders.'

'Hoezo?'

'Uit de positie van de wonden herleid ik dat de grote slag-aderen in de borst en de hals zijn geraakt. Je moet het als volgt zien,' legde ze uit. 'Jason ligt op het bed. We gaan ervan uit dat hij bij bewustzijn is vanwege het afweerletsel op zijn hand. Hij is bijna een vinger kwijtgeraakt. Hij zal het mes wel bij het lemmet hebben vastgegrepen. Zijn hart moet als een razende tekeer zijn gegaan.' Ze klopte met haar vuist tegen haar borst om de snelle hartslag na te doen. 'Psssj, psssj, psssj. Dan was het over de hele muur gespoten.'

Will keek naar de muur. Ze had gelijk. Behalve twee vlekkerige spetters vlak bij het lichaam was de witte verf amper bezoedeld.

'Misschien droeg de moordenaar een beschermende overall,' opperde Sara. 'Hij kan alles met plastic hebben bedekt. Dan moest hij wel de hele kamer meenemen en alle muren afplakken. Hier is echt over nagedacht.'

'Dat klinkt me iets te ingewikkeld.' Will moest de eerste moordenaar nog tegenkomen die zo overdreven netjes te werk ging. 'Moordenaars zijn simpel. Het zijn opportunis-ten.'

'Ik vind het niet bepaald opportunistisch om een stel betonblokken, een slot en een ketting mee het bos in te nemen.'

'Volgens mij maak je het te ingewikkeld,' vond Will. 'Kan de moordenaar Jason niet ergens mee bedekt hebben en daardoorheen hebben gestoken?'

Sara keek naar het lichaam. 'De steekwonden zitten dicht op elkaar. Ik weet het niet. Waaraan denk je? Plastic?' Ze knikte nadenkend. 'Misschien heeft de moordenaar hem met plastic bedekt. Kijk eens naar de vloer. Een hele rij druppels achter elkaar.'

Will zag het. Een onregelmatige lijn volgde de contouren van het bed.

'Plastic absorbeert niet. Dan zou die lijn niet zo dun zijn geweest. Het bloed zou ervanaf zijn gestroomd.'

'Hoe zit het met de lakens?'

Voorovergebogen bekeek Sara het bed. 'Er is een onderlaken en een bovenlaken.'

'En waar is de deken?' vroeg Will. De jongen had het steenkoud gehad. Hij had vast onder een deken geslapen.

Sara trok de kastdeur open. 'Niets.' Ze doorzocht de laden. 'Ik denk dat je gelijk hebt. Het moet iets absorberends zijn geweest dat...'

Will liep de gang door naar de badkamer. Het licht was uit, maar naast de deur zat een schakelaar. Aan het plafond flikkerden de tl-lampen aan. De blauwe tegels weerkaatsten het groene licht. Will had nooit in een studentenhuis gewoond, maar hij had wel tot zijn achttiende met vijftien andere jongens een badkamer gedeeld. Ze zagen er allemaal hetzelfde uit: vooraan wasbakken, achterin douches en opzij toiletten.

In het eerste toilet vond hij een samengepropte deken. Het blauwe katoen zat vol aangekoekt bloed en was zo stijf als karton.

Sara kwam achter hem staan.

'Simpel,' zei hij.

Will zocht naar het huis met het speeltoestel, want daar moest hij afslaan naar Taylor Drive. Hoewel hij de route inmiddels kende, reed hij met enige tegenzin naar zijn bestemming. Het doorzoeken van de kamer van Allison Spooner moest gebeuren, maar zijn gevoel fluisterde hem in dat er op Jason Howells kamer in het studentenhuis belangrijker aanwijzingen te vinden waren. Helaas was Will geen technisch rechercheur. Hij beschikte niet over de kwalificaties of de apparatuur om het studentenhuis uit te kammen. Hij moest wachten tot Charlie Reed en zijn team waren overgekomen van het centrale GBI-laboratorium. Ze hadden nu twee dode studenten, maar Will had geen idee wat het motief van de dader was. De tijd werkte in zijn nadeel.

Niettemin moesten de juiste procedures worden gevolgd. Hij was langs het politiebureau gereden om het huiszoekingsbevel voor de woning van de Brahams op te halen. Vandaar had hij Faith de door Marty Harris uitgeprinte lijst gestuurd met de namen van alle bewoners van het studentenhuis. Het ontbrak haar aan de tijd om alle namen te controleren, maar ze zou meteen beginnen en voor ze naar het ziekenhuis ging de rest van de lijst naar Amanda's secretaresse sturen.

Het was merkwaardig stil geweest op het politiebureau. Will vermoedde dat de meeste agenten op patrouille waren of in het ziekenhuis zaten bij Brad Stephens, die nog steeds kunstmatig in coma werd gehouden. Toch was er meer aan de hand. De paar agenten aan de bureaus hadden Will niet met de verwachte haat in hun ogen aangekeken. Marla Simms had hem de fax overhandigd zonder dat hij ernaar hoefde te vragen. Zelfs Larry Knox was met neergeslagen blik naar het koffiezetapparaat gelopen om zijn beker bij te vullen.

Voor het huis van de Brahams stonden twee auto's geparkeerd. De ene was een patrouillewagen. De andere een vierdeurs Ford pick-up. Will zette zijn eigen auto achter de pick-up. Uit de pijp steeg uitlaatgas omhoog. Hij zag twee mensen in de cabine. Lena Adams zat op de passagiersstoel. Achter het stuur zat een man. Ondanks de regen had hij zijn raampje opengedraaid. In zijn hand hield hij een sigaret.

Will liep naar de kant van de bestuurder. Zijn haar zat aan zijn hoofd geplakt. Hij was koud tot op het bot. Zijn sokken waren nog steeds drijfnat.

Lena stelde de mannen aan elkaar voor. 'Gordon, dit is de agent uit Atlanta over wie ik je verteld heb. Will Trent.'

Will hoopte dat zijn blik boekdelen sprak, want de situatie irriteerde hem enorm. Er liep een onderzoek naar Lena in verband met haar aandeel in Tommy's dood. Het hoorde niet dat ze nu met zijn vader zat te praten. 'Meneer Braham, ik vind het heel erg dat we elkaar onder deze omstandigheden ontmoeten.' Gordon bracht de sigaret naar zijn lippen. Hij huilde openlijk en de tranen stroomden over zijn wangen. 'Stapt u maar in.'

Will nam achterin plaats. Op de vloer van de auto lagen wat zakken van fastfoodrestaurants. Op de andere stoel stond een open koffer met werkformulieren, naar het logo te oordelen van Georgia Power, het energiebedrijf. Ondanks het geopende raampje hing de rook als een sluier in de wagen.

Gordon staarde voor zich uit. Regendruppels spatten op de motorkap. 'Het wil er bij mij niet in dat mijn zoon dit heeft gedaan. Het ligt niet in zijn aard om iemand anders kwaad te doen.'

Een te vriendelijke opstelling was alleen maar zonde van de tijd, wist Will. 'Zou u me kunnen vertellen wat u over Allison weet?'

Weer nam de man een trek van zijn sigaret. 'Ze betaalde de huur op tijd. Ze hield het huis schoon. Ik gaf haar korting omdat ze voor de was zorgde en een oogje op Tommy hield.'

'Had hij toezicht nodig?'

Gordon keek Lena vluchtig aan. 'Hij weet het, hè?'

'Ik weet dat hij traag was, meneer Braham,' antwoordde Will. 'Ik weet ook dat hij verscheidene baantjes had en gerespecteerd werd in de stad.'

De man keek naar zijn handen. Zijn schouders schokten. 'Precies. Het was een harde werker.'

'Vertel eens over Allison.'

Geleidelijk aan werd Gordon wat rustiger, maar hij liet zijn schouders nog steeds hangen. Toen hij zijn sigaret naar zijn lippen bracht, was het alsof er lood in zijn hand zat. 'Is ze verkracht?'

'Nee. Niets wat erop wees.'

Haperend slaakte hij een zucht van opluchting. 'Tommy was verliefd op haar.'

'En zij ook op hem?'

Hij schudde zijn hoofd. 'Nee. Dat wist hij. Ik heb hem al heel jong geleerd dat hij voorzichtig moest zijn met meisjes. Hij mocht wel kijken, maar ze niet aanraken. Daar heeft hij nooit problemen mee gehad. De meisjes zagen hem als een soort puppy. Ze hadden niet door dat hij een man was. Hij wás een man,' benadrukte hij.

Will wachtte even voor hij zijn volgende vraag stelde. 'Woonde Allison in het huis?'

Gordon stak de ene sigaret met de andere aan. Will voelde hoe de rook zich aan zijn natte haren en kleren hechtte. Het kostte hem moeite om niet te hoesten.

'Eerst huurde ze de garage,' zei Gordon. 'Eigenlijk wilde ik het niet. Dat is niks voor een meisje. Toen begon ze over discriminatie, ze zei dat ze op ergere plekken had gewoond, dus ik gaf toe. Ik verwachtte dat ze binnen een maand weer zou vertrekken.'

'Hoe lang is ze uw huurster geweest?'

'Bijna een jaar. Ze wilde niet in het studentenhuis wonen. Volgens haar waren alle meiden daar jongensgek en bleven ze hele nachten op. Maar ze kon ook flirten, hoor, als ze iets gedaan wilde krijgen. Ze wond Tommy om haar vinger.'

Will sloeg geen acht op het verwijt in zijn stem. 'Maar ze woonde niet meer in de garage.'

Het duurde even voor hij antwoord gaf. 'Daar zat Tommy. Hij vond het niet goed dat ze daar huisde met die kou en dat ze midden in de nacht op en neer naar het huis rende als ze naar het toilet moest. Hij heeft toen met haar van kamer geruild. Ik kwam er pas later achter.' Hij blies een donkere rookpluim uit die om zijn hoofd kringelde. 'Ik zei toch dat ze hem om haar vinger wond. Ik had er een stokje voor moeten steken, meer aandacht moeten schenken aan wat er hier gebeurde.' Diep inhalerend vocht hij tegen zijn emoties. 'Ik wist dat hij verliefd op haar was, maar hij was wel vaker verliefd. Hij genoot van de aandacht die ze hem schonk. Veel vrienden had hij niet.'

Will wist dat hij de man geen bijzonderheden kon vertellen over een lopende zaak, vooral niet omdat dat weleens een vervelend proces tot gevolg kon hebben. Wel voelde hij met de vader mee en hij had graag wat troostende woorden over zijn zoon gesproken. 'Was u veel thuis?' vroeg hij in plaats daarvan.

'Nee, weinig. Ik zit meestal bij mijn vriendin. Tommy wist het nog niet, maar we waren van plan in het voorjaar te trouwen.' Hij blies een wolk rook uit. 'Zodra ik terug was uit Florida ging ik hem vragen of hij mijn getuige wilde zijn.'

Will gaf hem tijd om weer tot zichzelf te komen. 'Kende u het vriendje van Allison?'

'Jay. James.'

'Jason?' zei Will.

'Klopt.' Met de rug van zijn hand veegde hij zijn neus af. 'Die liet zich hier zelden zien. Ik vond het niet goed als er iemand bleef slapen. Een meisje van die leeftijd moet nog niet gaan rotzooien.'

'Kende Tommy Jason?'

Hij schudde zijn hoofd. 'Zou kunnen,' zei hij niettemin. 'Ik weet het niet. Ik was niet meer zo betrokken bij zijn leven als toen hij klein was. Hij was volwassen. Hij moest leren om op eigen benen te staan.' Zijn adem stokte toen hij wilde inhaleren. 'Ik ken mijn zoon. Die zou nooit iemand kwaad doen. Ik weet wat hij Brad heeft aangedaan, maar zo is mijn zoon niet. Zo heb ik hem niet opgevoed.'

Lena schraapte haar keel. 'Ik heb zelf gezien wat er gebeurde, Gordon. Tommy rende weg, maar toen draaide hij zich om. Brad had geen tijd om vaart te minderen. Volgens mij wílde je zoon hem niet neersteken. Volgens mij was het een ongeluk.'

Will zoog zijn wang naar binnen. Hij vroeg zich af of ze de waarheid sprak of loog om de man een beter gevoel te geven.

Kennelijk vroeg Gordon zich hetzelfde af. Nu streek hij langs zijn ogen. 'Bedankt. Bedankt dat je dat zegt.'

'Gedroeg Tommy zich de laatste tijd anders?' vroeg Will.

Hij slikte moeizaam. 'Een week geleden belde Frank om te zeggen dat Tommy zich in de nesten had gewerkt. Een van de buren was kwaad op hem geworden. Hij had nog nooit een grote mond opgezet. Driftbuien heeft hij ook nooit gehad. Toen ben ik eens met hem gaan praten. Hij zei dat ze hem aan zijn kop zeurden omdat Pippy te veel blafte.' Gordon blies een rookwolk uit. 'Hij was gek op die stomme hond.'

'Dronk hij ook?'

'Nooit. Hij vond bier smerig. Ik heb geprobeerd hem eraan te laten wennen, het leek me wel gezellig om samen op zaterdag met een paar biertjes naar football te kijken, maar het was niets voor hem. Hij vond het saai. Hij hield meer van basketbal. Al die footballregels vond hij veel te ingewikkeld.'

'Had hij vrienden? Had hij de laatste tijd problemen met iemand?'

'Hij maakte geen contact met onbekenden,' antwoordde Gordon. 'Ik geloof niet dat hij hecht was met iemand. Zoals ik al zei had hij een oogje op Allison, en ze deed altijd aardig tegen hem, maar meer alsof hij haar kleine broertje was.'

'Trokken ze veel met elkaar op?'

'Ik ben er niet altijd bij geweest. Hij had het wel vaak over haar. Dat zal ik niet ontkennen.'

'Wanneer hebt u voor het laatst met uw zoon gesproken?'

'Volgens mij de avond dat hij...' Gordon maakte zijn zin niet af. Hij nam weer een trek van zijn sigaret. 'Hij belde me om te vragen of hij mijn creditcard mocht gebruiken. Hij was bang dat Pippy een sok had ingeslikt. Ik zei dat hij met haar naar de dierenarts moest gaan.'

'We hebben zijn mobiel niet kunnen vinden.'

'Ik heb hem zo'n prepaidgeval laten kopen. Hij had een goede baan. Hij werkte hard. Hij vond het geen punt om dingen zelf te betalen.' Gordon schoot zijn peuk de straat op. 'Ik hou het hier niet uit. Ik ga dat huis niet meer in. Ik kan zijn spullen niet zien. Ga jij maar naar binnen,' zei hij tegen Lena. 'Neem alles maar mee wat je wilt. Al steek je het huis in de hens, mij kan het niet schelen.'

Will opende het portier, maar stapte nog niet uit. 'Verzamelde Tommy messen?'

'Van mij mocht hij niet eens in de buurt van een mes komen. Ik heb geen idee hoe hij eraan is gekomen. U?'

'Nee,' zei Will.

Gordon schudde de zoveelste sigaret uit het pakje. 'Hij sloopte graag dingen,' zei hij. 'Wilde ik mijn dienstbriefje invullen, deed de pen het niet. Had Tommy er weer de veer uitgehaald. Soms vond ik een hele verzameling in zijn zakken als ik de was deed. Daar is de droger nog eens op stuk gedraaid. Ik dacht dat het iets met zijn handicap te maken had, maar volgens Sara speelde hij een spelletje met me. Hij hield van practical jokes. Hij vond het heerlijk om mensen aan het lachen te maken.' Gordon was nog niet uitgepraat. Hij wierp een blik in de achteruitkijkspiegel en keek Will recht aan. 'Ik had al heel vroeg door dat hij anders was. Ik wist dat ik een bepaald soort leven wel kon vergeten, het soort leven dat vaders en zonen met elkaar delen. Maar ik hield van hem, en ik heb hem goed opgevoed. Mijn zoon is geen moordenaar.'

Lena legde haar hand op Gordons arm. 'Het was een goede kerel,' zei ze. 'Het was een bovenste beste kerel.'

Gordon zette de auto in de versnelling. Kennelijk was het gesprek wat hem betrof afgelopen. Will en Lena stapten uit. Ze keken de Ford na terwijl die de straat uit reed.

Hoewel de regen wat was afgenomen trok Lena haar capuchon over haar hoofd. Ze ademde diep in en blies langzaam weer uit. 'Tommy heeft Allison niet vermoord.'

Tot die conclusie was Will al eerder gekomen, maar hij was verbaasd om het ook uit haar mond te horen. 'Vanwaar deze plotselinge openbaring?'

'Ik heb bijna de hele dag met mensen gesproken die hem gekend hebben. Zoals ik dat ook gedaan zou hebben als Tommy nog leefde.' Ze sloeg haar armen over elkaar. 'Het was een goede jongen. En zoals dat met veel goede jongens gaat, raakte hij in de problemen: hij was op het verkeerde moment op de verkeerde plek. En hij had een mes in zijn hand.'

'Volgens mij bedoelt u dat hij op het verkeerde moment op de goede plek was. Tommy was namelijk op zijn eigen kamer. Zijn kamer in de garage.'

Ze sprak hem niet tegen. 'Hij heeft een politieman neergestoken.'

'Per ongeluk, voor zover ik heb begrepen.'

'Per ongeluk,' beaamde ze. 'En we hadden het recht niet om die garage binnen te gaan. Brad had het adres achterhaald, maar dat was niet het adres van het huis zelf. Ik heb opdracht gegeven ernaartoe te gaan. Ik heb gezegd dat Allison in de garage woonde. Daarom keek Brad door het raam. En zo is alles begonnen.' Zachtjes ademde ze in. Hij zag dat ze bang was, maar ook vastbesloten. 'Hoe gaat dit in zijn werk? Leg ik een verklaring af? Schrijf ik een bekentenis?'

Will probeerde te bedenken wat haar opzet was. Zo gemakkelijk kwam ze er niet af. 'Ho, wacht even. Wat wilt u precies bekennen?'

'Het onrechtmatig doorzoeken van de kamer. Dat zal dan wel onder huisvredebreuk vallen. Door mijn onachtzaamheid is een politieman gewond geraakt. Twee nog wel. Ik heb iemand een valse bekentenis afgenomen. Ik heb Tommy naar de cel gebracht zonder hem te fouilleren. De inktpatroon kwam uit mijn pen. Ik had een paar reservepatronen, dus ik heb er een nieuwe ingedaan, maar Tommy heeft de patroon uit mijn pen gehaald. En we weten allebei dat ik de hele dag al met u loop te klooien.' Ze liet een geforceerd lachje horen. 'Als dat geen belemmering van de rechtsgang is...'

'Inderdaad,' beaamde hij. 'En u bent bereid dat allemaal op papier te zetten?'

'Neem het maar op.' Ze trok de capuchon van haar hoofd en keek Will aan. 'Wat kan ik verwachten? Ga ik de bak in?'

'Ik weet het niet,' moest hij toegeven, maar hij wist wel dat ze zich op glad ijs had begeven. Haar onachtzaamheid was geen opzet geweest. Ze had in goed vertrouwen de valse bekentenis afgenomen. Nu werkte ze mee, ook al had ze zich eerder onbereidwillig betoond. Ze schoof de schuld niet op een ander af. 'Wat de nabije toekomst betreft, kunt u op schorsing rekenen nu mijn onderzoek opnieuw bekeken moet worden. U zult verantwoording moeten afleggen tegenover de commissie. Dat kan weleens heel negatief voor u uitvallen, maar misschien ook niet. Naar uw pensioen kunt u waarschijnlijk fluiten. Wellicht gaan er wat dienstjaren af of krijgt u een tijdlang onbetaald verlof. Als u uw penning mag houden, zal dit altijd aan uw staat van dienst blijven kleven. Het zou weleens moeilijk kunnen worden om ander werk te vinden. Bovendien kan Gordon Braham een strafrechtelijke procedure tegen u aanspannen.'

Niets van dat alles leek haar te verbazen. Ze stak haar hand in haar zak. 'Zal ik u mijn penning maar vast geven?'

'Nee,' zei Will. 'Daar ga ik niet over. Ik stuur alleen mijn rapport op. De politiek zal zich er ongetwijfeld ook mee bemoeien, via het gemeentebestuur en allerlei openbare lichamen. Wat betreft uw schorsing zolang de zaak nog in onderzoek is, ga ik ervan uit dat commissaris Wallace degene is die daarover beslist.'

Ze liet een treurig lachje horen. 'Volgens mij heeft die zijn besluit al genomen.'

Merkwaardig genoeg verkeerde Will in tweestrijd. Hij wist dat Lena de boel aardig verknald had, maar ze was niet de enige in dit hele debacle. Uit het bewijsmateriaal in de garage kwam een ander verhaal naar voren, een verhaal dat ze zou kunnen gebruiken om zich te rehabiliteren, of in elk geval om het leed wat te verzachten. 'Weet u dit zeker?' kon hij niet nalaten te vragen.

'Tommy was mijn arrestant. Hij viel onder mijn verantwoordelijkheid.'

Daar viel niet veel tegen in te brengen. 'Waarom hebt u Marty Harris gebeld nadat u met mij had gesproken?' vroeg hij.

Ze aarzelde, en hij zag iets van haar eerdere geslepenheid terugkeren. 'Ik wilde de bijzonderheden weten.'

'En die waren?'

Met enige tegenzin vertelde ze Will hetzelfde verhaal dat hij een uur eerder van Marty Harris had gehoord. 'Ik heb Jasons contactgegevens achterhaald en zijn moeder gebeld,' vervolgde ze. 'Die woont in West Virginia. Ze leek er niet echt van op te kijken dat de politie over haar zoon belde.'

'Hoe hebt u de identiteit van het slachtoffer vastgesteld?' Nog voor hij de vraag had voltooid, wist Will het antwoord al. 'U bent naar de hogeschool gegaan.' Lena had Will waarschijnlijk vanuit het gebouw gebeld, een detail dat ze wijselijk verzwegen had. 'Nou?' drong hij aan.

'Ik was daar al om de gegevens van Allison te controleren toen Marty me belde.' Ze haalde haar schouders op. 'Ik wilde zien of het dezelfde moordenaar was.'

'En?'

'Ik weet het niet. Ergens klopt het wel. Jason was Allisons vriendje. Ze blijken binnen een dag na elkaar vermoord te zijn. Tommy past niet langer in het plaatje.'

Dat verklaarde voor een deel waarom ze als een blad aan een boom was omgeslagen. Tommy was al dood voor Jason werd vermoord. Lena wist dat hij onschuldig was aan de eerste moord omdat hij de tweede niet gepleegd kon hebben. 'Hebt u het raam op Jasons kamer dichtgedaan?'

'Ik had een handschoen aan. Ik wilde niet dat de regen sporen wegspoelde. Ik heb mijn schoenen en mijn haar ook bedekt. Ik ben heel voorzichtig geweest, maar op het politiebureau kunt u mijn DNA-gegevens vinden. Als het goed is staan die ook bij het GBI geregistreerd.'

Met moeite onderdrukte Will een verwensing. 'Wat hebt u op de hogeschool ontdekt? U zei dat u Allisons gegevens hebt doorgenomen.'

Ze haalde haar notitieboekje tevoorschijn en bladerde naar de juiste pagina. 'Allison volgde dit semester vier colleges. Ik zal u niet vervelen met de details, het heeft allemaal met scheikunde te maken. Ik heb drie van haar docenten te pakken gekregen. Een telefonisch en twee persoonlijk. Ze zeiden allemaal dat Allison een goede studente was, ze gedroeg zich onopvallend en werkte hard. Ze hebben haar nooit bij een bepaald groepje gezien. Ze was nogal op zichzelf. Ze was altijd present. Miste geen dag. Ze haalde allemaal achten en negens. Bij de campusbewaking was ze niet bekend. Ze heeft nooit een klacht ingediend en er is ook nooit over haar geklaagd.'

'En de docent die het vierde college gaf?'

'Alexandra Coulter. Die is op vakantie. Ik heb een bericht op haar mobiel en haar vaste telefoon ingesproken.'

'Zijn er verder nog namen bekend van mensen met wie ze omging?'

'Niemand van hen kende Jason, maar dat is niet zo vreemd. Hij studeerde voor zijn master. Ze troffen elkaar alleen buiten college. Vriendinnen had ze niet. Ik heb de naam Julie Smith nog laten vallen, omdat u die hebt genoemd. Die studeert hier niet.'

'Had u daar een gerechtelijk bevel voor aangevraagd?'

'Niemand heeft ernaar gevraagd, en dus heb ik mijn mond verder gehouden. Ik heb ook met Tommy's baas bij de bowlingbaan gesproken,' voegde ze eraan toe. 'Ik heb hem Allisons foto laten zien. Hij heeft haar daar weleens met iemand anders gezien, een wat dikkige jongen met donker haar. Dat moet Jason Howell zijn geweest. Tommy liet ze gratis spelen, maar zodra zijn baas dat ontdekte heeft hij er een stokje voor gestoken.'

'Nu weten we in elk geval dat ze elkaar allemaal kenden,' zei Will. 'En verder?'

'Er woont hier niemand die Julie Smith heet. Ik heb het in het telefoonboek nagezocht. Er zijn vier Smiths: drie in Heartsdale en een in Avondale. Ik heb ze alle vier gebeld. Niemand kent een Julie of heeft een familielid dat Julie heet. Gaat u me vertellen wie ze is?'

'Nee,' zei Will, want hij wist het zelf ook niet. 'Hebt u al iets van Allisons tante vernomen?'

'Helemaal niks. Een paar minuten geleden had ik die rechercheur uit Elba nog aan de lijn. Kennelijk vond hij het irritant dat ik hem alweer belde; hij zei dat hij terug zou bellen zodra hij iets had.'

'Vond hij dat u hem onder druk zette?'

'Hij lijkt me niet het type dat zich door vrouwen laat vertellen wat hij moet doen.'

Dan zou hij eens met Will moeten ruilen. 'Verder nog iets?'

'Ik heb met alle buren gepraat, op mevrouw Barnes na. Die woont daar.' Ze wees naar de gele bungalow aan de overkant van de straat. Ervoor stond een oude Honda Accord geparkeerd. 'Er zit geen post in haar brievenbus, de krant is opgehaald en haar auto staat niet in de carport, dus ze zal wel boodschappen aan het doen zijn.'

'En die Accord?'

'Ik heb door de raampjes naar binnen gekeken. Smetteloos schoon. Ik wil het kenteken wel door de computer halen.'

'Doe dat,' zei Will. 'Wat hadden de andere buren te melden?'

'Hetzelfde wat onze agenten te horen kregen toen ze gisteren dat buurtonderzoek deden. Tommy was een geweldige jongen. Allison was nogal stil. Er is amper sociaal contact, dit is een vrij oude straat. Er zijn niet veel kinderen.'

'Hoe zit het met de criminaliteit?'

'Mag geen naam hebben. Twee gedwongen verkopen. De jongen aan het eind van de straat werd twee weken geleden gesnapt toen hij rondcroste in zijn moeders Cadillac. Twee huizen verderop zit een ex-crackverslaafde, die woont bij zijn grootouders. Voor zover we weten is hij schoon. Drie huizen de andere kant op woont een gluurder, die in een rolstoel zit. Hij komt niet meer zoveel buiten, want zijn vader heeft de hellingbaan van de voorste veranda weggehaald.'

'En dit leek nog wel zo'n aardige buurt.'

'Er waren maar twee mensen thuis toen Brad werd neergestoken.' Ze wees naar het tweede huis vanaf de woning van mevrouw Barnes. 'Daar woont Vanessa Livingston. Ze ging pas laat naar haar werk omdat haar kelder was ondergelopen. Terwijl ze op de aannemer stond te wachten keek ze uit het raam, net toen het gebeurde.'

'Wat heeft ze gezien?'

'Hetzelfde wat ik heb gezien. Brad rende achter Tommy aan. Tommy draaide zich om. Hij hield zijn mes op deze hoogte.' Ze bracht haar hand naar haar middel. 'En Brad werd neergestoken.'

'En de andere buren?'

'Scott Shepherd. Beroepsgokker, dus die zit de hele dag achter de computer. Hij is pas gaan kijken toen het al gebeurd was. Brad lag op de grond. Ik zat naast hem.'

'Heeft hij gezien dat Frank Tommy aanhield?'

Ze tuitte haar lippen. 'Wilt u met Shepherd praten?'

'Gaat hij me vertellen dat Frank Tommy in elkaar sloeg of dat hij zich er niks meer van herinnert?'

'Tegen mij heeft hij gezegd dat hij Frank niet heeft gezien. Hij is weer naar binnen gegaan en heeft het bureau gebeld.'

'Niet 911?'

'Scott is bij de vrijwillige brandweer. Hij heeft het rechtstreekse nummer van het bureau.'

'Prettig voor jullie.'

'Ja, ik voel me dan ook heel prettig momenteel.' Lena klapte haar notitieboekje dicht. 'Dat is alles wat ik heb. Volgens Gordon ligt er een reservesleutel onder de mat. Ik ga maar eens naar huis om een advocaat te bellen.'

'Waarom helpt u me niet liever?'

Ze hield zijn blik vast. 'U hebt me zojuist verteld dat ik mijn penning kwijtraak.'

'Die hebt u toch nog op zak?'

'Sta me niet te bullshitten, man. Ik kan me maar twee dagen herinneren die nog erger waren dan deze: de dag dat mijn zus doodging en de dag dat ik Jeffrey verloor.'

'U bent een prima rechercheur als u wilt.'

'Ik denk niet dat dat nog iets uitmaakt.'

'Wat hebt u dan te verliezen?'

Will liep de oprit op en luisterde of Lena hem volgde. Niet dat hij haar hulp echt nodig had, maar hij had er een gloeiende hekel aan om te worden voorgelogen. Frank Wallace zat tot zijn nek in de stront, maar hij leek er geen enkele moeite mee te hebben om een van zijn mensen te laten opdraaien voor zijn falen als leidinggevende. Will voelde zich niet aan Lena verplicht, maar de gedachte dat een dronken, onbetrouwbare smeris aan het hoofd stond van het plaatselijke politiekorps beviel hem totaal niet.

Onder de mat bij de voordeur lag de sleutel. Net toen Will de deur van het slot draaide, liep Lena de verandatrap op.

'Hebt u nog iets gehoord over rechercheur Stephens?' vroeg hij.

'Zijn toestand is stabiel. Dat zal dan wel goed zijn.'

'Waarom hebt u commissaris Wallace niet gebeld over het lijk in het studentenhuis?'

'U zei het zelf al.' Ze haalde haar schouders op. 'Ik ben alleen een goede rechercheur als ik wil.'

Will duwde de voordeur open. Lena ging als eerste naar binnen. Ze hield haar hand hoog langs haar zij, een gebaar waarvan ze zich waarschijnlijk niet eens bewust was. Will had Faith ontelbare keren hetzelfde zien doen. Die had tien jaar lang patrouilledienst gedraaid. Sommige dingen verleerden je spieren nooit.

De woonkamer was vlak naast de ingang. Het meubilair was oud en zag er triest uit. De zittingen waren met tape beplakt om de vulling binnen te houden. Er lag hoogpolig oranje tapijt, dat doorliep op de gang. Will voelde het aan zijn schoenen plakken toen hij naar de keuken liep, achter in het huis. Daar ging het tapijt over in geel linoleum. Gordon had geen moeite gedaan het geheel wat te moderniseren, op een roestvrijstalen magnetron na, die op een oude formica tafel stond.

'De afwas,' zei Lena. Op het afdruiprek in de spoelbak stonden twee borden, twee vorken en twee glazen. Voor ze stierf had Allison hier met iemand gegeten en vervolgens afgeruimd.

Lena scheurde een stuk keukenpapier van de rol en wikkelde dat om haar hand voor ze de koelkast opende. Over het midden liep een streep blauw afplakband. Aan weerszijden stonden blikjes fris van een goedkoop merk.

Fruit of ander eten ontbrak. Lena opende het vriesvak. Dezelfde streep afplakband deelde het vak doormidden, maar door het vocht had de lijm losgelaten. Aan één kant stond een stapel diepvriesmaaltijden. Aan de andere kant zag ze een doos met ijslolly's en er lagen ook wat wafelijsjes.

Met zijn vinger tilde Will het deksel van de keukenafvalbak op. Hij zag twee lege dozen waar pizzabroodjes in hadden gezeten. 'Ik zal Sara naar de maaginhoud vragen.'

'Tommy zou dan meer tijd hebben gehad om zijn eten te verteren.'

'Dat klopt.' Met de zijkant van zijn schoen duwde hij twee louvredeuren open. Erachter verwachtte hij een voorraadkast, maar hij zag een toilet, een kleine douchecel en een nog kleinere wastafel. De badkamer was naast de achterdeur. Hij vermoedde dat de ruimte door de huurders van de garage werd gebruikt. Alles wees erop dat hier een jonge man woonde. De wasbak was smerig. Het afvoerputje van de douche zat verstopt met haar. De vloer was bezaaid met handdoeken. Een groezelige herenslip lag in een prop in de hoek. Ook viel hem een enkelsok op. In gedachten zag Will hoe de andere sok zich gestaag een weg baande door Pippy's spijsverteringskanaal.

Will merkte opeens dat Lena hem niet was gevolgd. Hij liep door de eetkamer, waar een glazen tafel en twee stoelen stonden, en trof haar aan in een kleine studeerkamer, die aan de woonkamer grensde. Het leek alsof de kamer in aller haast verlaten was. Overal op de vloer lagen stapels papier: tijdschriften, oude rekeningen, kranten. Hier had Gordon ongetwijfeld de hele papierwinkel van zijn leven gedumpt. Lena keek in de bureauladen. Voor zover Will kon zien, zaten die volgepropt met nog meer facturen en bonnen. De enige boekenplank in de kamer was stoffig en leeg, op een bord met een onherkenbaar stuk beschimmeld eten na. Ernaast stond een glas waarin een donker, troebel goedje zat.

Over het tapijt liepen stofzuigersporen, maar het maakte een al even vunzige indruk als de rest van het huis. Een oude monitor stond op het bureau. Lena drukte op de aanknop, maar er gebeurde niets. Will boog zich voorover en zag dat het apparaat niet op een stopcontact was aangesloten, en al evenmin op een computer.

Lena zag het ook. 'Waarschijnlijk heeft hij de computer meegenomen naar Jill June. Zo heet zijn vriendin.'

'Hebt u in de garage een laptop gezien?'

Ze schudde haar hoofd. 'Zou Tommy daar wel mee overweg kunnen?'

'Hij beheerde ook de apparatuur op de bowlingbaan. Dat is allemaal computergestuurd,' zei Will, hoewel hij het niet zeker wist. 'Gordon heeft de vaste telefoonverbinding laten afsluiten. Ik betwijfel of hij geld overhad voor inter-net.'

'Ik denk het niet.' Lena trok de laatste bureaula open. Ze hield een document omhoog dat eruitzag als een rekening. 'Tweeënvijftig dollar. Dan is het hier beter geïsoleerd dan je zou zeggen.'

Will vermoedde dat ze een gas- of elektriciteitsrekening had gevonden. 'Of Allison had de verwarming altijd laag staan. Ze heeft een arme jeugd gehad. Waarschijnlijk was geld verspillen er voor haar niet bij.'

'Gordon zelf doet ook alles op een koopje. Wat een zooi is het hier.' Ze liet de rekening op het bureau vallen. 'Beschimmeld eten op de plank. Vuile kleren op de vloer. Ik zou niet graag op blote voeten over dit tapijt lopen.'

Will zweeg, maar hij was het met haar eens. 'De slaapkamers zullen wel boven zijn.'

Het was een typische splitlevelwoning, met de trap achter in de woonkamer. De leuning zat los. De loper was tot op de draad versleten. Boven aan de trap zag Will een smalle overloop. Aan één kant waren twee openstaande deuren. Aan de andere kant zag hij een dichte deur. Vooraan was een badkamer met roze tegels.

Will wierp een blik in de eerste kamer: er lagen wat documenten en aan het oranje tapijt plakte troep, maar verder was het vertrek leeg. De volgende kamer was spaarzaam gemeubileerd en iets groter dan de vorige. Een mand met opgevouwen kleren stond op een kale matras. Lena wees naar de lege kast en de openstaande laden. 'Iemand heeft zijn boeltje gepakt.'

'Gordon Braham,' veronderstelde Will. Hij keek naar de mand met keurig opgevouwen kleren. Om de een of andere reden stemde het hem treurig dat Allison voor ze stierf de was voor de man had gedaan.

Lena trok een rubberen handschoen aan voor ze de deurknop van de laatste kamer beetpakte. Weer ging haar andere hand naar haar wapen toen ze de deur openduwde. Maar ook hier troffen ze niets verrassends aan. 'Dit zal dan wel Allisons kamer zijn.'

De kamer was schoner dan de rest van het huis, wat niet veel wilde zeggen. Allison Spooner was bepaald niet de netste vrouw ter wereld geweest, maar ze slaagde er in elk geval in de vloer vrij van kleren te houden. En ze had nogal wat kleren. T-shirts, bloesjes, broeken en jurken hingen zo dicht opeen in de kast dat de stang in het midden doorboog. Ze had kleerhangers aan de gordijnrail en aan de rand boven de kastdeur gehaakt. Over een oude schommelstoel lagen nog meer kleren.

'Volgens mij hield ze van kleren,' constateerde Will.

Lena pakte een spijkerbroek van een stapel bij de deur. 'Seven jeans. Die zijn niet goedkoop. Ik vraag me af hoe ze aan het geld kwam.'

Will durfde wel een gok te wagen. De kleren die hij als jongen had gedragen, kwamen over het algemeen van de grote hoop. Je moest afwachten of je de juiste maat vond, om over je favoriete stijl maar te zwijgen. 'Waarschijnlijk heeft ze haar hele leven afdankertjes gedragen. Ze woonde nu op zichzelf en verdiende geld. Misschien waren mooie spullen heel belangrijk voor haar.'

'Of misschien stal ze uit winkels.' Lena wierp de spijkerbroek weer op de stapel. Ze ging door met zoeken, tilde de matras op, schoof haar hand tussen kleren, raapte schoenen op en zette ze weer terug. Will bleef in de deuropening staan kijken terwijl Lena de kamer doorzocht. Ze leek zekerder van zichzelf. Hij zou weleens willen weten wat er veranderd was. Een biecht was goed voor de ziel, maar haar nieuwe houding was niet uitsluitend terug te voeren op haar bekentenis over Tommy. De Lena die hij die ochtend had achtergelaten had elk moment in tranen kunnen uitbarsten. Dat Tommy schuldig was had voor haar buiten kijf gestaan. Ze had ergens anders mee gezeten, maar dat was nu verdwenen.

Haar zelfverzekerdheid stemde hem achterdochtig.

'Wat zit daarin?' Will wees naar het nachtkastje. De la stond op een kier. Met haar in rubber gestoken vingers trok Lena hem helemaal open. Er lagen een blocnote, een potlood en een zaklantaarn in.

'Hebt u ooit Nancy Drew-boeken gelezen?' vroeg hij, maar Lena was hem voor. Ze streek met het potlood over het papier.

Het resultaat liet ze aan Will zien. 'Geen geheim briefje.'

'Het was het proberen waard.'

'We kunnen deze hele kamer wel overhoophalen, maar er valt me niks bijzonders op.'

'Geen roze boekentas.'

Ze keek hem aan. 'Heeft iemand u verteld dat Allison een roze boekentas had?'

'En ook dat ze een auto had.'

'Een verroeste rode Dodge Daytona?' raadde ze. Ze had ongetwijfeld over het opsporingsbericht gehoord dat Faith die ochtend had verspreid.

'Laten we de badkamer eens bekijken,' stelde Will voor.

Hij liep achter haar aan de gang door. Weer liet Will Lena het onderzoek verrichten. Ze opende het medicijnkastje.

Dat bevatte de gebruikelijke verzameling damesspullen: vrouwenmiddeltjes, een flesje parfum, tylenol en andere pijnstillers, en een haarborstel. Lena maakte het doosje anticonceptiepillen open. Er was nog geen derde van over. 'Ze hield het goed bij.'

Will keek naar het etiket. Het logo kwam hem niet bekend voor. 'Is dat van de plaatselijke apotheek?'

'Van de apotheek op de hogeschool.'

'Kent u de arts die dit heeft voorgeschreven?'

Ze las de naam en schudde haar hoofd. 'Geen idee wie het is. Waarschijnlijk iemand uit haar vroegere woonplaats.' Lena opende het kastje onder de wasbak. 'Toiletpapier. Tampons. Maandverband.' Ze keek in de doosjes. 'Niets wat er niet hoort.'

Will tuurde naar het open medicijnkastje. Er klopte iets niet. Er waren twee schappen en een ruimte onderin die als derde schap diende. Het middelste schap leek bestemd te zijn voor geneesmiddelen. Het doosje met de anticonceptie had klem gezeten tussen de potten met motrin en advil, die opzij waren geschoven, tegen het scharnier aan. De tylenol stond helemaal aan de andere kant. Hij bestudeerde de open plek en vroeg zich af of er een flesje ontbrak.

'Wat is er?' vroeg Lena.

'U moet eens naar uw hand laten kijken.'

Ze bewoog haar vingers. De pleisters rafelden. 'Ik heb er geen last van.'

'Het ziet er ontstoken uit. De infectie mag niet in de bloedbaan komen.'

Ze kwam overeind van het kastje onder de wasbak. 'De enige arts hier in de stad huurt ruimte in de kinderkliniek. Hare Earnshaw.'

'Sara's neef.'

'Hij zou niet echt blij zijn met mij als patiënt.'

'Wie is uw vaste arts?'

'Dat gaat u eigenlijk niks aan.' Ze deed het goedkope rolgordijntje voor het raam omhoog. 'Er staat een auto op de oprit van mevrouw Barnes.'

'Wacht buiten maar op me.'

'Waarom gaat u...' Ze zweeg. 'Oké.'

Will liep achter haar aan de gang door. Toen hij bij Allisons kamer bleef staan, keek Lena nog even achterom. Zonder iets te zeggen liep ze de trap af. Will had niet het idee dat er iets belangrijks in de kamer van het meisje te vinden was. Lena had alles grondig doorzocht. Wat hem nog het meest opviel, was wat er ontbrak: een laptop. Ook waren er geen studieboeken. Geen schriften. Er was geen roze rugzak. Niets duidde erop dat hier een studente woonde, behalve de enorme voorraad kleren. Had iemand Allisons studiespullen meegenomen? Hoogstwaarschijnlijk lagen ze in haar Dodge Daytona, die spoorloos was.

Will hoorde de voordeur open- en dichtgaan. Hij keek uit het raam en zag Lena de oprit aflopen in de richting van de patrouillewagen. Ze had haar mobiel tegen haar oor gedrukt. Hij wist dat ze niet met Frank aan het bellen was. Misschien was ze op zoek naar een advocaat.

Op dat moment had hij echter dringender zaken aan zijn hoofd. Hij liep terug naar de badkamer en met de camera van zijn mobiel maakte hij een foto van het medicijnkastje. Vervolgens ging hij de trap af naar de badkamer van Tommy Braham, waar hij over handdoeken en ondergoed moest stappen om bij het medicijnkastje te komen. Hij trok het spiegeldeurtje open. Er stond alleen een oranje plastic medicijnpotje in. Will boog zich voorover. Het etiket was met piepkleine letters beschreven. Het licht was zwak. En hij was dyslectisch.

Opnieuw nam hij een foto met zijn mobiel. Deze keer zond hij het plaatje naar Faith, en op de berichtregel zette hij drie vraagtekens.

Sara had zijn zakdoek weer eens gehouden. Will keek om zich heen op zoek naar iets wat hij kon gebruiken om te voorkomen dat zijn vingerafdrukken straks op het potje stonden. Tommy's ondergoed en vuile sok kwamen niet in aanmerking. Will trok een stuk toiletpapier van de rol achter op de wc-pot en daarmee pakte hij het medicijn- potje. De dop zat er niet goed op. Hij haalde hem eraf en zag een handvol doorzichtige capsules met wit poeder. Hij schudde er een op zijn hand. Er stond niets op de zijkant geschreven, geen logo van een apotheker of kenmerk van de fabrikant.

In films proeven agenten altijd het witte poeder dat ze vinden. Will vroeg zich af waarom dealers geen hopen rat- tengif achterlieten. Hij zette het potje op de rand van de wasbak zodat hij de capsule op zijn handpalm kon fotogra- feren. Vervolgens nam hij van nog dichterbij een opname van het etiket en stuurde beide foto's naar Faith.

In de regel hield Will zich verre van artsen. Hij kon zijn verzekeringsgegevens niet oplezen als hij belde om een af- spraak te maken. Hij kon de formulieren niet invullen ter- wijl hij in de wachtkamer zat. Ooit was Angie zo vriende- lijk geweest om hem met syfilis op te zadelen; hij had een kuur gekregen en moest twee weken lang vier keer per dag een pil slikken. Daardoor wist Will hoe een apothekerseti- ket eruitzag. Bovenaan stond altijd het officiële logo van de apotheek. Verder werden de naam van de arts en de datum vermeld, evenals het receptnummer, de naam van de pa- tiënt en de voorgeschreven dosering, en er zaten waarschu- wingsstickers op.

Dit etiket vertoonde niets van dat alles. Het had niet eens de juiste afmetingen: hij schatte dat het half zo hoog was en ook korter dan een gewoon etiket. Aan de bovenkant waren allemaal cijfers getypt, maar de rest van de informatie was handgeschreven. In schuinschrift, wat betekende dat Will niet wist of hij heroïne of paracetamol voor zich had.

Zijn telefoon ging. 'Wat moet dat in godsnaam voorstel- len?' vroeg Faith.

'Dat heb ik in Tommy's medicijnkastje gevonden.'

'Zeven-negen-negen-drie-twee-zes-vijf-drie,' las ze. 'In

het midden staat in schuinschrift: "Niet innemen, Tommy!" Met een uitroepteken aan het eind. En dat "niet" is onderstreept.'

In gedachten sprak hij een dankgebedje uit omdat hij het witte poeder niet had geproefd. 'Is het een vrouwenhandschrift?'

'Zo te zien wel. Grote letters met lussen. Ze staan naar rechts, dus ze is rechtshandig.'

'Waarom zou Tommy een potje met pillen hebben waarop staat dat hij ze niet mag innemen?'

'En die drie letters onderaan? H-O-C of H-C-C...?'

Will staarde naar de kleine letters in de hoek van het etiket. Ze waren zo vaag dat hij er hoofdpijn van kreeg. 'Ik heb geen idee. Ik kan niet verder inzoomen dan bij die laatste foto. Ik geef het aan Nick mee voor het lab, samen met de overige spullen. Heb je nog iets over Jason Howell gevonden?'

'Die is zo mogelijk nog lastiger na te trekken dan Allison. Geen telefoon. Geen adres, alleen een postbus op de hogeschool. Hij heeft vierduizend dollar op een spaarrekening bij een bank in West Virginia.'

'Interessant.'

'Dat valt tegen. De afgelopen vier jaar is er telkens iets van het bedrag afgegaan. Ik denk dat het een of ander studiefonds is. Hij heeft ook een auto op zijn naam staan,' vertelde ze. 'Een Saturn sw uit '99. Groen. Ik heb al een opsporingsbericht verspreid.'

Dat was tenminste iets. 'Ik zal eens op de hogeschool gaan kijken of die auto daar staat. Hoe gaat het met het achtergrondonderzoek naar de studenten die in Jasons gebouw wonen?'

'Saai en tergend langzaam. Er is er niet een bij met ook maar een parkeerbon. Tegen de tijd dat ik zo oud was had mijn moeder me al van twee aanklachten afgeholpen: rijden onder invloed en winkeldiefstal.' Ze lachte. 'Je moet beloven dat je me daar niet aan zult herinneren wanneer mijn kinderen in de problemen zitten.'

Will was te geschokt om ook maar iets te kunnen beloven. 'Heb je de 911-tape al opgespoord?'

'Die zou naar me gemaild worden, maar ik heb nog niks gezien.' Ze klonk kortademig en hij vermoedde dat ze door het huis liep. 'Ik zal de initialen op dat medicijnpotje nog even door de computer halen.'

'En dan vraag ik Gordon of zijn zoon medicijnen gebruikte.'

'Zou je dat wel doen?'

'Waarom niet?'

'Stel dat Tommy drugs dealde?'

'Hm.' Will kon zich Tommy amper als de spil van een drugshandeltje voorstellen. 'Hij kende wel iedereen in de stad,' moest hij niettemin toegeven. 'Hij liep altijd over straat te zwerven. Dat is natuurlijk een ideale dekmantel.'

'Wat doet zijn vader voor de kost?'

'Ik geloof dat hij onderhoudsmonteur is bij Georgia Power.'

'Hoe wonen ze?'

Will keek de armoedige keuken rond. 'Niet om vrolijk van te worden. Gordons pick-up is een jaar of tien oud. Tommy woonde in de garage, zonder toilet. Ze verhuurden een kamer om de eindjes aan elkaar te knopen. Een jaar of dertig geleden was dit vast een mooi huis, maar ze hebben het laten verslonzen.'

'Toen ik dat onderzoek naar Tommy deed, vond ik een lopende rekening bij de plaatselijke bank. Er stond 31 dollar 68 op. Zei je niet dat zijn vader in Florida zat?'

Hij had meteen door waarop ze doelde. Florida was het startpunt van een belangrijke drugsroute die van de Florida Keys naar Georgia liep, en vandaar naar New England en Canada. 'Dit lijkt me anders geen drugszaak.'

'Die messteek in de nek vind ik echt iets voor een drugsbende.'

Dat kon Will niet ontkennen.

'Wat heb je verder nog?' vroeg Faith.

'Rechercheur Adams heeft zowaar haar aandeel in de zelfmoord van Tommy Braham toegegeven.'

Bij wijze van uitzondering had Faith haar woordje niet klaar.

'Ze heeft gezegd dat Tommy Allison niet vermoord heeft, dat Tommy zich door haar schuld in de cel van het leven heeft beroofd en dat zij alle verantwoordelijkheid op zich neemt.'

Faith zweeg nadenkend. 'Wat verbergt ze eigenlijk?'

'Wat verbergt ze níét?' riposteerde Will. 'Ze heeft gelogen en zoveel verzwegen dat het einde zoek is.' In de hoop een plastic zak te vinden liep hij de keuken in. 'Allison had heel veel mooie kleren.'

'Wat studeerde ze?'

'Scheikunde.'

'Dat jij je eigen neus 's morgens nog kunt vinden!' Ze klonk geërgerd omdat hij zo traag van begrip was. 'Scheikunde? Het synthetisch bereiden van chemische stoffen om nog ingewikkelder producten te maken, zoals het omzetten van pseudo-efedrine in methamfetamine?'

In de laatste la die hij opentrok vond Will een doos ziplockzakjes. 'Als Allison speed produceerde of gebruikte, dan ging ze zeer omzichtig te werk. Ze had geen littekens van naalden. In het huis of in de garage liggen geen pijpjes of andere drugsattributen. Sara doet morgen een toxicologisch onderzoek als onderdeel van de sectie.'

'En Tommy?'

'Daarover zal ik Sara bellen.' Hij verwachtte een rotopmerking omdat hij Sara's naam weer had genoemd.

Wonderbaarlijk genoeg liet Faith de kans schieten. 'Er is in Grant County geen H-C-O of H-C-C te vinden. Ik zal het getal boven aan het etiket eens proberen. Acht cijfers. Te lang voor een postcode, te kort voor een postcode met straatcode. Eén cijfer te veel voor een telefoonnummer.

Eén te weinig voor een burgerservicenummer. Ik voer het gewoon in, benieuwd of het iets oplevert.' Terwijl hij wachtte op de uitslag stopte Will het potje in de plastic zak.

'Jezus, waarom krijg je bij elke zoekopdracht een lading porno?' kreunde Faith.

'Het is Gods geschenk aan de mens.'

'Geef mij maar een oppas voor dag en nacht,' liet ze hem weten. 'Ik kan niks vinden. Ik wil de staat nog wel even rondbellen. Je hebt van die oetlullen die nog te sloom zijn om hun dossiers op het netwerk in te voeren. Ik zit hier toch maar te wachten tot mijn moeder me komt halen voor het ziekenhuis.'

'Het zou geweldig zijn als je dat nog op kunt brengen.'

'Als ik naar nog één klusprogramma moet kijken kom ik persoonlijk naar jullie toe en hoop ik dat iemand een mes in mijn nek steekt. En ik zit vol gassen. Ik voel me net een...'

'Ik moet nu ophangen. Nogmaals bedankt voor je hulp.' Will klapte zijn mobiel dicht. Hij sloot het huis af en legde het medicijnpotje in zijn Porsche.

Lena was nog steeds aan het bellen, maar ze beëindigde het gesprek toen ze Will zag. 'Die Honda is van Darla Jackson. Een paar jaar geleden heeft ze cheques vervalst en nu heeft ze voorwaardelijk. Ze heeft alles al terugbetaald. In januari is haar strafblad weer schoon.'

'Heb je met haar gesproken?'

Lena keek over zijn schouder. 'Volgens mij is dit onze kans.'

Will draaide zich om. Over de oprit van het huis aan de overkant kwam een oudere vrouw aanlopen. Ze leunde zwaar op een rollator met een ijzeren mandje aan de voorkant. De achterste poten waren versierd met felgele tennisballen. De voordeur van haar huis ging open en een vrouw in een roze verpleegstersuniform riep: 'Mevrouw Barnes! U vergeet uw jas!'

Zo te zien deerde het de oude vrouw niet, hoewel ze slechts een dunne ochtendjas en slippers aanhad. Er stond zo'n harde wind dat de zoom opwaaide toen ze de steile oprit af schuifelde. De rubberen zolen van haar badstof slippers voorkwamen gelukkig dat ze uitgleed op het beton.

'Mevrouw Barnes!' De verpleegster kwam er op een drafje aan, met de jas in haar handen. Het was een forse vrouw met brede schouders en een indrukwekkend decolleté. Tegen de tijd dat ze de oude vrouw had ingehaald, was ze buiten adem. Ze drapeerde de jas om haar schouders. 'Het zou uw dood nog worden hier buiten,' zei ze.

Lena liep op de vrouwen af. 'Mevrouw Barnes, dit is agent Trent van het Georgia Bureau of Investigation.'

Het scheelde niet veel of mevrouw Barnes had haar neus opgehaald. 'Wat wilt u?'

Will voelde zich weer een jongetje van acht dat op school op zijn kop kreeg omdat hij kattenkwaad had uitgespookt. 'Als u even tijd hebt, wil ik graag met u over Allison en Tommy praten.'

'Blijkbaar staat uw besluit al vast.'

Will wierp een blik op haar brievenbus. Het huisnummer herkende hij uit een van de incidentenrapporten. 'Iemand heeft vanuit uw huis de politie gebeld over het geblaf van Tommy's hond. Uw naam stond niet in het rapport.'

'Dat was ik,' verklaarde de verpleegster. 'Ik zorg 's avonds voor mevrouw Barnes. Meestal kom ik pas na zeven uur, maar ze had hulp nodig bij wat karweitjes en ik had niks beters te doen.'

Nu pas besefte Will hoe ver de dag al gevorderd was. Hij keek op zijn mobiel en zag dat het bijna drie uur was. Nog ruim een uur, dan ging Faith naar het ziekenhuis. 'Komt u hier elke avond?' vroeg hij aan de verpleegster.

'Behalve donderdag, en ik heb de laatste zondag van de maand altijd vrij.' In gedachten speelde Will haar woorden in vertraagd tempo af, anders verstond hij niet wat ze zei.

Hij had in heel Grant County nog niemand ontmoet met zo'n sterk nasaal accent.

Lena haalde haar pen en notitieboekje tevoorschijn. 'Mag ik uw naam, alstublieft?'

'Darla Jackson.' Uit haar zak diepte ze een visitekaartje op. Ze had felrode nepnagels die pasten bij de dikke laag make-up op haar gezicht.'Ik werk vanuit het E-Medgebouw bij Highway Five.'

Lena wees naar de oude Accord die voor het huis stond. 'Is die van u?' vroeg ze, hoewel ze het antwoord al wist.

'Ja. Het is een oude roestbak, maar ik heb hem betaald. Ik betaal al mijn rekeningen op tijd.' Ze keek hen veelbetekenend aan en Will concludeerde dat mevrouw Barnes niet op de hoogte was van de valse cheques.

Lena gaf hem het kaartje. Hij bekeek het even en vroeg toen aan Darla: 'Waarom hebt u de politie gebeld over Tommy?'

Ze wilde al antwoorden, maar mevrouw Barnes was haar voor. Ze richtte zich tot Will: 'Die jongen heeft nog nooit een vlieg kwaad gedaan. Het was een schat van een jongen met een goed hart.'

Will stak zijn handen in zijn zakken voordat zijn vingers afbraken van de kou. Hij was benieuwd naar de plotselinge stemmingswisselingen van Tommy voor het geval Faith gelijk had wat het spul betrof dat hij in het medicijnkastje van de jongen had aangetroffen. 'Volgens het incidentenrapport ging Tommy tegen iemand tekeer. Mag ik aannemen dat u dat was, mevrouw Jackson?' De verpleegster knikte, en Will vroeg zich af waarom Darla's naam niet in het rapport stond. Het was vreemd dat de betreffende agent die niet had genoteerd samen met alle andere gegevens. 'Kunt u me vertellen wat er gebeurd is?'

'Nou, allereerst wist ik niet dat hij achterlijk was,' zei ze, en het klonk bijna verontschuldigend. 'Als gediplomeerd verpleegster voel ik me begaan met mensen met een beperking, maar die hond was als een gek aan het keffen en mevrouw Barnes wilde slapen...'

'Ik lijd vreselijk aan slapeloosheid,' onderbrak de oude vrouw haar.

'Ik ben bang dat ik me heb laten gaan. Ik ging naar hem toe en zei dat hij die hond stil moest zien te krijgen en toen zei hij dat hij dat niet kon, waarop ik weer zei dat ik het asiel zou bellen als het hem niet lukte en dat ze er daar wel iets op wisten om die hond stil te krijgen. En dan bedoelde ik doodstil.' Ze keek wat opgelaten. 'Voor ik het wist hoorde ik een hard geluid. Ik kijk naar het voorste raam en zie dat het gebarsten is. Ik heb er tape op geplakt, zie maar.' Will keek naar het huis. Over de onderkant van de ruit liep een ongelijke, zilverkleurige streep tape. 'Dat stond niet in het rapport.'

Mevrouw Barnes mengde zich weer in het gesprek. 'Gelukkig voor ons werd Carl Phillips erop afgestuurd. Ik heb hem nog in de klas gehad toen hij in groep drie zat.' Ze legde haar hand op haar borst. 'Het leek ons allemaal het beste om het met Gordon af te handelen zodra hij terug was uit Florida.'

'U bent hier elke avond,' zei Will tegen de verpleegster. 'Was u hier zondagavond en gisteravond ook?'

'Ja, ik ben de afgelopen drie nachten bij mevrouw Barnes gebleven. Door haar nieuwe medicijnen is haar slapeloosheid verergerd.'

'Dat is zo,' beaamde de vrouw. 'Ik doe geen oog meer dicht.'

'Is u iets opgevallen aan het huis? Stopten er auto's? Ging Tommy met zijn scooter op pad?'

'De slaapkamer is aan de achterkant van het huis,' legde Darla uit. 'We zijn daar de hele avond gebleven, want dat is vlak naast het toilet.'

'Darla, alsjeblieft,' zei mevrouw Barnes waarschuwend. 'Dat hoeven ze niet te weten.'

'Kende een van u Allison Spooner?' vroeg Lena. 'Ze woonde bij Tommy in huis.'

Nu werden ze beiden wat terughoudender. 'Ik heb haar weleens gezien,' zei Darla.

'En haar vriendje, hebt u die ook weleens gezien?'

'Ja, af en toe.'

'Weet u hoe hij heette?'

Darla schudde haar hoofd. 'Hij kwam vaak langs. Soms hoorde ik ze schreeuwen. Dan hadden ze ruzie. Hij leek me nogal opvliegend.'

Will wist dat onderwijzers mensen vaak snel konden doorgronden. 'Wat vond u van hem, mevrouw Barnes?'

'Ik heb hem een of twee keer gezien,' was het enige wat ze kwijt wilde.

'Hebt u hem ooit ruzie horen maken met Allison?'

Ze raakte haar oor aan. 'Ik hoor niet zo goed.'

Nu was ze overdreven gevoelig, vond Will, want ze had de hond wel horen blaffen. Uiteraard spraken de meeste mensen liever geen kwaad over de doden. Hij was ervan overtuigd dat mevrouw Barnes een week geleden maar al te graag het een en ander over Allison Spooner zou hebben verteld. 'Hebt u haar auto de laatste tijd nog op de oprit gezien?'

'Gordon had haar gevraagd om hem op straat te parkeren, want hij lekte olie,' zei mevrouw Barnes. 'Ik heb hem al een tijdje niet gezien. Het afgelopen weekend in elk geval niet.'

'Ik ook niet,' beaamde Darla.

'En de auto van dat vriendje? Hebt u gezien wat voor merk dat was?'

Beide vrouwen schudden het hoofd. Weer nam Darla het woord. 'Ik ben helemaal niet goed in dat soort dingen. Het was een stationcar. Groen of blauw. Maar daar hebt u ook niet veel aan.'

'Had Allison weleens vrienden of vriendinnen over de vloer?'

'Alleen dat vriendje,' vertelde Darla. 'Zo'n ventje met van die gluiperige ogen.'

Will voelde een regendruppel op zijn hoofd. 'Hebt u ooit met hem gesproken?'

'Nee, maar ik herken een loser op een kilometer afstand.' Ze liet een verbijsterend rauwe lach horen. 'Ik heb er dan ook heel wat versleten in mijn leven.'

Nu mengde mevrouw Barnes zich weer in het gesprek. 'Ik zweer dat Tommy dat meisje niets gedaan heeft.' Ze keek Lena woedend aan. 'En dat weet jij maar al te goed.'

'Inderdaad,' zei Lena.

Daar had ze niet van terug. Ze keek weer naar de verpleegster. 'Ik denk dat ik maar eens ga.'

'Mevrouw Barnes...' zei Will.

Ze snoerde hem de mond. 'Mijn zoon is advocaat. Als u me verder nog iets wilt vragen, kunt u zich tot hem richten. Kom, Darla. Mijn serie begint zo.'

Met die woorden draaide ze haar rollator om en begon moeizaam de oprit te beklimmen. Darla liep na een verontschuldigend gebaar achter haar aan.

'Volgens mij is dit de eerste keer dat een bejaarde dame met een rollator me met een advocaat bedreigt,' zei Will.

Er klonk een soort gegons, alsof een hele zwerm cicaden aan het zingen was geslagen. De regen was in lichte nevel overgegaan. Het water vormde druppels op Wills wimpers en hij knipperde met zijn ogen.

'Wat nu?'

'Zeg het maar.' Will keek op zijn telefoon om te zien hoe laat het was. Charlie kon elk moment arriveren. 'U kunt mee teruggaan naar de hogeschool, maar u kunt ook een advocaat gaan zoeken.'

Ze hoefde niet over het antwoord na te denken. 'Mijn auto of die van u?'

Dertien

Ze waren Taylor Drive nog niet uit of ze zaten midden in een wolkbreuk. Het zicht was beperkt. Langzaam en voorzichtig manoeuvreerde Lena de auto door de ondergelopen straten. De kou drong door in haar gewonde hand. Ze bewoog haar vingers om de bloedsomloop weer op gang te helpen. De hand was ontstoken, dat leed geen twijfel. Ze voelde zich warm en koud tegelijk. Een trage pijn nam bezit van haar achterhoofd.

Toch had ze zich in tijden niet zo goed gevoeld. Niet alleen omdat ze de verantwoordelijkheid voor Tommy's dood op zich had genomen, maar ook omdat ze zich voor de allerlaatste keer weer eens uit de nesten had gewerkt. Het was echt de laatste keer. Voortaan zou Lena alles op de juiste manier aanpakken. Geen trucjes meer. Geen risico's.

Frank kon haar niet verwijten dat ze zich op haar eigen zwaard had gestort, en als hij dat wel deed, kon hij de pot op. Will Trent had alles uitgevogeld wat er in de garage gebeurd was, maar zonder Lena kon hij niets bewijzen en Lena was niet van plan haar mond open te doen. Zo had ze Frank in haar macht. Dat was haar troef. Als Frank zich dood wilde zuipen, als hij op straat zijn leven wilde riskeren, moest hij dat vooral doen. Zij trok haar handen van hem af.

De dood van Tommy Braham was het enige wat op haar geweten drukte. Ze moest met een advocaat praten over hoe ze de zaak met het gemeentebestuur zou afhandelen, maar ze was niet van plan de strijd aan te gaan. Ze had straf verdiend. Tommy was haar arrestant geweest. Lena had hem min of meer het middel verschaft waarmee hij een eind aan zijn leven had gemaakt. De boel belazeren, mazen in de wet zoeken, dat was er allemaal niet meer bij. Misschien zou Gordon Braham haar een proces aandoen, of misschien niet. Eén ding wist Lena zeker: ze was helemaal klaar met dit stadje. Hoe ze ook van het politiewerk hield, hoe ze ook van die stoot adrenaline genoot, van het gevoel dat ze iets deed wat bijna niemand ter wereld wilde – of kon – doen, ze moest verder met haar leven.

Naast haar ging Will verzitten. Hij had de halve dag in de regen rondgesjouwd. Zijn trui was nat. Zijn spijkerbroek was nog steeds niet helemaal droog. Je kon veel over hem zeggen, maar niet dat hij niet op zijn doel afging.

'Wanneer gaan we het doen?' vroeg ze. 'Mijn bekentenis, bedoel ik.'

'Vanwaar die haast?'

Ze antwoordde niet. Hij zou het toch niet begrijpen. Lena was vijfendertig en ze moest weer helemaal overnieuw beginnen terwijl de banenmarkt er sinds de crisis van de jaren dertig niet zo slecht had voorgestaan. Ze wilde er gewoon een punt achter zetten. Het moeilijkste was nog dat alles zo onzeker was. Ze kapte ermee, maar zou dat zonder bloedvergieten lukken?

'U kunt altijd nog een deal sluiten.'

'Daarvoor moet je met iets waardevols over de brug komen.'

'Ik denk dat u dat wel hebt.'

Ze beaamde het niet. Ze wisten allebei dat ze er zelf een stuk makkelijker van af kwam als ze Frank liet vallen. Maar Will wist niet wat voor macht Frank over haar had. Om alles goed te laten aflopen moest Lena haar mond houden. Ze kon niet meer terug.

'Hoe staat het eigenlijk met de drugs hier in de stad?' vroeg Will.

De vraag verraste haar. 'Daar valt niet veel over te vertellen. Meestal handelt de campusbewaking de kleinere overtredingen op de hogeschool af: hasj, wat coke, soms een beetje speed.'

'En in de rest van het gebied?'

'In Heartsdale woont het welgestelde volk. Rijke mensen kunnen hun verslaving veel beter verbergen.' Ze minderde vaart voor het stoplicht op Main Street. 'Avondale valt wel mee: daar zit de middenklasse, met werkende moeders die speed roken nadat ze de kinderen naar bed hebben gebracht. De echte problemen vind je in Madison. Grote armoe. Veel werklozen, en alle schoolkinderen krijgen gratis lunch. De speed is in handen van een paar kleine gangs. Meestal vermoorden ze elkaar in plaats van gewone burgers. De politie heeft te weinig geld voor undercoveroperaties. We proberen ze zo veel mogelijk te pakken, maar het zijn net kakkerlakken. Als je er een doodmaakt, komen er tien voor in de plaats.'

'Zou Tommy misschien in drugs hebben gehandeld?'

Haar lach was ongeveinsd. 'Dat is zeker een grapje?'

'Nee.'

'Geen denken aan.' Vol overtuiging schudde ze haar hoofd. 'Als dat zo was, zou mevrouw Barnes nog eerder aan de telefoon hebben gehangen dan zuster Darla. Daarvoor werd hij door te veel mensen nauwlettend in de gaten gehouden.'

'En Allison? Zou zij gebruikt hebben?'

Nu moest Lena even nadenken. 'We hebben niets kunnen vinden wat haar met drugs in verband brengt. Ze kon amper rondkomen en woonde in een krot van een huis. Ze haalde goede cijfers. Ze miste geen college. Als ze in drugs handelde, pakte ze het verkeerd aan, en als ze gebruikte, wist ze dat goed te verbergen.'

'Dat lijkt allemaal te kloppen.' Hij veranderde van onderwerp. 'Het komt wel heel goed uit dat Jason Howell al dood was voor we met hem konden praten.'

Lena tuurde naar het rode licht en overwoog om gewoon

door te rijden. 'De moordenaar zal wel bang zijn geweest dat hij zou doorslaan.'

'Wie weet.'

'Heeft Sara nog iets gevonden?'

'Niks bijzonders.'

Ze keek Will even aan. Hij was een meester in het verhullen.

'We zullen zien wat die secties opleveren,' zei hij schouderophalend.

Het licht sprong eindelijk op groen. Ze gaf een ruk aan het stuur. De achterwielen slipten toen ze gas gaf. 'Hoor eens, ik weet dat u met haar naar bed gaat.'

'O?' Will lachte verbaasd.

'Dat is niet erg, hoor,' zei ze, ook al was het met pijn in haar hart. 'Ik heb Jeffrey gekend. Ik heb het grootste deel van mijn loopbaan met hem samengewerkt. Hij was niet zo'n type dat met zijn gevoelens te koop liep, maar wat Sara aanging wist iedereen hoe het ervoor stond. Hij zou haar graag een ander hebben gegund. Sara is niet iemand die goed alleen kan zijn.'

Een paar tellen lang zweeg hij. 'Aardig van u om dat te zeggen.'

'Tja, hoewel ik niet denk dat ze ooit iets aardigs over mij zal zeggen.' De regen geselde de auto en Lena zette de ruitenwissers in de hoogste stand. 'Ze zal u wel allerlei verhalen hebben verteld.'

'Wat zou ze me dan moeten vertellen?'

'In elk geval niks goeds.'

'En, klopt dat?'

Nu was het Lena's beurt om te lachen. 'U stelt altijd vragen waarop u het antwoord al weet.' Haar mobiel ging en de openingsakkoorden van 'Barracuda' van Heart weergalmden door de auto. Ze keek wie het was. Frank. Ze liet de oproep door de voicemail overnemen.

'Waarom belt de hogeschool u als er problemen zijn?' vroeg Will.

'Ik ken nogal wat jongens die daar bij de bewaking werken.'

'Uit de tijd dat u daar zelf hebt gewerkt?'

Ze stond op het punt hem te vragen hoe hij aan die informatie kwam, maar zweeg, want ze verwachtte toch geen echt antwoord. 'Nee, ik ken ze omdat ik een tijd de contactpersoon ben geweest. De jongens met wie ik daar heb samengewerkt zijn nu allemaal weg.'

'Frank schuift wel erg veel werk op u af.'

'Daar heb ik geen problemen mee.' Terwijl ze het zei besefte ze dat het er niet langer toe deed. Als ze voortaan wakker werd gebeld, zou het iemand zijn die het verkeerde nummer had gedraaid.

'Hoe ziet de beveiligingssituatie op de campus eruit? Nog hetzelfde als toen u er werkte?'

'Na Virginia Tech is er heel veel veranderd.'

Will was bekend met de slachtpartij op de hogeschool in Virginia, de bloedigste uit de Amerikaanse geschiedenis.

'U weet hoe het gaat bij dat soort instellingen,' legde ze uit. 'Ze reageren achteraf in plaats van voorzorgsmaatregelen te treffen. De meeste doden op Virginia Tech vielen in het techniekgebouw, waarop alle hogescholen en universiteiten de beveiliging van de collegezalen en laboratoria aanscherpten.'

'Maar de eerste slachtoffers vielen in het studentenhuis.'

'Die zijn veel moeilijker te bewaken. Studenten gaan in en uit met een sleutelkaart, maar dat is geen waterdicht systeem. Kijk maar naar Jasons studentenhuis. Het is toch stom om het brandalarm uit te schakelen?' Weer ging haar telefoon. Frank. Weer stuurde ze de oproep naar de voicemail.

'Iemand wil u spreken.'

'Klopt.' Lena besefte dat ze al net als Will Trent begon te praten. In aanmerking genomen dat hij haar aan het lijntje hield, was dat maar goed ook. De regen geselde de auto en ze liet de snelheid naar vijfentwintig zakken. Het water stroomde over de weg zodat het asfalt leek te golven. De ruitenwissers konden het niet aan. Ze zette de auto aan de kant. 'Ik zie geen hand voor ogen. Wilt u rijden?'

'Ik zie niks meer dan u. Laten we maar wachten tot de bui is overgedreven. Dan nemen we onze moordenaar nog eens onder de loep.'

Lena zette de auto in de parkeerstand. Ze staarde naar de witte wereld. 'Denkt u dat we met een seriemoordenaar te maken hebben?'

'Daarvoor moet je minstens drie slachtoffers in drie verschillende situaties hebben.'

Lena keerde zich naar hem toe. 'Dus het wachten is nu op het derde lijk?'

'Hopelijk komt het niet zover.'

'En dat profiel van u?'

'Wat is daarmee?'

Ze probeerde zich zijn eerdere vragen voor de geest te halen. 'Wat is er gebeurd? Twee jonge mensen zijn vermoord, allebei met een mes, en allebei terwijl ze alleen waren. Waarom is het gebeurd? De moordenaar is volgens een plan te werk gegaan. Hij had een mes bij zich. Hij kende de slachtoffers. Waarschijnlijk kende hij Jason beter dan Allison, want hij heeft hem duidelijk in een vlaag van woede vermoord.'

'Hij heeft een auto,' vervolgde Will. 'Hij kent de stad, de ligging van het meer en de opstelling van de camera's in het studentenhuis. Het is dus iemand die aan de hogeschool verbonden is geweest of er nog steeds aan verbonden is.'

Inwendig lachend schudde ze haar hoofd. 'Dat is het probleem met profielen. Het zou evengoed over mij kunnen gaan.'

'Het is niet onmogelijk dat een vrouw de misdrijven heeft gepleegd.'

Lena schonk hem een zuinig lachje. 'Ik was gisteravond bij mijn vriend Jared en overdag was ik bij u.'

'Bedankt voor het alibi. Maar ik meen het. Allison was tenger. Een vrouw kon haar overmeesteren. Een vrouw kon haar het meer in hebben getrokken en haar aan die cementblokken hebben vastgeketend.'

'Dat is zo,' gaf ze toe. 'Vrouwen houden van messen. Dat heeft iets persoonlijks.'

Zelf had Lena een paar jaar terug ook een mes bij zich gedragen.

'Welke vrouwen zijn we in de loop van dit onderzoek allemaal tegengekomen?' vroeg Will.

Ze somde ze op. 'Julie Smith, wie dat ook mag zijn. Vanessa Livingston, de vrouw van wie de kelder is ondergelopen. Alexandra Coulter, een van Allisons docenten. Allisons tante Sheila, die me nog steeds niet heeft teruggebeld. Mevrouw Barnes van de overkant. Darla, de verpleegster met de lange rode nagels.'

'Mevrouw Barnes heeft haar een sluitend alibi verschaft. Volgens haar heeft Darla beide nachten bij haar doorgebracht.'

'Tja, mijn oom Hank zegt ook altijd dat hij nooit slaapt, maar als ik bij hem logeer ligt hij te ronken als een kettingzaag.' Lena pakte haar notitieboekje. Een warme golf trok door haar lichaam, maar niet van de ontstoken hand. Ze hield het boekje zo dat Will het niet kon zien, bladerde langs de 911-oproep en ging toen snel naar de bladzij waarop ze Darla's gegevens had genoteerd. 'Degene die 911 belde heeft als netnummer 912. Dat van Darla is 706.'

'Klonk haar accent u ongewoon in de oren?'

'Wat volks, maar ze heeft zich duidelijk opgewerkt.'

'Ze klonk niet alsof ze uit de Appalachen kwam?'

Lena staarde hem aan. 'Ze klonk zoals iedereen met wie ik ben opgegroeid in het zuiden van Georgia. Hoe komt u zo bij de Appalachen?'

'Kent u vrouwen die de afgelopen jaren vanuit de bergen hiernaartoe zijn verhuisd?'

Ze vermoedde dat dit weer op informatie sloeg die hij

voor haar achterhield. Maar dat spelletje kon zij ook spelen. 'Nu u het zegt: een tijdje terug hadden we hier een stel hillbilly's, maar die hebben hun pick-up weer ingepakt en zijn naar Los Angeles vertrokken.'

'Naar Beverly Hills zeker?' Hij grinnikte waarderend, waarna hij het opeens weer over een andere boeg gooide. 'U moet eens naar uw hand laten kijken.'

Lena bekeek haar gewonde handpalm. De huid was zo nat van het zweet dat de pleisters loslieten. 'Dat komt wel goed.'

'Ik heb het vandaag met dokter Linton over schotwonden gehad.'

'Wat maken jullie tweetjes er altijd een gezellige boel van.'

'Volgens haar is de kans op infectie buitengewoon groot bij een onbehandelde schotwond.'

U meent het, had ze willen zeggen. 'Laten we ons maar weer met het profiel bezighouden,' stelde ze in plaats daarvan voor.

Hij aarzelde lang genoeg om haar duidelijk te maken dat hij er niet van gediend was als iemand anders van onderwerp veranderde. 'Wat is precies de loop van de gebeurtenissen?'

Lena probeerde zich op de vraag te concentreren. 'Wat er met Allison is gebeurd hebben we al doorgenomen. Bij de moord op Jason is de dader waarschijnlijk het studentenhuis binnengedrongen, heeft de camera's verdraaid, vervolgens Jason neergestoken en is toen weer vertrokken.'

'Hij heeft Jasons lichaam in een deken gewikkeld. Hij wist dat er veel bloed zou vloeien.'

Dat was nieuw. 'Waar was die deken dan?'

'Die vond ik in de badkamer aan het eind van de gang.'

'Dan moet de afvoer gecontroleerd worden, en de...' Ze zweeg. Will wist ook wel wat er gebeuren moest. Daar had hij haar hulp niet bij nodig. 'We hadden toch vier vragen voor dat profiel?'

'De laatste vraag is: wie zou dat alles in die volgorde en om welke reden gedaan hebben,' zei Will.

'Allison is vóór Jason vermoord. Misschien diende zij als waarschuwing en heeft Jason die in de wind geslagen.'

'Jason had zich op zijn kamer teruggetrokken. We weten niet eens of hij van de moord op de hoogte was.'

'De moordenaar is dus zenuwachtig, bang dat de boodschap niet is overgekomen.' Ze kreeg een idee. 'Dat zelfmoordbriefje. Dat heeft de moordenaar als waarschuwing achtergelaten. "Ik wil niet langer."'

'Klopt,' zei Will. Ze besefte dat hij al een tijd geleden tot die conclusie was gekomen zonder het haar te vertellen.

Niettemin zei ze: 'Ergens is het begrijpelijk dat de moordenaar kwaad op Jason was omdat hij Allisons dood niet als waarschuwing heeft opgevat. Jason is wel acht of negen keer gestoken. Dat geeft aan hoe woedend hij was.'

Will keek omhoog. 'Het regent al wat minder.'

Lena ging overeind zitten en zette de auto in de versnelling. Ze trok langzaam op. De straat stond nog steeds blank. Het water stroomde terug naar Main Street. 'Allison en Jason waren allebei student. Misschien waren ze bij iets betrokken wat met de hogeschool te maken had.'

'Zoals wat?'

'Geen idee. Een beurs. Allerlei overheidsgeld wordt daar in en uit gesluisd. Defensiefondsen. De technische faculteit ontwikkelt medische instrumenten, nanotechnologie. In de polymeerlaboratoria worden kleefstoffen getest. Dan hebben we het over honderden miljoenen dollars.'

'Zou een masterstudent toegang hebben tot dat geld?'

Ze dacht even na. 'Nee. De promovendi misschien, maar de masterstudenten doen over het algemeen het rotwerk in de laboratoria, en de bachelorstudenten mogen hun gat nog niet afvegen zonder er toestemming voor te vragen. Ik heb weleens iets gehad met iemand die bij een van de masterprogramma's betrokken was. De dingen die ze doen zijn totaal niet interessant.'

Inmiddels waren ze bij het studentenhuis van Jason Howell aangekomen. Ervoor stonden twee zwarte busjes geparkeerd. Beide hadden het GBI-logo op het portier staan en op de zijkant TECHNISCHE RECHERCHE, in witte letters. Onwillekeurig ging er een schok van opwinding door Lena heen, als bij een bloedhond die een geur heeft opgevangen. Het gevoel ebde weer snel weg. Ze had talloze uren op deze hogeschool doorgebracht voor een diploma dat ze waarschijnlijk nooit zou kunnen gebruiken. In het beste geval zou ze dankzij haar opleiding zo'n irritant type worden dat op alle fouten wijst die bij CSI worden gemaakt.

Will keek naar zijn mobiel. 'Als je het niet erg vindt, bel ik mijn partner even.'

'Prima.' Lena parkeerde de auto. Het regende nog steeds. Ze stoof weg en rende de trap op, waarbij ze haar capuchon met beide handen vasthield.

Marty zat binnen een tijdschrift te lezen. Ze klopte op de deur. Zijn hoofd schoot omhoog, waardoor zijn bril scheef op zijn neus zakte. Hij pakte zijn sleutelkaart en de deur zoemde open.

'Wat zie jij eruit,' zei hij.

Even was Lena uit het veld geslagen. Ze streek met haar vingers door haar haar en voelde vocht dat niet van de regen afkomstig was. 'Ik heb een lange dag achter de rug.'

'Dat geldt ook voor mij.' Marty leunde achterover op de bank. 'Ik zal blij zijn als dit voorbij is.'

'Is er nog iets gebeurd?'

'Ze zijn met drie man boven. Twee anderen zijn naar de parkeergarage gegaan. De man die de leiding heeft, lijkt wel van het circus, zo'n hangsnor heeft ie. Hij heeft in de kamer autosleutels gevonden en net zo lang rondgereden en op de knop gedrukt tot er een alarm overging.'

Lena knikte goedkeurend en concludeerde dat de man behoorlijk slim was voor een circusfreak.

'Ik heb de parkeergarage niet gecontroleerd,' bekende

Marty. 'De auto stond op de derde verdieping vlak bij de oprit.'

Lena vergaf het hem. 'Ik ben ook niet meer in de parkeergarage geweest nadat alle studenten weg waren.'

'O-o. Daar zul je hem hebben.' Marty reikte naar voren en hield zijn sleutelkaart voor het paneel.

Will duwde de deur open en stampte het water van zijn schoenen. 'Sorry,' zei hij. 'Meneer Harris, bedankt dat u vandaag tijd voor ons heeft vrijgemaakt. Het spijt me dat u nu niet bij uw gezin kunt zijn.'

'Demetrius zei dat ik hier moest blijven zolang u me nodig hebt.'

'Kunt u me vertellen wie er gisteravond dienst had?'

'Demetrius. Dat is mijn chef. We wisselen elkaar af zodat we allebei ook af en toe vrij zijn met Thanksgiving.' Hij legde het tijdschrift weg. 'Hij kan zich niets herinneren, maar hij wil met alle plezier met u praten wanneer het u uitkomt.'

Lena meende dat Will op dat moment belangrijker zaken aan zijn hoofd had. 'Marty zei net dat een van uw mensen Jasons auto heeft gevonden in de parkeergarage. Die wordt momenteel onderzocht.'

Will glimlachte. Ze kon zijn opluchting bijna voelen. 'Mooi. Bedankt, meneer Harris.'

'Demetrius is nu op het kantoor om alle beveiligingstapes voor u te verzamelen. Ik wil u er wel naartoe rijden.'

Will wierp een blik op Lena. Uren achtereen naar videotapes kijken in de hoop dat je een aanwijzing van twee seconden vond, was zo geestdodend dat je jezelf nog liever een kogel door het hoofd joeg. Lena wilde naar de auto toe, de vloerbedekking uitkammen, zoeken naar bloedsporen of vingerafdrukken, maar dat had geen zin.

'Ik bekijk die tapes wel als u wilt,' bood ze aan.

'Zo lollig is dat niet.'

'Ik heb de laatste tijd anders genoeg lol beleefd.'

Lena zat in dezelfde verhoorkamer waar ze twee dagen eerder met Tommy Braham had gesproken. Ze had de tv-kar naar binnen gerold met de oude videorecorder en de nieuwere digitale apparatuur die soms gebruikt werd om verhoren vast te leggen. Het filmmateriaal van de beveiligingscamera's op de campus was een combinatie van beide: digitaal voor de buitencamera's en videobanden voor binnen. Demetrius, het hoofd van de bewaking, had haar alles gegeven wat hij had.

Voor zover ze wist was Lena op dat moment de enige aanwezige op het politiebureau, op Marla Simms en Carl Phillips na. De eerste kwam nooit van haar plek en de tweede had die avond bureaudienst en zat in het cellenblok. Carl was een grote kerel die niet met zich liet sollen, en daarom had Frank hem met bureaudienst opgezadeld. Carl was buitengewoon eerlijk. Frank deed dan ook zijn uiterste best om de man bij Will Trent uit de buurt te houden.

Lena had het hele verhaal al van Larry Knox gehoord, die kon roddelen als een oud wijf. Ze wist dat Carl bezwaar had gemaakt toen de wat spraakzamere arrestanten werden weggestuurd nadat Tommy's lichaam was gevonden. Frank had tegen Carl gezegd dat hij kon vertrekken als hij het er niet mee eens was, en Carl liet zich dat geen twee keer zeggen. De enige arrestanten die Frank niet had laten gaan, waren comateus of dom. Van de laatste soort spande Ronald Porter de kroon, een lul van een vent die zijn vrouw zo vaak had geslagen dat haar gezicht was ingedeukt. Frank had een manier gevonden om Ronny de mond te snoeren. Hij probeerde Carl te intimideren. Hij loog tegen Will Trent. Hij verborg bewijsmateriaal en waarschijnlijk lag het aan hem dat de audiotape met de 911-oproep nog niet was opgestuurd. Hij dacht dat hij Lena chanteerde.

De oude knakker had heel wat uit te leggen.

Lena wreef in haar ogen om scherper te kunnen zien. Het was benauwd en warm in de kamer, maar dat was het probleem niet. Ze wist bijna zeker dat ze koorts had. Haar hand zweette zo hevig dat het vocht alweer door de verse pleisters uit de eerstehulpkoffer heen drong. Eronder was de wond rauw en gloeiend. Van Delia Stephens had ze gehoord dat Brad de volgende ochtend wakker gemaakt zou worden. Lena was van plan zo snel mogelijk naar hem toe te gaan en dan aan een verpleegkundige te vragen naar haar wond te kijken. Waarschijnlijk kreeg ze een injectie en moest ze heel wat vragen beantwoorden.

De ergste vragen kon ze die avond al verwachten. Ze zou Jared moeten vertellen wat er allemaal speelde. Tenminste voor een deel. Lena wilde hem niet met de hele waarheid belasten. Bovendien had ze niet voor niets haar hoofd op het hakblok gelegd. Ze moest haar penning inleveren, maar Jared ook nog verliezen was een offer dat ze niet wilde brengen.

Ze ging weer aan de slag. De videobanden die ze de afgelopen twee uur had bekeken, varieerden van eentonig tot saai. Eigenlijk had ze gewoon naar huis moeten gaan, maar vreemd genoeg voelde ze zich verplicht tegenover Will Trent. Tegen wil en dank had ze zich de rol van Assepoester laten aanmeten. Vermoedelijk zou ze tot middernacht tapes zitten kijken, zo rond de tijd dat haar penning in een pompoen veranderde.

Ze had al snel het goede materiaal gevonden. Volgens de tijdsaanduiding werd de nooduitgang aan de achterkant van Jasons gebouw de vorige avond om 23.16.23 uur geopend. Lena kende de indeling nog van haar tijd bij de campusbewaking. Het studentenhuis, de kantine en de achterkant van de bibliotheek vormden een open U met de laadperrons in het midden. Het was de studenten verboden om dat gebied als sluiproute te gebruiken, want een aantal jaren daarvoor was een jongen van een van de perrons gevallen en had zijn been op drie plaatsen gebroken. Het proces dat daaruit was voortgevloeid, was hard aangekomen, en het had de hogeschool nog meer geld gekost om xenonlampen te installeren, die het terrein als een Broadwaypodium verlichtten.

De camera boven de uitgang nam op in kleur. Het licht dat naar binnen viel toen de deur werd geopend, was xenonblauw. Vervolgens schoot de camera omhoog en toonde het plafond, met een wigvormig stuk blauw licht dat het duister doorsneed. De deur ging weer dicht en het plafond werd donker.

Om 23.16.28 uur verscheen er iemand op de gang van de eerste verdieping. De camera had geen nachtzicht, maar in het licht dat uit de openstaande kamerdeur naar buiten viel, was de gestalte duidelijk te onderscheiden. Jason Howell droeg een dikke laag kleren, dezelfde die Lena had gezien toen de jongen dood op zijn bed lag. Jason keek nerveus om zich heen. Hij bewoog zich paniekerig. Kennelijk had hij iets gehoord, maar hij was al snel weer gerustgesteld. Om 23.16.37 uur keerde hij terug naar zijn kamer. Aan het schijfje licht op de gang kon ze zien dat hij zijn deur op een kier had laten staan.

Het duurde even voor de moordenaar boven was. Misschien wilde hij er zeker van zijn dat Jason niets vermoedde. Pas om 23.18.00 uur werd de camera van de eerste verdieping omhooggeduwd. Deze keer ging het de moordenaar minder gemakkelijk af. Lena vermoedde dat hij was uitgegleden op de trap. De camera stond iets scheef, en ze drukte net zo lang op de pauzeknop tot ze de punt van een houten honkbalknuppel in beeld kreeg. Het ronde uiteinde was goed te zien, maar het Rawlings-logo nam alle twijfel weg. Ze herkende het lettertype uit haar softbaltijd.

Om 23.26.02 uur flitste het xenonlicht opnieuw tegen het plafond toen de buitendeur openging. De moordenaar had er ruwweg acht minuten over gedaan om Jason van het leven te beroven.

Marla klopte aan en liep de kamer in. Lena zette de opname die ze aan het bekijken was even stil; het was de digitale film van het verlaten parkeerterrein voor de bibliotheek. 'Wat is er?'

'Je hebt bezoek.' Ze maakte rechtsomkeert en vertrok.

Lena smeet de afstandsbediening op tafel en bedacht dat Marla Simms een van de weinigen was die ze niet zou missen als ze hier wegging. Trouwens, nu ze erover nadacht kon ze niemand in de hele stad bedenken zonder wie ze niet zou kunnen leven. Het was vreemd om zich zo onthecht te voelen van een groep mensen die de afgelopen jaren haar wereld hadden gevormd. Lena had Grant County altijd als haar thuis beschouwd en het politiekorps als haar familie. Nu was ze alleen maar blij dat ze eindelijk van ze af was.

Ze duwde de metalen branddeur open en liep de recherchekamer in. Lena bleef staan toen ze de vrouw zag die in de hal stond te wachten, want ze herkende meteen Sheila McGhee, de vrouw op de foto die Frank uit Allisons portefeuille had ontvreemd. Ze hadden met zijn drieën op een bank voor het studentencentrum gezeten. De jongen van wie Lena inmiddels wist dat hij Jason Howell heette, had zijn arm om Allisons middel geslagen. Sheila zat naast haar nicht, maar iets verder van haar af. Achter hen was de lucht donkerblauw. De bomen begonnen hun blad al te verliezen.

In het echt zag Sheila McGhee er magerder en harder uit. Naar aanleiding van de foto had Lena geconcludeerd dat ze uit de plaatselijke achterbuurt kwam, en nu zag ze haar vermoeden bevestigd, behalve dan dat Sheila uit Elba, Alabama, afkomstig was. Ze was broodmager, waarschijnlijk doordat ze te weinig at en te veel rookte. Haar huid hing slap van haar gezicht. Ze had diep weggezonken ogen. De vrouw op de foto had nog geglimlacht. Sheila McGhee zag eruit alsof ze nooit meer zou kunnen lachen.

Ze drukte haar tasje zenuwachtig tegen haar buik toen Lena op haar afliep. 'Is het waar?'

Marla zat achter haar bureau. Lena boog zich voorover

en drukte op de zoemer om de poort te openen. 'Kom maar mee naar achteren als u wilt.'

'Vertel het me dan.' Ze greep Lena bij haar arm. De vrouw was sterk. De aderen op de rug van haar hand leken gevlochten koord.

'Ja,' bevestigde Lena. 'Allison is dood.'

Sheila was nog niet overtuigd. 'Die meisjes lijken allemaal op elkaar.'

Lena legde haar hand over die van de vrouw. 'Ze werkte in het eetcafé iets verderop, mevrouw McGhee. De meeste agenten die hier werken kenden haar. Iedereen vond haar een schat van een meid.'

Sheila knipperde een paar keer met haar ogen, ook al was er geen traan te bekennen.

'Kom maar mee,' zei Lena. In plaats van haar voor te gaan naar de verhoorkamer liep ze naar Jeffreys kantoor. Vreemd genoeg ging er een steek van verlies door haar heen. Ze besefte dat ze ergens in haar achterhoofd had gedacht dat zijzelf over tien, vijftien jaar recht op deze kamer kon doen gelden. Ze was zich pas van haar droom bewust geworden toen die onbereikbaar werd.

Dit was echter niet het moment om bij haar eigen gebroken dromen stil te staan. Ze wees naar de twee stoelen aan de andere kant van het bureau. 'Gecondoleerd met uw verlies.'

Sheila ging op het randje van een van de stoelen zitten, met haar tas op schoot. 'Is ze verkracht? Vertel het maar. Ze is verkracht, hè?'

'Nee, ze is niet verkracht.'

De vrouw keek verward. 'Heeft dat vriendje haar vermoord?'

'Nee, mevrouw.'

'Weet u dat zeker?'

'Ja.' Lena ging naast haar zitten. Ze hield haar hand op haar schoot. De huid gloeide nog erger dan eerst. Elke hartslag klopte in haar vingers.

'Hij heet Jason Howell,' zei Sheila. 'Ze gaat al een paar jaar met hem om. De laatste tijd boterde het niet zo tussen hen. Ik weet niet wat er speelde. Ze waren het ergens over oneens. Allison was er kapot van, maar ik zei dat ze hem moest laten gaan. Geen vent is dat soort ellende waard.'

Lena bewoog haar hand. 'Ik ben net terug van de hogeschool, mevrouw McGhee. Jason Howell is dood. Hij is gisteravond vermoord.'

Ze schrok al even erg als Lena toen die het nieuws van Marty had gehoord. 'Vermoord? Hoezo?'

'We denken dat hij door dezelfde man is vermoord die uw nichtje heeft gedood.'

'O...' Verward schudde ze haar hoofd. 'Wie vermoordt er nou twee studenten? Die hebben geen cent te makken.'

'Dat proberen we uit te vinden.' Lena zweeg even om de vrouw tot zichzelf te laten komen. 'Weet u toevallig iemand in Allisons leven, een naam die ze weleens noemde, misschien iets waarbij ze betrokken was geraakt en niet kon...'

'Dat klopt van geen kant. Wat zou Allison een ander nou aandoen? Ze heeft nog nooit iemand kwaad gedaan.'

'Had ze het weleens over haar vrienden? Iemand die ze kende?'

'Alleen die Tommy. Die is achterlijk, en hij heeft een oogje op haar.' Het besef drong langzaam tot haar door. 'Hebt u al met hem gesproken?'

'Ja. Hij is buiten verdenking gesteld.'

Sheila's vingers spanden zich om het tasje op haar schoot. 'En de huiseigenaar? Die vriendin van hem was nogal jaloers.'

'Die zaten allebei in Florida toen de misdaad werd gepleegd.'

Haar ogen werden vochtig, maar haar wangen bleven droog. Blijkbaar probeerde ze te bedenken wie het verder gedaan kon hebben. Ten slotte gaf ze het op; ze zoog wat lucht naar binnen en blies die weer uit. Ze liet haar schouders hangen. 'Er klopt helemaal niks van. Helemaal niks.'

Lena zweeg wijselijk. Ze werkte nu vijftien jaar bij de politie en had nog geen moordzaak meegemaakt die wel klopte. Mensen doodden altijd om de domste redenen. Het was een deprimerende gedachte dat het leven zo weinig waarde had.

Sheila opende haar tas. 'Mag ik hier roken?'

'Nee. Wilt u even naar buiten?'

'Veels te koud.' Bijtend op haar duimnagel keek ze naar de muur. Haar overige nagels waren tot op het leven afgekloven. Lena vroeg zich af of Allison die gewoonte van haar tante had overgenomen. Het meisje had akelig korte nagels gehad.

'Allison was kwaad op een van haar leraren omdat die haar een slecht cijfer had gegeven,' zei Sheila.

'Weet u nog hoe hij heette?'

'Williams. Ze had nog nooit een zes gehaald. Ze was er behoorlijk overstuur van.'

'We zullen het meenemen,' zei Lena, maar ze had al met Rex Williams gesproken en die had vanaf zaterdagmiddag met zijn gezin in New York gezeten. Een telefoontje naar Delta Air Lines had zijn alibi bevestigd. 'Had Allison een auto?'

Ze sloeg haar blik neer. 'Die was van haar moeder geweest. Ze liet hem op Judy's naam staan, want dan was de verzekering goedkoper.'

'Weet u wat voor merk en model?'

'Geen idee. Het was een oude brik, en hij viel van roest zowat uit elkaar. Ik wil het wel even uitzoeken als ik weer thuis ben.' Ze klemde haar tasje nog steviger vast, alsof ze wilde vertrekken. 'Zal ik dat gelijk doen?'

'Nee,' antwoordde Lena. Ze wist vrijwel zeker dat Allison in een rode Dodge Daytona had gereden. 'Belde u vaak met uw nichtje?'

'Eens per maand. We werden wat hechter nadat haar moeder was overleden.' Haar gezicht betrok. 'Nu ben ik als enige overgebleven.' Ze slikte. 'Ik heb een zoon in Holman die de hele dag kentekenplaten staat te stansen. Ongeveer het enige wat hij ooit goed heeft gedaan in zijn leven.'

Ze doelde op Holman State Prison in Alabama.

'Waarvoor zit hij?' vroeg Lena.

'Voor dommigheid.' Haar woede was zo tastbaar dat het Lena moeite kostte om niet terug te deinzen op haar stoel. 'Hij wilde een drankwinkel beroven met een waterpistool. Die jongen zit al langer ín de gevangenis dan erbuiten.'

'Hoort hij bij een bende?'

'Tja, wie zal het zeggen? Ik in elk geval niet. Ik heb hem niet meer gesproken sinds hij de bak in ging. Ik bemoei me er niet meer mee.'

'Was hij hecht met Allison?'

'De laatste keer dat ze elkaar hebben gezien was toen ze een jaar of dertien, veertien was. Ze waren aan het zwemmen en hij duwde haar onder water tot ze moest kotsen. Dat huftertje is geen haar beter dan zijn vader.' Ze begon in haar tas te rommelen, maar herinnerde zich kennelijk dat ze niet mocht roken. Ze haalde een pakje kauwgom tevoorschijn en stopte twee stukjes in haar mond.

'En Allisons vader?'

'Die woont ergens in Californië. Die zou haar niet herkennen als hij haar op straat tegenkwam.'

'Ging ze naar een therapeut hier op de hogeschool?'

Sheila keek haar scherp aan. 'Hoe weet u dat nou? Heeft de therapeut het soms gedaan?'

'We weten niet wie het gedaan heeft,' benadrukte Lena. 'We bekijken het vanuit alle invalshoeken. Weet u hoe die therapeut heet?'

'Een of andere jodin.'

'Jill Rosenburg?' Lena kende haar van een andere zaak.

'Zoiets. Denkt u dat zij het gedaan kan hebben?'

'De kans lijkt me klein, maar we gaan met haar praten. Waarom bezocht Allison dokter Rosenburg?'

'Ze zei dat het moest voor haar studie.'

Lena wist dat eerstejaars één keer per semester naar een therapeut moesten, maar daarna mochten ze zelf weten of ze nog gingen. De meeste studenten konden hun tijd wel beter besteden. 'Was Allison depressief? Heeft ze ooit zelfmoordneigingen gehad?'

Sheila keek naar haar rafelige nagels en Lena herkende de schaamte op haar gezicht.

'Mevrouw McGhee, u kunt hier vrijuit praten. We willen allemaal weten wie Allison dit heeft aangedaan. Zelfs het kleinste stukje informatie kan helpen.'

Ze haalde diep adem. 'Acht jaar geleden heeft ze haar polsen doorgesneden, toen haar moeder stierf,' beaamde ze.

'Is ze in het ziekenhuis opgenomen geweest?'

'Ze moest daar een paar dagen blijven en daarna ging ze voor therapie naar de poli. Eigenlijk hadden we daarmee door moeten gaan, maar als je amper eten op tafel kunt zetten, heb je geen geld voor dokters.'

'Leek het beter met Allison te gaan?'

'Af en aan. Net als ik. Waarschijnlijk net als u. Je hebt goede en slechte dagen, en zolang er van beide niet te veel zijn, red je het aardig.'

Lena had nog niet vaak zo'n deprimerende levensvisie gehoord. 'Gebruikte ze medicijnen?'

'Ze zei dat de dokter haar iets nieuws had gegeven, bij wijze van proef. Voor zover ik kon zien, hielp het niet echt.'

'Klaagde ze over haar studie? Over haar werk?'

'Nooit. Zoals ik al zei was het altijd een flinke meid. Het leven is hard, maar je kunt je niet over elk rottigheidje te sappel maken.'

'Ik heb een foto van u in Allisons portefeuille gevonden. Daar staat u samen met haar en Jason op. Zo te zien zaten jullie op een bank voor het studentencentrum.'

'Had ze die in haar portefeuille?' Voor het eerst ontspande Sheila's gezicht zich tot een vage glimlach. Ze rommelde weer in haar tas en haalde dezelfde foto tevoorschijn die in de portefeuille van haar nichtje had gezeten. Ze keek er langdurig naar en liet hem toen aan Lena zien. 'Ik wist niet dat ze er zelf ook een had bewaard.'

'Wanneer is die foto gemaakt?'

'Twee maanden geleden.'

'In september?'

Ze knikte en kauwde smakkend. 'De drieëntwintigste. Ik had een paar dagen vrij en reed hiernaartoe om haar te verrassen.'

'Wat was Jason voor iemand?'

'Wat stil. Arrogant. Kort lontje. Hij hield de hele tijd haar hand vast en streelde haar haar. Ik zou gek zijn geworden als een jongen me zo zat te bepotelen, maar Allison vond het niet erg. Ze was verliéfd.' Ze legde zoveel sarcasme in haar stem dat het woord bijna obsceen klonk.

'Hoeveel tijd hebt u in Jasons gezelschap doorgebracht?' vroeg Lena.

'Tien minuten, een kwartier? Hij zei dat hij les had, maar volgens mij werd hij zenuwachtig van me.'

Lena begreep maar al te goed waarom. Sheila had kennelijk geen al te hoge pet op van mannen. 'Waarom vond u Jason arrogant?'

'Hij had zo'n blik in zijn ogen, alsof hij zich ik weet niet wat verbeeldde. Snapt u?'

Het kostte Lena moeite om in de wat dikkige knaap die ze op Jasons studentenkaart had gezien de arrogante lul te herkennen die Sheila beschreef. 'Zei hij nog iets bijzonders?'

'Hij had net een ring voor haar gekocht. Zo'n goedkoop prul dat niet bij haar kleurde, maar hij was zo trots als een pauw. Hij zei dat die ring voorlopig was, dat hij met Thanksgiving een mooiere voor haar zou kopen.'

'Niet met kerst?'

Ze schudde haar hoofd.

Lena leunde nadenkend achterover. Je gaf geen cadeautjes met Thanksgiving. 'Zei een van tweeën iets over geld dat ze binnenkort verwachtten?'

'Die twee rekenden echt niet op geld. Ze waren zo arm als de neten.' Sheila knipte met haar vingers. 'Hoe zit het met die ouwe neger uit het eetcafé?'

Lena bedacht dat Frank Wallace zo ongeveer de enige was die dat woord verder nog gebruikte. 'We hebben met meneer Harris gesproken. Hij staat hierbuiten.'

'Hij liet haar keihard werken, maar ik zei dat het goed was dat ze met negers leerde omgaan. Kijk maar naar de grote bedrijven, daar barst het van de zwarten.'

'Inderdaad,' zei Lena, die zich afvroeg of de vrouw dacht dat haar bruine huid het resultaat was van een mislukte zonnebanksessie. 'Had Allison het weleens over andere vrienden?'

'Nee. Ze had het altijd en eeuwig over die Jason. Hij was de hele wereld voor haar, ook al zei ik nog zo vaak dat ze niet alles op één kaart moest zetten.'

'Had Allison een vriendje op de middelbare school?'

'Nooit. Ze was altijd alleen maar met haar cijfers bezig. Ze wilde met alle geweld gaan studeren. Ze dacht dat dat haar zou redden van...' Ze schudde haar hoofd.

'Van wat...?'

Eindelijk biggelde er een traan over haar wang. 'Van wat haar toch is overkomen.' Haar lip begon te trillen. 'Ik wist dat er voor haar niks te hopen viel. Ik wist dat er iets ergs zou gebeuren.'

Lena pakte de knokige hand van de vrouw. 'Ik heb met u te doen.'

Sheila rechtte haar rug om aan te geven dat ze geen behoefte aan troost had. 'Mag ik haar zien?'

'Daarmee kunt u beter tot morgen wachten. De mensen die nu met haar bezig zijn zorgen goed voor haar, ook namens u.'

Ze knikte, waarbij haar kin even naar beneden zakte en

meteen weer omhoogschoot. Ze hield haar blik op een punt op de muur gericht. Haar borst deinde op en neer en ze ademde zacht piepend van al die jaren dat ze gerookt had.

Lena keek de kamer rond tot de vrouw zichzelf weer enigszins onder controle had. De vorige dag was ze voor het eerst in bijna vier jaar weer in Jeffreys kantoor geweest. Al zijn spullen waren na zijn dood naar het huis van de Lintons overgebracht, maar Lena wist nog heel goed hoe de kamer eruit had gezien: de prijzen die hij met schieten had gewonnen, de foto's aan de wand, de keurige stapels papier op zijn bureau. Jeffrey had altijd een kleine, inge-lijste foto van Sara naast de telefoon staan. Het was niet het gebruikelijke glamourplaatje dat je bij een echtgenoot zou verwachten. Sara zat op de tribune van de middelbare school. Haar handen staken in de zakken van een dikke sweater. Haar haar waaide op in de wind. Lena vermoedde dat het tafereel een diepere betekenis had, net zoals haar foto van Jared bij het footballstadion. Jeffrey zat altijd naar die foto te kijken als hij met een ingewikkelde zaak bezig was. Dan voelde je bijna hoe hij naar huis verlangde.

De deur ging een eindje open en Frank keek naar binnen. De woede straalde van zijn gezicht, hij had zijn handen tot vuisten gebald en zijn kaak stond zo strak dat zijn kiezen dreigden te barsten. 'Ik moet je spreken.'

Lena voelde de kilte in zijn stem, alsof de temperatuur in de kamer met tien graden gedaald was. 'Ik kom zo.'

'Nu.'

Sheila stond op, met haar tas in haar hand. 'Ik ga er maar weer eens vandoor.'

'U hoeft u niet te haasten, hoor.'

'Nee,' zei ze, met een nerveuze blik op Frank. In haar stem klonk angst door, en Lena snapte opeens dat Sheila McGhee een vrouw was die het vaak had moeten ontgel-den bij de mannen in haar leven. 'U hebt betere dingen te doen en ik heb u al te lang van uw werk gehouden.' Ze

pakte een papiertje en gaf het aan Lena voor ze op een drafje naar de deur ging. 'Dit is het nummer van mijn mobiel.
Ik zit in dat hotel in Cooperstown.' Met afgewend gezicht
liep ze langs Frank de kamer uit.

'Waarom deed je dat?' wilde Lena weten. 'Zag je niet hoe
bang ze was?'

'Ga zitten.'

'Ik ga niet...'

'Zitten, zei ik!' Frank duwde haar met zoveel kracht terug op haar stoel dat Lena bijna op de vloer viel.

'Wat héb je?'

Hij schopte de deur dicht. 'Waar ben jij goddorie mee bezig?'

Lena keek door het raam naar de verlaten recherchekamer.
Haar hart bonkte in haar keel en maakte haar het praten bijna onmogelijk. 'Ik weet niet waarover je het hebt.'

'Je hebt tegen Gordon Braham gezegd dat Tommy Brad
per ongeluk heeft neergestoken.'

Ze wreef over haar bloedende elleboog. 'En wat dan nog?'

'Godverdomme!' Hij sloeg met zijn vuist op het bureau.
'We hadden een afspraak.'

'Hij is dood, Frank. Ik wilde zijn vader wat gemoedsrust
geven.'

'En hoe zit het met míjn gemoedsrust?' Hij stak zijn
vuisten in de lucht. 'We hadden verdomme een afspraak!'

Lena maakte een afwerend gebaar, bang dat hij haar weer
zou slaan. Ze had geweten dat Frank kwaad zou zijn, maar
zo woedend had ze hem nog nooit meegemaakt.

'Wat stom.' Met zijn vuisten nog steeds gebald liep hij
voor haar op en neer. 'Wat ben jij stom!'

'Rustig een beetje,' zei ze. 'Ik heb alle schuld op me genomen. Ik heb tegen Trent gezegd dat het mijn schuld was.'

Hij staarde haar met open mond aan. 'Jij hebt wat?'

'Het is gebeurd, Frank. Het is voorbij. Trent houdt zich
nu met die moorden bezig. Daar heb je hem bij nodig. We
weten allebei dat Tommy dat meisje niet heeft vermoord.'

'Nee.' Hij schudde zijn hoofd. 'Dat is niet waar.'

'Ben jij op de hogeschool geweest? Jason Howell is gister-avond vermoord. Het kan dus niet dat...'

Hij klemde zijn vuist vast alsof hij haar anders zou slaan. 'Jij zei dat Tommy een keiharde bekentenis had afgelegd.'

Lena's toon kreeg nu iets smekends. 'Luister eens naar me.' Ze nam nauwelijks de tijd om adem te halen. 'Ik neem de volledige schuld op me. Plichtsverzuim. Nalatig-heid. Belemmering van de rechtsgang. Waar ze ook mee komen, het is allemaal mijn schuld. Ik heb al tegen Trent gezegd dat jij er niks mee te maken had.' Weer schudde hij zijn hoofd, maar Lena praatte door. 'Alleen jij en ik wa-ren erbij, Frank. Wij zijn de enige getuigen en we vertel-len straks allebei precies hetzelfde verhaal, want ik zeg alles wat jij wilt. Brad heeft niet gezien wat er in de garage gebeurd is. Hoe je het ook wendt of keert, Tommy staat niet op uit zijn graf om te vertellen hoe het wel zit. Het is gegaan zoals wij zeggen.'

'Tommy...' Hij bracht zijn hand naar zijn borst. 'Tommy vermoordde...'

'Allison is door iemand anders vermoord.' Lena snapte niet waarom hij dat niet wilde inzien. 'Trent is niet langer in Tommy geïnteresseerd. Hij heeft zijn zinnen nu op een seriemoordenaar gezet.'

Frank liet zijn hand zakken. Alle kleur trok uit zijn ge-zicht. 'Denkt hij...'

'Je snapt het niet, hè? Luister nou eens naar me. Dit is opeens een megazaak geworden. Trent heeft zijn techni-sche jongens hiernaartoe gehaald om Jasons studentenhuis uit te kammen. Straks stuurt hij ze naar Allisons kamer, naar de garage, naar het meer. Denk je dat hij zich nog be-zighoudt met een of ander stomme latino-rechercheur die haar arrestant zelfmoord heeft laten plegen?'

Frank liet zich op Jeffreys stoel ploffen. De veren knars-ten. Hoe vaak had ze niet samen met Jeffrey in deze kamer gezeten en die stoel horen kreunen als hij achteroverleunde? Frank mocht hier niet zijn. Dat gold overigens ook voor haarzelf.

'Het is voorbij, Frank,' zei ze. 'Einde verhaal.'

'Er zit meer achter, Lee. Je snapt het niet.'

Lena knielde voor hem neer. 'Trent weet dat er met de transcriptie van de 911-oproep is geknoeid. Hij weet dat Tommy een mobiel had die onvindbaar is. Waarschijnlijk weet hij ook dat jij die foto uit Allisons portefeuille hebt gehaald. En wat hij zeker weet is dat Tommy de cel weer is in gegaan met een inktpatroon uit mijn pen en dat hij daarmee zijn polsen heeft doorgesneden.' Ze legde haar hand op zijn knie. 'Ik heb al gezegd dat hij mijn bekentenis op de band mag opnemen. Jij was in het ziekenhuis. Niemand zal jou de schuld geven.'

Zijn ogen schoten heen en weer terwijl hij haar gezicht bestudeerde.

'Ik zit je heus niet te bedonderen. Ik spreek de waarheid.'

'De waarheid doet er niet toe.'

Geërgerd stond Lena op. Ze bood het hem allemaal op een presenteerblaadje aan, maar hij wierp het haar weer in haar gezicht. 'Vertel me dan waarom niet. Voor wie pakt dit verder nog ongunstig uit, behalve voor mij?'

'Waarom kon je niet voor één keer in je ellendige leven mijn orders opvolgen?'

'Ik neem alles op me!' riep ze. 'Waarom dringt dat niet tot je botte hersens door? Het komt door mij, begrepen? Het is mijn schuld. Ik heb Tommy niet tegengehouden toen hij de straat op rende. Ik heb hem niet tegengehouden toen hij Brad neerstak. Ik heb het verhoor verknald. Ik heb hem een valse bekentenis afgedwongen. Ik liet hem teruggaan naar zijn cel. Ik wist dat hij overstuur was. Ik heb hem niet gefouilleerd. Ik heb hem niet in de gaten laten houden omdat hij misschien suïcidaal was. Je mag me ontslaan of ik dien zelf mijn ontslag in, je zegt het maar. Laat de commissie maar over me oordelen. Ik zweer op een stapel bijbels dat het allemaal mijn schuld was.'

Hij keek haar aan alsof ze het domste schepsel was dat op aarde rondliep. 'Denk je dat het zo gemakkelijk gaat? Dat je dat allemaal kunt doen en dan gewoon weg kunt lopen?'

'Wat doe ik dan zo verkeerd?'

'Ik zei toch dat je je aan het verhaal moest houden!' Hij sloeg zo hard met zijn vuist tegen de muur dat het glas rammelde in het kozijn. 'Goddomme, Lena.' Hij stond op. 'Waar is dat vriendje van je eigenlijk? Denk je dat je er zo gemakkelijk van afkomt? Waar is Jared?'

'Nee.' Ze priemde haar vinger in zijn borst. 'Waag het niet met hem te gaan praten. Waag het niet ooit een woord tegen hem te zeggen. Hoor je me? Dat is de afspraak. Dat is de enige reden waarom ik mijn mond hou.'

Hij mepte haar hand weg. 'Ik maak verdomme zelf wel uit wat ik hem vertel.' Hij wilde vertrekken. Lena greep hem bij zijn arm, zonder aan de wond te denken die hij in de garage had opgelopen.

'Shit!' Hij schreeuwde het uit en zijn knieën begaven het. Hij sloeg haar tegen haar oor. De binnenkant van Lena's hoofd galmde als een klok. Ze zag sterretjes. Haar maag kneep samen. Ze klemde zijn arm nog steviger vast.

Frank zat nu hijgend op handen en knieën. Hij sloeg zijn vingers in de huid op de rug van haar hand. Lena had hem zo stevig vast dat haar armspieren het uitschreeuwden. Ze boog zich voorover om naar zijn verweerde oude kop te kijken. 'Weet je wat ik vanochtend bedacht heb?' Hij hijgde zo dat hij niks kon zeggen. 'Jij weet iets van mij, maar ik weet iets nog veel ergers van jou.'

Hij opende zijn mond. Speeksel sproeide over de vloer.

'Weet je wat ik heb?' Hij antwoordde nog steeds niet. Zijn gezicht was zo rood dat ze het voelde gloeien. 'Ik heb bewijs van wat er in de garage gebeurd is.'

Met een ruk draaide hij zijn hoofd om.

'Ik heb de kogel waarmee je op me hebt geschoten, Frank.

Die vond ik in de aarde achter de garage. Die blijkt straks uit jouw pistool te komen.'

Opnieuw vloekte hij. Zweet gutste over zijn gezicht.

'En die colleges die ik volgde? Waar jij zo om moest lachen?' Zich verkneukelend zei ze: 'Er ligt daar genoeg bloed om jouw alcoholgehalte mee te bepalen. Wat denk je dat ze ontdekken? Hoe vaak heb jij gisteren die flacon wel niet aan je mond gehad?'

'Dat betekent niks.'

'Dat betekent je pensioen, Frank. Je ziekteverzekering. Je reputatie. Je hebt al die extra jaren doorgewerkt, maar het betekent allemaal geen fuck als je ontslagen wordt omdat je drinkt tijdens het werk. Dan nemen ze je op de hogeschool niet eens aan bij de bewaking.'

Hij schudde zijn hoofd. 'Dat krijg jij niet voor elkaar.'

Lena nam het even niet zo nauw met de waarheid. 'Greta Barnes heeft gezien dat je Tommy in elkaar sloeg. Ik wil wedden dat haar verpleegster ook het een en ander kan vertellen.'

Hij lachte moeizaam. 'Roep ze er maar bij. Ga je gang.'

'Als ik jou was zou ik maar goed uitkijken.'

'Je ziet het nog steeds niet.'

Lena stond op en sloeg het stof van haar broek. 'Het enige wat ik zie is een uitgeputte ouwe zuiplap.'

Met moeite ging hij rechtop zitten. Hij ademde hijgend. 'Je wist het altijd al zo goed dat je de waarheid niet zag, ook al keek die je recht in je gezicht.'

Ze haalde de penning van haar riem en smeet die op de vloer. De Glock was van haarzelf, maar de kogels waren staatseigendom. Lena verwijderde de patroonhouder en haalde er twaalf kogels uit. De 'ping' waarmee iedere kogel naast hem op de tegelvloer viel, klonk haar als muziek in de oren.

'Het is nog niet voorbij,' zei hij.

Ze trok de slee naar achteren en verwijderde de laatste kogel uit de kamer. 'Voor mij wel.'

De deur klemde. Ze moest hem met een ruk opentrekken. Carl Phillips stond achter in de recherchekamer. Hij tilde zijn pet even op toen Lena naar buiten kwam.

Marla liet haar stoel ronddraaien en met haar armen over haar forse boezem volgde ze Lena's gang door het vertrek. Ze bukte zich en drukte op de zoemer voor de poort. 'Opgeruimd staat netjes.'

Eigenlijk had er iets aan Lena moeten trekken, een soort loyaliteit waardoor ze nog één keer omkeek, maar ze liep naar het parkeerterrein en zoog de vochtige novemberlucht op met het gevoel dat ze zich eindelijk had bevrijd uit de ergst denkbare gevangenis.

Ze ademde diep in. Haar longen schokten. Het weer was wat opgeklaard, en een krachtige, koude wind droogde het zweet op haar gezicht. Ze zag alles heel scherp. In haar oren klonk gezoem. Ze voelde haar hart ratelen in haar borstkas, maar ze dwong zichzelf om door te lopen.

Haar Celica stond helemaal achteraan geparkeerd. Ze keek Main Street in. Even brak de avondzon door en dompelde alles in een surrealistisch blauw schijnsel. Lena vroeg zich af hoeveel dagen van haar leven ze deze akelige winkelstraat op en neer was gereden. De hogeschool. De ijzerwarenzaak. De stomerij. De dameskledingwinkel. Het leek allemaal zo klein, zo zonder betekenis. Dit stadje had haar zoveel ontnomen: haar zus, haar mentor en nu haar penning. Ze had niets meer wat ze kon geven. Ze kon alleen nog overnieuw beginnen.

Aan de overkant van de straat zag ze de kinderkliniek van Heartsdale. De super-de-luxe BMW van Hareton Earnshaw nam twee plekken op het parkeerterrein in beslag.

Lena liet haar Celica staan en stak de straat over. De oude Burgess zwaaide naar haar van achter het raam van de stomerij. Lena zwaaide terug terwijl ze de heuvel naar de kliniek op sjouwde. Haar hand deed verschrikkelijk pijn. Ze kon echt niet meer wachten tot ze de volgende ochtend naar het ziekenhuis ging.

Toen Sara er nog de scepter zwaaide was de kliniek altijd goed onderhouden geweest. Inmiddels ging het bergafwaarts met het gebouw. De oprit had al jaren geen hogedrukspuit meer gezien. De verf op de lijsten bladderde en de kleur was vervaagd. De goten zaten zo verstopt met bladeren en andere troep dat het water langs de zijkant van het gebouw naar beneden stroomde.

Lena volgde de bordjes naar de achteringang. In het dode gras lagen goedkope stapstenen. Ooit hadden hier wilde bloemen gebloeid. Nu liep er alleen een modderpad naar de beek achter het terrein. Door de stortregens was die in een razende rivier veranderd die de kliniek dreigde te overspoelen. Erosie had ingezet. De beek was nu minstens vijf meter breder en half zo diep.

Ze drukte op de bel naast de achterdeur en wachtte. Hare had een deel van het gebouw gehuurd nadat Sara was vertrokken. Onwillekeurig bedacht Lena dat Sara haar neef nooit naast zich zou hebben geduld toen zij het nog voor het zeggen had in de kliniek. Ze waren hecht, maar iedereen wist dat Hare een ander soort arts was dan Sara. Hij zag het vak als een baan terwijl het voor Sara een roeping was. Lena hoopte dat dat nog steeds het geval was, dat Hare haar als betalende patiënt in plaats van als bloedvijand zou beschouwen.

Opnieuw drukte Lena op de bel. Ze hoorde hem binnen overgaan, boven het zachte gemurmel van een radio uit. Ze probeerde haar hand te buigen. Er zat steeds minder beweging in. Haar vingers waren dik en opgezwollen. Ze hees haar mouw op en kreunde. Over haar onderarm liepen rode strepen.

'Shit,' mompelde Lena. Ze legde haar hand tegen haar wang. Alles gloeide. Haar maag brandde. De afgelopen twee uur had ze zich al verre van goed gevoeld, maar nu leek alles tegelijk te komen.

Haar telefoon ging. Lena zag Jareds nummer. Voor ze opnam, drukte ze nog één keer op de deurbel. 'Hoi.'

'Komt het slecht uit?'

Ze liep voor de deur heen en weer. 'Ik heb net ontslag genomen.'

Hij lachte, alsof ze een ongeloofwaardige grap had verteld. 'Echt?'

Ze leunde met haar rug tegen de muur. 'Over zoiets zou ik tegen jou niet liegen.'

'Wil je daarmee zeggen dat je over andere dingen wel liegt?'

Hij maakte een grapje, maar de moed zonk Lena in de schoenen toen ze bedacht hoe verkeerd het allemaal voor haar had kunnen uitpakken. 'Ik wil zo snel mogelijk de stad uit.'

'Oké. We gaan vanavond nog pakken. Trek voorlopig maar bij mij in, dan bedenken we later wel wat je gaat doen.'

Lena staarde naar de rivier. Ze hoorde het geraas van de stroming. Het klonk alsof er water kookte in haar oren. Ook al was de regen opgehouden, toch bleef de rivier stijgen. In haar verbeelding zag ze een enorme golf over de heuvel naar beneden donderen, die de straat onder water zette en het politiebureau meesleurde.

'Lee?' vroeg Jared.

'Er is niks...' Haar stem haperde. Als ze nu ging huilen, zou ze nooit meer stoppen. 'Over een uur of twee ben ik thuis.' Haar keel werd dichtgesnoerd. 'Ik hou van je.'

Lena brak het gesprek af voor hij kon antwoorden. Ze keek op haar horloge. In de apotheek in Cooperstown hield een arts inloopspreekuur. Misschien kon ze ergens een doktersassistente vinden die geld nodig had en geen vragen stelde. Net toen ze weg wilde lopen, ging de achterdeur open.

'O,' zei Lena.

'Ik zag uw auto niet voor staan.'

'Ik heb hem aan de overkant geparkeerd.' Lena hield haar hand omhoog en liet de losse pleisters zien. 'Ik heb... eh...

een probleem waarmee ik in het ziekenhuis niet terecht kan.'

De verwachte aarzeling bleef uit. 'Kom binnen.'

Lena rook een sterke bleeklucht toen ze het gebouw in liep. De schoonmakers hadden hun werk grondig gedaan, maar haar maag draaide zich om van de stank.

'Ga maar naar onderzoekskamer 1. Ik kom zo.'

'Oké.'

Nu ze in de praktijk van een arts was, mocht haar lichaam kennelijk pas echt pijn gaan doen. Haar hand klopte met elke hartslag. Ze kon geen vuist meer maken. In haar oren klonk een hoge pieptoon. En toen nog een. Ze besefte dat ze sirenes hoorde.

Lena liep langs de onderzoekskamer naar de voorkant van het gebouw om te kijken wat er aan de hand was. De schuifdeur naar de voorste spreekkamer ging met enige moeite open. De jaloezieën zaten dicht en het was er donker. Toen ze het licht aandeed, zag ze waar de stank vandaan kwam.

Op het bureau stonden twee vierliterflessen bleekmiddel. In een roestvrijstalen kom lagen leren handschoenen te weken. De vloer was bezaaid met wattenproppen en papieren handdoekjes. Op een stuk bruin decoratiepapier lag een houten honkbalknuppel. Bloed koekte aan de letters rond het Rawlings-logo.

Lena's hand schoot naar haar pistool, maar ze was te laat. Ze voelde een bloeddruppel langs haar nek sijpelen nog voor ze zich bewust was van de pijn van het koude mes tegen haar huid.

Veertien

Terwijl een grijns tussen zijn snor door schemerde rende Charlie Reed de trap van het studentenhuis af. Hij was van top tot teen in een witte overall gehuld. 'Blij dat je er bent. De show gaat zo beginnen.'

Will deed een mislukte poging tot een glimlach. Charlie was forensisch expert. Hij verkeerde in de luxepositie dat hij een zaak door de lens van een microscoop kon bekijken. Hij zag bot en bloed, die gefotografeerd, geanalyseerd en geregistreerd moesten worden, terwijl Will een mens zag wiens leven was beëindigd door een koelbloedige moordenaar die er uitstekend in slaagde uit handen van de wet te blijven.

Ondanks de hoop die Will aanvankelijk had gekoesterd, had het bewijsmateriaal tot nu toe niets opgeleverd. De Saturn-stationcar van Jason Howell was opmerkelijk schoon. Behalve pepermuntjes voor een frisse adem en een paar cd's lag er niets persoonlijks in de auto. Van de deken die Will in de badkamer had gevonden verwachtte hij meer resultaat, maar die moest eerst in het laboratorium worden onderzocht. Dat kon wel een week of langer duren. In het gunstigste geval had de moordenaar op de deken geleund of zich verwond en zo sporen achtergelaten die hem met de misdaad verbonden. Als Charlie DNA aantrof dat niet van Jason afkomstig was, konden ze de gegevens alleen in de databank invoeren en dan maar hopen dat hun dader in het systeem zat. In verreweg de meeste gevallen was DNA eerder een middel waarmee je verdachten uitsloot dan opspoorde.

'Wat nu komt gaat waarschijnlijk sneller.' Charlie bukte zich en rommelde in een van de open plunjezakken onder aan de trap. Toen hij had gevonden wat hij zocht zei hij tegen Will: 'Trek een pak aan. Over vijf minuten zijn we zover.' Met twee treden tegelijk stormde hij de trap weer op.

Will nam een opgevouwen overall van de stapel onder aan de trap. Met zijn tanden scheurde hij het pak open. De overall moest voorkomen dat de plaats delict werd besmet met haren en huidcellen. Een bijkomend voordeel was dat Will nu net een reusachtige, uitgerekte marshmallow leek. Hij was moe en had honger. Hij wist bijna zeker dat hij stonk, en hoewel zijn sokken inmiddels droog waren, voelde het alsof er met schuurpapier over de blaar op zijn hiel werd gewreven.

Dat alles deed er niet toe. Elke seconde die verstreek gaf de moordenaar van Jason en Allison meer bewegingsvrijheid, meer gelegenheid om zijn vlucht te plannen of, erger nog, zijn volgende moord.

Will wierp een blik op Marty Harris. Plichtsgetrouw zat hij nog steeds op zijn post bij de voordeur. Zijn hoofd leunde tegen de muur en zijn bril zat scheef. Boven aan de trap kon Will zijn zachte gesnurk nog horen.

Charlie knielde midden op de gang neer om iets op een statief te verstellen. Er stonden nog drie statieven op regelmatige afstand van elkaar opgesteld, helemaal tot aan de badkamer. Mannen in witte overalls stelden op aanwijzing van Charlie meetinstrumenten hoger of lager in. Ze waren al uren bezig. Alles werd gefotografeerd en de afmetingen van de gang, de kamer, het bureau en het bed werden in kaart gebracht. Elk voorwerp in Jason Howells kamer werd vanuit alle invalshoeken vastgelegd. Ten slotte had Dan Brock toestemming gekregen om het lichaam te verwijderen. Toen Jason weg was werden er nog meer foto's genomen, nog meer grafieken gemaakt en uiteindelijk werd al het bewijsmateriaal in de kamer dat op de zaak betrekking leek te hebben in plastic zakken gestopt.

Jasons laptop was drijfnat en totaal naar de knoppen. Er was een Sony Cyber-shot met een paar uitdagende foto's van Allison Spooner in haar ondergoed. Jasons werkstukken en schriften vertoonden niets afwijkends. Zijn toilettas bevatte de normale artikelen, maar geen medicijnen op recept. Het krachtigste medicijn dat hij op zijn kamer had was een flesje Excedrin PM, waarvan de verkoopdatum was verstreken.

Jasons mobiel was interessanter, hoewel ze er niet veel mee opschoten. De lijst met contacten bevatte drie nummers. Een ervan was van zijn moeder. Ze stelde het niet op prijs dat ze voor de tweede keer die dag door de politie werd gebeld over een zoon om wie ze kennelijk niet veel gaf. Het tweede nummer was van de telefooncentrale van de afdeling toegepaste technologie, die wegens vakantie gesloten was. Het derde was van een mobiel die één keer overging en toen liet weten dat de mailbox vol zat. Bij de provider stond de eigenaar van het nummer niet geregistreerd – het was kennelijk een prepaid. Dat verbaasde niemand, want dit soort studenten had niet voldoende krediet om een abonnement te kunnen afsluiten.

Will vermoedde dat de mobiel met de volle mailbox van Allison Spooner was. Ze had Jason in de loop van het weekend drieënvijftig keer gebeld. Na zondagmiddag was het afgelopen. Het enige telefoontje dat Jason zelf had gepleegd was aan zijn moeder, drie dagen voor zijn dood. Van alles wat Will over de slachtoffers in deze zaak aan de weet was gekomen, was het trieste, eenzame leven van Jason Howell het deprimerendst.

'Bijna klaar,' zei Charlie, en de spanning in zijn stem groeide.

Will keek de gang op. Hij hoopte dat hij het gebouw nooit meer hoefde te zien. Het groezelige, geelbruine linoleum op de vloer. De witte muren vol vegen en vlekken. Het ergste was nog de stank van Jasons lichaam, die was blijven hangen ook al was de jongen al uren weg. Of misschien verbeeldde Will het zich. In het verleden was hij op moordplekken geweest waarvan de lucht zich definitief aan zijn reukorgaan had gehecht. Hij hoefde er alleen maar aan te denken om een bepaalde geur op te roepen of een bittere smaak in zijn keel te krijgen. Jason Howell zou voor altijd deel uitmaken van Wills pantheon van slechte herinneringen.

'Ietsje naar links met die daar, Doug,' zei Charlie. Hij had de plaats delict in drieën verdeeld: de gang, Jasons kamer en de badkamer. Ze waren het erover eens dat de gang de meeste kansen bood om iets te vinden. Zonder het hardop te zeggen wist de groep mannen maar al te goed hoe problematisch het was om naar DNA te zoeken in een gemeenschappelijke jongensbadkamer, en Will zag dat ze zich er geen van allen op verheugden om daar over de vloer te kruipen.

Charlie frunnikte aan het licht op het statief. 'Dit is die ME-RED waarover ik je verteld heb.'

'Mooi.' Will had al het een en ander gehoord over de buitengewoon boeiende eigenschappen van de Mobile Electromagnetic Radiation Emitting Diode, wat voor zover hij het begreep schitterend jargon was voor een gigantische blacklightlamp die meer bereik had dan de Wood's lampen, die in de hand gehouden moesten geworden. De lampen pikten zichtbare sporen van bloed, urine en sperma op, en verder alles wat fluorescerende moleculen bevatte.

Om de minder zichtbare sporen te vinden hadden Charlie en zijn team de gang met luminol bespoten, een chemische stof die reageert op de aanwezigheid van ijzer in bloed. Dankzij misdaadseries was het grote publiek goed op de hoogte van de blauwe gloed die luminol liet zien als het licht uitging. Wat doorgaans niet bekend was, was dat de gloed zo'n dertig seconden aanhield. Om het pro-

ces vast te leggen waren camera's met een lange belichtingstijd nodig. Die had Charlie op statief opgesteld in alle
vier de hoeken van de gang, en in een zigzagpatroon bij de
ingang naar Jasons kamer. Voor de goede orde had hij de
beveiligingscamera weer naar beneden gedraaid om alles
in realtime op te nemen.

Will stond boven aan de trap toe te kijken terwijl het
team nog wat allerlaatste wijzigingen aanbracht. Hij vroeg
zich af of de moordenaar even op de trap was blijven staan
om moed te verzamelen voor zijn daad. Het was allemaal
zo gepland, zo goed uitgedacht. Via de achterdeur naar
binnen. De camera's omhoogduwen. De trap op. Wapens
gereed. Handschoenen aan. Het plan was klaar: schakel
Jason uit met de honkbalknuppel. Sleep hem naar het bed.
Bedek hem met de deken. Steek hem een aantal keren met
het mes. Verberg de deken voor het geval die sporen bevat
die als bewijs kunnen dienen. De trap weer af. Via de achterdeur naar buiten.

Was het werkelijk zo doordacht? Wat ging er door een
moordenaar heen voor hij iemand in zijn studentenkamer,
zijn huis, opzocht en met een honkbalknuppel zijn sche-
·del insloeg? Ging zijn hart sneller kloppen? Verkrampte
zijn maag, zoals bij Will wanneer hij aan de afgrijselijke
moordplek dacht? Er had zoveel bloed gevloeid, er waren
zoveel hersenstukjes en ander weefsel door de kamer gespat dat Charlie en zijn team met een raster moesten werken om een pad te maken zodat ze het bloedbad volledig
konden documenteren.

Wat was het voor iemand die zich over dat bed heen boog
om uiterst berekenend een ander mens dood te steken?

En die arme Jason Howell? Lena had waarschijnlijk gelijk
toen ze zei dat de moordenaar Jason gekend moest hebben
om hem zo te haten. Om hem zo te verachten. Wat had de
jongen uitgespookt dat hij zoveel woede had opgewekt?

'Volgens mij hebben we het.' Charlie pakte een videocamera en trok Will mee naar Jasons kamer. 'Licht uit,' zei

hij tegen Doug, die de trap af rende. 'We kijken eerst wat de luminol te zien geeft, en dan pakken we het blacklight.'

'Klaar?' riep Doug.

'Klaar,' riep Charlie terug.

Het werd donker op de gang. De luminol reageerde snel. Bij Jasons deuropening gloeiden tientallen kleine, uitgerekte blauwe ovalen op. Waar de moordenaar de sporen had proberen weg te wissen, waren ze uitgesmeerd, maar het patroon was gemakkelijk te volgen. De druppels gaven aan waar hij naartoe was gegaan. Nadat hij Jason had doodgestoken was de moordenaar de kamer uit gelopen in de richting van de trap, waarna hij van gedachten was veranderd en was teruggekeerd, naar de badkamer.

'Oorspronkelijk was hij waarschijnlijk van plan de deken mee te nemen,' zei Charlie. Hij hield de videocamera laag om de druppels te registreren. Will hoorde het gestage, trage geklik van de camera's met de lange belichtingstijd, die het bewijs vastlegden.

'Wat is dat?' vroeg hij. Hij zag een grotere vlek, of eerder een plas, op de vloer bij de ingang naar de badkamer. Nog geen meter erboven zat een vlek met een bepaald patroon op de muur.

Charlie draaide het lcd-scherm van de camera omhoog. Will zag de beelden dubbel toen hij de lichtgevende spatten vastlegde. 'De moordenaar komt de kamer uit, loopt naar de trap, beseft dan dat het bloed van de deken druipt. Hij gaat naar de badkamer, maar eerst...' Charlie richtte de camera op de gloeiende vlek op de vloer. 'Hij zet hier iets tegenaan. Ik vermoed een honkbalbat of een knuppel. Dat is dat teken op de muur.' Charlie zoomde in op de plek waar het uiteinde van het wapen de muur had geraakt. 'O-o, vingerafdruk.'

Hij ging op zijn knieën zitten en richtte zijn camera op een bijna volmaakte cirkel. 'Zo te zien van een handschoen.' Hij zoomde er nog verder op in. De gloeiende stip begon te vervagen. 'Nog even en hij is weg.'

De reactietijd van de luminol was afhankelijk van de hoeveelheid ijzer in het bloed. De stip loste langzaam op, en vervolgens verdween ook de plas op de vloer. Charlie vloekte binnensmonds toen de gang weer donker werd.

Hij spoelde de camera terug om de afdruk nog eens te bekijken. 'Hij droeg handschoenen, dat staat vast.'

'Rubber?'

'Leer, denk ik. Hier zit een nerf.' Hij liet Will op het lcd-scherm kijken, maar het licht was te fel om iets anders te zien dan een spat. 'Misschien is het onder de dioden nog wel te zien. Blacklight, alsjeblieft!' riep hij.

Er klonk wat geplop, gevolgd door een aanhoudend gezoem. De gang lichtte op als een kerstboom, en elke druppel eiwitbevattende vloeistof die hier ooit was achtergelaten, werd zichtbaar.

'Indrukwekkend, niet?' Charlies lippen waren helderblauw, waarschijnlijk door de vaseline in zijn lippenbalsem. Hij ging op zijn knieën op de vloer zitten. Het bloedspoor dat nog maar een paar minuten eerder zo fel had opgegloeid, was nu bijna onzichtbaar. 'Onze moordenaar heeft zijn troep goed opgeruimd.' Hij nam nog wat foto's. 'Gelukkig heeft hij geen bleekmiddel gebruikt, anders konden we niets van dit alles zien.'

'Ik denk niet dat het zijn bedoeling was om een smeerboel achter te laten,' zei Will. 'De dader is voorzichtig, maar het enige wat hij waarschijnlijk bij zich had waren de wapens: het mes en een honkbalbat of een knuppel. Met de deken van het bed wilde hij gespat voorkomen. De bedoeling was om de deken mee te nemen, maar toen bedacht hij zich, zoals je al zei, want het bloed droop ervanaf.' Will kreeg een idee en hij moest onwillekeurig glimlachen. 'Er is een voorraadkast naast de wc waarin ik de deken heb gevonden.'

'Je bent een genie, vriend.' Ze liepen samen de badkamer in. Charlie deed de lampen aan. Will sloeg zijn handen voor zijn gezicht, want het was alsof er met messen in zijn ogen werd gestoken.

'Sorry,' zei Charlie. 'Ik vergat te zeggen dat je je ogen moet dichtdoen en ze dan langzaam weer moet openen.'

'Je wordt bedankt.' Telkens als Will met zijn ogen knipperde, zag hij een vlekkenexplosie op zijn netvlies. Hij zocht steun bij de muur om niet over zijn eigen voeten te struikelen.

Charlie ging met zijn videocamera voor de voorraadkast staan. 'We kunnen het even op de foto's nakijken, maar ik weet zeker dat deze deur dichtzat toen we hier kwamen.' Hij had zijn handschoenen nog aan. Voorzichtig draaide hij de deurknop om.

Het was een ondiepe kast met metalen schappen die bijna alle ruimte in beslag namen. Er stond niets bijzonders in: vierlitercontainers met schoonmaakmiddel, een doos met poetsdoeken, sponzen, twee pleeborstels, een mop in een gele emmer op wieltjes. Aan een bungeekoord tegen de achterkant van de deur hingen twee spuitflessen. Gele vloeistof voor het verwijderen van vlekken. Blauwe vloeistof voor ramen en glas.

Charlie legde de inhoud van de kast met de camera vast. 'Dat zijn professionele schoonmaakmiddelen. Er zit waarschijnlijk dertig procent bleek in.'

Will herkende het Windex-etiket op een van de spuitflessen. Thuis gebruikte hij hetzelfde merk. Er zat azijn in tegen vet. 'Azijn en bleek kun je toch niet mengen?'

'Nee. Dan krijg je chloorgas.' Charlie volgde Wills blik naar de blauwe spuitfles. Er ging een belletje bij hem rinkelen en hij lachte. 'Ik ben zo terug.'

Will had het gevoel dat hij al twee dagen zijn adem had ingehouden, en hij blies alle lucht in één keer uit. Bleek gaf dezelfde gloed af als bloed wanneer het met luminol was bespoten en zo werd eventueel bewijs aan het oog onttrokken. Azijn daarentegen ging een natuurlijk verbond aan met ijzer, zodat het nog zichtbaarder werd nadat het bespoten was. Dat verklaarde waarom de vlekken op de gang zo fel hadden opgegloeid. De moordenaar had de vloer schoongemaakt met Windex. Hij had evengoed met een pijl de bloed-vlekken kunnen aanwijzen.

Charlie kwam terug met Doug en een tweede assistent. Ze werkten samen, maakten foto's en gaven Charlie de kwast en het poeder om de Windex-fles op vingerafdruk-ken te onderzoeken. Charlie ging systematisch te werk: van boven naar beneden en van de ene kant van de fles naar de andere. Will had verwacht dat hij meteen vinger-afdrukken zou vinden. De fles was halfvol. Ongetwijfeld had het schoonmaakpersoneel hem ook gebruikt. De kast was niet afgesloten en ook de studenten konden erbij.

'Hij is schoongeveegd,' vermoedde Will. Op de spuit en het gedeelte rond het handvat was niets te zien.

'Laat me het nog één keer proberen,' mompelde Char-lie. Met de kwast streek hij over het etiket. Ze gingen al-lemaal op hun knieën zitten toen Charlie de onderkant poederde.

'Bingo,' fluisterde Will. Op de onderkant van de fles zag hij een deel van een afdruk. Het zwart gloeide op tegen de donkerblauwe vloeistof.

'Wat zie je?' vroeg Charlie. Hij haalde een zaklantaarn te-voorschijn en scheen ermee op het heldere plastic. 'Jezus. Da's een goeie, haviksoog.' Hij verwisselde de zaklantaarn voor een stuk doorzichtig tape. 'Het is een gedeeltelijke af-druk, waarschijnlijk van de pink.' Hij ging op zijn hurken zitten om het stuk tape op een wit kaartje te plakken.

'Zijn handschoenen zaten natuurlijk onder het bloed,' zei Will. 'Die moest hij uitdoen om de vloer schoon te ma-ken.'

Charlie werd door Doug overeind geholpen. 'We rijden hier meteen mee naar het lab. Ik kan wel een paar men-sen wakker bellen. Het duurt even, maar het is een goede afdruk, Will. Het is een keiharde aanwijzing.' Tegen zijn assistent zei hij: 'Het andere bewijsmateriaal ligt in het busje. Er zit een medicijnpotje in mijn instrumentenkist. Neem dat ook mee.'

Will had niet meer aan het potje uit Tommy Brahams medicijnkast gedacht. 'Heb je een veldtest gedaan op die capsules?'

'Ja.' Charlie liep de gang op in de richting van de trap. Hun witte overalls weerkaatsten het licht van de black-lightlampen. 'Het is geen coke, pep, speed of iets anders voorspelbaars. Deed die jongen aan sport?'

'Volgens mij niet.'

'Het zouden steroïden kunnen zijn of een ander spier-versterkend middel. Tegenwoordig gebruiken veel van die knapen dat spul om gespierder te worden. Dankzij het internet kunnen ze er makkelijk aan komen. Ik heb een paar foto's naar het centrale lab gestuurd om te zien of zij het etiket of de capsules herkennen. Veel handelaren doen aan *branding*. Dan gebruiken ze een eigen etiket om hun product naamsbekendheid te geven.'

Will vond Tommy niet een type dat aan gewichtheffen deed, maar hij was wel mager geweest. Misschien vond hij dat vervelend. 'Heb je nog vingerafdrukken op het potje gevonden?'

Bij zijn instrumentenkist bleef Charlie staan. Hij pakte het medicijnpotje, dat nu verzegeld in een officiële plastic zak zat in plaats van in het ziplockzakje dat Will in de keuken had gevonden. 'Ik heb er twee paar afgehaald. Het eerste was van een volwassene, waarschijnlijk een man. Van het tweede was het vlies gedeeltelijk zichtbaar.' Hij wees op de huid tussen zijn duim en wijsvinger. 'Ik weet niet of die van een man of vrouw afkomstig is, maar ik vermoed dat degene die de tekst op het flesje heeft geschreven het in haar hand heeft gehouden terwijl ze schreef. Ik zeg met opzet "ze" omdat het me een vrouwenhandschrift lijkt.'

'Mag ik het potje meenemen? Ik wil het aan wat mensen laten zien. Misschien herkent iemand het.'

'Ik heb al een paar van die capsules in het busje liggen.' Charlie reikte hem de zak aan terwijl ze de trap af liepen. 'Wil je nog steeds een lift naar het huis van de Brahams?

Volgens mij kan ik inmiddels wel een van mijn jongens missen om de garage te onderzoeken.'

'Dat zou geweldig zijn.' Will was vergeten dat zijn Porsche nog bij het huis aan Taylor Drive stond. Hij keek op zijn mobiel om te zien hoe laat het was. Toen hij zag dat het al tien uur was geweest, sloeg de vermoeidheid pas goed toe. Hij dacht aan Cathy Lintons uitnodiging om te komen eten, en zijn maag begon te rammelen.

Beneden was Marty inmiddels wakker. Hij zat nog steeds bij de deur en was in gesprek met een grote man die in alles behalve zijn huidskleur zijn tegenpool was.

'Bent u agent Trent?' Langzaam liep de man op Will af. Hij had de bouw van een *linebacker* die zijn conditie had verwaarloosd. 'Demetrius Alder.'

Will had het te druk met de rits van zijn overall om de hand van de man te schudden. 'Bedankt voor uw medewerking vandaag, meneer Alder. Sorry dat we u nog zo laat hier hebben gehouden.'

'Ik heb Lena alle banden van de beveiligingscamera's gegeven. Ik hoop dat ze iets vindt.'

Will ging ervan uit dat hij het al zou hebben geweten als ze iets opmerkelijks op het beeldmateriaal had ontdekt. 'Die zullen ongetwijfeld iets opleveren,' zei hij niettemin tegen Demetrius.

'Van de decaan moest ik u zijn nummer geven.' Hij overhandigde Will een kaartje. 'Hij heeft me alle gebouwen laten controleren. We hebben verder niets gevonden. De studentenhuizen zijn allemaal verlaten. Meteen na de vakantie komt er iemand om die camera's te repareren.'

Will ging zitten om de rest van zijn overall uit te trekken. Opeens schoot hem iets te binnen wat Marty eerder die dag had gezegd. 'Hoe zit het trouwens met de auto waarop een camera is gevallen?'

'Die stond bij het laadperron geparkeerd. Nog een geluk dat er niemand in zat. De camera is recht door de ruit van die hatchback gegaan.'

'Een hatchback?' Will was zijn overall plotseling vergeten. 'Wat voor merk?'

'Volgens mij zo'n oude Dodge Daytona.'

Tegen de tijd dat Charlies busje bij het autodepot aankwam, was de regen in natte sneeuw overgegaan. De wind schudde aan de wagen. Het parkeerterrein lag vol plassen, waar ze dwars doorheen moesten waden om bij de voordeur te komen. Wills sokken werden weer nat, en de blaar op zijn hiel was zo rauw dat hij er mank van ging lopen.

'Earnshaw,' zei Charlie, en Will vermoedde dat hij op het verlichte bord boven het gebouw doelde. In de deuropening stond een magere, pezige man in een tuinbroek en met een honkbalpet op zijn hoofd. Hij hield de deur voor hen open terwijl ze het gebouw in renden.

'Al Earnshaw.' De man gaf hun allebei een hand. Tegen Will zei hij: 'U bent toch die vriend van Sara? Mijn zus heeft me al het een en ander over u verteld.'

Nu begreep Will waarom de man zo griezelig veel op Cathy Linton leek. 'Ze heeft me bijzonder vriendelijk ontvangen.'

'Dat geloof ik graag.' Al liet een blijmoedige bulderlach horen, maar gaf Will vervolgens zo'n harde klap op zijn arm dat die bijna zijn evenwicht verloor. 'De auto staat achter.' Hij wenkte hen mee naar de deur achter de balie.

De werkplaats was groot, met de gebruikelijke naaktkalenders en posters van sexy dames die in bikini auto's stonden te wassen. Er waren zes hefbruggen, aan weerszijden drie. De gereedschapskisten stonden netjes in een rij, met gesloten deksel. Al had de propaankachels aangezet, maar het was nog steeds bijtend koud. De roldeuren aan de achterkant rammelden in de wind. Allisons Dodge Daytona stond naast de laatste hefbrug. De achterruit was in het midden ingeslagen, zoals Demetrius al had verteld.

'Hebt u Allison gebeld om te zeggen dat u haar auto had?' vroeg Will.

'We bellen de mensen nooit als we hun auto wegslepen. Overal op de hogeschool hangen borden met ons telefoonnummer. Ik ging ervan uit dat de eigenaar een lift naar huis had gekregen voor de vakantie en dat we wel gebeld zouden worden als hij terugkwam en zag dat de wagen er niet meer stond. Tommy's Malibu staat hier ook als u hem wilt zien,' bood hij aan.

Will had helemaal niet meer aan de auto van de jongen gedacht. 'Bent u er al achter wat ermee aan de hand was?'

'De startmotor was weer eens vastgelopen. Hij was eronder gekropen en had er met een hamer tegenaan geslagen om de zaak los te krijgen.' Al haalde zijn schouders op. 'Ik heb het al gerepareerd. Die pick-up van Gordon heeft zijn langste tijd gehad. Hij zal toch een auto moeten hebben.' Hij haalde een poetsdoek uit zijn zak en veegde zijn handen af. Die waren even schoon als Wills handen, en het gebaar deed dan ook sterk aan een zenuwtic denken.

'Kende u Tommy goed?' vroeg Will.

'Ja.' Hij stopte de doek weer in zijn zak. 'Jullie redden je nu wel, hè? Roep maar als je me nodig hebt.'

'Bedankt.'

Charlie liep naar de auto toe. Hij zette zijn instrumentenkist op de vloer en deed het deksel open. 'Sara?' vroeg hij.

'Dat is een plaatselijke arts.' Meteen verbeterde Will zichzelf: 'Ik bedoel uit Atlanta. Ze werkt in het Grady Hospital. Ze is hier opgegroeid.'

Charlie gaf hem een paar rubberen handschoenen. 'Hoe lang ken je haar al?'

'Een tijdje.' Will deed er opvallend lang over om de handschoenen aan te trekken.

Charlie begreep de hint. Hij opende het portier. De scharnieren knarsten luid. Wat Lionel Harris over de Daytona had gezegd, klopte. Er zat meer roest dan verf op. De banden waren versleten. De motor was al dagen niet gestart, maar alles stonk naar verbrande olie en uitlaatgassen.

'Volgens mij heeft het ingeregend,' zei Charlie. Het dashboard was van stevig gegoten kunststof, maar de stoffen bekleding van de stoelen was vochtig en muf. Het water was door de kapotte achterruit naar binnen gestroomd, had de vloerbedekking doorweekt en een plas gevormd op de bodem. Toen Charlie de voorste stoel omhoogtrok klotste het water tegen zijn broek. In de donkere nattigheid dreven studiepapieren rond. De inkt was uitgewist. 'Dit wordt leuk,' mompelde Charlie. Waarschijnlijk was hij liever op de campus gebleven om met zijn mooie lampjes te spelen. 'Maar laten we het maar goed aanpakken.' Hij haalde zijn videocamera uit de kist. Will liep om de auto heen terwijl Charlie alles in gereedheid bracht.

De klep van de kofferbak was vastgebonden met een rafelig koord. Over het glas zat een transparante coating die de scherven bijeenhield. Als door een spinnenweb keek Will in de rommelige kofferbak. Allison was al even slordig als Jason netjes was geweest. Overal lagen papieren, waarvan de inkt door de regen was uitgelopen. Will zag in een flits iets rozigs. 'Dat is haar boekentas.' Hij stak zijn hand uit om het koord los te maken.

'Ho, wacht even.' Charlie duwde hem naar achteren. Hij bekeek de rubberen pakking rond het raam om te zien of die nog functioneerde. 'Zo te zien heeft ie het gehouden,' zei hij. 'Maar doe toch maar voorzichtig. Je zit vast niet op een stuk glas op je hoofd te wachten.'

Will had zo'n vermoeden dat er ergere dingen bestonden. Hij wachtte geduldig terwijl Charlie zijn camera op hem richtte en op officiële toon commentaar leverde bij de opname. 'Dit is agent Trent van het Georgia Bureau of Investigation. Ik ben Charles Reed, van hetzelfde bureau. We zijn in Earnshaw's Garage aan Highway 9 in het stadje Heartsdale, dat deel uitmaakt van Grant County, Georgia. Het is dinsdag 26 november, 22.32 uur. We staan op het punt de kofferbak te openen van een Dodge Daytona die vermoedelijk van het moordslachtoffer Allison Spooner is geweest.' Met een knikje gaf hij aan dat Will zijn gang kon gaan.

Het koord was tot het uiterste opgerekt. Will moest het met kracht van de bumper losmaken. De achterklep was zwaar, en hij herinnerde zich weer dat de zuigers volgens Lionel kapot waren. Allison had de zaak met een afgebroken stuk bezemsteel gestut. Will deed hetzelfde. Kleine stukjes glas regenden naar beneden toen hij de klep helemaal opendeed.

'Wacht even,' zei Charlie, en hij zoomde in op de boekentas, de papieren en het fastfoodafval.

Ten slotte gaf hij Will toestemming om de tas uit de auto te halen.

Will pakte de riem vast. De tas had aardig wat gewicht. Ondanks het roze kleurtje leek het materiaal waterdicht. Onder het waakzame oog van de camera trok hij de stevige rits open. Bovenin lagen twee dikke boeken, die helemaal droog waren gebleven. Te oordelen naar de getekende moleculen op de band moesten het Allisons scheikundeboeken zijn. Er waren vier spiraalschriften met verschillend gekleurde kaften. Speciaal voor de camera bladerde Will erdoorheen, maar zo snel dat de pagina's slechts een waas waren. Hij nam aan dat het Allisons collegedictaten waren.

'Wat is dat?' vroeg Charlie. Uit het blauwe schrift stak een papiertje.

Will vouwde het open. Het was een half blaadje uit een gelinieerd collegeblok. Aan de zijkant was duidelijk te zien dat het was losgescheurd van de spiraal. Er stonden twee regels tekst op. In hoofdletters. Met balpen geschreven. Turend naar het eerste woord probeerde Will de letters te onderscheiden. Als hij moe was kon hij helemaal niet lezen. Zijn ogen weigerden zich te richten. Hij hield het blaadje voor de camera en vroeg: 'Wil jij de honneurs waarnemen?'

Gelukkig keek Charlie niet vreemd op van het verzoek.

Met zijn camerastem las hij: 'Dit is een briefje dat is aangetroffen in de roze boekentas die vermoedelijk van het slachtoffer is geweest. Er staat: "Ik moet met je praten. We spreken af op de vaste plek."'

Will keek weer naar de woorden. Nu hij wist wat er stond, kon hij de letters beter onderscheiden. 'De "I" ziet er bekend uit,' zei hij. 'Die is identiek aan de "I" op dat zogenaamde zelfmoordbriefje.' Ter wille van de camera wees hij naar de afgescheurde onderkant van het blaadje. 'Het briefje dat bij het meer is gevonden, is geschreven op de onderste helft van een afgescheurd stuk papier.' Will herhaalde wat Charlie had voorgelezen. '"Ik moet met je praten. We spreken af op de vaste plek." En dan plak je er het laatste gedeelte van dat nepzelfmoordbriefje aan vast: "Ik wil niet langer."'

'Klinkt aannemelijk.' Met zijn officiële stem kondigde Charlie aan dat hij de band stilzette. Om te voorkomen dat een advocaat er later in de rechtszaal zijn voordeel mee deed was hij zo verstandig hun speculaties niet op te nemen.

Will bestudeerde de letters op het briefje. 'Denk je dat dit door een man of een vrouw is geschreven?'

'Ik heb geen idee, maar het komt niet overeen met Allisons handschrift.' Will vermoedde dat hij de collegedictaten als vergelijkingsmateriaal gebruikte. 'Ik heb het huiswerk van Jason gezien toen ik op zijn kamer was,' vervolgde Charlie. 'Hij schreef ook alles in hoofdletters.'

'Waarom zou Allison een dergelijk briefje van Jason bij zich hebben?'

Charlie deed een gok. 'Misschien was hij medeplichtig aan haar moord.'

'Zou kunnen.'

'En toen besloot de moordenaar dat hij geen getuigen wilde.'

Will pijnigde zijn hersens af. Die theorie klopte niet.

'Ik ben geen beroeps,' zei Charlie, 'maar volgens mij

komt het handschrift in Allisons dagboek overeen met dat op het medicijnpotje.'

'Haar dagboek?'

'Dat blauwe schrift. Dat is duidelijk een soort dagboek.'

Will bladerde erdoorheen. Iets minder dan de helft van het schrift was beschreven. De overgebleven pagina's waren leeg. Hij keek naar wat er op de voorkant van de plastic kaft stond. Het getal 250 was vetgedrukt en omcirkeld. Hij ging ervan uit dat het op het aantal pagina's sloeg. 'Vind je dit geen vreemde keus voor een dagboek?'

'Ze was eenentwintig. Had jij zo'n in leer gebonden meidengeval met een slotje en sleutel verwacht?'

'Nee, dat niet.' Will nam het dagboek door. Allison had een vreselijk handschrift, maar de getallen waren leesbaar. Boven elke notitie stond een datum. Sommige besloegen wel twee alinea's. Andere waren hooguit een of twee regels lang. Hij bladerde naar de laatste notitie. '13 november. Dat is twee weken geleden.' Hij controleerde de overige datums. 'Tot op dat punt hield ze het behoorlijk consequent bij.' Hij bladerde terug naar de voorste pagina. 'De eerste notitie is van 1 augustus. Het is een nogal kort dagboek.'

'Misschien begint ze elk jaar op haar verjaardag aan een nieuw.'

Will herinnerde zich weer wat Sara in het mortuarium op het whiteboard had geschreven. Allison Spooner was twee dagen voor Angie jarig. 'Ze is in april geboren.'

'Nou ja, ik gokte maar wat.' Charlie pakte zijn camera weer op. 'Laten we dit eens opnemen. Is er iets wat eruit springt?'

Will staarde naar het opengeslagen dagboek. Allisons handschrift danste als een reeks lussen en krabbels voor zijn ogen. Hij klopte op zijn zak. 'Ik heb mijn bril geloof ik in mijn dashboardkastje laten liggen.'

'Jammer.' Charlie zette de camera uit. 'Ik zet je bij je auto af zodat je aan de slag kunt. Met dit hier en het huis van de Brahams ben ik zelf ook wel een nachtje zoet.'

Vijftien

Weer trokken er rillingen door Lena's lichaam. Het leek wel een aardbeving: eerst een traag gerommel en het volgende moment stond de wereld op zijn kop. Haar tanden begonnen te klapperen rond de prop in haar mond. Haar spieren trilden en schoten in een hevige kramp. Haar voeten schopten. Ze zag lichtflitsen. Het had geen zin om zich ertegen te verzetten. Er zat niets anders op dan te blijven liggen tot de aanval voorbij was.

Tergend langzaam namen de krampen af. Haar lichaam ontspande zich. Haar kaak verslapte. Haar hart vertraagde en spartelde in haar borstkas als een vis in een net.

Hoe was ze hier verzeild geraakt? Hoe had ze er zo gemakkelijk in kunnen trappen?

Ze was van top tot teen vastgebonden: een lang stuk touw was om haar lichaam, haar handen en haar voeten gewikkeld. Ook zonder dat touw betwijfelde ze of ze tot iets anders in staat was dan daar zwetend te blijven liggen. Haar kleren waren doordrenkt. Het vocht had zich verzameld op het beton en nu lag ze in haar eigen plas.

Bovendien was het koud. Het was zo verdomd koud dat ze ook zonder die krampen lag te klappertanden. Ze voelde haar handen en voeten nauwelijks meer. Angst trok door haar lichaam als ze aan de volgende aanval dacht. Dit hield ze niet lang meer vol.

Kwam het door de infectie in haar hand? Lag ze daardoor aan één stuk door te rillen? Het geklop was overgegaan in een stekende pijn die zonder duidelijk patroon kwam opzetten en weer wegebde. Niet dat haar leven in een flits aan haar voorbijtrok, maar ze dacht wel voortdurend aan hoe ze hier terecht was gekomen. Als het haar lukte om te ontsnappen, als ze zich op de een of andere manier kon bevrijden, dan moest alles anders worden. De angst die haar overmande bracht een ongekende helderheid met zich mee. Heel lang had ze zichzelf wijsgemaakt dat ze de waarheid verhulde om anderen te beschermen: haar familie, haar vrienden. Nu zag ze dat ze slechts zichzelf beschermde.

Als Brad het haalde, zou ze hem elke dag van haar leven om vergeving vragen. Tegen Frank zou ze zeggen dat ze hem verkeerd had beoordeeld. Hij was een goede man. Hij had Lena al die jaren de hand boven het hoofd gehouden terwijl een slimmer iemand haar allang had laten vallen omdat haar vriendschap niets voorstelde. Haar oom was voor haar door een hel gegaan. Ze had hem zo vaak een trap na gegeven dat het een wonder mocht heten dat hij nog overeind stond.

Ook moest ze Sara Linton onder vier ogen spreken. Lena zou alles opbiechten en haar aandeel in Jeffreys dood bekennen. Hoewel ze hem niet eigenhandig had gedood, had ze hem in gevaar gebracht. Lena was Jeffreys partner geweest. Ze behoorde hem rugdekking te geven, maar ze had passief staan toekijken terwijl hij de vuurlinie in liep. Ze had hem praktisch die kant op geduwd omdat ze zelf veel te laf was.

Misschien was dat de oorzaak van de krampen. De waarheid sloop als een schim door haar ziel.

Lena verdraaide haar goede hand om op haar horloge te kijken. Het touw sneed in haar pols, maar de pijn drong amper tot haar door toen ze op het lichtknopje drukte.

23.54 uur.

Bijna middernacht.

Lena wist dat ze om een uur of zes het politiebureau had

verlaten. Jared zou zich afvragen waar ze bleef. Of misschien was Frank al bij hem geweest. Misschien was Jared nu op weg naar huis, naar Macon.

Jared. Als hij de waarheid wist, was ze hem voorgoed kwijt.

Een passende straf.

Ze klemde haar kaken opeen. Ze sloot haar ogen toen er een nieuwe golf kwam opzetten. De rilling trok door haar schouders en haar armen naar beneden, tot in haar handen. Haar voeten schopten. Ze voelde haar ogen rollen in de kassen. Ze hoorde geluiden. Gegrom. Geschreeuw.

Langzaam opende Lena haar ogen. Het was donker. Opeens wist ze alles weer. Ze was vastgebonden. Ze had een prop in haar mond. Ze was doorweekt. Alles stonk naar zweet en urine. Ze drukte op het knopje van haar horloge. In de zachte gloed kon ze de huid van haar pols zien. Rode strepen liepen naar haar schouder, in de richting van haar hart. Ze keek naar de wijzerplaat.

23.58 uur.

Bijna middernacht.

WOENSDAG

Zestien

Sara luisterde naar het getik van de keukenklok terwijl de wijzers het middernachtelijk uur passeerden. Ze had geen idee hoe lang ze al aan tafel zat en naar de stapel vuile vaat in en om de spoelbak staarde. Het was niet alleen dat ze geen fut meer had om overeind te komen. Haar moeder had bij de verbouwing van de keuken twee vaatwassers laten installeren die zo modern waren dat je ze niet eens hoorde als ze aanstonden. Toch wilde ze met alle geweld het serviesgoed, de potten en pannen met de hand afwassen. Of eigenlijk wilde ze dat Sara dat deed, wat Cathy's ouderwetse gedoe nog irritanter maakte.

Het domme karwei had een welkome afronding van Sara's dag moeten zijn. Als ze in het Grady Hospital werkte, was het alsof ze op een draaiende carrousel stil probeerde te staan. De stroom patiënten was eindeloos en meestal handelde Sara twintig gevallen tegelijk af. Haar consulten meegerekend zag Sara gemiddeld vijftig tot zestig patiënten tijdens een dienst van twaalf uur. Nu ze het rustig aan kon doen en zich slechts op één geval tegelijk hoefde te concentreren zou het haar gemakkelijker moeten vallen, maar Sara merkte dat haar geest hier anders werkte.

Ze besefte dat de voortdurende druk van de afdeling Spoedeisende Hulp in menig opzicht een geschenk was. Toen Sara nog in Grant County woonde, was haar leven veel gelijkmatiger geweest. Meestal ontbeet ze 's ochtends met Jeffrey. Twee of drie keer per week aten ze 's avonds bij haar ouders. Sara was ploegarts van het footballteam van de plaatselijke middelbare school. 's Zomers was ze volleybalcoach. Als ze alles goed plande, had ze zeeën van tijd. Een tochtje naar de supermarkt duurde algauw een paar uur als ze een bekende tegenkwam. Ze knipte tijdschriftartikelen uit voor haar zus. Ze was zelfs enige tijd lid geweest van haar moeders boekenclub, tot ze te veel serieuze boeken gingen lezen en het niet leuk meer was.

Aan de andere kant zorgde haar jachtige bestaan in Atlanta ervoor dat ze niet al te veel over haar leven kon nadenken. Wanneer ze eindelijk haar patiëntendossiers op orde had sleepte ze zich naar huis, nam een bad en viel op de bank in slaap. Ze besefte nu dat ze haar vrije dagen met allerlei onbenulligheden vulde. Het huis maakte ze zo snel mogelijk aan kant. Ze plande lunches en dinertjes om niet te lang alleen te zijn. Alleen met haar gedachten.

Alles waarop ze gewoonlijk kon terugvallen, was verdwenen in het souterrain van Brocks rouwcentrum. Sectie verrichten was nauwgezet werk, maar na een bepaald punt waren de handelingen routine. Meten, wegen, biopsie, alles vastleggen. Bij Allison Spooner noch bij Jason Howell had de dood opvallende aanwijzingen achtergelaten. Het enige wat hen verbond was het mes waarmee ze vermoord waren. De steekwonden waren bijna identiek: toegebracht met een klein, scherp lemmet waaraan nog even een draai was gegeven om de schade zo groot mogelijk te maken.

Wat Tommy Braham betrof had Sara één opmerkelijk voorwerp gevonden: in de zak van zijn spijkerbroek zat een metalen veertje, van het soort dat gewoonlijk in balpennen werd aangetroffen.

Het licht op de gang ging aan. 'Die borden wassen zichzelf niet af, hoor!' riep Cathy.

'Jahaa, mam.' Sara wierp een woedende blik op het aanrecht. Hare was komen eten, maar ze vermoedde dat het overvloedige maal eigenlijk voor Will was bedoeld. Cathy vond het heerlijk om te koken voor gasten die haar kunsten wisten te waarderen, en Will was bij uitstek zo'n gast. Haar moeder had elk stuk aardewerk in huis uit de kast gehaald, de koffie was in kop-en-schotels opgediend, en Sara had het allemaal vreselijk lief gevonden, tot Cathy aankondigde dat zij de hele afwas moest doen. Hare had zitten balken als een ezel toen hij haar gezicht zag.

'Probeer je neus eens op te trekken terwijl je naar de afwas zit te staren.' Tessa kwam de keuken binnen. Ze droeg een opbollend geel nachthemd dat als een tent om haar buik spande.

'Als je wilt helpen hou ik je niet tegen.'

'Ik heb in *People* gelezen dat afwaswater slecht is voor de baby.' Ze trok de koelkast open en keek naar de bergen eten. 'Je had samen met ons naar de film moeten kijken. Die was grappig.'

Sara zakte onderuit op haar stoel. Ze was niet in de stemming voor romantische comedy's. 'Wie belde er daarnet?'

Tessa schoof met de tupperwarebakjes op de schappen. 'De ex van Frank. Maxine, weet je nog?' Sara knikte. 'Hij wil nog steeds niet naar het ziekenhuis.'

Frank had die middag op het politiebureau een lichte hartaanval gekregen. Gelukkig zat Hare op dat moment iets verderop in het eetcafé, anders was het misschien veel erger afgelopen. Vijf jaar terug zou Sara zo snel mogelijk naar Frank toe zijn gegaan. Nu was ze in het rouwcentrum toen ze het nieuws hoorde, en het enige wat ze voelde was een zeker verdriet. 'Wat wilde Maxine?'

'Hetzelfde als altijd. Klagen over Frank. Wat is het toch een koppige ouwe sukkel.' Tessa zette een bak slagroom op tafel en liep terug naar de koelkast. 'Gaat het wel?'

'Ik ben gewoon moe.'

'Ik ook. Zwanger zijn is hard werken.' Ze ging tegenover Sara zitten met in haar hand een gebakken kippenpoot die ze in de slagroom doopte.

'Dat ga je toch niet eten, hè?'

Tessa bood Sara de poot aan.

Tegen beter weten in nam Sara een hapje van de afgrijselijke combinatie. 'Wauw! Het smaakt zoutig en zoet tegelijk.'

'En, weet ik wat lekker is?' Tessa doopte de poot weer in de bak en nam een hap. Terwijl ze nadenkend kauwde, zei ze: 'Weet je dat ik elke avond voor je bid?'

Onwillekeurig moest Sara lachen. Even snel verontschuldigde ze zich. 'Sorry. Ik dacht alleen...'

'Wat dacht je?'

Eigenlijk was dit een goed moment om met de waarheid voor de dag te komen. 'Ik dacht niet dat je echt in dat alles geloofde.'

'Ik ben zendeling, stomkop. Wat denk je dat ik de afgelopen drie jaar uitgespookt heb?'

Sara had zich mooi klem gepraat. 'Ik dacht dat je naar Afrika wilde om kinderen te helpen.' Ze wist niet wat ze er verder over moest zeggen. Haar zus was vroeger een echte levensgenieter geweest. Soms was het alsof Tessa voor twee van het leven genoot, ook voor Sara, die altijd met haar studie bezig was en later met haar werk. Ondertussen ging Tessa met de een na de ander uit, sliep met iedereen die ze leuk vond en schaamde zich nergens voor. 'Je moet toegeven dat je geen typische zendeling bent.'

'Misschien niet,' beaamde ze. 'Maar je moet toch ergens in geloven?'

'Het is moeilijk om in een god te geloven die mijn man in mijn armen heeft laten sterven.'

'Dieper dan in de put kun je niet zinken, zus, en dan mag je blij zijn als iemand je een touw toewerpt zodat je naar boven kunt klimmen.'

Iets dergelijks had Cathy ook gezegd toen Sara Jeffrey verloor. 'Ik ben blij dat je iets gevonden hebt waar je rust in vindt.'

'Nou, volgens mij geldt dat ook voor jou.' Tessa had de kippenpoot inmiddels op en nu lepelde ze met het bot de slagroom naar binnen. 'Je bent heel anders dan toen je hier aankwam. Volgens mij doe je dit soort werk het liefst.'

'Dat zou ik niet weten.'

'Waar is Will trouwens?'

Sara kreunde. 'Begin daar nou niet weer over.'

'Als je hem ziet, moet je dat elastiekje uit je haar halen. Met los haar ben je mooier.'

'Hou op, alsjeblieft!'

Tessa pakte haar hand. 'Zal ik jou eens wat vertellen?'

'Zolang het geen advies is over hoe je een getrouwde man aan de haak slaat.'

Ze gaf Sara een kneepje. 'Ik ben echt verliefd op mijn man.'

'Oké,' zei Sara behoedzaam.

'Ik weet dat je Lem saai vindt en veel te serieus en zelfingenomen, en neem maar van mij aan dat hij dat allemaal is, maar honderd keer per dag, als ik een liedje hoor of aan iets grappigs denk of als papa een van zijn stomme moppen vertelt, is het eerste wat bij me opkomt: kon ik dat maar aan Lem vertellen. En ik weet dat hij aan de andere kant van de wereld hetzelfde denkt.' Ze zweeg even. 'Dat is liefde, Sara, als er maar één persoon op aarde is met wie je al die dingen wilt delen.'

Sara wist nog goed hoe dat voelde. Het was alsof je in een warme deken was gehuld.

Tessa lachte. 'Lieve help, nog even en ik moet huilen. Als Lem hier komt, denkt hij vast dat ik rijp ben voor een inrichting.'

Sara legde haar hand op die van Tessa. 'Ik ben heel blij dat je zo iemand hebt gevonden.' Ze meende het oprecht. Haar zus was zichtbaar gelukkig. 'Je verdient het dat iemand van je houdt.'

Tessa glimlachte veelbetekenend. 'En jij ook.'

'Die zit,' zei Sara grinnikend.

'Ik ga maar eens naar bed.' Tessa kwam steunend overeind. 'Goed je handen wassen. Je ruikt naar kip en slagroom.'

Sara rook aan haar handen. Tessa had gelijk. Weer keek ze naar het volle aanrecht. Ze kon maar het beste aan de afwas beginnen en daarna naar bed gaan. Ze kreunde al even hard als Tessa toen ze van tafel opstond. Haar rug deed pijn omdat ze de hele dag voorovergebogen had gestaan. Haar ogen waren moe. Ze zocht onder het kastje naar afwasmiddel in de hoop dat het op was, zodat ze een geldig excuus zou hebben om de troep tot de volgende ochtend te laten staan.

'Shit,' mompelde Sara toen ze het flesje aantrof achter een volle doos vaatwasmiddel die haar moeder nog nooit had geopend. Ze hoorde voetstappen op de gang. 'Kom je nog wat slagroom halen?' vroeg ze. Tessa antwoordde niet, maar Sara wist zeker dat zij het was. 'Je komt me toch niet helpen, hè?' Toen ze de gang op liep, zag ze echter niet Tessa, maar Will.

'Hallo.'

Hij stond midden in de gang, met zijn leren koffertje aan zijn voeten. Er was iets aan hem veranderd, maar Sara kon er niet echt de vinger op leggen. Hij zag er hetzelfde uit. Hij droeg ook dezelfde kleren waarin ze hem al twee dagen had gezien. Er ging iets droevigs van hem uit dat haar raakte.

Sara wenkte hem de keuken in. 'Kom binnen.' Ze zette het afwasmiddel op het werkblad. Will bleef aarzelend in de deuropening staan.

'Neem me niet kwalijk,' zei hij. 'Je zus heeft me binnengelaten. Ik stond door het raampje van de deur naar binnen te turen om te zien of jullie nog wakker waren. Ik weet dat het laat is.' Hij zweeg en slikte iets weg. 'Het is echt laat.'

'Is er iets?'

Nerveus liet hij zijn koffertje van de ene hand naar de andere gaan. 'Zou je tegen je moeder willen zeggen dat het me spijt dat ik niet bij het avondeten kon zijn? Er was heel veel te doen en ik...'

'Maak je geen zorgen. Dat snapt ze heus wel.'

'Hebben de secties...' Hij zweeg weer en veegde met zijn

mouw zijn voorhoofd af. Zijn haar was nat van de regen. 'Terwijl ik hiernaartoe reed bedacht ik dat de moord op Jason misschien wel een copycat-moord was.'

'Nee,' zei ze. 'De wonden waren identiek.' Ze wachtte even. Zo te zien was er iets vreselijks gebeurd. 'Zullen we gaan zitten?'

'Nee, dat hoeft niet, ik...'

Zelf nam ze weer aan tafel plaats. 'Kom op. Wat is er aan de hand?'

Hij keek achterom naar de voordeur. Ze zag dat hij het liefst weg wilde, maar daar kennelijk niet toe in staat was.

Ten slotte pakte Sara hem bij zijn hand en trok hem naar de stoel. Hij ging zitten, met zijn koffertje op schoot. 'Ik vind het heel vervelend.'

Ze boog zich naar hem toe en moest zich bedwingen om niet weer zijn hand te pakken. 'Wat vind je vervelend?'

Opnieuw slikte hij. Ze wachtte geduldig tot hij het woord nam. Zijn stem klonk heel zacht in het grote vertrek. 'Faith is bevallen.'

Sara sloeg haar hand voor haar mond. 'Is alles goed met haar?'

'Ja, ze maakt het prima. Ze maken het allebei prima.' Hij haalde zijn mobiel uit zijn zak en liet haar een foto zien van een pasgeboren baby met een rood gezichtje en een roze wollen mutsje op. 'Volgens mij is het een meisje.'

Faith had in haar bericht naast het gewicht ook de naam van de baby genoemd. 'Emma Lee,' zei Sara.

'Zes pond en zevenhonderdtachtig gram.'

'Will...'

'Dit heb ik gevonden.' Hij legde zijn koffer op tafel en klikte de slotjes open. Ze zag een stapel papier en een plastic zak met een rood zegel. Uit een van de zijvakken haalde hij een schrift met een blauwe plastic kaft dat onder de zwarte vlekken van vingerafdrukpoeder zat. 'Ik heb geprobeerd het schoon te maken,' zei hij terwijl hij het vuil aan zijn trui afveegde. 'Sorry. Het lag in Allisons auto en ik...' Hij sloeg de pagina's om en liet haar het krabbe-lige handschrift zien. 'Ik kan het niet,' zei hij. 'Ik kan het gewoonweg niet.'

Ze besefte dat Will haar niet één keer had aangekeken sinds hij de keuken was binnengelopen. Hij straalde ver-slagenheid uit, alsof elk woord dat over zijn lippen kwam hem pijn deed.

Sara's tas lag op het werkblad. Ze stond op om haar lees-bril te pakken. 'Mijn moeder heeft wat voor je bewaard. Als jij nou eens gaat eten, dan neem ik dit door.'

Hij staarde naar het schrift dat voor hem lag. 'Ik heb niet echt trek.'

'Je was ook al niet bij het avondeten. Als je nu niet eet, vergeeft mijn moeder het je nooit.'

'Ik kan echt niet...'

Sara trok de warmhoudlade open. Haar moeder had voor een heel leger gekookt, deze keer rosbief, aardappelen, kool, sperziebonen en prinsessenboontjes. Het maisbrood zat in aluminiumfolie gewikkeld. Sara zette het bord voor Will neer en haalde bestek en een servet. Ze schonk een glas ijsthee in en pakte citroen uit de koelkast. Terwijl ze bezig was, deed ze de oven aan om de kersentaart op te warmen die op het werkblad stond.

Toen ging ze tegenover Will zitten en sloeg het schrift open. Ze keek hem over de rand van haar bril heen aan. Hij had nog geen vin verroerd. 'Eten,' gebood ze.

'Ik heb echt...'

'Dat is namelijk de afspraak. Jij eet. Ik lees.' Haar blik duldde geen tegenspraak.

Aarzelend nam Will de vork op. Pas toen hij een hap aardappel had genomen sloeg ze het schrift open.

'Op de binnenkant van de kaft staan haar naam en de da-tum: 1 augustus.' Sara keek naar de eerste bladzij. '"1 au-gustus. Dag een."' Ze bladerde verder. 'Elke aantekening ziet er hetzelfde uit. Dag twee, dag drie...' Ze keek achterin. 'Tot aan dag honderdvier.'

Will zei niets. Weliswaar was hij aan het eten, maar ze zag dat hij moeite had met slikken. Sara kon zich niet voorstellen hoe frustrerend het voor hem was dat hij zich het dagboek moest laten voorlezen. Het was duidelijk dat hij het als een persoonlijke nederlaag beschouwde. Ze wilde zeggen dat hij het niet kon helpen, maar zijn verzoek aan Sara had het uiterste van hem gevergd en ze wilde er niet nog een schepje bovenop doen.

Ze keerde terug naar de eerste bladzij. '"Dag een,"' herhaalde ze. '"C. deed heel sarcastisch tijdens zijn college. Heb later wel twintig minuten gehuild. Kon niet stoppen. Heb me geërgerd tijdens college van K., want achter me zat D. telkens briefjes door te geven aan V. en ik kon me niet concentreren omdat ze maar bleven lachen."'

Ze sloeg de bladzij om. '"Dag twee. Heb mezelf lelijk gesneden toen ik mijn benen schoor. Deed de hele dag pijn. Was twee minuten te laat op mijn werk, maar L. zei niets. Was voortdurend bang om op mijn kop te krijgen. Hij mag niet kwaad op me worden."'

Sara las de ene pagina na de andere: over L. van het eetcafé en J. die een lunchafspraak was vergeten. In elke aantekening beschreef Allison haar gevoelens bij een bepaalde situatie, maar nooit in bloemrijk detail. Ze was blij, verdrietig of gedeprimeerd. Ze huilde veel, vaak langer dan de omstandigheden rechtvaardigden. Ondanks de geopenbaarde emoties had het verslag iets klinisch, alsof het meisje het verloop van haar eigen leven observeerde.

Het voorlezen van het volledige dagboek nam een uur in beslag. Will at zijn bord leeg en werkte het grootste deel van de kersentaart naar binnen. Met zijn handen samengevouwen op tafel keek hij strak naar de muur. Vervolgens begon hij heen en weer te lopen tot hij besefte dat het haar stoorde bij het voorlezen. Toen Sara's stem haperde haalde hij een glas ijswater voor haar. Na een tijdje zag hij de afwas in de spoelbak, en terwijl Sara al lezend haar schaamte verdrong draaide hij de kraan open en begon af te wassen. Ze kreeg kramp in haar benen van het zitten. Uiteindelijk ging ze naast hem bij het aanrecht staan om althans de schijn te wekken dat ze hem hielp. Will had alle potten en pannen afgewassen en wilde net aan het serviesgoed beginnen toen Sara bij de laatste bladzij aankwam.

'"Dag honderdvier. Werk viel mee. Kon me niet concentreren vandaag. Vannacht negen uur geslapen. In de lunchpauze dutje van twee uur gedaan. Had eigenlijk moeten studeren. Voelde me de hele dag schuldig en gedeprimeerd. Niks van J. gehoord. Hij zal me wel haten. Kan het hem niet kwalijk nemen."' Sara keek Will aan. 'Dat was het.'

Hij keek op van het broodbordje in zijn handen. 'Ik heb alle pagina's geteld. Het zijn er tweehonderdvijftig.'

Ze keek op de voorkant, waarop het aantal pagina's vermeld stond. Het meisje had er geen blaadjes uitgescheurd. 'Twee weken voor haar dood is ze gestopt met schrijven,' zei Sara.

'Er is twee weken geleden dus iets gebeurd wat ze niet wilde opschrijven.'

Sara legde het schrift weg en pakte een theedoek. Will deed de afwas veel grondiger dan zij ooit had gedaan. Regelmatig ververste hij het water en ondertussen droogde hij af. Er was niet veel plaats meer op de werkbladen, en daarom probeerde hij te raden waar alles stond. Later zou Sara de keuken nog eens door moeten lopen om alle potten en pannen op de juiste plek te zetten, maar dat wilde ze niet doen waar Will bij was.

'Ik doe het wel,' zei hij toen hij haar met de theedoek zag.

'Ik wil je helpen.'

'Je hebt me geloof ik al genoeg geholpen.' Ze dacht dat hij het daarbij zou laten, maar toen zei hij: 'Het is vandaag erger dan anders.'

'Door stress verergert het, bijvoorbeeld als je moe bent of als er iets aangrijpends gebeurt.'

Hij boende hard over het bord in zijn hand. Sara zag dat

hij zijn mouwen niet had opgestroopt. De boorden van zijn trui waren drijfnat. 'Ik was bezig een nieuwe rioolbuis naar mijn huis aan te leggen. Daarom loop ik achter met de was.'

Dat hij abrupt van onderwerp veranderde verbaasde Sara niet, maar ze had gehoopt dat hij daar even mee zou wachten. 'Mijn vader heeft dit huis gebouwd met geld van alle mensen die zelf hun riolering proberen aan te leggen.'

'Misschien kan hij me een paar tips geven. Ik weet bijna zeker dat de sleuf die ik gegraven heb nu alweer is ingestort.'

'Heb je dan geen grondkering gemaakt?' Sara stopte met afdrogen. 'Dat is gevaarlijk. Voorbij de anderhalve meter moet je altijd de wanden schoren.'

Hij keek haar tersluiks aan.

'Ik ben de dochter van mijn vader. Bel maar als je terug bent in Atlanta. Ik kan uitstekend met een graafmachine overweg.'

Hij pakte een bordje. 'Volgens mij heb je me voorlopig genoeg gunsten bewezen.'

Sara keek naar zijn spiegelbeeld in het raam boven het aanrecht. Met gebogen hoofd concentreerde hij zich op zijn taak. Ze stak haar hand naar achteren en trok haar paardenstaart los. Haar haar viel op haar schouders.

'Ga eens zitten,' zei ze. 'Ik doe de rest wel.'

Will hield zijn adem even in toen hij naar haar opkeek. Ze dacht dat hij iets ging zeggen, maar hij pakte nog een bord en dompelde het in het sop. Sara trok de la open om het bestek op te bergen. Haar haar hing voor haar gezicht. Ze was blij dat ze zich erachter kon verschuilen.

'Ik vind het vreselijk om de afwas te laten staan,' zei hij.

'Laat mijn moeder je niet horen.' Sara sloeg een luchtige toon aan. 'Dan mag je nooit meer weg.'

'Ik heb eens een pleegmoeder gehad die Lou heette.' Will wachtte tot hij haar zag opkijken in het raam. 'Ze werkte de hele dag in de supermarkt, maar tussen de middag kwam ze steevast thuis om lunch voor me te maken.' Hij spoelde het bord af en gaf het aan Sara. ''s Avonds kwam ze pas thuis als ik al in bed lag, maar op een keer hoorde ik haar binnenkomen. Ik ging naar de keuken en daar stond ze voor het aanrecht in haar uniform, zo'n bruin geval dat veel te krap was. Alles stond vol met borden, schalen en restjes van de lunch. Ik had tijdens haar afwezigheid geen moer gedaan. Ik had gewoon de hele dag tv gekeken.' Weer keek hij even naar Sara's spiegelbeeld. 'Lou stond daar jankend naar de troep op het aanrecht te kijken. Het soort huilen dat diep uit je lijf komt.' Hij pakte weer een bord van de stapel. 'Ik liep de keuken in en waste alles af wat ik kon vinden, en zolang ik daar woonde heeft ze nooit meer mijn rotzooi hoeven op te ruimen.'

'Heeft ze niet geprobeerd je te adopteren?'

Hij lachte. 'Grapje zeker? Op de lunchpauze na liet ze me de hele dag alleen. Ik was pas acht. Ik werd daar weggehaald toen de schoolbegeleider ontdekte dat ik al twee maanden niet naar school was geweest.' Hij trok de stop uit de spoelbak. 'Toch was het een aardige vrouw. Volgens mij hebben ze haar later een ouder kind gegeven.'

De vraag was eruit voor Sara het besefte. 'Waarom ben je nooit geadopteerd? Je was nog maar een baby toen je in het kindertehuis kwam.'

Will hield zijn hand onder de kraan om te voelen hoe warm het water was. Ze was al bang dat hij niet op haar vraag zou ingaan, maar ten slotte zei hij: 'In het begin had mijn vader de voogdij over me. Na een paar maanden heeft de staat me bij hem weggehaald. En daar waren goede redenen voor.' Hij deed de stop weer in de spoelbak. 'Ik heb toen een tijdje in het tehuis gezeten tot er een oom kwam opdagen die het wel wilde proberen. Hij bedoelde het goed. Tenminste, dat hoop ik. Maar in die fase van zijn leven was hij niet echt in staat om voor een kind te zorgen. Ik werd heen en weer geschoven van zijn huis naar pleegouders en dan weer naar het kindertehuis. Uiteindelijk gaf hij het op. Tegen die tijd was ik zes en was het te laat.'

Sara keek op. Will wierp weer een blik op haar spiegelbeeld.

'Je hebt toch wel van de zesjaarsregel gehoord? Jij en je man wilden een kind adopteren. Dan moet je ervan gehoord hebben.'

'Ja.' Sara kreeg een brok in haar keel. Ze was niet in staat hem aan te kijken. Ze droogde de kom in haar handen nogmaals af, ook al zat er geen druppeltje meer op. De zesjaarsregel. Ze had die term weleens gehoord toen ze nog als kinderarts werkte, lang voordat Jeffrey met dat adoptievoorstel kwam. Een kind dat langer dan zes jaar in een tehuis had gezeten, werd als besmet beschouwd. Tegen die tijd had het te veel negatieve dingen meegemaakt. Zijn herinneringen lagen vast en hij vertoonde ingeslepen gedrag.

Jaren terug hadden mensen in Atlanta die waarschuwing ook te horen gekregen. Waarschijnlijk van een bekende of misschien zelfs van een huisarts die ze vertrouwden. Ze waren naar het kindertehuis gegaan, hadden de zesjarige Will Trent gezien en geconcludeerd dat hij te beschadigd was.

'Vind jij dat dagboek iets voor een meisje van eenentwintig?' vroeg hij.

Sara schraapte haar keel voor ze het woord nam. 'Ik weet het niet. Ik heb Allison niet gekend.' Ze dwong zichzelf over zijn vraag na te denken. 'Op mij komt het wat afwijkend over.'

'Het is niet in de trant van "Lief dagboek" of iets dergelijks.' Will begon aan de laatste stapel borden. 'Het is eerder een lange lijst met klachten over allerlei mensen, haar docenten, haar baan, haar geldgebrek, haar vriendje.'

'Ze klinkt inderdaad wat zeurderig,' moest Sara toegeven.

'Bij zeuren gaat het erom dat anderen je horen en medelijden met je krijgen. Vind je haar gedeprimeerd klinken?' vroeg hij.

'Zonder meer. Uit het dagboek blijkt duidelijk dat ze het moeilijk had. Ze heeft zich ooit van het leven willen beroven, wat wijst op minstens één depressieve periode in haar verleden.'

'Zou ze een zelfmoordpact hebben gesloten met Jason en nog iemand?'

'Dan is dit wel een erg nare manier om jezelf van kant te maken. Pillen zijn een stuk gemakkelijker. Of ophanging. Van een gebouw springen. En als er een pact was geweest, zouden ze het volgens mij samen hebben gedaan.'

'Heb je tekenen van drugsgebruik gevonden bij Tommy, Allison of Jason?'

'Geen uiterlijke tekenen. Ze waren alle drie gezond en van gemiddelde of bovengemiddelde lengte. De bloed- en weefselmonsters zijn onderweg naar het centrale lab. Over een week tot tien dagen kunnen we de uitslagen verwachten.'

'Charlie en ik zaten erover te filosoferen dat Jason misschien wel medeplichtig was aan de moord op Allison. We zijn er vrijwel van overtuigd dat de moordenaar hem heeft gebruikt om Allison naar het meer te lokken. Of in elk geval zijn handschrift.' Hij draaide de kraan dicht, droogde zijn handen aan zijn spijkerbroek en liep naar zijn koffertje. 'Dit zat in het dagboek.'

Sara nam de plastic zak van hem aan. Er zat een briefje in. 'Dat papier ziet er bekend uit.' Ze las de tekst. '"Ik moet met je praten. We spreken af op de vaste plek."'

Will voegde er de tekst van het zelfmoordbriefje aan toe. '"Ik wil niet langer."'

Sara ging aan tafel zitten. 'Jason heeft dat zogenaamde zelfmoordbriefje van Allison geschreven.'

'Of hij heeft dat hele bericht aan iemand anders geschreven, en die heeft het onderste gedeelte er afgescheurd en het als waarschuwing aan Jason in Allisons schoen gelegd.' Hij zag meteen wat er niet klopte. 'Maar waarom bewaarde Allison het dan in haar dagboek?'

'Geen wonder dat je hersens vermoeid zijn.' Sara kreeg zelf hoofdpijn van het nadenken.

Will haalde een tweede plastic zak uit zijn koffer. 'Dit heb ik in Tommy's medicijnkastje gevonden. Charlie heeft er een veldtest op uitgevoerd, maar hij weet niet wat erin zit.'

Sara draaide het medicijnpotje om zodat ze door het plastic heen het etiket kon lezen. 'Vreemd.'

'Ik hoopte dat jij zou weten wat het was.'

'"Niet innemen, Tommy!"' las ze. 'Ik ben geen handschriftdeskundige, maar zo te zien heeft Allison dit geschreven. Waarom zou ze Tommy waarschuwen om dit niet in te nemen? Dan had ze het toch beter kunnen weggooien?'

Daar had Will niet meteen een antwoord op. Hij leunde achterover en keek haar aan. 'Het zou gif kunnen zijn, maar waarom steek je iemand in de nek als je gif hebt?'

'Wat betekenen die letters onder aan het etiket?' Sara pakte haar leesbril, die ze had vastgehaakt aan haar bloes. 'H-C-C. Wat betekent dat?'

'Faith heeft de initialen al door de computer gehaald, maar ik weet niet of het iets heeft opgeleverd. De foto die ik ervan heb genomen was niet erg scherp en...' Hij wees naar zijn hoofd, alsof het daar niet helemaal goed zat. 'Tja, zoals je weet laat ik het op dat gebied ook afweten.'

'Heb je je ogen weleens laten nakijken?'

Hij keek haar verbaasd aan, alsof ze beter zou moeten weten. 'Een bril is niet de oplossing voor mijn probleem. Ik heb dit mijn hele leven al.'

'Krijg je hoofdpijn als je leest? Word je misselijk?'

Hij maakte een onbestemd gebaar en knikte. Het was duidelijk dat ze niet veel meer uit hem zou krijgen.

'Je zou eens naar een oogarts moeten gaan.'

'Alsof ik zo'n kaart kan lezen.'

'O, lieverd, als ik met een lampje in je ogen schijn zie ik zo of je lens een afwijking vertoont.'

Dat 'lieverd' hing nogal pijnlijk tussen hen in. Will staarde haar aan. Zijn handen lagen op tafel. Zenuwachtig draaide hij aan zijn trouwring.

Sara deed een poging haar gêne te verbergen. Ze pakte het medicijnpotje en hield het hem voor. 'Kijk eens naar de kleine lettertjes.' Will keek haar een paar tellen aan voor hij zijn blik naar het flesje liet gaan. 'Stil blijven zitten.' Voorzichtig schoof ze haar bril op zijn neus en hield hem het potje weer voor. 'Zo beter?'

Will keek, maar met duidelijke tegenzin. Hij wierp een verbaasde blik op Sara, en keek weer naar het potje. 'Het is scherper. Nog niet helemaal goed, maar wel beter.'

'Je hebt namelijk een leesbril nodig.' Ze zette het potje weer op tafel. 'Kom maar naar het ziekenhuis als je weer in Atlanta bent. Of we kunnen morgen naar mijn oude werkplek gaan. Waarschijnlijk heb je de kinderkliniek wel gezien, tegenover het politiebureau. Ik had altijd speciale oogkaarten voor...' Sara zweeg. Haar mond viel open.

'Wat is er?'

Ze nam haar bril terug en las nogmaals de kleine letters op het etiket. 'H-C-C. Heartsdale Children's Clinic.' Sara had allerlei illegale verklaringen voor het potje de revue laten passeren, maar niet aan iets legaals gedacht. 'Dit maakt deel uit van een medicijnentest. Die voert Elliot dan zeker vanuit de kliniek uit.'

'Waar heb je het over?'

'Farmaceutische bedrijven moeten medicijnen eerst testen voor ze die op de markt brengen,' legde ze uit. 'Ze betalen vrijwilligers voor deelname aan het onderzoek. Tommy heeft zich vast als vrijwilliger aangemeld, maar dan snap ik niet hoe hij aan het protocol heeft kunnen voldoen. Als er één regel van belang is bij dit soort onderzoek, dan is het wel dat de deelnemers weten en begrijpen waarmee ze instemmen. Dat kon bij Tommy absoluut niet het geval zijn.'

'Weet je zeker dat dat het is?' Will klonk sceptisch.

'Dat nummer boven aan het etiket.' Ze wees naar het

flesje. 'Het is een dubbelblind onderzoek. Aan elke deel-nemer wordt door de computer een willekeurig nummer toegewezen dat bepaalt of hij het echte medicijn of een placebo krijgt.'

'Heb jij weleens zo'n test gedaan?'

'Ik heb er een paar in het Grady gedaan, maar die hadden met chirurgische ingrepen of ernstig letsel te maken. We gebruikten infusen of injecties. We hadden geen placebo's. En we deelden ook geen pillen uit.'

'Ging dat op dezelfde manier als bij een gewone medicij-nentest?'

'Ik vermoed dat de procedures en de rapportage hetzelfde zijn, maar wij werkten met traumagevallen. Dan verloopt het intakeprotocol anders.'

'Hoe gaat het buiten het ziekenhuis in zijn werk?'

Sara zette het potje weer op tafel. 'De farmaceutische in-dustrie betaalt artsen om onderzoek te verrichten naar bij-voorbeeld het zoveelste cholesterolverlagende medicijn, dat ongetwijfeld even goed werkt als de twintig andere cholesterolverlagende medicijnen die al op de markt zijn.' Ze besefte dat ze te luid sprak. 'Neem me niet kwalijk dat ik me zo opwind. Elliot kent Tommy. Hij weet dat hij een handicap heeft.'

'Wie is Elliot?'

'De man aan wie ik mijn praktijk heb verkocht.' Sara schudde haar hoofd, zo ongelooflijk vond ze het. Ze had haar praktijk aan Elliot verkocht zodat de kinderen in de stad geholpen werden in plaats van als laboratoriumratten te worden gebruikt. 'Dit klopt gewoon niet. Bij de meeste onderzoeken zijn geen kinderen betrokken. Dat is te ge-vaarlijk. Hun hormoonstelsel is nog niet volledig ontwik-keld. Ze verwerken medicijnen anders dan volwassenen. En het is bijna onmogelijk om toestemming van de ouders te krijgen voor een test met experimentele medicijnen, tenzij zo'n kind doodziek is en het een laatste poging is om zijn leven te redden.'

'En je neef?' vroeg Will.

'Hare? Wat heeft die ermee te maken?'

'Hij is toch een volwassenenarts? Ik bedoel: zijn patiënten zijn toch volwassen?'

'Ja, maar...'

'Lena vertelde me dat hij praktijkruimte huurt in de kliniek.'

Het was alsof Sara een klap in haar gezicht kreeg. Haar eerste reactie was om Hare te verdedigen, maar toen dacht ze aan zijn stomme auto die ze in de stromende regen had moeten bewonderen. De BMW 750 die ze in een showroom in Atlanta had gezien, kostte ruim honderdduizend dollar.

'Sara?'

Ze perste haar lippen op elkaar om zichzelf het zwijgen op te leggen. Hare, die in haar kliniek pillen aan mensen opdrong. Het verraad sneed als glas door haar ziel.

'Hoeveel kan een arts verdienen aan medicijnentests?' vroeg Will.

Sara kreeg de woorden er met moeite uit. 'Honderdduizenden dollars? Miljoenen als je als spreker naar conferenties gaat.'

'En wat krijgen de patiënten?'

'De deelnemers. Geen idee. Dat is afhankelijk van het stadium waarin de test verkeert en van de tijd dat je eraan moet deelnemen.'

'Er zijn dus verschillende fasen?'

'Dat is gebaseerd op risico. Hoe eerder de fase, hoe hoger het veiligheidsrisico.' Ze legde het uit: 'Fase één is beperkt tot tien à vijftien mensen. Deelnemers kunnen wel tien- tot vijftienduizend dollar verdienen, afhankelijk van het onderzoek en of het om ziekenhuispatiënten gaat of niet. Bij fase twee zijn zo'n twee- tot driehonderd mensen betrokken, en die krijgen elk vier- of vijfduizend dollar. Fase drie is minder gevaarlijk, en die levert dus ook minder geld op.' Ze haalde haar schouders op. 'Het bedrag dat ze verdienen is afhankelijk van de duur van het onderzoek, of je een paar dagen of een paar maanden beschikbaar moet zijn.'

'En de grootschalige onderzoeken, hoe lang duren die?'

Sara legde haar hand op Allisons schrift. Geen wonder dat het meisje haar stemmingen zo nauwgezet had vastgelegd. 'Drie tot zes maanden. Je moet dan een dagboek bijhouden. Dat maakt deel uit van de achtergronddocumentatie en is bedoeld om bijwerkingen op te sporen. Ze willen alles weten over je stemming, je stressniveau, of je kunt slapen en hoe lang je slaapt. Ken je die waarschuwingen die je altijd hoort aan het eind van medicijnreclames? Dat komt rechtstreeks uit de dagboeken. Als ook maar één persoon last heeft van hoofdpijn of prikkelbaarheid moet dat vermeld worden.'

'Dus als Allison en Tommy allebei betrokken waren bij een medicijnenonderzoek liggen hun dossiers in de kliniek?'

Ze knikte.

Will dacht even na. Hij pakte het flesje weer op. 'Ik denk niet dat dit genoeg is om een huiszoekingsbevel te krijgen.'

'Dat heb je ook niet nodig.'

Zeventien

Lena hoorde het gestage gedruppel van water. Ze sperde haar mond open rond de prop, alsof ze de druppels kon opvangen. Haar tong was zo gezwollen dat ze bang was erin te stikken. Door uitdroging kon haar lichaam niet meer zweten. De enige manier om de kou te bestrijden was door te rillen, maar haar spieren waren te zwak om mee te werken. Toen ze op het knopje van haar horloge drukte, verlichtte de blauwe gloed de rode strepen op haar pols, die als een brandmerk in haar huid stonden.

Ze ging verliggen om de druk op haar schouder te verminderen. Rechtop zitten was er niet bij. De ruimte tolde om haar heen. Telkens als ze het probeerde, deden haar armen pijn of schoot er een steek door haar benen. Haar handen en voeten waren vastgebonden, en voor elke beweging was een coördinatie nodig die ze niet langer bezat. Ze tuurde het donker in en dacht aan de laatste keer dat ze was gaan hardlopen. Het was abnormaal warm geweest voor de tijd van het jaar. De zon had hoog boven de horizon gestaan en toen ze rondjes rende op de baan van de hogeschool, brandde hij eerst op haar gezicht en vervolgens op haar rug. Ze droop van het zweet. Haar huid gloeide. Haar spieren waren in topconditie. Als ze er maar lang genoeg aan dacht, kon ze haar schoenen bijna over de baan horen gaan.

Geen schoenen op een rubberen hardloopbaan. Schoenen op houten treden.

Lena spitste haar oren en hoorde de voetstappen naar de kelder afdalen. Voor haar viel een streep licht onder de deur door. Schrapende geluiden gaven aan dat er iets zwaars werd versleept: metaal over beton. Waarschijnlijk een stellingkast. De streep licht onder de deur werd feller. Lena sloot haar ogen toen er een sleutel in het nachtslot werd gestoken. De deur ging open en voorzichtig keek Lena tussen haar wimpers door om aan het verblindende tl-licht te wennen.

Eerst zag ze een lichtkrans achter het hoofd van de vrouw, maar toen tekende het gezicht van Darla Jackson zich geleidelijk aan af. Lena zag de blonde strepen in haar haar, de nepnagels. Vreemd genoeg was haar eerste gedachte hoe het mogelijk was dat de vrouw twee mensen op gruwelijke wijze had vermoord zonder dat haar nagels waren afgebroken. Waarschijnlijk deed ze elke avond nieuwe op.

Darla liep over de gestapelde cementblokken die als trap dienden naar het lagere gedeelte van de kelder. Ze knielde voor Lena neer en controleerde het touw. Ze legde haar hand hoe absurd het ook was op Lena's voorhoofd. 'Ben je er nog?'

Lena kon haar slechts aankijken. Ook zonder die prop in haar mond betwijfelde ze of ze in staat was om iets tegen de verpleegster te zeggen. Haar keel was te droog. Haar brein kon met moeite één denkbeeld tegelijk bevatten. Ze kon de vragen die zich aan haar opdrongen niet onder woorden brengen. Waarom had Darla dit gedaan? Waarom had ze Jason vermoord? Waarom had ze Allison vermoord? Het was onbegrijpelijk.

'Je bent in de kelder van de kliniek.' Darla legde haar vingers op Lena's pols en gedroeg zich ogenschijnlijk als een zorgzame verpleegster in plaats van als een wrede moordenares. Het was alweer uren geleden dat Lena Darla betrapt had toen ze het bloed van de honkbalknuppel waste waarmee ze het achterhoofd van Jason Howell had ingeslagen. De handschoenen die ze had gebruikt, had ze in bleekmiddel gelegd om het bewijs te vernietigen. Nu voelde ze Lena's pols en controleerde of ze koorts had.

'Dit is een soort schuilkelder tegen bommen of tornado's of iets dergelijks,' zei Darla. Ze keek nog steeds op haar horloge. 'Ik betwijfel of Sara ervan op de hoogte is. Ik ontdekte dit een tijdje geleden toen ik naar een plek zocht om dossiers op te bergen.'

Lena keek om zich heen. Nu er licht brandde, zag ze de betonnen muren en de kleine metalen deur. Darla had gelijk. Ze waren in een schuilkelder.

'Ik heb die Tolliver nooit gemogen,' zei de verpleegster. 'Ik weet dat veel mensen jou de schuld geven van wat er gebeurd is, maar laat ik je dit vertellen: het was soms een echte lul.'

Lena keek haar aan en vroeg zich af waarom de vrouw dit moment had uitgekozen om haar hart uit te storten.

'En Sara is geen haar beter. Die denkt dat ze god zelf is omdat ze die medische graad heeft. Ik heb vaak op haar gepast toen ze klein was. Wat een wijsneus was dat.'

Lena ging er maar niet tegen in.

'Jou heb ik nooit willen vermoorden,' zei Darla. Lena voelde een lach opkomen die meer weg had van gekerm. 'Ik moet alleen snel de stad uit en als ik je laat gaan, vind jij dat niet goed.'

Daar had ze gelijk in.

'Mijn vader heeft een hartaanval gehad.' Ze ging op haar hurken zitten. 'Je weet dat Frank mijn vader is, hè?'

Lena's wenkbrauwen schoten omhoog. Er ging een stoot adrenaline door haar hersens en voor het eerst in uren kon ze weer denken. Frank had het over zijn dochter gehad toen ze wegreden van de plek waar Allison Spooner was vermoord. Wist hij op dat moment dat Darla het misdrijf had gepleegd? Hij probeerde haar in elk geval uit de wind te houden. Lena wist niet eens meer wat hij allemaal voor Will Trent had verborgen. De foto. Tommy's telefoon. De 911-oproep. Bedoelde Frank dat toen hij zei dat Lena de waarheid niet zag? Jezus, hij had gelijk. Ze zag inderdaad de waarheid niet, ook al struikelde ze erover. Hoeveel andere aanwijzingen had ze niet gemist? Hoeveel slachtoffers zouden er nog vallen omdat Lena zo blind was geweest?

'Heb je een tas bij je?'

Het was zo'n bizarre vraag dat Lena dacht dat ze het zich had verbeeld.

'Een handtasje?' vroeg Darla. 'Waar bewaar je je sleutels?'

Lena reageerde niet.

'Ik kan er niet met die rammelkast van een Accord vandoor gaan. Het motorlampje brandt al weken. Ik wilde een nieuwe kopen zodra de cheques waren overgeboekt, maar...' Ze zocht in Lena's zakken en vond haar sleutelbos. Haar huissleutel zat eraan en ook de sleutels van Franks Town Car en haar eigen Celica. 'Heb je geld bij je?'

Lena knikte, want liegen had geen zin.

Darla zocht in Lena's achterzak en haalde er twee briefjes van twintig uit. 'Nou, dat is in elk geval genoeg voor benzine.' Ze stopte het geld in haar borstzakje. 'Ik zal mijn vader om poen moeten vragen. Hoe vervelend het ook is.' Ze streek de roze stof van haar uniform glad. 'Eigenlijk zou ik wroeging moeten hebben over wat er gebeurd is, maar het punt is dat ik gewoon niet gepakt wil worden. Ik ga echt de bak niet in. Ik wil niet vastzitten, dat kan ik niet.'

Lena bleef haar aanstaren.

'Ze hadden me gewoon met rust moeten laten en hun mond moeten houden, dan zou dit alles niet gebeurd zijn.'

Lena probeerde te slikken. Ze hoorde haar hart weer die vreemde spartelslag maken. Ze was waarschijnlijk nog uitgedroogder dan ze dacht. Haar handen en voeten waren gevoelloos. Haar benen tintelden. Haar lichaam sneed de bloedtoevoer naar haar ledematen af om te zorgen dat de kern bleef functioneren.

'Mijn vader en ik kunnen niet zo goed met elkaar overweg.' Darla stopte haar hand in de zak van haar schort. 'Vaak had ik het gevoel dat hij jou liever als dochter had, maar we hebben onze familie niet voor het kiezen, hè?' Ze haalde een injectiespuit tevoorschijn. 'Dit is versed. Dat neemt de angst wat weg en je valt ervan in slaap. Het spijt me dat ik er niet genoeg van heb om je voorgoed te laten inslapen, maar zo is het wat gemakkelijker voor je. Je hebt niet lang meer te leven, misschien een uur of vijf, zes. Die infectie in je hand verspreidt zich snel. Je zult al wel voelen dat je hart langzamer klopt.'

Lena's keel maakte een slikbeweging.

'Het gaat namelijk zo: je lichaam geeft er de brui aan. Je zenuwen slaan op tilt. Meestal gaat dat met veel pijn gepaard. Soms ben je wakker, soms niet. Wil je de prik?'

Lena keek naar de spuit, waar het kapje nog op zat. Wat was dit voor keus?

'Niemand komt je redden. De kliniek gaat maandag pas weer open, en tegen die tijd weten ze alleen al door de stank dat je hier ligt.' Ze keek achterom. 'Ik zal de deur maar vrij laten, dan hoeven ze niet zo te zoeken. Sommigen van die lui hier zijn zo kwaad nog niet.'

Lena probeerde iets te zeggen, het enige woord uit te spreken dat nog van belang was: waarom?

'Wat zei je?'

Kreunend herhaalde Lena het woord. Vanwege de prop kon ze haar lippen niet sluiten, maar de vraag klonk duidelijk genoeg. 'Waarom?'

Darla glimlachte. Ze begreep wat Lena vroeg, maar ze was niet van plan te antwoorden. In plaats daarvan herhaalde ze haar aanbod en zwaaide met de spuit. 'Wil je hem nog of niet?'

Heftig schudde Lena haar hoofd. Ze mocht niet buiten kennis raken. Ze mocht niet loslaten. Haar bewustzijn was het enige waarover ze nog een zekere macht had.

Niettemin haalde Darla het kapje van de spuit en stak de naald in Lena's arm.

Achttien

Sara wachtte in haar auto op Will, die nog in het appartement boven de garage was. Hij had een paar minuten nodig om kleren aan te trekken die iets minder vuil waren dan de plunje waarin hij al de hele dag rondliep. Sara had de gelegenheid dankbaar aangegrepen om weer tot zichzelf te komen. Haar woede sudderde nog na, als Will er niet was geweest zou ze plankgas naar het huis van Hare zijn gescheurd. Waarom verbaasde het haar eigenlijk dat haar neef bij dergelijke onfrisse praktijken was betrokken? Hare had nooit onder stoelen of banken gestoken dat hij dol was op geld. Sara was ook dol op geld, maar ze was niet bereid om haar ziel ervoor te verkopen.

Het portier ging open en Will nam achter het stuur plaats. Hij droeg een keurig wit overhemd en een schone spijkerbroek. 'Heb jij mijn kleren gewassen?' vroeg hij met een schuinse blik.

Sara moest lachen om het idee. 'Nee.'

'Al mijn kleren zijn gewassen. En gestreken.' Hij voelde aan de vouw van zijn spijkerbroek. 'En gesteven.'

Ze kende maar één persoon die spijkerbroeken streek. 'O, sorry. Mijn moeder vindt het nou eenmaal heerlijk om de was te doen. Ik kan het niet uitleggen.'

'Maakt niet uit,' zei hij, maar aan zijn geforceerde toon hoorde ze dat hij enigszins van slag was.

'Heeft ze iets verknoeid?'

'Nee.' Hij verstelde de stoel omdat zijn hoofd anders tegen het dak drukte. 'Het is me gewoon nog nooit overkomen dat iemand anders mijn kleren waste.' De versnellingsbak was even wennen, maar hij had het snel door en zette de auto in de versnelling. Terwijl hij de straat op reed, deed hij de ruitenwissers uit. De regen was gestopt. Sara zag de maan zelfs tussen de wolken door gluren.

'Ik zit over dat zelfmoordbriefje na te denken,' zei hij.

'Wat is daarmee?'

'Stel dat Jason het geschreven heeft, en dat Allison het op een geheime plek moest achterlaten.'

'Denk je dat ze iemand chanteerden?'

'Zou kunnen,' zei Will. 'Misschien is Allison van gedachten veranderd zonder het tegen Jason te zeggen.'

'Dus ze scheurt het onderste gedeelte van het briefje af – die regel met "Ik wil niet langer" – en dat laat ze achter voor de moordenaar?'

'Maar de moordenaar heeft al besloten dat hij haar gaat doden. Hij is haar gevolgd naar het bos. We weten dat hij opportunistisch te werk gaat. Toen hij Jason vermoordde, gebruikte hij de deken. Misschien zag hij in dat briefje een nieuw middel.' Will keek Sara even aan. 'Dat zogenaamde zelfmoordbriefje was in Jasons handschrift en het lag op de plek waar Allison de dood vond. Als Tommy er niet bij betrokken was geraakt, zou Jason als eerste zijn verhoord.'

Eindelijk snapte ze het. 'De moordenaar wilde Jason voor de moord op Allison laten opdraaien. Als ze hem inderdaad chanteerden, was dat een mooie manier om van Jason af te komen.'

'Vertel eens wat meer over zo'n medicijnentest. Hoe gaat dat in zijn werk?'

'Het is ingewikkeld en ze zijn lang niet allemaal slecht. We kunnen niet zonder dat soort onderzoek,' benadrukte Sara. 'We hebben behoefte aan nieuwe medicijnen en medische doorbraken, maar de farmaceutische industrie bestaat uit bedrijven met aandeelhouders en presidentdirecteuren die allemaal geld willen zien. Er wordt meer geld gestoken in het onderzoek naar de nieuwste viagrapil dan in dat naar het genezen van kanker.' Op wrange toon voegde ze eraan toe: 'En het is veel lucratiever om ziekten als borstkanker te behandelen dan om ze te voorkomen.'

Will minderde vaart. Het regende niet meer, maar de straat stond nog blank. 'Hebben ze die viagra niet nodig om het kankeronderzoek te bekostigen?'

'Vorig jaar hebben de tien grootste farmaceutische bedrijven drieënzeventig miljard dollar aan reclame uitgegeven en nog geen negenentwintig miljard aan onderzoek. Nou moet jij me eens vertellen waar het zwaartepunt ligt.'

'Zo te horen weet je er heel veel van.'

'Het is een van mijn stokpaardjes,' gaf ze toe. 'Ik heb al die gratis pennen en blocnotes met bedrijfslogo's altijd geweigerd. Ik wilde medicijnen die werkten en die mijn patiënten konden betalen.'

Will zette de auto stil. 'Ik rij geloof ik de verkeerde kant op.'

'De weg loopt rond.'

Hij zette de auto in zijn achteruit en keerde met een ruime bocht. Sara wist precies waar ze waren. Als ze nog een eindje waren doorgereden, zouden ze haar oude huis zijn gepasseerd.

'En?' vroeg Will. 'Hoe werkt het? Het farmaceutische bedrijf wil een nieuw medicijn testen, en dan?'

Ze wist niet hoe ze hem haar dankbaarheid moest tonen en daarom richtte ze zich op zijn vraag. 'Er zijn twee soorten medicijnen: welvaarts- of lifestylemedicijnen en noodzakelijke medicijnen.' Hij keek haar zijdelings aan. 'Dat verzin ik echt niet. Zo noemen de grote farmaceutische jongens het. In het Grady testten we noodzakelijke medicijnen. Die zijn bedoeld voor ernstige of levensbedreigende ziekten en voor chronische kwalen. Noodzakelijke medicijnen worden meestal door universiteiten en academische ziekenhuizen getest.'

Weer minderde hij vaart en stuurde de auto door een diepe plas. 'En die lifestyledingen?'

'Die worden over het algemeen door gewone artsen of laboratoria getest. Medische tijdschriften staan vol met dat soort aankondigingen. Je kunt een aanvraag indienen om onderzoek te doen. Als je wordt goedgekeurd, krijg je alles wat je nodig hebt van het farmaceutische bedrijf, en dat betaalt ook alles. Reclame op radio en tv en in de krant. Administratief personeel en kantoormeubilair. Pennen en papier. En als het onderzoek is afgerond wordt zo'n arts de hele wereld over gevlogen om te vertellen hoe fantastisch het nieuwe medicijn is, waarbij hij benadrukt dat hij onomkoopbaar is omdat hij geen aandelen in het bedrijf bezit.' Ze dacht aan Elliot en zijn Thanksgivingvakantie. 'Daar zit het echte geld. Niet in de aandelen, maar in de deskundigheid. Als je bij de beginfase van een onderzoek bent betrokken, kun je honderdduizenden dollars verdienen door alleen maar je mond open te doen.'

'Waarom zou een arts het dan niet doen als er zoveel geld mee gemoeid is?'

'Als je het op de correcte manier aanpakt, verdien je er namelijk niet zoveel mee. Het brengt wel wat op, maar je bent meer met papierwerk bezig dan met geneeskunde. We weten allemaal dat het een noodzakelijk kwaad is, maar er zit een kwalijke kant aan. Sommige artsen houden er hele onderzoeksfabrieken op na. Door de farmaceutische vertegenwoordigers worden ze "grote spelers" genoemd, net als in Las Vegas. Soms lopen er in zo'n kliniek wel vijftig verschillende onderzoeken tegelijk. Je hebt er een paar in het centrum van Atlanta, vlak bij het daklozencentrum, wat heel handig is.'

'Ik wil wedden dat er op de hogeschool veel studenten zijn die snel wat willen verdienen.'

'Sommigen van mijn armlastige patiënten schrijven zich in voor het ene onderzoek na het andere. Anders hebben ze niks te eten. Maar als je het slim aanpakt, is het big business. Er zijn websites voor professionele proefkonijnen. Die vliegen het hele land door en strijken zo'n zestigtot tachtigduizend dollar per jaar op.'

'Houden de artsen geen lijsten bij om te voorkomen dat patiënten misbruik maken van het systeem?'

'Je hoeft alleen maar je rijbewijs te laten zien, en soms dat niet eens. Je naam wordt in een dossier gezet en vanaf dat moment ben je een nummer. Persoonlijke gegevens krijgen ze van de mensen zelf. Je kunt de onderzoeker wijsmaken dat je een effectenmakelaar bent die aan slapeloosheid en brandend maagzuur lijdt, terwijl je in werkelijkheid een dakloze alcoholist bent die op wat zakcenten uit is. Ze doen niet aan achtergrondonderzoek. Er is geen centrale databank met namen.'

'Tommy reageert op een advertentie en schrijft zich in voor een van de onderzoeken. Hoe gaat het verder?'

'Hij wordt medisch en psychologisch getest. Voor elk onderzoek zijn de criteria anders, en elke deelnemer moet aan de richtlijnen, of protocols, voldoen. Als je slim bent, kun je je moeiteloos een onderzoek in kletsen.'

'Zo slim was Tommy niet.'

'Nee, en hij zou niet door de psychologische keuring zijn gekomen als die op correcte wijze was uitgevoerd.'

'Doet de arts dat niet zelf?'

'Dat ligt eraan. Er zijn goede artsen die gewetensvol te werk gaan, maar de slechte artsen zien de onderzoeksdeelnemers niet eens. Die zijn gereduceerd tot documenten die afgetekend moeten worden. Meestal gaan ze op zondag naar de kliniek en "bestuderen" alle driehonderd gevallen vóór de toezichthoudende vertegenwoordiger de volgende ochtend langskomt.'

'Wie voert zo'n onderzoek dan uit? Verpleegkundigen?'

'Soms, maar een medische opleiding is niet vereist. Er zijn CRO's, uitzendbureaus voor klinisch onderzoek, die personeel aanbieden voor artsen die onderzoek verrichten. Dat soort mensen heeft nog enige training gehad. Er was eens een arts in Texas die zijn vrouw alles liet doen. Ze verwisselde per ongeluk het testmedicijn met pillen die ze voor haar hond had gekregen. Een andere arts liet de leiding over aan zijn maîtresse. Tegen deelnemers die vergeten waren het medicijn te slikken zei ze dat ze maar een dubbele dosis moesten nemen, waardoor de helft leverbeschadiging opliep.'

'Goed, dus Tommy komt door de psychologische keuring. En dan?'

'Dan volgt er een medisch onderzoek. Hij was gezond, dus je kunt ervan uitgaan dat hij erdoorheen kwam. Vervolgens krijgt hij de pillen. Hij moet een dagboek bijhouden. Waarschijnlijk één keer per week moet hij bloed- en urinemonsters afgeven, of gewoon langskomen. Degene met wie hij praat neemt zijn dagboek in en voegt zijn eigen verslag – de bronnotities – bij het dossier. De arts krijgt alleen het dossier te zien.'

'Waar zou het fout kunnen gaan?'

'Dat heb je zelf al gezegd. Tommy heeft kennelijk slecht op de medicatie gereageerd. Zoals we weten uit de incidentenrapporten kreeg hij het met anderen aan de stok. Dat hij aan stemmingswisselingen leed, moet in zijn dagboek hebben gestaan. Degene die hem ondervraagd heeft tijdens zijn bezoekjes aan de kliniek moet meteen hebben geweten dat er iets mis was.'

'En als zo iemand wilde verbergen dat Tommy problemen had?'

'Dan vult hij leugens in op het dossierformulier. Dat wordt op de computer ingevoerd en rechtstreeks naar het farmaceutische bedrijf gestuurd. Niemand komt te weten dat er iets niet klopt, tenzij het dossier vergeleken wordt met het bronmateriaal, dat in een doos naar het archief gaat zodra het onderzoek is beëindigd.'

'Is het onderzoek naar de knoppen als Tommy op tilt zou zijn geslagen?'

'Dat hoeft niet. De arts zou zijn geval kunnen aanmerken als een schending van het protocol. Dat betekent dat hij niet aan de richtlijnen voldeed voor het deelnemen aan het onderzoek. Waaraan hij met zijn beperking al helemaal niet mocht meedoen.'

'En Allison?'

'Zij zou zijn gediskwalificeerd op grond van haar zelfmoordpoging, maar als ze daar geen melding van had gemaakt, zou niemand ervan weten.'

'Wie krijgt het op zijn bord als blijkt dat Tommy aan het onderzoek heeft meegedaan?'

'Niemand eigenlijk. Je kunt tegenover de ethische commissie altijd aanvoeren dat je niet op de hoogte was. Volgens de wet moet er bij elk onderzoek een interne raad van toezicht zijn die de ethische normen toetst. Meestal zitten daar mensen uit de gemeenschap in. Artsen, advocaten, plaatselijke zakenlieden. En om de een of andere reden altijd ecn pastoor of een dominee.'

'Wordt de ethische commissie ook door het farmaceutische bedrijf betaald?'

'Iedereen wordt door het farmaceutische bedrijf betaald.'

'En Tommy? Wanneer krijgt hij zijn geld?'

'Wanneer het onderzoek is afgerond. Als de deelnemers vooruit betaald kregen, zouden de meesten niet terugkomen.'

'Dus als het onderzoek zo goed als voltooid was, werd Tommy bijna uitbetaald. Evenals Allison. En Jason Howell misschien.'

Sara wilde er niet aan denken wie van hen het meest door geld werd gedreven in al deze ellende. 'Je moet niet vreemd opkijken als ze voor deelname aan een onderzoek van drie maanden elk op twee- tot vijfduizend dollar konden rekenen.'

Will reed het parkeerterrein van de kliniek op en zette de auto aan de kant. 'Wat is dus het probleem? We hebben artsen die bergen geld verdienen. Deelnemers die worden betaald. Tommy had niet aan het onderzoek mogen deelnemen, maar het is ook weer niet zo dat door hem alles in de soep draaide. Waarom zou iemand hiervoor twee mensen ombrengen?'

'We moeten achterhalen hoeveel andere deelnemers hetzelfde soort stemmingswisselingen als Tommy vertoonden. Allison was depressief. Dat lees je in haar dagboek. Tommy had driftbuien en maakte ruzie, terwijl hij daar vroeger nooit last van had. Hij heeft zelfmoord gepleegd in de cel. Niet dat ik Lena wil vrijpleiten, maar het is mogelijk dat hij suïcidaal was door de medicatie. Als je bij een onderzoek een hele verzameling negatieve bijverschijnselen ontdekt, wordt de zaak meteen stopgezet.'

'Het is dus in het belang van de arts dat zich geen negatieve bijverschijnselen voordoen. Tenminste, als die test hem veel geld oplevert.'

Sara dacht aan Hare en ze tuitte haar lippen. 'Precies.'

Ze keek door het raampje naar de kliniek. De koplampen verlichtten de voordeur. Daarachter zag ze de vertrouwde hal.

Will stapte uit en liep om de auto heen om het portier voor haar te openen. 'Misschien moet ik maar niet met je mee naar binnen gaan. Ik weet dat jij de wettige eigenaar bent en dat ik jouw toestemming heb en zo, maar de wet is erg streng als het gaat om het inzien van medische dossiers. Je zult de bezorgde burger moeten spelen en me vertellen wat je hebt aangetroffen.'

'Akkoord,' zei ze, al bedacht ze dat ze toch niet veel aan hem zou hebben wat het lezen van dossiers betrof.

Met haar sleutels in de hand liep Sara naar de voordeur. Ze kon zich niet herinneren wanneer ze voor het laatst in het gebouw was geweest, maar ze kreeg de tijd niet om erover na te denken. Terwijl ze de sleutel in het slot stak, keek ze nog even naar het politiebureau. Ze deed het automatisch, zoals ze dat elke ochtend had gedaan omdat Jeffrey meestal aan de overkant van de straat bleef wachten tot ze veilig binnen was.

Het licht van de straatlantaarns was helder, het was een

tintelend frisse nacht en eindelijk was het gestopt met regenen. Bij het raam van Jeffreys kamer zag ze een schim. De man draaide zich om. Sara hapte naar adem en haar knieën begonnen te knikken.

Will stapte uit. 'Sara?'

Zonder nadenken zette ze het op een lopen. Ze duwde Will opzij en rende de heuvel af in de richting van het bureau. 'Jeffrey!' riep ze, want ze wist dat hij het was. Zijn brede schouders. Zijn donkere haar. Zijn manier van lopen, als een leeuw die elk moment kan toeslaan. 'Jeffrey!' Bij het parkeerterrein aangekomen struikelde ze. Ze haalde haar spijkerbroek open aan het asfalt. Haar handpalmen waren geschaafd.

'Tante Sara?' Jared liep op een drafje naar haar toe. Hij bewoog zich losjes, net als zijn vader. Hij knielde voor haar neer en legde zijn handen op haar schouders. 'Heb je je pijn gedaan?'

'Ik dacht dat je...' Ze bracht haar hand naar Jareds gezicht. 'Je lijkt zo...' Ze sloeg haar armen om hem heen en drukte hem zo dicht mogelijk tegen zich aan. Sara kon het niet helpen, maar ze huilde als een kind. Alle herinneringen die ze zo lang op afstand had gehouden, kwamen boven. Het was bijna ondraaglijk.

Jared wreef troostend over haar rug. 'Rustig maar,' fluisterde hij.

De stem van zijn vader. Het liefst had Sara haar ogen gesloten en gedaan alsof. Het liefst had ze zich helemaal laten gaan. Hoe vaak had ze niet samen met Jeffrey op dit parkeerterrein gestaan? Hoe vaak waren ze 's ochtends niet samen naar het werk gereden en hadden ze elkaar op ditzelfde parkeerterrein een afscheidszoen gegeven? En daarna bleef hij in de deuropening van het bureau staan en keek haar na terwijl ze de heuvel op liep, tot ze veilig binnen was. Soms voelde ze zijn blik en dan scheelde het niet veel of ze was de straat weer op gerend voor nog een kus.

'Gaat het?' vroeg Jared met een lichte trilling in zijn

stem. Hij was geschrokken. 'Tante Sara?'

'Neem me niet kwalijk.' Ze liet haar handen op haar schoot vallen. Ze wist niet waarom ze haar verontschuldigingen aanbood, maar ze bleef de woorden herhalen. 'Neem me niet kwalijk.'

'Het geeft niet.'

'Ik dacht dat je...' Ze kon de zin niet afmaken. Ze kon zijn vaders naam niet noemen.

Jared hielp haar overeind. 'Volgens mijn moeder lijk ik sprekend op hem.'

Nu liet Sara haar tranen de vrije loop. 'Wanneer heb je het ontdekt?'

'Het valt nogal moeilijk te verbergen.'

Ze lachte en hoorde zelf hoe schril en wanhopig het klonk. 'Wat doe je hier?'

Hij wierp een blik op Will, die ongemerkt dichterbij was gekomen. Om hen niet te storen bleef hij op enige afstand staan. 'Dit is...' zei Sara, en toen dwong ze zichzelf de naam uit te spreken. 'Dit is de zoon van Jeffrey, Jared Long. Jared, dit is Will.'

Will hield zijn handen diep in zijn zakken. Hij knikte naar de jongen. 'Hallo, Jared.'

'Maar waarom ben je hier?' vroeg Sara. 'Is het vanwege Frank?'

Jared krabde met zijn duim en wijsvinger over zijn wenkbrauw. Sara had Jeffrey ontelbare keren hetzelfde gebaar zien maken. Het betekende dat hij ergens mee zat, maar niet goed wist hoe hij het moest aankaarten. Jared keek weer naar Will. Er speelde iets onnavolgbaars tussen die twee.

Ze herhaalde haar vraag. 'Waarom ben je hier?'

Jareds stem sloeg over. 'Haar auto staat hier. Ik weet niet waar ze is.'

'Over wie heb je het?' vroeg ze, maar ze wist het antwoord al. De Celica van Lena stond nog op het parkeerterrein.

'Ze had zes uur geleden al thuis moeten zijn.' Hij richtte zich tot Will. 'Ik ben al naar het ziekenhuis geweest. Ik heb geprobeerd contact te krijgen met Frank. Ik kan niemand vinden die weet waar ze is.'

'Nee,' fluisterde Sara.

'Tante Sara...' Jared wilde haar aanraken, maar ze legde haar hand plat op zijn borst en hield hem tegen.

'Je wilt toch niet zeggen dat je iets met haar hebt?'

'Het is niet wat je denkt.'

'Niet wat ik denk?' Woedend verhief ze haar stem. 'Wat denk ik dan, Jared? Dat je naar bed gaat met de vrouw die je vader heeft vermoord?'

'Het is anders...'

Will sloeg zijn arm om Sara's middel toen ze Jared aan wilde vliegen. 'Ze heeft hem vermoord!' schreeuwde ze terwijl ze Will wegduwde. 'Ze heeft je vader vermoord!'

'Dat heeft hij zelf gedaan!'

Ze hief haar hand om hem in zijn gezicht te slaan. In afwachting van de klap bleef Jared roerloos staan en keek haar aan. Sara verstarde. Ze kon hem niet slaan, maar ze was evenmin in staat om haar hand te laten zakken. Die hing tussen hen in als een mes dat elk moment kon toesteken.

'Hij was politieman,' zei Jared. 'Hij kende de gevaren.'

Ze liet haar hand zakken, want nu wilde ze hem pas echt pijn doen. 'Is dat wat ze jou heeft verteld?'

'Dat is wat ik wéét, tante Sara. Mijn vader was een politieman in hart en nieren. Hij deed zijn werk en dat heeft hem zijn leven gekost.'

'Je weet niet hoe ze is. Je bent te jong om te begrijpen waartoe ze in staat is.'

'Ik ben niet te jong om te weten dat ik van haar hou.'

Het was alsof ze in haar borst werd gestompt. 'Ze heeft hem vermoord,' fluisterde Sara. 'Je hebt geen idee wat ze me heeft ontnomen. Wat ze jou heeft ontnomen.'

'Ik weet meer dan je denkt.'

'Nee, dat weet je niet.'

Nu kreeg Jareds stem iets scherps. 'Hij deed zijn werk,

en daarbij heeft hij de verkeerde mensen dwarsgezeten, en niemand had hem kunnen tegenhouden. Jij niet, Lena niet, ik niet, niemand. Hij besliste zelf. Hij liet zich door niemand de wet voorschrijven. En hij was eigenzinnig als de pest. Als hij eenmaal iets in zijn hoofd had, kon je hoog of laag springen, maar hij deed het toch.'

Sara besefte pas dat ze terugweek toen ze Will achter zich voelde. Ze greep zijn arm om niet te vallen. 'Ze heeft het verhaal zo verdraaid dat je nog medelijden met haar hebt ook.'

'Dat is niet waar.'

'Ze kan als geen ander mensen manipuleren. Dat zie je nu nog niet, maar het is wel zo.'

'Stop daar eens mee.' Jared probeerde haar hand te pakken. 'Ik hou van haar. En Jeffrey hield ook van haar.'

Sara kon niks meer zeggen. Ze wilde weg. Ze keerde zich naar Will toe en verborg haar gezicht tegen zijn borst. 'Haal me hier weg. Alsjeblieft, breng me naar huis.'

'Je mag niet weggaan,' zei Jared. 'Jullie moeten me helpen.'

Met zijn arm om Sara heen geslagen leidde Will haar de straat over.

Jared kwam op een drafje achter hen aan. 'Jullie moeten me helpen zoeken. Ik weet niet waar ze is.'

'Ga nou maar, jongen.' Wills stem klonk hard.

'Iemand heeft haar banden doorgesneden. Ze neemt haar mobiel niet op.'

Nog steeds met zijn arm om Sara heen hielp Will haar de heuvel op. Ze had haar blik neergeslagen en keek naar het gras op het gazon. De wortels waren weggespoeld. Modderklonten glibberden onder haar schoenen uit.

'Ze heeft om zes uur gebeld, met haar mobiel,' zei Jared. 'Ze zei dat ze over een uur thuis zou zijn.' Hij probeerde hun de weg te versperren, maar Will duwde hem met één hand opzij. 'Ze heeft ontslag genomen!' riep hij. 'Ze vertelde me dat ze ontslag had genomen!'

Inmiddels waren ze op het parkeerterrein van de kliniek

aangekomen. Will opende het portier en hielp Sara instappen.

Jared sloeg met zijn hand op de motorkap. 'Kom op nou! Ze wordt vermist! Er is iets gebeurd!' Hij rende om de auto heen, liet zich voor het open portier op zijn knieën vallen en drukte zijn handen als in gebed tegen elkaar. 'Alsjeblieft, tante Sara. Alsjeblieft. Je moet me helpen zoeken. Er is iets gebeurd. Ik weet dat er iets ergs is gebeurd.'

Zijn gezicht was zo verwrongen van pijn dat er iets brak bij Sara. Ze keek Will aan en zag zijn bezorgde blik.

Met zachte, vaste stem zei hij: 'Ze heeft ook geen contact meer met mij opgenomen.'

Nu huilde Jared. 'Alsjeblieft, kijk dan alleen in de kliniek. Ik weet dat haar hand pijn deed vanochtend. Misschien heeft ze hulp gezocht. Misschien is ze gevallen of is ze ziek of...'

Heel even sloot Sara haar ogen om zich van haar emoties te distantiëren. Het liefst wilde ze weg, het liefst wilde ze de naam Lena Adams nooit meer horen.

'Sara,' zei Will. Het was geen vraag, eerder een schuldbekentenis.

'Ga maar,' zei ze. Het had geen zin zich ertegen te verzetten.

Will nam haar gezicht in zijn handen om haar te dwingen hem aan te kijken. 'Ik ben zo terug, oké? Ik ga alleen even voor hem bij de kliniek kijken.'

Sara antwoordde niet. Hij sloot het portier en ze leunde achterover. De motor was uit, maar de maan stond zo helder aan de hemel dat ze de koplampen niet nodig had om de twee mannen bij de voordeur van de kliniek te zien. Lena hoefde niet eens lijfelijk aanwezig te zijn om de mannen in Sara's leven in haar greep te hebben. Ze was als een succubus, als een sirene die met haar lied hun denken vertroebelde.

Will keek achterom naar Sara toen hij de sleutel in het slot omdraaide. Met enige afstandelijkheid bestudeerde ze Jared.

Hij was magerder dan zijn vader. Zijn schouders waren niet zo breed. Zijn haar was langer dan dat van Jeffrey, nog even lang als toen hij op de middelbare school zat. Een beeld flitste aan haar voorbij: Lena die Jareds haar vastgreep. Nu had ze haar alles ontnomen. Ze had zich een vernietigend pad gebaand dwars door alles wat Jeffrey had nagelaten.

Sara wendde haar hoofd af toen de twee mannen de kliniek binnengingen. Ze kon niet langer naar Jared kijken. Het was te pijnlijk. Het was zelfs te pijnlijk om hier te zijn. Ze schoof over de versnellingsbak en kroop achter het stuur. Ze drukte op de startknop. Er gebeurde niets. Will had de sleutel meegenomen.

Ze stapte uit en liet het portier openstaan. Ze keek op naar de volle maan. Die scheen opvallend helder en verlichtte de grond voor haar voeten. Ze dacht aan een brief uit de Burgeroorlog die Jeffrey haar lang geleden had voorgelezen. Het was een brief van een eenzame vrouw aan haar man, die soldaat was. Ze vroeg zich af of dezelfde maan ook op haar geliefde scheen.

Sara liep om de kliniek heen. Ze zag een bord met Hares naam erop, maar haar woede over het medicijnenonderzoek was allang bekoeld. Ze kon geen grammetje medeleven meer opbrengen voor Allison Spooner, Jason Howell of zelfs voor die arme Tommy Braham, die op de een of andere manier in dit alles verstrikt was geraakt. Van al haar gevoelens was slechts een doffe pijn overgebleven. Zelfs Lena kon ze niet langer haten. Haar proberen te stoppen was vechten tegen de bierkaai. Sara kon haar met geen mogelijkheid tegenhouden. Als de wereld verging zou Lena nog overeind blijven staan. Ze zou hen allemaal overleven.

De tuin achter de kliniek was één grote modderpoel. Elliot had alles laten verslonzen. De picknicktafels waren verdwenen, de schommel was afgebroken. De wilde bloemen die Sara samen met haar moeder had geplant, hadden al lang geleden de geest gegeven. Ze ging op de oever van de beek staan. Die was in een rivier veranderd en het geruis van het kolkende water overstemde alle geluid. De grote esdoorn die jarenlang zoveel schaduw had gegeven, was in de stroom gevallen. De bovenste takken raakten amper de oever aan de overkant. Terwijl Sara stond te kijken, vielen er brokken aarde in het water, die razendsnel werden weggevoerd. Aan deze oever had ze samen met haar vader gevist. Op nog geen kilometer stroomafwaarts lagen allemaal rotsblokken, waar meervallen de draaikolken in en uit zwommen. Tessa klom altijd op het graniet om in de zon te liggen bakken. Sommige rotsblokken waren wel drie meter hoog. Sara vermoedde dat ze onder het water waren verdwenen. Alles in deze stad, ongeacht hoe sterk het was, werd uiteindelijk weggespoeld.

Achter zich hoorde Sara een tak kraken. Ze draaide zich om. Een paar meter verderop stond een vrouw in een roze verpleegstersuniform. Ze was buiten adem. Haar make-up was doorgelopen; mascara vormde zwarte ringen onder haar ogen. De rode kunstnagels aan haar vingers waren gescheurd en gebroken.

Sara herkende haar meteen. 'Darla.' Ze had Franks dochter al jaren niet meer gezien. 'Wat is er?'

Darla maakte een terughoudende indruk. Ze keek even achterom. 'Je hebt het zeker al gehoord over mijn vader?'

'Wil hij nog steeds niet naar het ziekenhuis?'

Ze schudde haar hoofd en weer keek ze achterom. 'Misschien kun jij eens met hem praten en zeggen dat hij zich moet laten onderzoeken.'

'Ik denk niet dat ik daar op dit moment de aangewezen persoon voor ben.'

'Heb je ruzie met hem gehad?'

'Nee, maar het is...' Langzamerhand kreeg Sara's brein weer vat op haar. Het was bijna drie uur 's nachts. Ze kon geen enkele reden bedenken waarom Darla hier moest zijn. 'Wat is er aan de hand?'

'Mijn auto heeft er de brui aan gegeven.' Voor de derde keer wierp Darla een blik over haar schouder. Ze keek niet in de richting van de kliniek, maar naar het politiebureau. 'Kun je me een lift naar mijn vaders huis geven?'

Sara voelde haar lichaam reageren op een gevaar dat ze niet goed kon thuisbrengen. Haar hart sloeg over. Haar mond was kurkdroog. Dit klopte niet. Dit klopte van geen kant.

Met een knik gaf Darla aan dat Sara voor haar uit naar het parkeerterrein moest lopen. 'Kom.'

Sara legde haar hand in haar nek. Ze dacht aan Allison Spooner bij het meer, en hoe haar hoofd tegen de grond werd gedrukt terwijl het mes door haar nek sneed. 'Wat heb je gedaan?'

'Ik moet hier weg, nou goed?'

'Waarom?'

Darla's toon werd scherp. 'Geef me je autosleutel, Sara. Hier heb ik geen tijd voor.'

'Wat heb je met die jongelui gedaan?'

'Hetzelfde wat ik met jou ga doen als je me die stomme sleutel niet geeft.' Ter hoogte van Darla's middel blonk iets, en het volgende moment had ze een mes in haar hand. Het lemmet was zo'n tien centimeter lang en eindigde in een dodelijke punt. 'Ik wil je geen pijn doen. Geef me die sleutel nou.'

Sara week terug. Haar voet zonk weg in de zanderige oever. Paniek greep haar bij de keel. Ze had gezien wat Darla kon aanrichten met dat mes. Ze wist dat de vrouw over lijken ging.

'Geef me de sleutel.'

Achter zich hoorde Sara het geraas van de aanzwellende rivier. Waar bleef Will? Waarom duurde het zo lang? Ze keek naar links en naar rechts, maar wist niet of ze ervandoor zou gaan.

'Zou ik niet doen.' De vrouw had haar gedachten geraden. 'Ik doe je geen pijn. Ik wil alleen die sleutel.'

'Die heb ik niet,' fluisterde Sara.

'Niet liegen.' Darla keek weer naar het politiebureau. Ze

had niet één keer naar de kliniek gekeken. Of ze had Will en Jared al uitgeschakeld, of ze wist niet dat ze binnen waren. 'Doe nou niet zo dom, schat. Je hebt gezien waartoe ik in staat ben.'

'Wat gebeurt er als ik je de sleutel geef?' vroeg Sara bevend.

Met een paar stappen verkleinde Darla de afstand tussen Sara en zichzelf. Het mes lag vast in haar hand. Ze was nog geen meter van Sara verwijderd en kon moeiteloos toeslaan. 'Dan ga jij lopend naar je pappie en mammie en ik ben pleite.'

Heel even voelde Sara opluchting, maar toen drong de waarheid met een schok tot haar door. Zo werkte het niet. Ze wisten allebei dat Sara niet naar huis zou gaan. Ze zou de straat oversteken naar het politiebureau en alles vertellen wat er gebeurd was. Nog voor Darla de stadsgrens had bereikt, zou ze door alle patrouillewagens van het district zijn ingesloten.

'Geef op die sleutel,' herhaalde de vrouw. Onverwacht liet ze het mes door de lucht zwiepen. Het metaal zoefde langs Sara's gezicht. 'Nu, verdomme!'

'Oké! Oké!' Sara stak haar bevende hand in haar zak, maar al die tijd hield ze haar blik op het mes gericht. 'Ik geef je de sleutel als jij me vertelt waarom je ze vermoord hebt.'

Koel nam Darla haar op. 'Ze chanteerden me.'

Sara deed weer een stapje terug. 'Met dat onderzoek?'

Haar arm ontspande zich, maar het mes was nog heel dichtbij. 'Steeds meer studenten lieten het afweten, kwamen niet opdagen voor hun afspraak. Ik kreeg Jason zo gek dat hij dubbel zo vaak bloed gaf en een extra dagboek bijhield. Hij haalde Allison erbij en toen raakte Tommy er ook bij betrokken. We zouden het geld eerlijk verdelen. Maar ze werden hebzuchtig en wilden alles hebben.'

Sara bleef naar het mes kijken. 'Je probeerde Jason te laten opdraaien voor de moord op Allison.'

'Je bent nog even slim als vroeger.'

433

'Wist Hare hiervan?'

'Waarom denk je dat ik ervandoor ga? Hij heeft Tommy's dossier gevonden. Hij ging het aangeven bij de ethische commissie.' Voor het eerst toonde ze enige wroeging. 'Het was niet mijn bedoeling Tommy kwaad te doen. Hij had geen idee wat er aan de hand was. Maar het zou niet best zijn als iemand die rapporten onder ogen kreeg.'

'Tommy nam een dubbele dosis pillen,' vermoedde Sara. 'Hij werd twee keer ingeschreven en nam dus ook twee keer de dosis. Daarom leed hij aan stemmingswisselingen. Daarom heeft hij zichzelf van het leven beroofd, toch?'

'Ik heb het helemaal gehad met jou.' Darla strekte haar arm. Het mes was nog maar enkele centimeters van Sara's keel verwijderd. 'Geef op die sleutel.'

Heel even keek Sara naar de kliniek. De deur was nog dicht. 'Die heb ik niet.'

'Niet liegen, bitch. Ik zag je net nog in de auto zitten.'

'Ik heb...'

Darla dook op haar af. Sara stapte naar achteren en hield haar arm afwerend omhoog. Het lemmet sneed door haar huid, maar ze voelde geen pijn. Het enige wat ze voelde was een hartverlammende paniek toen de grond onder haar voeten plotseling uiteenweek en ze allebei achterover tuimelden.

Sara sloeg met haar rug tegen de grond. Darla vloog weer overeind, met het mes hoog boven haar hoofd. Sara probeerde overeind te krabbelen. Intuïtief liet ze zich op haar buik rollen, maar meteen besefte ze dat Allison Spooner in precies dezelfde houding had gelegen toen het lemmet in haar nek werd gestoten. Ze probeerde door te rollen, maar Darla was te zwaar. Ze greep Sara bij haar nek. Sara duwde met haar handen, schopte met haar voeten en zette alles op alles om zich onder de vrouw uit te wurmen.

In plaats van het lemmet in haar hals voelde Sara de aarde beven en weer spleet de grond onder haar. Opnieuw was het alsof ze een vrije val maakte. Het gebulder van de rivier werd luider toen ze voorover in het ijzige water viel. Door kou omhuld hapte ze naar adem. Water stroomde haar mond en haar longen binnen. Ze had geen idee wat onder en wat boven was. Haar handen en voeten vonden nergens houvast. Ze sloeg om zich heen, zocht naar lucht, maar iets hield haar onder water.

Darla. De vrouw had haar handen om haar middel geslagen en haar vingers priemden in haar huid. Sara probeerde zich los te worstelen en sloeg met haar handen op Darla's rug. Haar longen barstten bijna. Ze ramde haar knie zo hard mogelijk omhoog. Darla's greep verslapte. Sara stuwde zichzelf naar de oppervlakte en zoog lucht naar binnen.

'Help!' riep ze. 'Help!' Ze schreeuwde haar keel rauw.

Naast haar dook Darla op, met wijdopen mond en ogen die uitpuilden van paniek. Ze greep Sara's arm. De oever werd een vage streep toen de stroming hen meesleurde. Sara sloeg haar nagels in de rug van Darla's hand. Allerlei rommel streek langs haar hoofd. Bladeren. Twijgjes. Grote takken. Darla klemde zich vast. Ze had nooit goed kunnen zwemmen. Ze probeerde Sara niet naar beneden te trekken, maar vocht voor haar eigen leven.

Het geruis van het water ging over in een oorverdovend gebulder. De rotsblokken. De uitstekende brokken graniet waar Tessa en Sara als kinderen overheen hadden geklauterd. Voor haar doemden ze op, als onregelmatige tanden die hen uiteen wilden rijten. Het water stroomde aan weerszijden langs de scherpe randen. Met razende vaart werden ze ernaartoe gesleurd. Nog tien meter. Zes meter. Sara greep Darla onder haar oksel en met een harde ruk schoof ze haar naar voren. Met een weergalmende knal sloeg Darla's schedel stuk op het graniet. Sara werd tegen haar aan geworpen. Haar schouder kraakte. Haar hoofd·explodeerde.

Ze vocht tegen de duizeligheid die haar overmande. Ze proefde bloed. Ze werd niet langer stroomafwaarts meegevoerd. Met haar rug zat ze vast in een grote spleet. Het schuimende water beukte zo hard tegen haar borst dat ze zich niet kon bewegen. Darla's hand zat klem tussen Sara's rug en het graniet. Haar levenloze lichaam zwaaide als een gescheurde vlag heen en weer. Haar schedel lag open en het rivierwater klotste in het gat. Sara voelde de hand wegglijden. Eén harde ruk en toen werd ze meegesleurd.

Sara hoestte. Water stroomde haar open mond binnen en drong in haar neus. Ze stak haar hand omhoog en voelde platte steen. Eerst moest ze zich omdraaien. Ze moest een manier vinden om op het rotsblok te klimmen. Sara boog haar knieën en zette haar voeten schrap tegen het graniet. Ze probeerde zich omhoog te duwen. Er gebeurde niets. Schreeuwend deed ze de ene poging na de andere, maar met hetzelfde resultaat. Het water trok haar van de rots. Ze gleed weg, verloor haar greep. Haar hoofd verdween onder water. Ze vocht om boven te blijven en elke spier in haar lichaam trilde van inspanning. Het was te veel. Ze verging van de pijn in haar schouder. Ze had kramp in haar bovenbenen. Haar vingers lieten langzaam los. Het was een hopeloze strijd. Het water was te sterk. Haar lichaam gleed steeds verder langs de rots naar beneden. Sara ademde diep in en nam een hap lucht net voor ze kopje-onder ging. Het voortdurende geruis ging over in volledige stilte.

Ze perste haar lippen opeen. Haar haar dreef voor haar uit. Boven zich zag ze de maan, waarvan het felle licht door het wateroppervlak wist te dringen. De stralen waren als vingers die zich naar haar uitstrekten. Onder de stilte in haar oren hoorde ze iets anders. De rivier had een stem, een murmelende, troostende stem die beloofde dat aan de overkant alles beter zou zijn. De stroming sprak tot haar, zei dat ze los mocht laten. Met een schok besefte Sara dat ze dat ook wilde. Ze wilde zich simpelweg overgeven, naar dat oord gaan waar Jeffrey op haar wachtte. Niet de hemel. Niet een of ander aards ideaal, maar een oord vol rust en troost, waar de gedachte aan hem, de herinnering aan hem zich niet als een verse wond opende telkens als ze ademde. Telkens als ze ergens kwam waar ze samen geweest waren. Telkens als ze aan zijn prachtige ogen dacht, aan zijn mond, aan zijn handen.

Sara reikte in het water naar de vingers van maanlicht die naar beneden schenen. De kou was een warme nevel geworden. Ze opende haar mond. Luchtbelletjes borrelden langs haar gezicht. Haar hartslag was traag en futloos. Ze liet zich door haar emoties overspoelen. Nog heel even baadde ze in de luxe van de overgave, en toen dwong ze zichzelf naar de oppervlakte en draaide haar lichaam rond om houvast te zoeken bij de rots.

'Nee!' gilde ze woedend tegen de rivier. Haar armen beefden toen ze langs de rots naar boven klauwde. Het water greep haar met ontelbare handen die haar weer omlaag wilden sleuren, maar met elke vezel van haar lichaam vocht Sara zich naar de top van het granietblok.

Ze liet zich op haar rug rollen en staarde naar de hemel. De maan scheen in al zijn glorie en het licht spatte van de bomen, de rotsen, de rivier. Sara lachte, want ze had genoeg van het alternatief. Ze lachte zo hard dat ze ervan moest hoesten. Ze duwde zichzelf overeind tot ze rechtop zat en hoestte zich helemaal leeg.

Diep inademend zoog ze het leven weer op. Haar hart bonkte in haar borst. Haar lichaam zat onder de wonden en blauwe plekken die zich langzamerhand deden gelden. Pijn wekte alle zenuwuiteinden en liet haar weten dat ze nog leefde. Weer ademde Sara diep in. De lucht was zo tintelend dat ze het tot diep in haar longen voelde. Ze bracht haar hand naar haar hals. De ketting was weg. Haar vingers stuitten niet langer op de vertrouwde vorm van Jeffreys ring.

'O, Jeffrey,' fluisterde ze. 'Dank je.'

Dank je omdat je me hebt laten gaan.

Maar waar moest ze naartoe? Sara keek om zich heen. De maan was zo helder dat het bijna dag leek. Ze bevond zich midden in de rivier, wel drie meter van beide oevers verwijderd. Water kolkte schuimend rond de kleinere rotsblokken om haar heen. Ze wist dat sommige ruim twee meter de diepte in gingen. Ze betastte haar schouder. Er klikte iets, maar er zat nog beweging in.

Sara krabbelde overeind. Op de oever stond een treurwilg die haar met zijn zwaaiende ranken naar de open plek onder zijn takken lokte. Als ze een van de kleinere rotsblokken wist te bereiken zonder meegesleurd te worden, kon ze vandaar op de kant springen.

Ergens kraakte een tak. Bladeren ritselden. Will verscheen op de open plek. Zijn borst ging op en neer, zo hard had hij gerend. In zijn handen hield hij een opgerold touw. Zijn gezicht was een open boek waarin ze al zijn emoties kon lezen. Angst. Verwarring. Opluchting.

Sara verhief haar stem om boven het ruisende water uit te komen. 'Waar bleef je nou?'

Verbaasd opende hij zijn mond. 'Ik moest nog boodschappen doen,' zei hij nahijgend. 'Er stond een lange rij bij de balie van de bank.'

Ze lachte zo hard dat ze weer begon te hoesten.

'Gaat het?'

Ze knikte, en met moeite onderdrukte ze een volgende hoestbui. 'En Lena?'

'Die lag in de kelder. Jared heeft een ambulance gebeld, maar...' Zijn stem stierf weg. 'Ze is er slecht aan toe.'

Sara leunde voorover met haar handen op haar knieën. Weer was het Lena die hulp nodig had. Weer mocht Sara puinruimen. Merkwaardig genoeg voelde ze niet de vertrouwde weerzin of zelfs maar de woede die haar vaste metgezel was geweest sinds die gruwelijke dag dat ze haar man had zien sterven. Voor het eerst in vier jaar voelde Sara vrede in haar hart. Tessa had gelijk: dieper dan in de put kon je niet zinken. Uiteindelijk moest je er weer uitklimmen, het stof van je kleren slaan en de draad van je leven oppakken.

'Sara?'

Ze stak haar hand naar hem uit. 'Gooi me dat touw eens toe.'

Negentien

Will minderde vaart en draaide de Porsche Caplan Road in, waarbij hij de richtingaanwijzingen volgde die Sara hem had meegegeven. Ze had pijltjes bij de straatnamen getekend, en zolang Will het vel papier in de goede richting hield, zou hij zonder te verdwalen het huis van Frank Wallace moeten kunnen vinden. Sara had hem zelfs haar leesbril geleend, die zo klein was dat hij net het gekke neefje van Buster Poindexter leek. Maar ze had gelijk. De bril was een verbetering. De woorden op de pagina voor hem haalden nog steeds trucjes met hem uit, maar ze waren wel scherper.

Zijn telefoon ging. Hij zocht in zijn zak en ondertussen stuurde hij met zijn knieën omdat hij het blad met aanwijzingen niet wilde laten vallen. Op het scherm zag hij het nummer van Faith.

'Waar heb jij uitgehangen?' wilde ze weten. 'Ik heb je twee berichtjes gestuurd. Ik heb zelfs Amanda gebeld.'

'Heb je geen bevallingsverlof?'

'Emma slaapt en dit stomme ziekenhuis komt me alweer de keel uit.' Ze begon aan een lange klachtenlijst, die van vieze toetjes overging op gevoelige borsten.

Op dat punt onderbrak Will haar. 'Ik heb onze boef te pakken.'

'Wat?' Faiths stem schoot omhoog van verbazing, en hij besefte dat ze niet had durven hopen dat hij de zaak zo snel zou oplossen.

'Fijn dat je zoveel vertrouwen in me hebt.'

'O, hou toch je kop. Het zit me gewoon dwars dat je het zonder mij hebt geklaard.'

Voor plotselinge emotionele uitbarstingen moest je niet bij Faith zijn. Will was zo wijs om niet op het onderwerp door te gaan. In plaats daarvan vertelde hij over het medicijnenonderzoek en de moeite die Darla Jackson zich had getroost om haar afpersers uit de weg te ruimen en zich van Lena Adams te ontdoen.

'Over wat voor bedragen praten we?' vroeg Faith.

'We weten niet met hoeveel dossiers ze heeft geknoeid. Tienduizenden dollars misschien.'

'Jemig. Waar kan ik me opgeven?'

'Niet te geloven, hè?' beaamde Will. Zelf kon hij zo'n bedrag ook goed gebruiken. Hij keek er bepaald niet naar uit om naar Atlanta terug te keren en zijn voortuin opnieuw om te spitten. 'Lena ligt nog in het ziekenhuis. Daar houden ze haar wel een tijdje, denk ik.'

'Het verbaast me dat Sara haar geholpen heeft.'

Dat had Will ook verbaasd, maar hij vermoedde dat ze als arts niet kon kiezen wie ze redde. Niettemin was het een zwijgzame aangelegenheid geweest toen Sara het infuus aanlegde en Jared opdracht gaf water voor Lena te halen, vervolgens dekens en toen nog meer water. Will wist niet of dat alleen bedoeld was om Lena te helpen of ook om Jared voor een zenuwinzinking te behoeden. Hoe dan ook, het had aan de situatie een zekere rust verleend en dat was hard nodig geweest.

Vanaf het moment dat ze de kinderkliniek waren binnengegaan om Lena te zoeken had Jared strak van de zenuwen gestaan. Door zijn grillige gedrag hadden ze kostbare minuten verloren. Hij had deuren opengeschopt die niet op slot zaten. Hij had bureaus omvergegooid en archiefkasten omgekieperd. Tegen de tijd dat Will de afgesloten kelderdeur had gevonden was de jongen zo uitgeput dat hij bijna geen kracht meer had om samen met Will de deur open te breken.

Maar toen had Jared een nieuwe stoot energie gekregen. Zonder zich te bekommeren om wie of wat er zich eventueel in de schaduwen ophield was hij de trap af gestormd. Achter in de kelder hadden ze een tweede afgesloten deur aangetroffen. Diepe groeven in het beton duidden op metalen schappen die ooit de ingang hadden verborgen van wat ongetwijfeld een schuilkelder was geweest. Een oud maar solide nachtslot hield de deur stevig op zijn plaats. Jared had erop los gebeukt en was als een flipperbal van de muur gestuiterd, waarbij zijn schouder bijna uit de kom was geschoten, tot Will uitkomst bood met een koevoet die hij op een werkbank had gevonden.

Will moest bekennen dat hij pas aan Sara had gedacht toen de deur was opengewrikt. Lena was nauwelijks bij bewustzijn en rilde van de koorts. Haar lichaam was doordrenkt van het zweet. Jared huilde toen hij het touw om haar handen en voeten losmaakte en Will smeekte om hulp te halen. Will was naar boven gerend om Sara te zoeken. Terwijl hij naar haar lege BMW stond te staren hoorde hij haar schreeuwen, ergens bij de rivier. Het was puur geluk geweest dat ze om hulp had geroepen vlak voor Darla haar weer het water in trok. Het was dubbel geluk geweest dat het touw waarmee Lena was vastgebonden lang genoeg was om Sara op het droge te helpen.

Niet dat ze niet zonder had gekund. Will wist zeker dat ze zich heel goed zelf had kunnen redden. Hij zou niet vreemd hebben opgekeken als hij haar over het water had zien lopen na de hel die ze had overleefd.

Door de telefoon hoorde Will babygeluidjes en de stem van een andere vrouw.

Op gedempte toon overlegde Faith met de verpleegster. 'Ik moet ophangen,' zei ze tegen Will. 'Emma is net binnengebracht voor haar voeding. Hè, liefje?'

Will moest enige tijd babygebrabbel aanhoren voor haar stem weer normaal werd. 'Ik ben blij dat je er niks aan hebt overgehouden. Ik heb me zorgen gemaakt omdat je daar helemaal in je eentje was.' Ze klonk gespannen, alsof ze elk moment in tranen kon uitbarsten. De afgelopen maanden was Faith behoorlijk emotioneel geweest. Will had gehoopt dat dat malle gedrag over zou zijn zodra de baby was gearriveerd, maar misschien duurde het even voor ze hormonaal weer de oude was.

'Ik ga ook maar eens ophangen,' zei hij. 'Ik ben bijna bij Franks huis.'

Ze haalde luid haar neus op. 'Vertel me er later maar over.'

'Doe ik.'

De hoorn werd met veel gekletter op de haak gelegd en Will concludeerde dat dat Faiths manier was om de verbinding te verbreken. Hij stopte zijn mobiel weer in zijn zak, vergeleek een straatnaambord met zijn aanwijzingen en sloeg af. Een pijl verwees hem naar de andere kant van het papier. Zijn lippen plooiden zich tot een lach. Sara had een smiley voor hem getekend.

Weer minderde Will vaart om naar huisnummers te zoeken. Hij bestudeerde iedere brievenbus en vergeleek het adres met de aanwijzingen op het papier. Halverwege de straat vond hij wat hij zocht. Frank had een huisje van één verdieping, maar er ging niets lieflijks of vriendelijks van uit. Het deed eerder triest aan, alsof er een donkere wolk omheen hing. De goten waren verzakt. De ramen waren smerig. De tuinkabouter was een verrassing, in tegenstelling tot de lege whiskyflessen naast de vuilnisbak.

De hordeur ging open toen Will uit de auto stapte. Lionel Harris moest lachen om Wills verbaasde gezicht.

'Goeiemorgen,' zei hij. 'Ik heb gehoord dat jullie vannacht zijn gaan zwemmen.'

Will glimlachte, maar als een plotselinge regenbui brak het klamme zweet hem weer uit. Hij raakte het beeld van Sara die boven op dat rotsblok stond maar niet kwijt. 'Eerlijk gezegd verbaast het me om u hier te zien, meneer Harris.'

'Ik kwam alleen maar een stoofschotel brengen.'

Will was zichtbaar verward. De oudere man gaf hem een klopje op zijn rug. 'De kracht van een gedeelde geschiedenis mag nooit onderschat worden.'

Will knikte, hoewel hij het nog steeds niet begreep.

'Ik ga er maar weer eens vandoor.' Lionel pakte zijn stok en daalde de verandatrap af. Will keek hem na terwijl hij de straat op liep. Een van de buren wenkte hem en hij bleef staan voor een praatje.

'Frank wacht op u.'

Will draaide zich om. Er stond een vrouw in de deuropening. Ze was al wat ouder, met gebogen schouders en onnatuurlijk rood haar. Haar make-up lag er al net zo dik op als bij haar dochter. Will zag een donkere streep onder haar oog. Haar neus was opgezwollen. Ze had recent een klap gehad, een keiharde klap.

'Ik ben Maxine.' Ze duwde de hordeur voor hem open. 'Hij verwacht u.'

Vanbinnen was Franks huis zo mogelijk nog deprimerender dan aan de buitenkant. De muren en het plafond waren geel uitgeslagen van jaren sigarettenrook. De vloerbedekking was schoon, maar versleten. Het meubilair leek rechtstreeks uit een modelhuis in de jaren vijftig te komen.

'Hij is achter.' Maxine wenkte hem mee de gang in. Tegenover de keuken was een kleine slaapkamer die dienstdeed als kantoor en vol troep lag. Achter in het huis was een smerige badkamer met avocadogroene tegels. In het laatste vertrek lag Frank op een ziekenhuisbed. De jaloezieën zaten dicht, maar erachter gloeide zonlicht. De kamer was bedompt en rook naar zweet. Ondanks de zuurstofslangen die uit Franks neus staken haalde hij moeizaam adem. Zijn huid was geel. Zijn ogen waren troebel.

Naast het bed stond een stoel. Will ging ervan uit dat die voor hem was bedoeld en nam plaats.

'Ik taai af naar de keuken,' zei Maxine. 'Ik hoor het wel als jullie wat willen.'

Will draaide zich verbaasd om, maar ze was de kamer al uit. Hij keek Frank weer aan. 'Julie Smith?'

De zware bariton van de oudere man was een zachte bibberstem geworden. 'Ik heb haar Sara laten bellen.'

Zoiets vermoedde Will al. 'Nog voor Sara arriveerde, wist u al dat Tommy zich van het leven had beroofd.'

'Ik dacht...' Frank sloot zijn ogen. Zijn borst ging langzaam op en neer. 'Ik dacht dat Sara hem maar het beste kon vinden. Dan zouden er minder vragen worden gesteld.'

Zo had het inderdaad kunnen gaan. Sara kende Nick Shelton. Ongewild had ze dingen glad kunnen strijken. 'Waarom liet u Maxine zeggen dat Allison een vriendje had?'

Eén schouder ging omhoog. 'Het is altijd het vriendje.'

Dat moest Will beamen, maar Frank had de afgelopen dagen zoveel leugens verteld dat hij niet wist of de man nog eerlijk kon zijn. Lionel Harris' theorie over verandering klopte ergens wel. Niet veel mensen waren ertoe in staat. Alleen door iets heel ergs of iets heel moois kon een mens een wending aan zijn leven geven. Het was Will duidelijk dat Frank te ver heen was voor levensveranderende openbaringen. Hij rook ziek, alsof zijn lichaam al wegrotte. Will wist dat er in elk leven een moment aanbrak waarop het te laat was om nog iets te veranderen. Dan kon je alleen maar wachten tot de dood je wegvaagde.

Met vertrokken gezicht probeerde Frank te gaan verliggen.

'Kan ik iets voor u halen?'

Hij schudde zijn hoofd, hoewel hij zichtbaar pijn leed. 'Hoe gaat het met Lena?'

'Ze heeft een ernstige infectie, maar waarschijnlijk redt ze het wel.'

'Zeg maar dat het me spijt. Zeg maar dat het me spijt van alles.'

'Dat doe ik,' beloofde Will, maar als het aan hem lag zou hij nooit meer een woord met haar wisselen. Niet dat hij

Lena Adams slecht vond, maar ze had iets corrupts dat een bittere smaak achterliet. 'Zou u me willen vertellen wat er gebeurd is?'

Frank keek Will recht aan. Zijn ogen traanden. 'Heb je kinderen?'

Will schudde zijn hoofd.

'Darla was altijd al opstandig; ze haalde Maxine en mij het bloed onder de nagels vandaan.' Hij zweeg even om op adem te komen. 'Op haar zeventiende liep ze weg. Ik wist pas dat ze weer in de stad was toen ik haar een keer buiten bij de kliniek zag.' Hij hoestte en bloeddruppeltjes sproeiden over het laken. 'Ze stond een sigaret te roken.'

'Waarom belde ze de politie over Tommy? Dat leek nogal riskant gezien haar criminele activiteiten.'

'Ik weet niet of ze Tommy bang wilde maken of mij wilde straffen.' Frank stak zijn hand uit naar het glas water op zijn nachtkastje. Will hielp hem door het rietje vast te houden terwijl hij dronk. Frank slikte, wat pijnlijk luid klonk in het kleine vertrek. Zacht kreunend liet hij zich weer achterovervallen.

'Wat deed u nadat u het incidentenrapport over Tommy's hond had gelezen?' vroeg Will.

'Ik ging naar de kliniek en vroeg haar waar ze in jezusnaam mee bezig was.'

'Darla's naam stond niet in het rapport.'

Frank zweeg.

Will had genoeg van het moeizame gedoe. 'U hebt duizenden verhoren afgenomen, commissaris Wallace. U weet wat voor vragen u van mij kunt verwachten. Waarschijnlijk hebt u al een lijst in uw hoofd.' Hij zweeg in de hoop dat Frank het wat gemakkelijker zou maken. Nadat er een volle minuut was verstreken besefte Will dat niets ooit gemakkelijk zou gaan bij deze man. 'Wat zei Darla toen u haar met de feiten confronteerde?'

'Ze zei dat ze gechanteerd werd.'

'Met dat medicijnenonderzoek?'

'Haar bedrog betrof niet alleen die twee jongelui. Het waren er veel meer. Ze had een systeem ontwikkeld: ze schreef ze dubbel in zodat het leek alsof er meer jonge mensen aan het onderzoek deelnamen, en als het geld binnenkwam zouden ze de buit verdelen.'

'Chanteerden ze haar allemaal?'

'Alleen Jason en Allison.'

'Heeft ze u hun namen gegeven?'

'Nee.'

Will keek hem aandachtig aan om erachter te komen of hij loog. Het was een oefening in zinloosheid. 'Wat heeft Darla u over de afpersers verteld?'

'Ze dacht dat ze hen kon afkopen, dat ze haar dan met rust zouden laten. Een van hen studeerde binnenkort af. Als ze ze maar genoeg geld gaf, zouden ze wel weggaan, dacht ze.'

'Hoeveel geld vroeg ze aan u?'

'Tienduizend dollar. Die had ik niet zomaar los in mijn zak zitten. En ook al was dat zo, dan zou ik het niet aan haar hebben gegeven. U weet niet wat het me altijd gekost heeft om haar uit de penarie te helpen. Ik wilde er geen geld meer aan verspillen.'

Het viel Will op dat hij een andere optie niet had overwogen, namelijk zijn dochter arresteren en haar voor haar wandaden laten opsluiten.

'Ze heeft heel hard gewerkt om haar verpleegstersdiploma te halen,' vervolgde Frank. 'Ik had nooit gedacht dat ze...' Hij maakte zijn zin niet af. 'Ik wist het niet.'

'Ze heeft vaker in de problemen gezeten.'

Frank knikte slechts.

'Valse cheques,' zei Will. Darla's vingerafdrukken zaten in de politiedatabank. Ze kwamen overeen met de afdruk op de fles ruitenreiniger die Will en Charlie in de kast in de badkamer van het studentenhuis hadden gevonden. 'Voor die tijd zat ze ook al in de problemen,' raadde Will.

Frank knikte afgemeten. 'Soms werd ik gebeld. Bij wijze

van gunst, collega's onder elkaar. Uit Austin. Little Rock. West Memphis. Ze zorgde voor oude mensen en kon niet van hun geld afblijven. Ze was heel handig. Ze werd nooit betrapt, maar iedereen wist dat zij het had gedaan.'

Uit ervaring wist Will dat er een subtiel verschil bestond tussen weten dat iemand schuldig was en het kunnen bewijzen. Als dochter van een politieman had Darla waarschijnlijk een extra beschermend laagje.

'Ik wist zeker dat Tommy dat meisje vermoord had. Ik wilde alleen niet dat het in verband werd gebracht met Darla.'

'U hebt uw uiterste best gedaan om ervoor te zorgen dat Lena's zaak goed onderbouwd was.'

Frank keek Will aan met zijn waterige ogen en probeerde te raden wat hij wist.

Eigenlijk was Will nergens zeker van. Hij vermoedde dat Frank bewijs had achtergehouden. Hij vermoedde dat Frank had gezorgd dat de centrale in Eaton de audiotape waarop Maxine 911 belde zo lang mogelijk achterhield. Hij vermoedde dat de man het onderzoek had belemmerd, roekeloos, gevaarlijk en onnadenkend had gehandeld, en misschien wel opzettelijk had bijgedragen aan de dood van drie mensen.

Zoals Frank zelf had gesuggereerd: weten was iets anders dan bewijzen.

'Ik heb Lena hier nooit bij willen betrekken,' zei Frank. 'Ze had geen idee wat er allemaal speelde. Dat alles neem ik voor mijn rekening.'

Het zou Will niet verbazen als Lena hetzelfde over Frank zei. De band tussen die twee zou hij nooit snappen, al werd hij honderd. 'Wanneer ontdekte u dat Darla erbij betrokken was?'

'Toen Lena...' Hij begon weer te hoesten. Deze keer kwam er zoveel bloed mee dat hij het in een zakdoek moest uitspugen. 'Jezus,' kreunde Frank terwijl hij zijn mond afveegde. 'Neem me niet kwalijk.'

Het kostte Will moeite om zijn maag in bedwang te houden. 'Wanneer ontdekte u het?'

'Toen Lena vertelde dat er nog een student op dezelfde wijze was vermoord...' Weer haperde zijn stem. 'Ik kon er niet bij dat Darla het gedaan had. Dat begrijp je pas wanneer je zelf kinderen hebt. Ze was mijn baby. Ik heb 's nachts met haar op de arm door het huis gelopen. Ik heb haar zien opgroeien van klein meisje tot...' Frank maakte zijn zin niet af; het was duidelijk wat er van Darla geworden was.

'Wanneer hebt u haar voor het laatst gezien?'

'Gisteravond.' Hij wachtte niet tot Will de voor de hand liggende vraag stelde, maar zei uit eigen beweging: 'We kregen ruzie. Ze zei dat ze de stad uit moest. Ze wilde meer geld.'

'Hebt u haar dat gegeven?'

Hij schudde zijn hoofd. 'Maxine had nog een paar honderd dollar in haar tas. Ze kregen ruzie. Het ging er heftig aan toe.' Hij wees naar de zuurstoffles en de stangen om zijn bed. 'Tegen de tijd dat ik mijn bed uit was, had ze Maxie tegen de grond gewerkt en sloeg ze erop los.' Frank perste zijn dunne lippen opeen. 'Ik heb nooit gedacht dat ik dat nog eens zou meemaken: een kind dat haar eigen moeder te lijf gaat. Mijn kind. Zo heb ik haar niet opgevoed. Dat was mijn kind niet.'

'Wat gebeurde er toen?'

'Ze stal het geld en haalde ook nog wat uit mijn portefeuille. Zo'n vijftig dollar.'

'We hebben bijna driehonderd dollar op haar lichaam aangetroffen.'

Hij knikte, alsof hij dat bericht al verwacht had. 'Vanochtend heeft Brock me gebeld. Hij zei dat ze stroomafwaarts van die rotspartij uit het water is gehaald.' Hij keek Will aan alsof hij het nog niet helemaal geloofde.

'Dat klopt. Het was in de buurt van de hogeschool.'

'Hij zei dat ik niet meteen moest komen. Hij had tijd

nodig om haar op te knappen.' Franks adem stokte. 'Hoe vaak heb je dat wel niet tegen ouders gezegd die hun kind wilden zien, omdat je wist dat dat kind helemaal naar de sodemieter was geslagen of gestoken?'

'Vaak,' beaamde Will. 'Maar Brock heeft gelijk. Zo wilt u niet aan haar terugdenken.'

Frank staarde naar het plafond. 'Ik wil geloof ik helemaal niet meer aan haar terugdenken.'

Will liet zijn woorden even bezinken. 'Is er verder nog iets wat u me wilt vertellen?'

Frank schudde zijn hoofd en weer wist Will niet of hij hem kon vertrouwen. De man was ruim dertig jaar rechercheur geweest. Het was onmogelijk dat hij geen vermoeden had gehad dat zijn dochter bij deze misdaden betrokken was. Ook al wilde Frank het niet hardop zeggen, hij wist donders goed dat hij door niet op te treden medeschuldig was aan de dood van Tommy Braham en Jason Howell.

Of misschien wist hij het niet. Misschien was Frank een meester in zelfbedrog en was hij ervan overtuigd dat hij correct te werk was gegaan.

'U moet rusten, dus ik ga maar weer,' zei Will.

Frank had zijn ogen dicht, maar hij sliep niet. 'Ik ging vroeger met haar jagen,' fluisterde hij hees. 'Alleen dan konden we goed met elkaar overweg.' Hij opende zijn ogen en richtte ze op het plafond. Het enige geluid in de kamer was het zachte gesis van de zuurstoffles naast zijn bed. 'Ik heb haar geleerd nooit op het hart te mikken. Daar zitten allemaal ribben en botten omheen. De kogel ketst af. En dan loop je kilometers lang achter zo'n hert aan te sjouwen tot het doodgaat.' Hij legde zijn hand op de zijkant van zijn hals. 'Je probeert de hals te raken. Je snijdt de toevoer naar het hart af.' Hij wreef over de slappe huid. 'Dat is een schone dood. De meest humane.'

Will was op de plekken geweest waar de moorden hadden plaatsgevonden. Er was niets humaans geweest aan de dood van Allison Spooner en Jason Howell. Ze waren doodsbang geweest. Ze waren afgeslacht.

'Ik ga dood,' zei Frank. Zijn woorden kwamen niet als een verrassing. 'Een paar maanden geleden is er kanker bij me ontdekt.' Hij likte over zijn gebarsten lippen. 'Maxine zei dat ze voor me zou zorgen als ik mijn pensioen op haar overdroeg.' Zijn adem stokte in zijn borst. Hij liet een geforceerd lachje horen. 'Ik heb altijd gedacht dat ik alleen zou sterven.'

Will voelde een overweldigend verdriet bij die woorden. Frank Wallace zou inderdaad alleen sterven. Misschien waren er anderen bij aanwezig – zijn verbitterde ex-vrouw, een paar collega's die hem blindelings trouw waren gebleven – maar mannen als Frank waren voorbestemd om op dezelfde manier te sterven als waarop ze hadden geleefd: met iedereen op een armlengte afstand.

Will wist dit omdat hij zijn eigen leven en dood vaak door een zelfde lens bekeek. Hij had geen enkele jeugdvriend met wie hij nog contact onderhield. Hij had geen familieleden op wie hij kon terugvallen. Faith had nu haar baby. Uiteindelijk zou ze wel een man vinden bij wie ze het uithield. Misschien kreeg ze nog een kind. Waarschijnlijk nam ze een kantoorbaan, dat gaf minder stress. Will zou als het kerende tij uit haar leven verdwijnen.

Dan bleef alleen Angie over, en Will koesterde niet veel hoop dat ze hem tot troost zou zijn op zijn oude dag. Ze hield van het snelle, harde leven en gaf blijk van dezelfde roekeloze onverschilligheid waardoor haar moeder nu al zevenenentwintig jaar op de coma-afdeling van het staatsziekenhuis lag. Het huwelijk had hen alleen maar verder uiteengedreven. Will was er altijd van uitgegaan dat hij Angie zou overleven, dat hij op een dag eenzaam bij haar graf zou staan. Dat beeld vervulde hem met verdriet vermengd met een zweem van opluchting. Ergens hield hij meer van Angie dan van het leven zelf. Maar tegelijkertijd beschouwde hij haar als een doos van Pandora die zijn donkerste geheimen bevatte. Als ze stierf, zou ze een deel van dat donkere met zich meenemen.

Maar ze zou ook een deel van zijn leven meenemen.

'Kan ik nog iets voor u halen?' vroeg Will.

Frank begon weer droog en schrapend te hoesten. 'Nee,' zei hij. 'Laat me maar.'

'Het beste.' Will raakte nog even Franks schouder aan voor hij de kamer verliet.

Toen Will de oprit van de Lintons op reed, was Sara met de honden in de voortuin. De zijkant van haar gezicht was gekneusd. De snee in haar arm had gehecht moeten worden. Haar haar hing los op haar schouders.

Ze was beeldschoon.

De honden renden op hem af om hem te begroeten toen hij uitstapte. Sara had ze allebei een zwart fleecedekje aangetrokken tegen de kou. Will aaide de dolblije dieren, waarbij hij moest oppassen dat hij niet achterovertuimelde.

Zodra Sara met haar tong klakte lieten ze hem met rust. 'Ik neem aan dat Frank je niet echt verder heeft geholpen,' zei ze.

Will schudde zijn hoofd en hij kreeg een brok in zijn keel. Hij was er altijd heel goed in geweest om zijn gedachten te verbergen, maar op de een of andere manier had Sara de code gekraakt. 'Ik ben bang dat hij het niet lang meer maakt.'

'Dat heb ik gehoord.' Kennelijk had ze tegenstrijdige gevoelens over de naderende dood van een oude familievriend. 'Ik vind het erg dat hij zo ziek is, maar ik weet niet wat ik na dit alles van hem moet denken.'

'Misschien had hij het kunnen voorkomen, in elk geval wat Jason betrof. Aan de andere kant zijn mensen vaak blind voor wat ze niet willen zien.'

'Ontkenning is nog nooit een goed excuus geweest. Darla had me kunnen vermoorden. Als die oever het niet had begeven, hád ze me ook vermoord.'

Will keek niet op, want hij wilde niet dat Sara zag wat hij dacht. In plaats daarvan boog hij zich voorover en krabde achter Bobs oor. 'De ex van Frank is bij hem. Dan sterft hij tenminste niet alleen.'

'Schrale troost.'

'Het is in elk geval wat,' vond hij. 'Sommige mensen hebben zelfs dat niet. Sommige mensen gaan gewoon...' Will zweeg voor hij in een snotterend kind veranderde. 'Hoe dan ook, ik denk niet dat ik er ooit echt achter kom wat er deze week is gebeurd.'

'Is dat nodig?'

'Waarschijnlijk niet. We krijgen Tommy er niet mee terug, maar zijn naam is gezuiverd. Darla kan niemand meer iets aandoen. Frank zit in zijn eigen gevangenis opgesloten.'

'En voor Lena loopt het weer met een sisser af.'

Ze klonk minder bitter dan eerst. 'Dat zullen we nog wel zien.'

Sara lachte. 'Wedden?'

Will probeerde iets slims te bedenken als inzet, bijvoorbeeld dat hij haar mee uit eten zou nemen als ze terug waren in Atlanta, maar hij was niet snel genoeg.

'Brock heeft vanochtend gebeld,' zei ze. 'Hij heeft de sleutel van Lena's Toyota in Darla's borstzak gevonden. Ze zal wel van plan zijn geweest om met Lena's auto te vluchten.'

Hij dacht aan de doorgesneden banden van de Celica. Iemand op het politiebureau had Lena een afscheidscadeau gegeven. 'Darla heeft jou waarschijnlijk uit je auto zien stappen en toen voor een iets chiquer vervoermiddel gekozen.' Will had altijd geweten dat hun moordenaar goed kon improviseren. 'Heeft Hare nog verteld waarom hij heeft gekeken of Tommy's naam in de dossiers stond?'

'Hij had Tommy een paar keer in de kliniek gezien. Het komt vaker voor dat jongelui van die leeftijd hun kinderarts nog bezoeken, maar Tommy kwam wel erg vaak, minstens één keer per week. Na zijn zelfmoord werd Hare nieuwsgierig en dook in de papieren op zoek naar Tommy's naam.' Sara gaf een ruk aan Billy's riem toen de hond tegen de zijkant van Wills auto wilde plassen. 'Hij bevestigde wat Darla heeft verteld. Hij was van plan de schending van het protocol aan de ethische commissie voor te leggen.'

'Dat is toch goed? Hij heeft correct gehandeld.'

'Dat is zo, maar hij stopt niet met die onderzoeken.' Ze lachte smalend. 'Correctie: hij doet geen onderzoek meer vanuit mijn gebouw, maar hij gaat er wel mee door.'

'Heb je nog gevraagd wat hij testte?'

'Een antidepressivum. Volgend voorjaar proberen ze het opnieuw, maar dan met een andere dosering.'

'Je meent het.'

'Er gaan miljarden in om. Een op de tien Amerikanen is aan de antidepressiva, ook al heeft placebo-onderzoek aangetoond dat veel mensen er helemaal niks aan hebben.' Ze knikte in de richting van het huis. 'Hare zit binnen; daarom loop ik al twee uur met de honden in de kou rond te sjouwen.'

'Zijn je ouders dan niet kwaad op hem?'

Ze slaakte een diepe zucht. 'Mijn moeder vergeeft hem werkelijk alles.'

'Zo gaat dat in families.'

Kennelijk dacht ze over zijn woorden na. 'Ja, zo gaat dat.'

'Ik heb Faith vanochtend gesproken.' Ze had zoveel babyfoto's opgestuurd dat het geheugen van Wills mobiel bijna vol was. 'Ik heb haar nog nooit zo gelukkig meegemaakt. Raar, hoor.'

'Je verandert als je een kind krijgt,' zei Sara. 'Uiteraard weet ik dat niet uit eigen ervaring, maar ik zie het bij mijn zus.'

Bob leunde tegen zijn been en Will krabbelde hem weer. 'Ik zal wel...'

'Ik ben ooit verkracht.'

Will wist niet wat hij moest zeggen.

'Tijdens mijn studie,' vervolgde ze. 'Daarom kan ik geen kinderen krijgen.' Nu zag hij pas hoe groen haar ogen waren, bijna als smaragd. 'Ik heb er jaren over gedaan om het aan mijn man te vertellen. Ik schaamde me. Ik dacht dat ik het achter me had gelaten. Dat ik sterk genoeg was om eroverheen te komen.'

'Ik denk niet dat er iemand is die beweert dat jij niet sterk bent.'

'Hm. Ik heb ook slechte dagen.' Ze liet Billy's lijn vieren toen hij aan de brievenbus wilde snuffelen. Ze keken allebei naar de hond alsof die boeiender was dan de werkelijkheid rechtvaardigde.

Will kuchte. Hij voelde zich buitengewoon opgelaten. Bovendien was het koud, en hij had niet de indruk dat Sara de hele dag voor het huis van haar ouders wilde staan wachten tot hij iets diepzinnigs had bedacht. 'Ik ga maar eens pakken.'

'Waarom?'

'Tja...' Will stond met zijn mond vol tanden en voelde zich pijnlijk dom. 'Thanksgiving. Je familie. Je wilt vast graag bij hen zijn.'

'Mijn moeder heeft voor wel vijftig man gekookt. Ze overleeft het niet als je niet blijft.'

Hij wist niet of ze het meende of alleen beleefd wilde zijn. 'Mijn voortuin is een puinhoop.'

'Ik help je wel als we terug zijn in Atlanta. Dan leer ik je hoe je een graafmachine moet bedienen,' zei ze met een ondeugende glimlach.

'Ik wil me niet opdringen.'

'Will, dat is niet opdringen.' Ze pakte zijn hand. Hij sloeg zijn blik neer en streek met zijn duim over haar vingers. Ze had een zachte huid. Hij ving een vleugje van haar zeep op. Hij werd helemaal warm vanbinnen nu hij zo dicht bij haar stond, alsof die lege plek in zijn ziel misschien ooit zou worden gevuld. Hij deed zijn mond al open om te zeggen dat hij wilde blijven, dat hij niets liever wilde dan nog eens tweeduizend vragen van haar moeder op zich afgevuurd te krijgen en het plagerige lachje van haar zus te zien terwijl ze hen beurtelings aankeek.

Op dat moment begon zijn mobiel te piepen in zijn zak.

Sara trok haar neus op. 'Wat zou dat nou zijn?'

'Waarschijnlijk de zoveelste babyfoto van Faith.'

Weer schonk ze hem die flirterige glimlach. 'Laat eens zien.'

Will kon Sara niets weigeren. Met zijn vrije hand haalde hij zijn telefoon tevoorschijn. Hij had Emma Lee Mitchell nu vanuit elke denkbare hoek gezien, en hij was ervan overtuigd dat ze een lieve baby was, maar ze zag eruit als een boze, rode rozijn met een gebreid roze mutsje op.

Sara klapte de mobiel open. Haar glimlach vervaagde. 'Het is een sms.' Ze liet hem het schermpje zien, maar besefte meteen haar vergissing. Ze draaide het weer naar zich toe en las hardop: '"Deidre eindelijk gestorven. Kom thuis."'

Will voelde een steek van verdriet. 'De moeder van Angie.' Hij keek naar haar hand, waarmee ze die van hem nog steeds vasthield.

'Wat erg.'

Sinds zijn zestiende had Will niet meer gehuild, maar nu dreigden de tranen te komen. Met moeite zei hij: 'Ze ligt al sinds we klein waren aan de beademing. Ze zal eindelijk wel...' Zijn keel zat zo dichtgesnoerd dat hij amper kon slikken. Angie beweerde dat ze haar moeder haatte, maar de afgelopen twintig jaar had ze haar minstens één keer per maand opgezocht. Will had haar vaak vergezeld. Het was altijd een akelige, hartverscheurende ervaring. Hoe vaak had hij niet een snikkende Angie in zijn armen gehouden? Het waren de enige keren dat ze zich liet gaan. De enige keren dat ze zich aan Will overgaf.

Opeens begreep hij de woorden van Lionel Harris over de kracht van een gedeelde geschiedenis.

'Sara...'

Ze kneep in zijn hand. 'Je moet naar huis.'

Will zocht vergeefs naar de juiste woorden. Hij werd verscheurd door zijn verlangen om bij Sara te blijven en zijn behoefte om bij Angie te zijn.

Sara kwam iets dichterbij en drukte haar lippen op zijn wang. De wind blies haar haar om zijn gezicht. Ze bracht haar mond naar zijn oor en zei: 'Ga naar je vrouw.'

En dat deed hij.

DRIE WEKEN LATER

Epiloog

Lena stond op de begraafplaats en keek neer op Jeffrey Tollivers grafsteen. Eigenlijk was het stom om bloemen op een leeg graf te leggen, maar wat er in die kist lag was tastbaarder dan een pot met as. Brad had een schietschijf van zijn eerste kwalificatieronde op de politieacademie afgestaan. Frank had er zijn bonnenboekje in gelegd, want Jeffrey was altijd kwaad op hem geweest omdat hij zijn rapporten te laat inleverde. Lena had haar gouden penning gegeven. De penning die ze tot drie weken geleden had gedragen, was een duplicaat. Dan Brock had hem samen met de andere voorwerpen in de kist gelegd omdat ze allebei wisten dat ze dat zelf niet kon.

Alle winkels aan Main Street waren gesloten geweest op de dag dat Jeffreys kist in de aarde was neergelaten. Jared was er niet bij geweest. Hij wist al jaren dat hij sprekend op Jeffrey leek, en hij wilde de rouwenden niet in verwarring brengen. Zoveel pijn wilde hij Sara niet aandoen.

Wel wilde hij in de stad zijn. Hij wilde dicht bij zijn vader zijn, de plaats zien waar Jeffrey had gewoond en liefgehad. Hij had Lena buiten bij het eetcafé ontmoet. Ze zat op de stoeprand na te denken over alles wat ze was kwijtgeraakt. Eerst had ze gedacht dat Jared Jeffrey was. Natuurlijk had ze dat gedacht. Hij was meer dan zijn evenbeeld. Hij was zijn wandelende schim.

Misschien voelde Lena zich voor een deel tot hem aangetrokken vanwege de gelijkenis. Ze had Jeffrey te zeer aanbeden om ooit romantische gevoelens voor hem te koesteren. Hij was haar mentor. Hij was haar held. Ze wilde een even goede rechercheur worden als hij. Een even goed mens. Pas toen hij er niet meer was, had ze beseft dat hij gewoon een man was.

'Waarom ben je niet bij de begrafenis?' had Jared gevraagd.

'Omdat ik degene ben die je vader heeft vermoord,' had ze gezegd.

Twee uur lang had Jared geluisterd terwijl Lena haar hart uitstortte, en daarna had hij nog eens twee uur lang op haar ingepraat om haar ervan te overtuigen dat het niet haar schuld was. Hij barstte van de jeugdige hartstocht en liet zich niet van zijn razendsnel gevormde meningen afbrengen. Hij had zich kort daarvoor aangemeld voor de politieacademie. Hij had de gruwelen van de wereld nog niet gezien. Hij had nog niet ontdekt dat er zoiets bestond als een mens die niet meer te redden was.

Was ze zelf ook niet meer te redden? Lena weigerde zo over zichzelf te denken. Ze ging een nieuw leven beginnen. Ze kreeg een schone lei waarop ze de rest van haar leven kon invullen. De politiecommissie had Lena vrijgesproken van schuld aan de zelfmoord van Tommy Braham. Het rapport van Will Trent stond bol van de veronderstellingen, maar ging mank aan bewijzen, vooral omdat Lena nooit die bekentenis had opgenomen. Gordon Braham verhuisde naar Florida om dichter bij de familie van zijn vrouw te zijn. Hij had samen met de moeder van Jason Howell een proces aangespannen tegen Hareton Earnshaw en het farmaceutische bedrijf dat het onderzoek had bekostigd. In ruil voor een onbekend bedrag had hij een document ondertekend waarin hij het politiekorps van Grant County vrijwaarde tegen aansprakelijkheid.

Lena had twee operaties ondergaan en ze had een week in het ziekenhuis moeten blijven, maar gezien de hel die ze had doorstaan in haar strijd tegen een vervelende stafylo-

kokkeninfectie was de schade aan haar hand verbazing-
wekkend beperkt gebleven. Door therapie kreeg ze weer
beweging in haar vingers. Bovendien was ze rechtshandig.
Met haar linkerhand hoefde ze alleen haar penning omhoog te houden als ze iemand arresteerde. En reken maar
dat ze binnenkort weer arrestaties ging verrichten. Twee
dagen terug had Gavin Wayne haar gebeld met de mededeling dat de vacature bij het korps van Macon nog openstond. Zonder er een seconde over na te denken had Lena
ja gezegd.

Ze was een politievrouw. In hart en nieren. Haar moed
was op de proef gesteld. Haar vastberadenheid was aan het
wankelen gebracht. Maar ze wist zonder enige twijfel dat
er op de hele wereld niets was wat ze liever deed.

Ze bukte zich en legde de bloemen op Jeffreys graf. Ook
hij was een echte politieman geweest. Van een ander kali-
ber dan Lena, maar verschillende paden konden naar hetzelfde doel leiden. Jeffrey zou dat begrijpen. Hij had haar
altijd het voordeel van de twijfel gegund.

Lena keek naar de rij grafstenen aan de rand van de begraafplaats. Ze had al bloemen op de steen van haar zus
gelegd. Frank Wallace had nog geen steen, maar voor hem
had ze margrieten meegenomen omdat ze wist dat hij
daarvan hield. Hij had haar wat geld nagelaten. Niet veel,
maar nu had Lena haar huis met verlies kunnen verkopen
en toch haar hypotheek kunnen afbetalen. De rest had ze
aan een stichting geschonken die zich ten doel stelde politiemensen te helpen die met de wet in aanvaring waren
gekomen. Ergens wist ze dat Frank dat zou goedkeuren.

Niet dat ze nog langer van zijn goedkeuring afhankelijk
was. Lena had er genoeg van om zich zorgen te maken over
wat anderen van haar dachten. Nu ze zich op haar nieuwe
leven ging richten, mocht ze niet langer terugkijken. Het
enige wat ze uit Grant County meenam waren haar kleren
en haar geliefde, en van beide wist ze dat ze er niet zonder
kon.

'Ben je zover?' Jared zat in zijn pick-up. Hij leunde opzij en duwde het portier voor haar open.

Lena schoof naar hem toe en hij sloeg zijn arm om haar heen. 'Komt het nog goed tussen Sara en jou?' Die ochtend had hij koffie met haar gedronken en Lena had begrepen dat het stroef was verlopen.

'Maak je maar geen zorgen.' Met een strak gezicht trok Jared op en reed weg. Hij kwam niet graag met slecht nieuws. 'Tante Sara trekt wel bij.'

'Ik zou er geen gif op innemen.'

Hij drukte een kus op haar hoofd. 'Ze kent je gewoon niet.'

'Nee, ze kent me inderdaad niet.'

Hij stak zijn hand uit naar de radio en zette die aan. Joan Jett zong over haar slechte reputatie. Lena keek in de achteruitkijkspiegel. Ze zag de straat achter haar wegglijden, Grant County dat met elke kilometer kleiner werd. Kon ze maar iets voelen voor die plek: verlies, nostalgie. Maar het enige wat ze ervoer was opluchting omdat ze eindelijk alles achter zich liet.

Wist Sara Linton wie Lena was? Waarschijnlijk beter dan wie ook. Maar dat hoefde Jared niet te weten. Hij hoefde niet te weten hoeveel fouten ze had gemaakt en van hoeveel mensen ze het leven had vernield. In Macon werd alles anders. Dat was haar schone lei. Haar nieuwe start.

Trouwens, Lena had nog nooit een man de waarheid verteld. En dat wilde ze graag zo houden.

Dankbetuiging

Weer gaat mijn dank uit naar dezelfde ouwe getrouwen: Victoria Sanders, Kate Elton en Kate Miciak. Daar wil ik graag de volgende personen aan toevoegen: Gail Rebuck, Susan Sandon, Richard Cable, Margie Seale, Robbert Ammerlaan, Pieter Swinkels, Silvie Kuttny-Walster, Berit Boehm, Per Nasholm, Alysha Farry, Chandler Crawford en Markus Dohle. En natuurlijk Angela Cheng-Caplan, als ze zoveel liefde aankan.

Bedankt, Isabel Glusman, voor je brieven, en Emily Bestler omdat je zo'n geweldig kind hebt grootgebracht. Dokter David Harper heeft me geleerd hoe je iemand om zeep brengt. Alle fouten zijn voor mijn rekening. Trish Hawkins heeft me onmisbaar inzicht verschaft in de problematiek van dyslexie. Debbie Teague, geweldig zoals je me in je ervaringen hebt laten delen; telkens als ik over Will schrijf, denk ik aan je verbluffende geestelijke kracht. Mo Hayder: bedankt voor al je gratis duikonderzoek, uitslover! Andrew Johnston bied ik mijn verontschuldigingen aan voor je-weet-wel-wat, en nee, er wordt niets vergoed. Dat geldt ook voor jou, Miss Kitty.

Ik bedank Beth Tindall van Cincinnati Media voor de gebruikelijke webonzin. Jamey Locastro mag me te allen tijde arresteren. Fiona Farrelly en Ollie Malcolm waren zo vriendelijk me te helpen bij het uitpuzzelen van iets wat betrekking heeft op de plot van dit verhaal en wat ik verder niet benoem voor het geval mensen eerst dit lezen voor ze aan het boek beginnen, wat trouwens niet hoort. Bedankt iedereen die me over dit onderwerp heeft bijgepraat, maar om voor de hand liggende redenen niet genoemd wil worden. David Ralston, voorzitter van het Huis van Afgevaardigden van Georgia: hartelijk bedankt omdat u me aan een aantal fantastische mensen hebt voorgesteld. Vernon Keenan, directeur van het GBI, en John Bankhead, bedankt voor uw tijd. Als ik voortaan weer eens een geweer afschiet, zal ik altijd denken aan onze prachtige dag bij de vrouwengevangenis. Ik hoop dat ik recht heb gedaan aan het werk dat u, uw agenten en het verdere personeel van het GBI voor onze mooie staat Georgia verrichten. Mijn bijzondere dank gaat uit naar Jacky en Mascha Mattioli-Gasseling, de winnaars van mijn bedenk-een-Nederland-se-woordgrap-wedstrijd.

Mijn vader heeft soep en maisbrood voor me gemaakt in zware tijden, en misschien heb ik die soms een beetje aangedikt vanwege het maisbrood en de soep, waar ik – heb ik dat al verteld? – waarschijnlijk nog meer van nodig heb. D.A. heeft zich tijdens het hele proces buitengewoon standvastig betoond. Zoals altijd ben je mijn hart.

Mijn lezers: jullie zijn geweldig. Wil je meer over het onderwerp lezen, probeer dan de *GPZ Anthology*, kijk in het meinummer uit 2007 van *Wired magazine* of, als je echt wilt schrikken, googel eens op Jessie Gelsinger. En als je iets buitenissigs zoekt, dan is gpgp.net een interessante site. En als jullie dan toch online zijn, kom even langs op Facebook of op mijn website: karinslaughter.com. Ik vind het heerlijk om brieven te krijgen, maar vergeet niet dat dit fictie is.